循環器	1
呼吸器	2
消化器	3
腎臓	4
血液・腫瘍	5
感染症	6
内分泌	7
膠原病・リウマチ	8
神経	9
コンサルテーション	10
付録	11
画像	P
略語	A
索引	I

日本語版監修者のことば

　もう随分前になってしまったが，本書の原典『Pocket Medicine』初版（2000年版）を手に取った瞬間，私は，医学部卒業直後の聖路加国際病院での4年間（1976〜1980年），ボストンのCambridge Hospitalでの3年間（1981〜1984年）をまざまざと思い出した。それぞれの病院で内科研修医・医員，あるいはクリニカルフェローとして，まさに臨床にまみれていた頃，日々遭遇する診療上の疑問点とそれらに対する回答をメモした小さなファイルを胸ポケットに入れて携帯していたからである。当時，米国のレジデントやクリニカルフェローは皆独自に，さまざまな疾患の診断基準や診療上の注意事項などを縮小コピーにしたり，手書きのメモを書きつけたりした小さなファイルないし手帳を持ち歩いていたものである。

　『Pocket Medicine』は，世界でもっとも有名な病院の一つである米国ボストンのMGH（Massachusetts General Hospital）の内科病棟で診療に従事する医師たちの視点から，臨床上有用な情報をまとめたものである。内科臨床に係る膨大な情報の中から，EBM（evidence-based medicine）実践の観点から有用と思われる情報が厳選され，見事な簡潔さで，しかも探しやすいフォーマットにまとめられている。

　今版（日本語版第3版）は，原書の2020年版（第7版）の翻訳である。最近の大きな変化・発展を反映して，急性冠症候群の新たな診断アルゴリズムと薬物療法，経カテーテル大動脈弁置換術（TAVR）の最新のデータ，高血圧の分類と治療に関する最新のガイドライン，敗血症とショックの最新治療，分子構造に基づく悪性腫瘍の分類と免疫療法などの生物学的治療法，糖尿病と脂質異常症の最新の治療などに大きな改訂が加えられている。

　研修医，専攻医が本書を携帯し，活用するとともに，日々の診療の中で，受け持った患者さんに関して思いついた医学的疑問点，検索しチェックした文献などのメモを付け加えてゆくならば，自分だけの，世界にただ一冊の貴重なレファランスになることであろう。そうすることで，質の高い医療を提供し，医師として大きく成長されることを祈念する。

2021年2月15日
福井次矢
聖路加国際病院 院長

序文

両親MatthewとLee Sabatine, その名を継ぐ孫のMatteoとNatalie,
そして妻Jenniferに愛をこめて.

レジデント, フェロー, そして指導医によるこの『内科ポケットレファランス (Pocket Medicine)』は, 内科入院患者で頻度の高い問題への初期対応と患者管理について, 内科医に必須の情報を可能な限り要約して提供することを目的としている.

これまでの版への絶賛を得て, 我々は内科臨床医にとっての重要な需要の一部を満たすことができたと感じた. この第7版では大幅な改訂を行った. どの項目も徹底的に最新の内容に更新した. とりわけ, 急性冠症候群の最新の診断アルゴリズムと薬物療法, 経カテーテル大動脈弁置換術 (TAVR) の革新的なデータを含め, 高血圧の分類と治療に関する最新のガイドラインを抽出した. 嚢胞性線維症専用のセクションを追加し, 敗血症とショックの治療法について更新した. また, 悪性腫瘍の分子分類とそれに対応する生物学的療法 (免疫療法に関するセクションに含められている) に基づいて, 診療アプローチを改訂し続けている. さらに, 糖尿病治療薬については, 心血管リスクを低下させ, 最新クラスの脂質低下療法をカバーする, パラダイムシフトをもたらすようなデータを取り入れた.

よくある症状の鑑別診断を行って評価を開始するうえで, 内科以外の専門診療科から助言を得ることは有益である. これまでどおり, 質の高い最新の総説と重要な研究は, 印刷にかかる直前のものまでフォローして取り入れてある. 本書のよりいっそうの改善のために, どのような提案も我々は大歓迎である.

この第7版はこれまでの版に携わった多くの貢献者の功績から成り立っている. さらに, Dr. Adam Sperlingを含む追加の指導医たちからの特定のトピックに関するアドバイスに感謝する.

言うまでもなく, 内科学が扱う領域は, どれほど大部の教科書であってもまとめきれないほど広大である. 本書の多くの項目のそれぞれについて, 長大な論文が書かれてきている. 本書は読者がより確実な情報源を参照する時間をもてる前の段階で, 診断と患者管理の出発点を示すものにすぎない. 記載された推奨はもちろん可能な限りエビデンスに基づいているが, 医学とは科学 (サイエンス) であり, かつ技術 (アート) でもある. どのような状況でも常に臨床所見を重視した判断をしなければならない.

Massachusetts General Hospital (MGH) の病棟担当医, フェロー, 指導医のサポートに感謝している. 博識で, ひたむきかつ情熱的なチームと一緒に働けるのは名誉なことであると思っている. 同時に, 私にとってこれまでで最高の経験の1つであるMGHチーフレジデント時代のことをいつも思い出すのである. 優れたクリニカルメンターたち, Hasan Bazari, Larry Friedman, Nesli Basgoz, Eric Isselbacher, Mike Fifer, Roman DeSanctis, 故Charlie McCabe, 故Mort Swartz, 故Peter Yurchakに感謝したい.

アカデミックコーディネーターのMelinda CuerdaとAbby Cangeの協力なしに, 第7版を発行することは不可能であった. 今回の改訂作業の最初から最後まであらゆる段階で, 細部まで目配りをして各員が最高のものになるよう努めてくれた.

最後に, いつも励ましと愛情を注いでくれる両親, そして妻のJennifer Tsengに特に感謝したい. 彼女は外科医であるが, 私にとって最も親しいアドバイザーであり, 親友であり, 生涯の伴侶でもある.

険しくもやりがいのある内科臨床の道で, 本書が読者の役に立つことを願っている.

Marc S. Sabatine, MD, MPH

原著初版刊行によせて

　このたび『内科ポケットレファランス（Pocket Medicine）』を紹介する機会を得て，私はこれ以上なく興奮している．情報が氾濫しているこの時代において，「なぜ，あえてまた病棟マニュアルなのか？」と理屈っぽく問われる人もいるだろう．しかし，大量の情報が何冊もの教科書からすぐに得られようと，それがコンピューターからワンクリックで検索できようとも，それらは，我々のような多忙な病棟担当医が欲しがっている鑑別診断や治療の記載が欠けているのが常である．

　本書の執筆は，病棟担当医と数多くの専門診療科指導医による，まさに共同事業である．このコラボレーションは，病棟担当医が頻繁に遭遇する内科上の問題点に対して，考えに考え抜かれた最初のアプローチを素早く提供するために生まれた．病棟ラウンドで指導医が病棟担当医によく投げかけてくる質問や，患者と医師の最初の出会いから始まる長い長い時間のことを想定したうえで，診断に到達する重要なプロセスと初期治療が記載されている．各アプローチは，EBM型討論を促進させ，患者のワークアップに即結するものである．この実によくまとめられたレファランスによって，どの病棟担当医も，時代に即した形で患者を適切に評価し，診断を裏付けるエビデンスについて考えるよう刺激され，治療介入に見合うだけの成果が得られるはずである．本書が，医学教育と患者ケアにとって新たな選択肢として加えられる価値があることは明らかであろう．

Dennis A. Ausiello, MD
Physician-in-Chief, Massachusetts General Hospital
Jackson Professor of Clinical Medicine, Harvard Medical School

監修・訳者一覧

日本語版監修
福井次矢　聖路加国際病院 院長

訳者
浅野　拓　　聖路加国際病院 循環器内科（1章）
宮田宏太郎　聖路加国際病院 循環器内科（1章）
児玉浩幸　　聖路加国際病院 循環器内科（1章）
蟹江崇芳　　聖路加国際病院 循環器内科（1章）
高岡慶光　　聖路加国際病院 循環器内科（1章）
齊藤　輝　　聖路加国際病院 循環器内科（1章）
鈴木隆宏　　聖路加国際病院 循環器内科（1章）
北村淳史　　聖路加国際病院 呼吸器内科（2章）
岡本武士　　聖路加国際病院 消化器内科（3章）
秋山由里香　聖路加国際病院 一般内科（4章）
小山田亮祐　聖路加国際病院 血液内科（5章）
扇田　信　　聖路加国際病院 腫瘍内科（5章）
松尾貴公　　聖路加国際病院 感染症科（6章）
遅野井雄介　聖路加国際病院 一般内科（7章）
川合聡史　　聖路加国際病院 Immuno-Rheumatology Center（8章）
柳井　敦　　聖路加国際病院 一般内科（9章）
富田詩織　　聖路加国際病院 一般内科（10章，付録，画像，略語）

執筆者

Andrew S. Allegretti, MD, MSc
Director of ICU Nephrology, Attending Physician, Nephrology Division, and Principal Investigator, Kidney Research Center, Massachusetts General Hospital
Instructor of Medicine, Harvard Medical School

Omar Al-Louzi, MD
Neurology Resident, Partners Neurology Residency

Alexander Blair, MD
Internal Medicine Resident, Massachusetts General Hospital

Michael P. Bowley, MD, PhD
Instructor in Neurology, Massachusetts General Hospital
Associate Program Director, Partners Neurology Residency Program

Leeann Brigham Burton, MD
Neurology Resident, Partners Neurology Residency

Sarah J. Carlson
Assistant Professor of Surgery, Boston University of Medicine
Attending Surgeon, Boston Veterans Affairs Healthcare

Alison C. Castle, MD
Internal Medicine Resident, Massachusetts General Hospital

Katherine T. Chen, MD, MPH
Vice-Chair of Ob/Gyn Education, Career Development, and Mentorship
Professor of Obstetrics, Gynecology, and Reproductive Science
Professor of Medical Education
Icahn School of Medicine at Mount Sinai, New York

Caitlin Colling, MD
Internal Medicine Resident, Massachusetts General Hospital

Jean M. Connors, MD
Medical Director, Anticoagulation Management Services
Hematology Division, Brigham and Women's Hospital & Dana-Farber Cancer Institute
Associate Professor of Medicine, Harvard Medical School

Daniel J. DeAngelo, MD, PhD
Chief of the Division of Leukemia, Dana-Farber Cancer Institute
Professor of Medicine, Harvard Medical School

Rachel Frank, MD
Internal Medicine Resident, Massachusetts General Hospital

Robert P. Friday, MD, PhD
Chief, Division of Rheumatology, Newton-Wellesley Hospital
Affiliate Physician, Rheumatology Unit, Massachusetts General Hospital
Instructor in Medicine, Harvard Medical School

Lawrence S. Friedman, MD
The Anton R. Fried, MD, Chair, Department of Medicine, Newton-Wellesley Hospital
Assistant Chief of Medicine, Massachusetts General Hospital
Professor of Medicine, Harvard Medical School
Professor of Medicine, Tufts University School of Medicine

Kristin Galetta, MD
Neurology Resident, Partners Neurology Residency

Kristen Hysell, MD
Infectious Disease Fellow, Massachusetts General Hospital

Tanya E. Keenan, MD, MPH
Hematology-Oncology Fellow, Dana-Farber/Partners CancerCare

Stella K. Kim, MD
Joe M. Green Jr. Professor of Clinical Ophthalmology
Ruiz Department of Ophthalmology and Visual Sciences
Robert Cizik Eye Clinic
University of Texas McGovern School of Medicine

Emily Walsh Lopes, MD
Gastroenterology Fellow, Massachusetts General Hospital

Melissa Lumish, MD
Internal Medicine Resident, Massachusetts General Hospital

Jason Maley, MD
Pulmonary Fellow, Massachusetts General Hospital

Michael Mannstadt, MD
Chief, Endocrine Unit, Massachusetts General Hospital
Associate Professor of Medicine, Harvard Medical School

Arielle Medford, MD
Internal Medicine Resident, Massachusetts General Hospital

Nino Mihatov, MD
Cardiology Fellow, Massachusetts General Hospital

Mazen Nasrallah, MD, MSc
Rheumatology Fellow, Massachusetts General Hospital

Walter J. O'Donnell, MD
Staff Physician, Pulmonary/Critical Care Unit, Massachusetts General Hospital
Assistant Professor of Medicine, Harvard Medical School

Michelle L. O'Donoghue, MD, MPH
Senior Investigator, TIMI Study Group
Associate Physician, Cardiovascular Division, Brigham and Women's Hospital
Affiliate Physician, Cardiology Division, Massachusetts General Hospital
Associate Professor of Medicine, Harvard Medical School

Nilay Patel, MD
Cardiology Fellow, Massachusetts General Hospital

Morgan Prust, MD
Neurology Resident, Massachusetts General Hospital

Stephanie M. Rutledge, MBBCh, BAO, MRCPI
Internal Medicine Resident, Massachusetts General Hospital

David P. Ryan, MD
Clinical Director, Massachusetts General Hospital Cancer Center
Chief of Hematology/Oncology, Massachusetts General Hospital
Professor of Medicine, Harvard Medical School

Marc S. Sabatine, MD, MPH
Chairman, TIMI Study Group
Lewis Dexter, MD, Distinguished Chair in Cardiovascular Medicine, Brigham and Women's Hospital
Affiliate Physician, Cardiology Division, Massachusetts General Hospital
Professor of Medicine, Harvard Medical School

Harish Seethapathy, MBBS
Nephrology Fellow, BWH/MGH Joint Nephrology Fellowship Program

Shilpa Sharma, MD
Internal Medicine Resident, Massachusetts General Hospital

Harshabad Singh, MBBS
Instructor, Gastrointestinal Cancer Treatment Center, Dana-Farber Cancer Institute

Isaac D. Smith, MD
Internal Medicine Resident, Massachusetts General Hospital

Miranda Theodore, MD
Internal Medicine Resident, Massachu-

setts General Hospital

Jennifer F. Tseng, MD, MPH
Utley Professor and Chair, Boston University School of Medicine
Surgeon-in-Chief, Boston Medical Center

Armen Yerevanian, MD
Endocrinology Fellow, Massachusetts General Hospital

Kimon C. Zachary, MD
Assistant Professor of Medicine, Infectious Disease Division, Massachusetts General Hospital

目次

1 循環器

Rachel Frank, Shilpa Sharma, Nino Mihatov, Nilay Patel, Marc S. Sabatine, Michelle L. O'Donoghue

心電図（ECG） ·· 1-1
胸痛 ·· 1-4
冠動脈疾患（CAD）の非侵襲的評価 ····························· 1-6
冠動脈造影/再灌流療法 ·· 1-8
急性冠症候群（ACS） ··· 1-10
肺動脈カテーテル検査と個別化治療 ····························· 1-20
心不全（HF） ··· 1-23
心筋症 ·· 1-28
心臓弁膜症 ·· 1-33
心膜疾患 ··· 1-42
高血圧 ·· 1-46
大動脈瘤 ··· 1-50
急性大動脈症候群 ··· 1-51
不整脈 ·· 1-53
心房細動（AF） ·· 1-58
失神 ··· 1-63
心臓リズム管理装置 ··· 1-66
非心臓手術のための心リスク評価 ······························· 1-69
末梢動脈疾患 ··· 1-71

2 呼吸器

Miranda Theodore, Jason Maley, Walter J. O'Donnell

呼吸困難 ··· 2-1
肺機能検査（PFT） ·· 2-2
喘息 ··· 2-3
アナフィラキシー ··· 2-6
慢性閉塞性肺疾患（COPD） ····································· 2-7
孤立性肺結節 ··· 2-10
喀血 ··· 2-11
気管支拡張症 ··· 2-12
嚢胞性線維症（CF） ··· 2-13
間質性肺疾患（ILD） ··· 2-13
胸水 ··· 2-16
静脈血栓塞栓症（VTE） ·· 2-19
肺高血圧症（PHT） ··· 2-24

呼吸不全 ··· 2-28
人工換気 ··· 2-29
急性呼吸促迫症候群（ARDS）································· 2-34
敗血症とショック ··· 2-36
毒物学 ··· 2-38
肺移植 ··· 2-39

3 消化器

Stephanie M. Rutledge, Emily Walsh Lopes, Lawrence S. Friedman

食道と胃の異常 ··· 3-1
消化管出血（GIB）·· 3-4
下痢 ··· 3-8
運動障害と栄養 ··· 3-12
大腸疾患 ··· 3-14
炎症性腸疾患（IBD）·· 3-16
腸管虚血 ··· 3-19
膵炎 ··· 3-21
肝機能検査値（LFT）異常 ······································ 3-24
肝炎 ··· 3-27
急性肝不全（ALF）·· 3-32
肝硬変 ··· 3-34
肝血管疾患 ··· 3-40
腹水 ··· 3-41
胆道疾患 ··· 3-43

4 腎臓

Alexander Blair, Harish Seethapathy, Andrew S. Allegretti

酸塩基平衡異常 ··· 4-1
ナトリウム（Na）と水の恒常性 ······························ 4-9
カリウム（K）の恒常性 ·· 4-15
腎不全 ··· 4-18
糸球体疾患 ··· 4-26
尿検査 ··· 4-30
尿路結石 ··· 4-33

5 血液・腫瘍

Melissa Lumish, Arielle Medford, Tanya E. Keenan, Harshabad Singh,
Jean M. Connors, Daniel J. DeAngelo, David P. Ryan

貧血 ··· 5-1
止血障害 ··· 5-8

血小板疾患	5-10
凝固障害	5-15
血栓性素因	5-17
白血球の異常	5-18
輸血療法	5-20
骨髄異形成症候群（MDS）	5-22
骨髄増殖性腫瘍（MPN）	5-24
白血病	5-27
悪性リンパ腫	5-31
形質細胞異常	5-37
造血幹細胞移植（HSCT）	5-40
肺癌	5-43
乳癌	5-46
前立腺癌	5-50
大腸癌	5-52
膵癌	5-54
肝細胞癌（HCC）	5-56
オンコロジック・エマージェンシー	5-56
化学療法と免疫療法の副作用	5-59

6 感染症

Alison C. Castle, Kristen Hysell, Kimon C. Zachary

肺炎	6-1
真菌感染症	6-4
免疫不全宿主の感染症	6-6
尿路感染症（UTI）	6-7
骨・軟部組織感染症	6-9
神経系の感染症	6-13
菌血症と感染性心内膜炎	6-18
結核	6-23
HIV/AIDS	6-26
ダニ媒介疾患	6-31
発熱症候群	6-34

7 内分泌

Caitlin Colling, Armen Yerevanian, Michael Mannstadt

下垂体疾患	7-1
甲状腺疾患	7-4
副腎疾患	7-10
カルシウム（Ca）濃度異常	7-15

糖尿病（DM） ··· 7-19
  脂質異常症 ··· 7-24

8　膠原病・リウマチ
Isaac D. Smith, Mazen Nasrallah, Robert P. Friday

  リウマチ性疾患のアプローチ ································ 8-1
  関節リウマチ（RA） ·· 8-4
  成人発症Still病と再発性多発軟骨炎 ························ 8-6
  結晶誘発性関節炎 ··· 8-7
  血清反応陰性脊椎関節炎 ······································ 8-10
  感染性関節炎 / 滑液包炎 ······································ 8-13
  結合組織病 ·· 8-16
  全身性エリテマトーデス（SLE） ···························· 8-22
  血管炎 ·· 8-25
  IgG4関連疾患 ··· 8-31
  クリオグロブリン血症 ·· 8-31
  アミロイドーシス ··· 8-33

9　神経
Omar Al-Louzi, Leeann Brigham Burton, Kristin Galetta, Morgan Prust, Michael P. Bowley

  精神状態の変化 ··· 9-1
  痙攣 ··· 9-4
  アルコール離脱 ··· 9-7
  めまい ·· 9-7
  脳卒中 ·· 9-8
  筋力低下と神経筋疾患 ·· 9-12
  頭痛 ··· 9-16
  背部と脊髄の疾患 ··· 9-17

10　コンサルテーション
Sarah J. Carlson, Jennifer F. Tseng, Katherine T. Chen, Stella K. Kim

  外科的問題 ·· 10-1
  産婦人科的問題 ··· 10-5
  眼科的問題 ·· 10-7

11　付録
  ACLSアルゴリズム ·· 11-1
  ICUで用いられる薬物 ··· 11-4
  抗菌薬 ·· 11-5

公式と早見表 ·· **11-8**

■ 画像
　X線/CT ·· **P-1**
　心エコー ··· **P-9**
　冠動脈造影 ··· **P-13**
　末梢血塗抹標本 ··· **P-13**
　白血病 ··· **P-14**
　尿検査 ··· **P-15**

■ 略語 ··· **A-1**
■ 索引 ··· **I-1**

◎注意

本書に記載した情報に関しては，正確を期し，一般臨床で広く受け入れられている方法を記載するよう注意を払った。しかしながら，著者（監修者，訳者）ならびに出版社は，本書の情報を用いた結果生じたいかなる不都合に対しても責任を負うものではない。本書の内容の特定な状況への適用に関しての責任は，医師各自のうちにある。

著者（監修者，訳者）ならびに出版社は，本書に記載した薬物の選択，用量については，出版時の最新の推奨，および臨床状況に基づいていることを確認するよう努力を払っている。しかし，医学は日進月歩で進んでおり，政府の規制は変わり，薬物療法や薬物反応に関する情報は常に変化している。読者は，薬物の使用にあたっては個々の薬物の添付文書を参照し，適応，用量，付加された注意・警告に関する変化を常に確認することを怠ってはならない。これは，推奨された薬物が新しいものであったり，汎用されるものではない場合に，特に重要である。

第1章
循環器

心電図（ECG）

■アプローチ（系統的アプローチが重要）
- HR（? 頻脈 / 徐脈）と調律（? P波，規則性，PとQRSの関係）
- 間隔（PR，QRS，QT）と軸（? 左軸 / 右軸偏位）
- 心内異常（? 左房 / 右房異常，? LVH/RVH）
- QRST変化（? Q波，V_1〜V_6でのR波増高不良，ST↑/↓，T波変化）

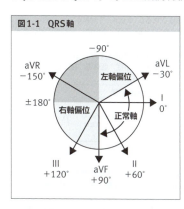

図1-1　QRS軸

■左軸偏位
- 定義：軸<−30°（IIでS>R）
- 原因：LVH，LBBB，下壁梗塞，WPW
- 左脚前枝ブロック：左軸偏位（−45°〜−90°），aVLでqR，QRS<120 ms，左軸偏位のその他の原因（例：下壁梗塞）なし

■右軸偏位
- 定義：軸≧+90°（IでS>R）
- 原因：RVH，肺塞栓症，COPD（通常≦+110°），中隔欠損，側壁梗塞，WPW
- 左脚後枝ブロック：右軸偏位（+90°〜±180°），I・aVLでrS，III・aVFでqR，QRS<120 ms，右軸偏位のその他の原因なし

脚ブロック（BBB）(Circ 2009;119:e235)	
正常	脱分極はまず中隔を左から右へ伝導し（V_1でr，V_6でq；注意：LBBBではみられない），続いて左室優位に左室・右室の自由壁へ伝導（注意：RBBBでは右室脱分極が遅れてみられる）
RBBB	1. QRS≧120 ms（110〜119 ms=心室内伝導遅延，"不完全ブロック"） 2. 右側胸部誘導（V_1，V_2）でrSR'パターン 3. I，V_6で幅の広いS波 4. ±右側胸部誘導でST↓/陰性T波
LBBB	1. QRS≧120 ms（110〜119 ms=心室内伝導遅延，"不完全ブロック"） 2. I，aVL，V_5，V_6で広く不明瞭な単相性R（心肥大があればV_5，V_6で±RS） 3. I，V_5，V_6でQ波なし（aVLで幅の狭いq波の可能性） 4. ST，T波の向きはQRSの主軸と逆方向 5. ±R波増高不良，左軸偏位，下壁誘導でQ波

二束ブロック＝RBBB＋左脚前枝／後枝ブロック；三束ブロック＝二束ブロック＋1度房室ブロック

■ **QT延長** (*NEJM* 2008;358:169, www.torsades.org)
- QTはQRS群の始まりからT波の終わりまでを測定（最長のQTを測定，V_2〜V_3におけるU波は測定しないことが多い）
- QTはHRにより変化 ➡ Bazettの式で補正: $QTc = QT/\sqrt{RR}$（秒）
  この補正式は高度の頻脈では過剰補正，徐脈では過少補正（正常QTc：男性<450 ms，女性<460 ms）
- 高度の頻脈および徐脈ではFridericiaの式を使用する：$QT/\sqrt[3]{RR}$
- QT延長（特に>500 ms）➡ TdPのリスク↑；QTを延長させる薬物を投与する場合はベースライン／連続ECGを記録，QT延長時の投与中止に関するガイドラインは確立していない
- 原因：

  抗不整脈薬：Ia群（プロカインアミド，ジソピラミド），III群（アミオダロン，ソタロール，dofetilide）
  向精神薬：抗精神病薬（フェノチアジン系，ハロペリドール，非定型），リチウム，? SSRI，TCA
  抗菌薬：マクロライド系，キノロン系，アゾール系，ペンタミジン，アタザナビル
  その他の薬物：制吐薬（ドロペリドール，セロトニン拮抗薬），alfuzosin，メサドン，ranolazine
  電解質異常：低Ca（注意：高CaはQTを短縮させる），±低K，? 低Mg
  自律神経障害：頭蓋内出血（深い陰性T波），たこつぼ心筋症，脳卒中，頸動脈内膜切除術，頸部郭清術
  先天性（QT延長症候群）：K，Na，Caチャネル病（*Circ* 2013;127:126）
  その他：CAD，心筋症，徐脈，高度AVB，甲状腺機能低下症，低体温，脚ブロック

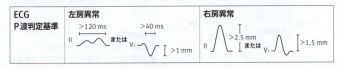

■ **左室肥大 (LVH)** (*Circ* 2009;119:e251)
- 原因：高血圧，大動脈弁狭窄症／閉鎖不全症，肥大型心筋症，大動脈縮窄症
- 診断基準（いずれも感度<50%，特異度>85%；診断能は年齢，性別，人種，BMIにより異なる）

  Sokolow-Lyon基準：V_1のS+V_5/V_6のR≧35 mm，またはaV$_L$でR≧11 mm（感度は肥満で低下）
  Cornell基準：aV$_L$のR+V_3のS>28 mm（男性）または>20 mm（女性）
  Romhilt-Estesスコア：4点=おそらくLVH，5点=明らかなLVH
  振幅↑（以下のいずれか）：肢誘導で最大のRまたはS≧20 mm，またはV_1/V_2でS≧30 mm，またはV_5/V_6でR≧30 mm（3点）
  STの向きがQRSの主軸と逆方向：ジギタリスなし（3点）；ジギタリスあり（1点）
  左房異常（3点）；左軸偏位（2点）；QRS≧90 ms（1点）
  V_5/V_6で近接様効果（QRS群の始まりからRピークまで）≧50 ms（1点）
  左脚前枝ブロックの場合，IIIのS+胸部誘導の最大（R+S）≧30 mm（男性）または≧28 mm（女性）

■ **右室肥大 (RVH)** (*Circ* 2009;119:e251, *JACC* 2014;63:672)
- 原因：肺性心，先天性（Fallot四徴症，大血管転位症，肺動脈弁狭窄症，心房／心室中隔欠損症，僧帽弁狭窄症，三尖弁閉鎖不全症
- 診断基準〔いずれも感度はやや低いが，特異度が高い（COPDの場合を除く）：一般的に低いPPV〕
  V_1でR>SまたはR≧6 mm，V_5でS≧10 mm，V_6でS≧3 mm，aV$_R$でR≧4 mm
  右軸偏位≧+110°（LVH＋右軸偏位，またはV_5/V_6で深いS波 ➡ 両心室肥大を考慮）

■ V₁/V₂誘導の高いR波の鑑別診断
- ●心室異常：RVH（右軸偏位，右房異常，I，V₅，V₆で深いS波）；肥大型心筋症；Duchenne型筋ジストロフィーによるもの
- ●心筋傷害：後壁梗塞（前壁誘導のR波＝後壁誘導のQ波；しばしば下壁梗塞を伴う）
- ●脱分極異常：RBBB（QRS>120 ms，rSR'パターン）；WPW（PR↓，Δ波，QRS↑）
- ●その他：心臓の右方偏位；反時計回り回転；電極の付け間違い；正常範囲内

■ R波増高不良 (*Am Heart J* 2004;148:80)
- ●定義：明らかなQ波を認めない前壁誘導の低電位（V₁～V₃）；V₃でR≦3 mm
- ●考えられる原因（非特異的）：
  陳旧性前壁中隔梗塞（通常，V₃でR≦1.5 mm，±V₂とV₃で持続的ST↑/陰性T波）
  LVH（左側胸部誘導の高電位を伴うR波増高遅延），RVH，COPD（以下を伴うこともあり；右房異常，右軸偏位，肢誘導でQRS振幅≦5 mm，肢誘導でS₁S₂S₃パターンかつR/S比<1）
  LBBB；WPW；心臓の時計方向回転；電極の付け間違い；心筋症；気胸

■ 異常Q波
- ●定義：幅≧30 ms（V₂，V₃では≧20 ms）またはR波高の>25%
- ● I，aV_L，V₅，V₆での小さな（中隔性）q波は正常；III，aV_R，V₁での単独Q波も正常
- ●"偽梗塞"パターンはLBBB，浸潤性心筋症，肥大型心筋症，COPD，気胸，WPWでみられる

■ ST上昇 (*NEJM* 2003;349:2128, *Circ* 2009;119:e241&e262)
- ●**急性心筋梗塞（MI）**：上に凸のST↑（"frown"パターン）±陰性T波（または持続的ST↑を伴う陳旧性梗塞）
- ●**冠動脈攣縮**：Prinzmetal狭心症；低灌流領域を反映する誘導で一過性のST↑
- ●**心膜炎**：広範囲で下に凸のST↑（"smile"パターン）；PR↓；T波は通常直立
- ●**肥大型心筋症，たこつぼ心筋症，心室瘤，心挫傷**
- ●**肺塞栓症**：V₁～V₃で時にST↑；古典的にはV₁～V₄で陰性T波，右軸偏位，RBBB，S₁Q₃T₃
- ●**再分極異常**：
  LBBB（QRS時間↑，QRSと極性不一致のST↑；LBBBにおけるMIの診断に関しては「急性冠症候群（ACS）」の項参照）
  LVH（QRS振幅↑）；Brugada症候群（V₁，V₂でrSR'パターン，下降型ST↑）；ペーシング
  高K血症（QRS時間↑，テント状T波，P波消失）；不整脈原性右室心筋症においてε波（遅延後脱分極）
- ●aV_R：ST↑>1 mmはSTEMIの死亡率↑と関連；ST↑がaV_R>V₁であれば左主幹部病変と関連
- ●**早期再分極**：若年成人，V₂～V₅に多い (*Circ* 2016;133:1520)
  1～4 mm上昇したノッチのピークまたはスラーを伴ったR波下降の開始部（J点）；上下に凸のSTとT波増高（ST↑/T波高比<25%；これらは運動で消失することあり）
  ? 下壁誘導での早期再分極はVFのリスク↑と関連 (*NEJM* 2009;361:2529, *Circ* 2011;124:z2208)

■ ST下降
- ●**心筋虚血**（±T波異常）
- ●**急性後壁心筋梗塞**：V₁～V₃の前壁のST低下として表出される後壁のST上昇（±R波増高）後壁誘導心電図をチェック；迅速な再灌流が必要なSTEMIとして管理（「急性冠症候群（ACS）」の項参照）
- ●ジギタリス効果（下降型ST↓±T波異常，ジギタリス濃度とは相関しない）
- ●低K血症（±U波）
- ●LBBB/LVHに関連した再分極異常（通常はV₅，V₆，I，aV_L）

■ 陰性T波（通常≧1 mm；深いものは≧5 mm）（*Circ* 2009;119:e241）
● 心筋虚血／梗塞，Wellens症候群（胸部誘導で深い対称性の陰性T波）➡ 致死的左前下行枝近位部病変
● 心筋心膜炎，心筋症（たこつぼ心筋症，不整脈原性右室心筋症，心尖部肥大型心筋症）；僧帽弁逸脱症；肺塞栓症（特にV_1～V_4で陰性T波）
● LVH/RVH（"ストレインパターン"）に関連した再分極異常；脚ブロック；QRS優位であれば正常変異
● 頻脈後またはペーシング後（"memory"T波）
● 電解質，ジゴキシン，PaO_2，$PaCO_2$，pH，深部体温の異常，頭蓋内出血（"脳性T波"）

■ 低電位
● QRS振幅（R＋S）がすべての肢誘導で＜5 mm，すべての胸部誘導で＜10 mm
● 原因：COPD，心膜液および胸水，粘液水腫，肥満，アミロイド，びまん性CAD

■ 電解質異常
● **K上昇**：テント状T波，QT短縮，PR延長，AVB，wide QRS，ST上昇；**K低下**：T波平坦化，U波，QT延長
● **Ca上昇**：QT短縮，T波平坦化とP波／J点上昇；**Ca低下**：QT延長；T波増高

■ 若年アスリートのECG（*JACC* 2017;69:805）
● 正常パターンでもLVH，RVH，早期再分極があることも
● 精査すべき所見：不整脈，HR＜30 bpm，QT延長，ε/δ波，LBBB，Brugadaパターン，QRS＞140 ms，PR＞400 ms，Mobitz II，3度AVB，ST低下，陰性T波

胸痛

疾患	典型的特徴と診断的検査
	心臓由来
ACS（救急外来での胸痛の15～25％）	胸骨下圧迫感〔LR（＋）1.3〕➡頸部，顎，腕へ放散〔LR（＋）1.3～1.5〕 鋭い痛み，胸膜痛，体位性の痛み，触診で再現される圧痛はいずれもLR（＋）≦0.35 発汗〔LR（＋）1.4〕，呼吸困難〔LR（＋）1.2〕，労作との関連〔LR（＋）1.5～1.8〕 ≒MIの既往〔LR（＋）2.2〕；NTG/安静で↓〔ただし信頼できる指標ではない〕；*Ann EM* 2005;45:581〕 ±ECG変化：ST↑/↓，陰性T波，Q波；±トロポニン↑
心膜炎，心筋心膜炎	鋭い痛み➡僧帽筋へ放散，呼気で↑，前屈みに座ると↓；±心膜摩擦音，ECG変化（広範囲のST↑とPR↓，aV_Rでは逆）±心膜液；心筋炎であれば上記＋トロポニン↑，±HFの症候とEF↓
大動脈解離	突然発症する，引き裂くような，刺すような強い痛み〔なければLR（－）0.3〕；±血圧の左右差（＞20 mmHg）または脈拍欠損〔LR（＋）5.7〕，局所神経症状〔LR（＋）＞6〕，大動脈弁閉鎖不全症，CXR上の縦隔拡大〔なければLR（－）0.3〕；画像検査で偽腔（*JAMA* 2002;287:2262）
	呼吸器由来
肺炎	胸膜痛；呼吸困難，発熱，咳嗽，喀痰；RR↑，断続性ラ音；CXR上の浸潤影

（次頁につづく）

胸膜炎	鋭い胸膜痛；±胸膜摩擦音
気胸	突然発症する鋭い胸膜痛；共鳴亢進, 呼吸音↓；CXR上の気胸
肺塞栓症（PE）	突然発症する胸膜痛；RRとHR↑, SaO_2↓, 心電図変化（洞頻脈, 右軸偏位, RBBB, $S_1Q_3T_3$, V_1〜V_4で陰性T波, ときにV_1〜V_3でST↑）；CT血管造影（＋）もしくはV/Q不均等±トロポニン↑
肺高血圧症	労作時胸部不快感, 労作時呼吸困難；SaO_2↓, II_P音↑, 右室肥大, 右心性III/IV音
消化器由来	
GERD	胸骨下灼熱感, 酸味感, 胸やけ；食事/臥床で↑；制酸薬で↓；内視鏡検査, 食道内圧測定, pHモニタリング
食道攣縮	胸骨下の強い痛み；嚥下で↑, NTG/CCBで↓；食道内圧測定
Mallory-Weiss症候群	嘔吐により誘発される食道の裂傷±吐血；内視鏡検査
Boerhaave症候群	食道破裂；強い痛み, 嚥下で↑；皮下気腫を触知, 胸部CTで縦隔気腫
PUD	心窩部痛, 制酸薬で軽減；±GIB；内視鏡検査, ±*H. pylori*検査
胆道疾患	右上腹部痛, 悪心/嘔吐；高脂肪食で↑；右上腹部エコー；LFT↑
膵炎	心窩部/背部不快感；アミラーゼ/リパーゼ↑；腹部CT
筋骨格系由来, その他	
肋軟骨炎	限局した鋭い痛み；体動で↑；触診で圧痛再現
帯状疱疹	一側性の強い痛み；皮膚分節に沿った皮疹/感覚異常
不安障害	"胸苦しさ", 呼吸困難, 動悸, その他の身体症状

(*Braunwald's Heart Disease*, 11th ed, 2018, *JAMA* 2015;314:1955)

■ **初期アプローチ**
- **的を絞った病歴聴取**：痛みの性状と程度, 部位と放散；増悪/緩和因子；発症時の痛みの強さ；持続時間, 頻度, パターン；発症時の状況；随伴症状；心疾患の既往/リスク因子
- **的を絞った診察**：バイタルサイン（両腕の血圧を含む）；奔馬調律, 心/肺雑音, 心膜/胸膜摩擦音；血管疾患の徴候（頸動脈/大腿動脈の血管雑音, 拍動↓）, 心不全の症候；肺と腹部の診察；胸壁診察で痛みの再現性を確認
- **12誘導ECG**：10分以内に実施；以前のECGと比較し, 連続ECGを記録；病歴からACSの疑いがあるがECGでは確定的でないとき, またはV_1〜V_3でST↓（前壁虚血vs.後壁STEMI）で治療抵抗性の狭心痛, またはV_1〜V_2のR/S>1があれば, 後壁梗塞の診断に後壁誘導（V_7〜V_9）を考慮
- **CXR**：病歴, 身体所見, 初回の検査結果から必要であれば, その他の画像検査（エコー, PE診断のためのCT血管造影など）
- **トロポニン**：適切な条件では正常値99パーセンタイルを超え, 減少が認められれば急性MIと診断可能（*Circ* 2018;138:e618）
  心筋傷害発生から1〜6時間で検出可能, 24時間で最大値；STEMIでは7〜10日間高値が続く可能性
  来院時, 3〜6時間後に測定；臨床所見もしくはECGが変化した際に繰り返す；？性別により異なったカットオフ値
  高感度トロポニン：来院時, 1時間後に測定；数値および変化量を評価する
- **プラーク破綻**（＝"1型MI"）以外のトロポニン上昇の原因：(1) 冠動脈疾患が原因ではない酸素供給/需要の不均等（＝"2型MI", HR↑↑, ショック, 高血圧クリーゼ, 冠攣縮, 重症大動脈弁狭窄症など）, (2) 非虚血性傷害（心筋炎/中毒性心筋症, カルディオバージョン, 心挫傷）, (3) 多因子性（PE, 敗血症, 重症HF, 腎不全, たこつぼ心筋症, 浸潤性疾患）

- CK-MB：感度/特異度はトロポニンよりやや低い（その他のソース：骨格筋，腸管など）；CK-MB/CK比＞2.5→心原性；限定された使用：？手技関連MIおよび早期再梗塞には高い基準値

早期の非侵襲的画像検査
- ACSの可能性が低く〔例：ECG/トロポニン（−）〕安定している→外来/入院においても非侵襲的もしくは機能検査/画像検査
- 冠動脈CT血管造影は高いNPVと低いPPV；非侵襲的機能検査に比べ，虚血の確定診断までの時間と在院期間↓（*NEJM* 2012;366:1393）；安定した胸痛外来患者において，標準治療に加えられた冠動脈CTは早期の血管造影および血行再建の件数を増やすが，全期間の件数を増やすことはなく，予防治療薬の使用を増加させ，5年における冠動脈死/MIを減少させる（*NEJM* 2018;379:924）
- "triple rule out" CT血管造影は，診断が不確かであった場合にCAD，PE，大動脈解離を除外するために行われる

冠動脈疾患（CAD）の非侵襲的評価

負荷試験（*JACC* 2012;60:1828, *J Nucl Cardiol* 2016;23:606）
- **適応**：閉塞性CADの診断，CAD患者の臨床状態の変化の評価，ACS後のリスク層別化，運動耐容能の評価，虚血領域の同定（画像検査が必要）
- **禁忌**（*Circ* 2002;106:1883, 2012;126:2465）
  絶対禁忌：48時間以内発症の急性MI，高リスクの不安定狭心症，急性PE，症候性の重症大動脈弁狭窄症，コントロール不良のHF/不整脈，心筋心膜炎，急性大動脈解離
  相対禁忌（負荷検査室と相談）：左主幹部CAD，有症候性の中等度弁狭窄症，重症高血圧，肥大型心筋症，高度AVB，高度電解質異常

運動負荷試験（ECGのみ）
- 一般的に十分に運動が可能な患者に対して行われる；ECG変化の感度は約65％，特異度は約80％
- 典型的にはトレッドミルを使用したBruceプロトコール（体力のない患者もしくは発症後早期のMI患者であれば修正Bruceまたは最大下試験）
- CAD診断の目的では狭心症薬（例：硝酸薬/β遮断薬）は中止，薬物の妥当性を評価する場合は継続

薬物負荷試験（注意：ECGでは評価困難であるため画像診断が必要）
- 運動不能または運動耐容能が低い場合，あるいは発症後早期MIの場合に行う；感度/特異度は運動負荷試験とほぼ同等
- 運動負荷では偽陽性画像になる可能性が高いため，LBBB，WPW，心室ペーシングの場合に推奨される
- **冠血管拡張薬**：びまん性血管拡張→心表面（epicardial）血管病変からの相対的"冠動脈盗血現象"；CADと診断できるが，労作による虚血の有無はわからない；regadenoson（副作用↓），ジピリダモール，アデノシン；副作用：ほてり，HR↓，AVB，呼吸苦，気管支痙攣
- **変時/変力作用薬**（ドブタミン）：より生理的な作用が期待できるが，長時間かかる；不整脈を誘発することがある

負荷検査の画像診断
- ECG変化の解釈が困難な場合（心室ペーシング，LBBB，安静時ST↓＞1 mm，ジゴキシン，LVH，WPW），ECGや薬物負荷試験で確定診断できない場合に使用
- 虚血部位の判定のために使用（しばしば血行再建前に使用）

- 安静および負荷**心筋核医学血流イメージング**
  SPECT（例：^{99m}Tc-セスタミビ）：感度約85％，特異度約80％
  PET（^{82}Rb）：感度約90％，特異度約85％；通常は運動ではなく薬物負荷試験で使用
  心電図同期イメージングでは左室機能の部位的評価が可能（虚血/梗塞のサイン）
- **エコー**（運動もしくはドブタミン負荷）：感度約85％，特異度約85％；被曝なし；術者の技術に依存
- 心臓MRI（薬物負荷）：優れた感度/特異度であり，もう1つの選択肢

検査結果
- **HR**〔運動負荷試験で診断するためには，予測最大HR（220－年齢）の≧85％まで達する必要あり〕，**血圧応答，心拍血圧積の最大値**（正常＞2万），HR回復（最大HR－負荷終了1分後のHR；正常＞12）
- **最大運動耐容能**に到達（METsまたは分）；**症状の発生**
- **ECG変化**：QRSから60～80 ms後の下降型/水平型ST↓（≧1 mm）はCADを示唆（しかし虚血領域は同定できない）；ST↑はCADを強く示唆し，領域の同定も可能
- デュークトレッドミルスコア＝運動時間（分）－〔5×最大ST↓（mm）〕－〔4×胸痛指標〕（0：胸痛なし，1：胸痛あり，2：胸痛が運動中止理由）；スコア≧5 ➡ 1年死亡率＜1％，スコアー10～＋4 ➡ 2～3％，スコア≦－11 ➡ ≧5％
- **画像検査**：核医学検査で欠損像，または心エコーで局所的壁運動異常
  可逆性欠損像＝虚血；不可逆性欠損像＝梗塞，一過性虚血性内腔拡大＝？重症3枝疾患
  偽陽性：乳房➡前壁の"欠損像"，横隔膜➡下壁の"欠損像"；偽陰性：3枝病変など心筋全体にわたる虚血（balanced ischemia）でみられる

高リスクの検査結果（3枝病変/左主幹部病変ではPPV約50％，∴冠動脈造影を考慮）
- ECG：ST↓≧2 mm，またはステージ1で≧1 mm，または≧5誘導でみられる，または回復に≧5分；ST↑；VT
- 運動負荷試験：血圧↓または↑せず，運動耐容能＜4 METs，運動時の狭心痛，デュークスコア≦－11；EF↓
- 核医学検査：≧1か所の不可逆性欠損像または≧2か所の中等度可逆性欠損像，一過性の左室拡大，肺野の集積↑

心筋生存性（バイアビリティ）（Circ 2008;117:103, Eur Heart J 2011;31:2984,2011; 32:810）
- 目標：再灌流により機能回復可能な冬眠心筋の同定
- 検査の選択肢：**MRI**（感度約85％，特異度約75％），**PET**（感度約90％，特異度約65％），**ドブタミン負荷心エコー**（感度約80％，特異度約80％），**SPECT/安静時再分布法**（感度約85％，特異度約60％）
  左室機能障害のある患者において，薬物療法にCABGを併用することの優位性は心筋生存性からは予測できない（NEJM 2011;364:1617）

冠動脈造影CT/MRA（NEJM 2008;359:2324, Circ 2010;121:2509, Lancet 2012; 379:453）
- 胸痛患者：冠動脈造影CTはACSに対しては感度100％，特異度54％（NPV 100％，PPV 17％；JACC 2009;53:1642）；機能試験と比較して在院日数↓だが，心臓カテーテル/PCIおよび被曝↑（NEJM 2012;367:299, JACC 2013;61:880）
- 症候性の外来患者：冠動脈造影CTと機能試験の比較➡被曝↑，早期冠動脈造影/PCI↑；5年での冠動脈造影/PCI件数は同等で，心臓死/MI↓（NEJM 2018;379:924）
- 冠動脈CTと違い，MRIはヨード系造影剤と放射線を必要とせず，左室機能も評価可能

冠動脈石灰化（CAC）スコア（NEJM 2012;366:294, JAMA 2012;308:788）
- 石灰化の程度を定量的評価；つまりプラーク量（狭窄度ではない）の推定
- CACはCADの診断に対して感度は高い（91％）が，特異度は低い（49％）；CADの除外において高いNPV

- リスクの層別化において付加的価値を持つ可能性がある（*JAMA* 2004;291:210）
  ACC/AHAガイドラインでは，中等度リスク（10年リスクが7.5～20%）もしくは選択的境界型リスク（10年リスクが5～7.5%）の無症候性患者におけるCAC評価は妥当としている（*Circ* 2019;139:e1082）

冠動脈造影/再灌流療法

■安定/無症状の冠動脈疾患（CAD）患者，およびその他の患者に対する冠動脈造影の適応
- 薬物療法を行ってもCCS重症度分類III～IVの狭心症，狭心症＋収縮不全，または原因不明の低EF
- 負荷試験で高リスク群（関連項目参照），または非侵襲的検査では診断未確定（結果が管理に影響する場合）
- 確定診断が職業上必要（例：パイロット），非侵襲的検査が不可能
- 心停止蘇生後者，多形性VT，持続する単形性VT
- 冠攣縮の疑い；動脈硬化が原因でない虚血（例：冠動脈奇形；冠動脈CT血管造影が望ましい）
- 待機的臓器移植手術の施行前評価（冠動脈CT血管造影が妥当）

■カテーテル検査前のチェック項目と周術期薬物療法
- 末梢動脈の診察（橈骨，大腿，足背，後脛骨動脈の拍動；血管雑音）；✓手掌動脈弓（例：パルスオキシメトリーとプレチスモグラフィー使用）；✓仰臥位が可能，NPO＞6時間
- ✓全血算，PT，Cr；腎機能障害があればACEI/ARBは休薬（「造影剤起因性急性腎障害（CIAKI）」の項参照）；交差適合試験用の採血
- アスピリン325 mg×1回，P2Y$_{12}$阻害薬の投与タイミングは議論中，STEMIには可及的すみやかに；?NSTE-ACSはクロピドグレル（*JAMA* 2012;308:2507）またはチカグレロルであれば前投与，プラスグレルは前投与しない；cangrelor（IV P2Y$_{12}$阻害薬）ではクロピドグレル（前負荷なし）と比較してPCI施行時の虚血イベント↓（*NEJM* 2013;368:1303）；?スタチン前投与（*Circ* 2011;123:1622）

■安定CADに対する再灌流療法（*NEJM* 2016;374:1167, *JACC* 2017;69:2212）
- 安定しており構造的異常およびEF↓がなければ，**至適薬物療法**が第1選択
- **経皮的冠動脈形成術（PCI）**：狭心症↓；運動時間（*Lancet* 2018;391:31）と死亡/MIの改善はなし（*NEJM* 2007;356:1503）；FFR（下記項目参照）≤0.8の1枝病変以上であれば，至適薬物療法と比較して緊急再灌流療法/MI↓（*NEJM* 2018;379:250）
- **CABG**（*NEJM* 2016;374:1954）：以前の研究では，3枝病変，左主幹部病変，左前下行枝近位部の高度狭窄を含む2枝病変で，至適薬物療法と比較して死亡率↓（特にEF↓のある場合）；最近の研究では，EF＜35%の患者で多枝病変であれば，至適薬物療法と比較して心血管死↓（*NEJM* 2016;374:1511）；伏在静脈グラフトと比較して橈動脈はMACE↓，開存率↑（*NEJM* 2018;378:2069）；off-pump CABGはon-pump CABGと比較して完全血行再建↓で，死亡率↑の可能性（*NEJM* 2016;375:2359&377:623）
- 再灌流療法が必要なとき，病変の数が少なく，EF正常，非DM，手術適応のない患者にはPCI；病変が広範/びまん性，EF↓，DM，弁膜症の患者にはCABG；SYNTAXスコアIIは，CABGの恩恵を受ける病変の特定に有用（*Lancet* 2013;381:639）；多枝複雑病変またはDMであれば，CABGで死亡率↓；左主幹部病変ではPCIとCABGは同等だが，再血行再建がPCIで↑（*JAMA Cardiol* 2017;2:1079）

■PCIとPCI周術期
- **カテーテル挿入部位**：橈骨動脈経由では大腿動脈経由と比較して出血/血管合併症↓（?ACSでは死亡↓）（*Circ CV Interv* 2018;11:e000035）
- **心筋血流予備量比（FFR）**：狭窄部の近位と遠位の最大血流比（アデノシンによる）で，血行動態的に有意な狭窄か判定（FFR≤0.8）；瞬時血流予備量比（iFR）もFFRと類似しており，

血管拡張薬が不要で，閾値はiFR≦0.89（*NEJM* 2017;376:1813&1824）
- **経皮的バルーン血管形成術**：弾性反跳のため現在バルーン血管形成術のみはまれ；ステント留置にできない小血管のみに適応
- **ベアメタルステント**：血管形成術単独と比較して再狭窄や再血行再建↓
- **薬剤溶出ステント**：最新の薬剤溶出ステントは，ベアメタルステントと比較して心臓死/MI，再血行再建，ステント血栓症↓（*Lancet* 2019;393:2503）
- 抗血小板療法：安定虚血性心疾患のDAPT（アスピリン81 mg＋P2Y$_{12}$阻害薬）はベアメタルステントでは4週間，薬剤溶出ステントでは6か月以上；ACS（関連項目参照）では12か月（可能であればそれ以上）（*JAMA Cards* 2016;1:627）；DAPTを1か月，その後11か月P2Y$_{12}$阻害薬単剤療法のデータが出てきている（*Lancet* 2018;392:940, *JAMA* 2019;321:2414&2428）
- 長期間の経口抗凝固薬内服が必要であれば，クロピドグレル＋DOAC，? 1週間でアスピリン中止を考慮；出血リスク↓だが，わずかに虚血リスク↑の傾向（*Lancet* 2013;381:1107, *NEJM* 2019;380:1509）

■ PCI施行後の合併症（*NEJM* 2017;377:1513）
- 施行後に✓穿刺部位，末梢血管の拍動，ECG，全血算，Cr
- **出血**：血腫/顕性出血：➡**用手圧迫**，抗凝固薬の拮抗/中止
  後腹膜出血：Hct↓±背部痛として発症することあり；HR↑，遅れて血圧↓；診断：腹部/骨盤部CT（ヨウ素造影剤）；治療：抗凝固薬の拮抗/中止（インターベンション医と相談），必要であれば輸液/赤血球液/血小板輸血
- **血管損傷**（診断的血管造影で約1%，経大腿動脈PCIで約5%；*Circ* 2007;115:2666）
  仮性動脈瘤：三徴として，痛み，膨張性腫瘤，収縮期雑音；診断：エコー；治療（有痛性または＞2 cmの場合）：用手圧迫/エコーガイド下圧迫，トロンビン注入，外科的修復術
  動静脈瘻：持続性血管雑音；診断：エコー；治療：有症候性で大きければ外科的修復術
  下肢虚血（塞栓症，動脈解離，血栓症）：冷たくまだらな色調の四肢，末梢血管の拍動↓；診断：容積脈波記録，血管造影；治療：経皮的/外科的修復術
- **PCI関連MI**：Tn/CK-MBが＞5×基準値上限＋症状またはECG/血管造影上の異常；Q波梗塞は＜1%
- **CIAKI**：造影剤投与後48時間以内に発症，3～5日でピーク；術前輸液が妥当〔「造影剤起因性急性腎障害（CIAKI）」の項参照〕
- **コレステロール塞栓症候群**（通常は中年～高齢者で，大動脈アテロームを有する）：腎不全（晩発性で進行性，±尿中好酸球）；腸間膜虚血（腹痛，LGIB，膵炎）；末梢血管の拍動は触れるが，皮斑出現，足趾壊死
- **ステント血栓症**：PCI施行後数分～数年で，通常は急性MIとして発症；原因は器質的異常（ステント拡張不全や冠動脈解離，通常は早期発症）または抗血小板療法の中止（特にアスピリンとP2Y$_{12}$阻害薬の両者を中止した場合；*JAMA* 2005;293:2126）
- **ステント内再狭窄**：PCI施行後数か月で，通常は次第に増悪する狭心痛として発症（10%はACSとして発症）；弾性反跳と新生内膜過形成の両者による；ベアメタルステントと比較して薬剤溶出ステントで少ない

急性冠症候群（ACS）

ACSの分類			
診断	不安定狭心症	NSTEMI	STEMI
冠動脈閉塞	亜閉塞		完全閉塞
病歴	新規発症/次第に増悪する/安静時の狭心痛；通常は<30分		安静時狭心痛
ECG	±ST↓/陰性T波		ST↑
Tn/CK-MB	(−)	(+)	(++)

■**鑑別診断**（アテローム性プラーク破裂以外の心筋虚血/梗塞の原因）
●**非動脈硬化性CAD**（JACC 2018;72:2231）
　冠攣縮：Prinzmetal狭心症，コカイン誘発性（コカイン使用者の胸痛の6%がMI）
　冠動脈解離：特発性（血管炎，結合組織病，妊娠），大動脈解離の逆行性進展（通常は右冠動脈➡下壁梗塞），機械的（PCI，手術，外傷）
　塞栓（Circ 2015;132:241）：AF，血栓症/粘液腫，心内膜炎，人工弁血栓
　血管炎：川崎病，高安動脈炎，PAN，EGPA，SLE，RA
　先天性：大動脈/肺動脈からの起始異常，心筋架橋（心筋内走行）
●**プラーク破裂を伴わない虚血**（type2 MI）：需要↑（例：HR↑），供給↓（例：低血圧）
●**直接心筋障害**：心筋炎；たこつぼ（ストレス誘発性）心筋症；中毒性心筋症；心挫傷

■**臨床症状**（JAMA 2015;314:1955）
●**典型的な狭心症状**：胸骨後部の圧迫感/痛み/不快感±頚部，顎，腕へ放散；労作で増悪，安静/NTGで緩和；ACSでは新規発症/次第に増悪/安静時
●**随伴症状**：呼吸困難，発汗，悪心/嘔吐，動悸，頭部ふらふら感
●症状がないか非典型的なために当初は気づかれないMIも多い（高齢患者では約20%）
●**非典型的な症状**（悪心/嘔吐，心窩部痛）は女性，高齢，DM，下壁虚血でより多い

■**身体診察**
●**虚血徴候**：IV音，乳頭筋機能不全による新規の僧帽弁閉鎖不全雑音，奇異性II音，発汗
●**心不全の症状**：頚静脈怒張，肺野の断続性ラ音，III音，低血圧，四肢冷感
●**他部位の血管病変による徴候**：血圧の左右非対称，頚動脈/大腿動脈の血管雑音，末梢血管の拍動↓

■**診断的検査**（NEJM 2017;376:2053）
●**ECG**：ST↑/↓，陰性T波，新規LBBB，MI超急性期のT波増高；Q波/R波増高不良は陳旧性梗塞を示唆することがある，∴CAD
　発症から10分以内，症状が増悪した場合，6〜12時間後にECG確認；ベースラインと比較
　LBBBのあるSTEMIの診断：QRSと極性一致のST↑≧1 mm（感度73%，特異度92%），V₁〜V₃でST↓≧1 mm（感度25%，特異度96%），QRSと極性不一致のST↑≧5 mm（感度31%，特異度92%）

MIの局在		
解剖学的部位	ST↑のみられる誘導	責任血管
中隔	$V_1〜V_2 ±aV_R$	左前下行枝近位部
前壁	$V_3〜V_4$	左前下行枝
心尖部	$V_5〜V_6$	左前下行枝遠位部,左回旋枝,右冠動脈
側壁	I, aV_L	左回旋枝
下壁	II, III, $aV_F ±aV_R$	右冠動脈(約85%), 左回旋枝(約15%)
右室	$V_1〜V_2$, V_{4R}(最も高感度)	右冠動脈近位部
後壁	$V_1〜V_3$でST↓(=後壁誘導 $V_7〜V_9$でST↑, 臨床経過で疑わしければ確認)	右冠動脈, 左回旋枝

ECGで診断確定しないが疑い濃厚な場合, 左回旋枝遠位/右冠動脈領域の詳細な評価のために後壁誘導(V_7〜V_9)の追加を考慮;下壁梗塞の患者では, 合併する右室梗塞検出のために右側胸部誘導(V_{4R}のST↑が最も高感度);IIIのST↑>IIのST↑で, I/aV_LではST↑がない場合, 下壁梗塞の責任血管が左回旋枝ではなく右冠動脈であることを示唆;aV_RでのST上昇は, 左主幹部/左前下行枝近位部の閉塞またはびまん性虚血を示唆

- **心筋バイオマーカー**:トロポニンがCK-MBよりも望ましい:発症時と3〜6時間後に測定(?高感度トロポニンがあれば1時間);臨床的に疑わしいが, 心電図が変化するようであれば, 測定を繰り返す;適切な臨床状況で健常人の99パーセンタイルを超える/低下する場合は急性MIと診断(「胸痛」の項参照);CKD患者のトロポニン↑は予後不良の徴候(*NEJM* 2002;346:2047)
- CADの可能性が低ければ, **負荷試験**, **CT血管造影**で除外;TTEで新規局所壁運動異常があればACSを示唆
- 冠動脈造影はCADに対するゴールドスタンダード

■ Prinzmetal(異型)狭心症
- 冠動脈攣縮➡通常はMIを伴わない一過性のST↑(ただしMI, AVB, VTを伴うこともあり)
- 患者は通常は若年者, 喫煙者, ±別の血管攣縮性疾患(例:片頭痛, Raynaud症候群)
- 血管造影:非閉塞性CAD(カテーテル検査中に誘発されうるが, カテーテル検査が行われることはまれ)
- 治療:高用量CCBと硝酸薬(+舌下頓用), ?α遮断薬/スタチン;禁煙;高用量アスピリン(プロスタサイクリンを抑制し攣縮増悪)や非選択的β遮断薬, トリプタンは避ける
- コカイン誘発性血管攣縮:CCB, 硝酸薬, アスピリン;?β遮断薬は避けるが, ラベタロールはおそらく安全

ACSの可能性 (*Circ* 2007;116:e148)			
特徴	高い(以下のいずれか)	中(高の特徴なし, 以下のいずれか)	低(高/中の特徴なし, 以下がある場合も)
病歴	以前の狭心症状に似た胸痛/左腕痛, CAD(MIを含む)の既往	胸痛/左腕痛, >70歳, 男性, DM	非典型的症状(例:胸膜痛/鋭い痛み/体位性の痛み)
身体所見	血圧↓, 発汗, HF, 一過性僧帽弁閉鎖不全症	末梢動脈/脳血管疾患	触診で再現される痛み
ECG	新規ST↓(≧1 mm)複数の誘導で陰性T波	Q波残存, ST↓(0.5〜0.9 mm), 陰性T波(>1 mm)	R波優勢な誘導で平低/陰性T波(<1 mm)
心筋バイオマーカー	Tn/CK-MB(+)	正常	正常

■**トリアージへのアプローチ**
●病歴,初回ECG,トロポニンで診断が確定しない場合,15～30分ごとにECG,1時間後にECGとトロポニン,3～6時間後にバイオマーカーを再検(?高感度トロポニンであれば1時間後)
●再検も正常でACSの可能性が低ければ,胸痛の別の原因を検索
●再検も正常で,MIは除外されているが病歴からACSの疑いが強い場合,負荷試験で誘発される虚血の評価により不安定狭心症を除外する必要あり(またはCT血管造影でCADを除外)
低リスク(≦70歳;CAD,脳血管/末梢動脈疾患の既往なし;安静時狭心痛なし)であれば,72時間以内に外来治療可能(死亡率0%,MI<0.5%;*Ann Emerg Med* 2006;47:427)
低リスクでなければ入院させてACSを想定した治療を開始;負荷試験/カテーテル検査を考慮

急性期抗虚血療法,鎮痛療法	
硝酸薬(舌下,IV) 0.3～0.4 mg舌下,5分ごとに3回まで,症状残存の場合はIVを考慮	症状改善のための使用,高血圧/HFに対して処方,ただし明確な死亡率↓なし 前負荷依存性(例:低血圧,大動脈弁狭窄症,右室梗塞症状)は注意;PDE5阻害薬使用中の場合は禁忌
βしゃ断薬 例:メトプロロール25～50 mg PO 6時間ごと,HR 50～60となるようゆっくり調節 IVはHFなく高血圧の場合のみ	虚血↓,不安定狭心症➡MIへの進行↓(*JAMA* 1988;260:2259) STEMI:不整脈死↓,MI再発↓だが,心原性ショック↑(特に心不全徴候のある場合)(*Lancet* 2005;366:1622) 禁忌:PR時間>0.24秒,HR<60,2度/3度AVB,重症気管支攣縮,心不全/低心拍出,ショックのリスク因子(例:>70歳,HR>110,SBP<120,遅発性STEMI)
CCB(非ジヒドロピリジン系)	気管支攣縮のためβしゃ断薬への忍容性がないとき
モルヒネ	疼痛/不安を改善;静脈拡張作用による前負荷↓;P2Y₁₂阻害薬の抗血小板作用を遅らせる可能性がある;難治性の症状をマスクしない
酸素	呼吸苦の存在またはSaO$_2$>90%を維持するのに必要であれば使用;SaO$_2$≧90%であれば死亡率は変わらない(*NEJM* 2017;377:1240)

■**その他の早期補助療法**
●**高強度スタチン療法**(例:アトルバスタチン80 mg/日;PROVE-IT TIMI 22, *NEJM* 2004;350:1495);虚血イベント↓,数週間以内に効果発現(*JAMA* 2001;285:1711, *JACC* 2005;46:1405);PCI周術期MI↓(*JACC* 2010;56:1099);?造影剤腎症↓(*NEJM* 2019;380:2156)
●**エゼチミブ**:スタチンに追加でCVイベント↓(IMPROVE-IT, *NEJM* 2015;372:1500)
●**ACEI/ARB**:血行動態および腎機能が安定していれば開始
心不全,EF<40%,高血圧,DM,CKDがあればACEI導入を強く推奨;死亡率約10%低下,前壁STEMIやMI既往で最も有効(*Lancet* 1994;343:1115, 1995;345:669)
ARB≒ACEI(*NEJM* 2003;349:20);ACEIに忍容性がない場合に投与
●**IABP**:PCIができない場合に難治性の狭心症で使用される

非ST上昇型急性冠症候群(NSTE-ACS) (*Circ* 2014;130:e344)

中心的な論題:抗血栓療法と侵襲的戦略 vs. 保存的戦略

抗血小板療法	
アスピリン 162～325 mg×1回, その後81 mg qd（腸溶錠ではなくチュアブル錠）	死亡/MI 50～70%↓ (*NEJM* 1988;319:1105) 低用量（約81 mg）は長期間投与 (*NEJM* 2010;363:930) アスピリンアレルギーの場合はクロピドグレルを使用, あるいは減感作
P2Y$_{12}$（ADP受容体）阻害薬（アスピリンに追加して以下からいずれかを選択） 内服のタイミング（発症時/造影時）については議論の余地あり；クロピドグレルのupstream療法のデータあり (*JAMA* 2012;308:2507)；特別な推奨は下記参照	
●**チカグレロル**（クロピドグレルより推奨） 180 mg×1回 ➡ 90 mg bid 受容体との結合は可逆的だが, 手術はチカグレロル中止から3～5日待機；拮抗薬 開発中 (*NEJM* 2019; 380:1825) アスピリン<100 mg qdと併用	クロピドグレルと比較して, より速効性で強力な抗血小板作用 クロピドグレルと比較して, 脳血管疾患/MI/脳卒中16%↓, 心血管死亡21%↓；ただしCABG以外の出血↑ (*NEJM* 2009;361;1045) upstream療法/PCI時に投与 呼吸困難感（しかしSaO$_2$とPFTは正常）や心室休止
●**プラスグレル**（クロピドグレルより推奨） PCI施行時, 60 mg×1回 ➡ 10 mg qd（<60 kgなら5 mg/日を考慮） 手術はプラスグレル中止から最低7日待機	クロピドグレルと比較して, より速効性で強力な抗血小板作用 クロピドグレルと比較して, PCIの計画されたACS例で脳血管疾患/MI/脳卒中19%↓, ただし致死的出血を含む出血↑ (*NEJM* 2007;359:2001) NSTE-ACSではupstream療法は出血を増加させるので, PCI時に投与 (*NEJM* 2013;369:999) TIA/脳血管障害の既往がある場合は禁忌；?>75歳では避ける
●**クロピドグレル**＊ 300～600 mg×1回 ➡ 75 mg qd 定常状態に達するのに約6時間必要	アスピリン+クロピドグレル➡アスピリン単剤と比較して脳血管疾患/MI/脳卒中20%↓ PCI施行の数時間前に投与すると有効性↑ (*JAMA* 2012; 308:2507)、ただしCABGが必要な際はクロピドグレル中止から>5日待機
●**cangrelor** 唯一のIVでのP2Y$_{12}$阻害薬 血中半減期3～5分で, 効果発現・消失がすみやか	PCI時のクロピドグレル300 mg投与と比較して心血管イベント22%↓（特にPCI周術期のMI, ステント血栓症）；有意な出血↑なし (*NEJM* 2013;368:1303) PCI中のすみやかな可逆的P2Y$_{12}$阻害, またはP2Y$_{12}$阻害薬の中止が必要な高リスク患者の手術までの代替に検討
●**GPIIb/IIIa阻害薬（GPI）** abciximab；eptifibatide；tirofiban PCI前24時間以内, PCI後静注投与；短時間投与（2時間以内）が効果的で出血↓ (*JACC* 2009;53:837)	PCI前ルーチンでの使用の有益性は確立されておらず, 出血↑ (*NEJM* 2009;360:2176) 冠動脈造影前に至適薬物療法でも難治性虚血がある場合/高リスク患者（例：巨大血栓がある）のPCI時に, 特にクロピドグレルを使用中で術前投与がない場合に考慮

＊人口のおよそ30%は*CYP2C19*機能↓アレルをもつ➡クロピドグレル下でPCIを行うと心管イベント↑ (*NEJM* 2009;360:354)

抗凝固療法（いずれかを選択）	
UFH 60 U/kgボーラスIV（最大4,000 U）➡ 12 U/kg/時（開始時最大1,000 U/時）×48時間またはPCI終了まで	死亡/MI 24%↓（*JAMA* 1996;276:811） APTTが1.5〜2×基準値（約50〜70秒）となるよう調節 ワルファリン投与下ではINR<2となるまで保留
エノキサパリン（LMWH） 1 mg/kg SC bid（CrCl<30で はqd） （±30 mgボーラスIV）×2〜8日またはPCI施行時まで	UFHと比較して死亡/MIは約10%↓（*JAMA* 2004;292:45&89）；エノキサパリン投与下でもPCIは施行可能（*Circ* 2001;103: 658），ただしエノキサパリンをUFHに切り替えると出血↑
bivalirudin（直接トロンビン阻害薬） PCI施行時，0.75 mg/kgボーラスIV➡ 1.75 mg/kg/時	死亡/MI，出血はUFHと比較して有意差なし（*NEJM* 2017;377:1132）；HITの場合にUFHの代替薬として使用
フォンダパリヌクス（第Xa因子阻害薬） 2.5 mg SC qd	滅多に使用されない；PCI施行時はUFHの併用が必須

■**冠動脈造影**（*Circ* 2014;130:e344）
●**即時／緊急冠動脈造影（2時間以内）**：難治性／繰り返す虚血発作，血行動態または電気的な不安定性のあるとき
●**侵襲的戦略**＝72時間以内に通常の冠動脈造影
 early（24時間以内）：トロポニン⊕，ST↑/↓，GRACEスコア（www.outcomes-massmed.org/grace）>140のとき（*NEJM* 2009;360:2165, *Circ* 2018;138:2741）
 delayed（72時間以内）：上記の所見がなく，以下がある場合では適切：DM，EF<40%，GFR<60，MI後狭心症，TIMIリスクスコア≧3，GRACEスコア109〜140，PCIから6か月以内，CABGの既往
 保存的戦略と比較して，ACSによる再入院32%↓，MI 16%↓（有意差なし），死亡率の改善はなし（*JAMA* 2008;300:71）
 PCI関連MI↑は自然発症MI↓↓によって相殺；死亡率↓を示した研究もあるが，血管造影の頻度が低い保存的戦略の場合のみ
●**保存的戦略**＝選択的血管造影；薬物療法と退院前の負荷試験；繰り返す虚血発作または運動負荷試験で強い陽性所見を得たときのみ血管造影；適応：TIMIリスクスコア低，高リスク所見がなく患者／医師の意向あり，低リスク女性（*JAMA* 2008;300:71）

不安定狭心症/NSTEMIに対するTIMIリスクスコア（*JAMA* 2000;284:835）			
スコアの計算		スコアの解釈	
予測因子	点数	スコア	14日以内の死亡/MI/緊急血行再建術
既往歴		0〜1	5%
≧65歳	1	2	8%
CADのリスク因子≧3	1	3	13%
CAD（狭窄≧50%）の既往	1	4	20%
7日以内にアスピリン使用	1	5	26%
現病歴		6〜7	41%
重症狭心症（24時間以内に≧2の発作）	1	高リスク患者（スコア≧3）ではLMWH，GPIIb/IIIa阻害薬，早期血管造影の利益↑（*JACC* 2003;41:89S）	
ST↑/↓≧0.5 mm	1		
心筋マーカー（Tn/CK-MB）（+）	1		
リスクスコア＝点数の合計	(0〜7)		

図1-2 不安定狭心症/NSTEMIへのアプローチ

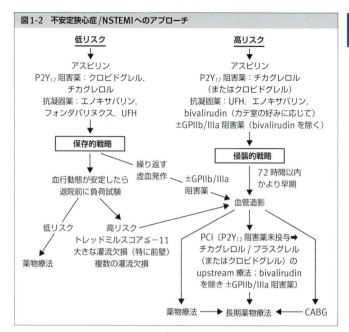

ST上昇型心筋梗塞（STEMI）

■ST上昇の要件（J点において）
- 隣接した≧2誘導で≧1 mm（V_2, V_3では男性≧2 mm, 女性≧1.5 mm）または
- 一致する病歴・所見を伴う新規もしくは新規と推定されるLBBBまたは
- 純後壁梗塞：V_1〜V_3でST低下±tall R, V_7〜V_9でST上昇

■再灌流（「時は筋なり」）
- PCIが施行可能な施設では、**到着から90分以内のプライマリPCIが目標**
- PCIが施行可能でない施設では、可能な施設への転送を考慮（下記参照）；または病院到着から30分以内に**血栓溶解療法**
- 再灌流方法の決定に時間をかけて開始を遅らせてはならない

■プライマリPCI（*JACC* 2013;61:e78, 2016;67:1235）
- 定義：病院到着/移動後の迅速なPCI
- 適応：ST↑+症状、発作から12時間以内；発作後12〜24時間続く虚血；ショック
- 血栓溶解療法より優れる：死亡率27%↓，MI再発65%↓，脳卒中54%↓，頭蓋内出血95%↓（*Lancet* 2003;361:13）
- 転送後のプライマリPCIも血栓溶解療法より優れる（*NEJM* 2003;349:733），下表参照
- ルーチンで行う血栓吸引：利益なし，脳卒中↑（*Lancet* 2015;387:127, 2015;372:1389）
- プライマリPCI時に非責任病変に対するPCIを検討/段階的PCIを予定，∵責任病変のみのPCIと比較してMACE↓のため（*NEJM* 2013;369:1115, *JACC* 2015;65;963）；しかし

心原性ショックの場合は有害な可能性（*NEJM* 2018;379:1699）

血栓溶解療法 vs. 転送後のプライマリPCI：時間とリスクの評価
1. **PCIに熟練した施設への転送に要する時間**："door-to-balloon"時間＜120分，かつ"door-to-balloon"時間—"door-to-needle"時間＜60分であれば，転送してPCI
2. **STEMIによるリスク**：高リスク患者（例：ショック）に対してはPCIが優れる
3. **病院到着までの時間**：発症からの時間が長くなるほど（特に＞3時間）血栓溶解療法の有効性↓
4. **血栓溶解療法のリスク**：頭蓋内出血/出血のリスクが高い場合はPCIのほうが安全

ACC/AHA 2013 STEMI Guidelinesより（*Circ* 2013;127:529）

■血栓溶解療法
- 適応：ST↑/LBBB＋症状＜12時間（かつPCI施行可能まで120分以上）；症状があれば有益，＞12時間の利益は不明確；症状とST↑が持続する場合，血行動態が不安定な場合，梗塞範囲が大きな危険性のある場合は妥当
- 再灌流療法を行わなかったときと比較して，死亡率は前壁梗塞/LBBBで約20%↓，下壁梗塞で約10%↓
- 病院到着前の（救急車内での）血栓溶解療法：死亡率はさらに17%↓（*JAMA* 2000;283:2686）
- 頭蓋内出血のリスクは約1%；高リスク群としては高齢者（＞75歳では約2%），女性，低体重者∴PCIのほうが無難

血栓溶解療法の禁忌	
絶対禁忌	**相対禁忌**
● 頭蓋内出血の既往 ● 頭蓋内腫瘍，動静脈奇形 ● 3か月以内の非出血性脳卒中/閉鎖性頭部外傷；2か月以内の脳/脊椎の手術 ● 活動性内出血または既知の出血素因 ● 大動脈解離の疑い ● 重度のコントロール不良な高血圧 ● 6か月以内にストレプトキナーゼを使用	● 重度の高血圧既往，病院到着時にSBP＞180またはDBP＞110（?MIのリスクが低い場合は絶対禁忌） ● ＞3か月前の脳梗塞 ● CPR＞10分；3週間以内の外傷/手術 ● 最近（2～4週間以内）の内出血；活動性PUD ● 圧迫止血できない部位の血管穿刺 ● 妊娠 ● 抗凝固薬を使用中 ● ストレプトキナーゼ使用の既往（考慮している場合）

■非プライマリPCI
- レスキューPCI：ショック，血行動態不安定，再灌流失敗，または症状持続の場合（*NEJM* 2005;353:2758）
- 血栓溶解療法の成功後24時間以内の通常の血管造影±PCI：死亡/MI/血行再建↓（*Lancet* 2004;364:1045），6時間以内なら2週間以内と比較してMI再発/繰り返す虚血発作/HF↓（*NEJM* 2009;360:2705）
  ∴PCIが施行可能でない施設で血栓溶解療法を行った場合，できるだけ早く施行可能な施設への転送を考慮；特に高リスク所見のある場合（例：前壁梗塞，低EFや右室梗塞を伴う下壁梗塞，広範囲のST↑/LBBB，HF，血圧↓，HR↑）
- 責任血管のPCIを遅れて施行（中央値8日）しても利益なし（*NEJM* 2006;355:2395）

抗血小板療法	
アスピリン 162～325 mg×1回（粉砕投与/チュアブル錠）➡81 mg qd	死亡率23%↓（*Lancet* 1988;ii:349） CABGが必要となっても中止しない
P2Y$_{12}$阻害薬 STEMIでは阻害が遅延するので可及的すみやかに投与（冠動脈造影を待たずに） PCI施行時のチカグレロル/プラスグレルの詳細は上記参照 クロピドグレル：PCI施行前では600 mg；血栓溶解療法では300 mg（＞75歳では行わない）➡75 mg qd	血栓溶解療法：クロピドグレルでは開存率41%↑，死亡率7%↓，重大出血/頭蓋内出血に差はなし（*NEJM* 2005;352:1179, *Lancet* 2005;366:1607）；プラスグレル，チカグレロルはデータなし PCI：プラスグレル，チカグレロルではクロピドグレルと比較して心血管イベント↓（*Lancet* 2009;373:723, *Circ* 2010;122:2131） 病院到着前のチカグレロル投与は安全である可能性，？ステント内血栓症↓（*NEJM* 2014; 371:1016）
GPIIb/IIIa阻害薬 abciximab, eptifibatide, tirofiban	血栓溶解療法：適応なし（*Lancet* 2001;357: 1905） PCI：死亡/MI/緊急血行再建術60%↓（*NEJM* 2001;344:1895）

ACC/AHA 2013 STEMI Guidelines Update（*Circ* 2013;127:529），*Lancet* 2013;382:633より

抗凝固療法（いずれかを選択）	
UFH 60 U/kgボーラスIV（最大4,000 U）➡12 U/kg/時（開始時最大1,000 U/時）	死亡率↓は証明されていない フィブリン特異的血栓溶解薬で開存率↑ APTTが1.5～2×基準値（約50～70秒）となるよう調節
エノキサパリン 血栓溶解療法：30 mgボーラスIV➡1 mg/kg SC bid（＞75歳やCrCl↓では調節） PCI：0.5 mg/kgボーラスIV	血栓溶解療法：エノキサパリン×7日ではUFH×2日と比較して死亡/MI 17%↓（*NEJM* 2006;354;1477） PCI：UFHと比較して死亡/MI/血行再建↓，出血は同等（*Lancet* 2011;378:693）
bivalirudin 0.75 mg/kgボーラスIV➡1.75 mg/kg/時IV	PCI：出血は同等，MIは同等～↑，ステント血栓症↑（*Lancet* 2014;384:599, *NEJM* 2017;377:1132）

フォンダパリヌクスは（CrCl＞30 mL/分であれば）使用可能．血栓溶解療法ではUFHより有効で出血↓（*JAMA* 2006;295:1519）；ACC/AHA 2013 STEMI Guidelines Update（*Circ* 2013;127:529, *Lancet* 2013;382:633）

■左室不全（約25%発生）

- PCWPが約14となるよう利尿➡肺水腫↓，心筋酸素需要↓
- 後負荷↓➡SVと心拍出量↑，心筋酸素需要↓；NTG/ニトロプルシドのIV可能（ただし冠盗血のリスクあり）➡短時間作用型ACEI
- 利尿と後負荷↓にもかかわらずHFが残る場合，循環作動薬（ドパミン，ドブタミン，ミルリノン）
- **心原性ショック**（約7%）＝MAP＜60 mmHg，CI＜2.2 L/分/m^2，PCWP＞18 mmHg；まだであれば冠血行再建術（*NEJM* 1999;341:625）
  循環作動薬，機械的循環補助でCI＞2を維持
    IABPは約0.5 L/分の心拍出量上昇と冠血流↑；ただし早期再還流しなければ生存率における利益なし（*NEJM* 2012;367:1287）
    軸流ポンプ（例：Impella）は3～5 L/分まで心拍出量を上昇させるが，臨床アウトカ

ム改善のデータはなし（*JACC* 2017;69:278）

■下壁梗塞の合併症（*Circ* 1990;81:401, *NEJM* 1994;330:1211, *JACC* 2003;41:1273）
- **心ブロック**：約20％，右冠動脈が通常は房室結節を栄養しているために発症
  40％は来院時，20％は24時間以内，残りは72時間以内；高度AVBを突然発症することもあり
  治療：アトロピン，アドレナリン，アミノフィリン（100 mg/分×2.5分），一時ペーシング
- **右室梗塞**：右冠動脈近位部閉塞➡右室・近傍の血流が低下し発症
  血管造影所見ありは症例の30〜50％（ただし臨床的に重要なのはその半分のみ）
  低血圧；頸静脈怒張，Kussmaul徴候⊕；V$_4$RでST↑≧1 mm；RAP/PCWP≧0.8；TTEで右室機能障害
  治療：前負荷の最適化（目標RAP 10〜14 mmHg；*BHJ* 1990;63:98）；収縮性↑（ドブタミン）；房室同期の維持（必要であればペーシング）；再灌流（*NEJM* 1998;338:933）；機械的循環補助（IABP/RVAD）；肺血管拡張薬（例：吸入NO）

■機械的合併症（それぞれ<1％；通常はMI後数日で発症）
- **自由壁破裂**：血栓溶解療法，広範なMI，年齢↑，女性，高血圧でリスク↑；PEA，血圧↓，心膜症状，タンポナーデとして発症；治療：輸液，**?心膜穿刺**，陽性変力作用薬，**手術**
- **心室中隔穿孔**：高齢者の広範なMI；前壁梗塞➡心尖部心室中隔穿孔，下壁梗塞➡中隔基部；90％で粗い心雑音±スリル（*NEJM* 2002;347:1426）；治療：利尿薬，血管拡張薬，陽性変力作用薬，IABP，**手術**，経皮的閉鎖術
- **乳頭筋断裂**：前壁梗塞後（前外側乳頭筋は対角枝と鈍角枝に栄養される）よりも下壁梗塞後（後内側乳頭筋は後下行枝のみに栄養される）に多い；50％で新規心雑音；PCWP波形でv波↑；CXRで非対称性肺水腫；治療：利尿薬，血管拡張薬，IABP，**手術**

■心筋梗塞（MI）後不整脈（不安定または症候性はACLSアルゴリズムに従って治療）
- **AF**（発生率10〜16％）：β遮断薬/アミオダロン，±ジゴキシン（特にHFの場合），ヘパリン
- **VT/VF**：リドカイン/アミオダロン×6〜24時間，その後再評価，β遮断薬を最大耐容量まで増量，KとMgの補充，虚血の除外；MI後<48時間のVTならば予後は悪くない；>48時間ではICD検討（下記参照）
- **促進心室固有調律（AIVR）**：遅いVT（<100），しばしば再灌流成功後にみられる；通常は無症状，自然に停止し治療不要
- **Mobitz II型2度AVB；BBB＋AVB：バックアップ経皮的ペーシングまたは経静脈的ペーシング開始**
- **3度AVB；新規BBB＋Mobitz II型2度AVB；交代性BBB（LBBB/RBBB）：経静脈的ペーシング**

その他のMI後合併症		
合併症	臨床像	治療
左室内血栓	発生率は約30％（特に前尖部梗塞）	抗凝固療法×3〜6か月
心室瘤	収縮能を失い突出した左室壁；発生率8〜15％（特に前壁梗塞）；持続性ST↑	HF，血栓塞栓，不整脈があれば外科的/経皮的修復術
仮性心室瘤	穿孔➡血栓や心膜により被覆（特に下壁梗塞）	準緊急手術（または経皮的修復術）
心膜炎	発生率10〜20％；MI後1〜4日；心膜摩擦音；ECG変化はまれ	高用量アスピリン，コルヒチン，麻薬；抗凝固薬は最小限に
Dressler症候群	発生率<4％；MI後2〜10週間；発熱，心膜炎，胸膜炎	高用量アスピリン，NSAIDs

■予後
- 登録症例の院内死亡率は再灌流療法群（血栓溶解療法/PCI）で6%，非再灌流療法群で約20%
- TIMI Risk Score for STEMI（年齢，治療開始までの時間，前壁梗塞/LBBB，Killip分類，頻脈，低血圧）➡ STEMI発症後30日間での死亡予測を定義（*JAMA* 2001;286:1356）

退院前チェック項目とACS後の長期管理

■リスク層別化
- 責任血管が判明しなければ負荷試験；責任血管へのPCI施行後もCADが残存していれば負荷試験を考慮
- 退院前にLVEFを評価；STEMIでは6か月でEF約6%↑（*JACC* 2007;50:149）

■薬物（禁忌でなければ）
- **アスピリン**：81 mg qd（高用量と比べ明らかな利益はない）
- **P2Y$_{12}$阻害薬**（チカグレロル/プラスグレルはクロピドグレルより推奨）：少なくとも12か月；12か月以上の長期投与➡ MACE&心血管死↓，出血↑だが頭蓋内出血は増加しない；最初の12か月以降，チカグレロルの投与量は60 mg bidが90 mg bidより好ましい∵よりよい忍容性（*NEJM* 2015;372:179, *EHJ* 2016;37:390）
  PPIは胃・十二指腸の合併症↓；いくつかのPPIには抗血小板作用↓，しかし明確な心血管リスク↑のデータなし（*NEJM* 2010;363:1909）
- **β遮断薬**：MI後死亡率23%↓
- **LDL-Cの調整**：より低く≪40 mg/dLが有益（*Lancet* 2017;390:1962）
  スタチン：積極的脂質低下治療（例：アトルバスタチン80 mg；PROVE-IT TIMI 22, *NEJM* 2004;350:1495）
  エゼチミブ：スタチンに追加で心血管イベント↓（IMPROVE-IT, *NEJM* 2015;372:1500）
  PCSK9阻害薬：スタチンに追加で心血管イベント↓（*NEJM* 2017;376:1713, 2018;379:2097）
- **ACEI**：HF，EF↓，高血圧，DMがあれば終生投与；すべてのSTEMIで4〜6週間，あるいは少なくとも退院まで継続
  ?HFのないCADを長期的な利益あり（*NEJM* 2000;342:145, 2004;351:2058, *Lancet* 2003;362:782）
- **アルドステロン阻害薬**：EF<40%のHF症状/DMで死亡率15%↓（*NEJM* 2003;348:1309）
- **硝酸薬**：症状があれば使用；全例でNTG舌下頓用
- **ranolazine**：虚血の再発↓，心血管死/MIの↓なし（*JAMA* 2007;297:1775）
- **PO抗凝固薬**：必要なとき（例：AF, 左室内血栓），ワルファリンの代替としてDOACを投与；DOAC減量投与のデータがいくつか出てきたが，適切に虚血性卒中を予防できたかは明確になっていない（*NEJM* 2016;375:2423, 2017;377:1513）；クロピドグレル（チカグレロル/プラスグレルではない）；アスピリン中止（?導入後約1週間）は出血40〜50%↓だが，MIやステント血栓症は↑傾向（*Lancet* 2013;381:1107, *NEJM* 2019;379:1509）
- 抗凝固薬適応のない患者はDAPTを完遂；リバーロキサバン2.5 mg bid＋アスピリンはアスピリン単剤と比べMACE/心血管死↓，出血↑（*NEJM* 2017;377:1319）

■植え込み型除細動器（ICD）（*NEJM* 2008;359:2245, *Circ* 2014;130:94）
- VT/VFがMI後＞2日持続し，可逆性虚血がない場合；?着用型ICDで死亡率↓（*NEJM* 2018;379:1205）
- MI後の心臓突然死の一次予防：EF≦30〜40%（NYHA II/III）または≦30〜35%（NYHA I）の場合；MI後≧40日待機する必要あり（*NEJM* 2004;351:2481, 2009;361:1427）

- ■リスク因子と生活習慣改善（*Circ* 2014;129(Suppl 2):S1&S76）
- ●低コレステロール食（＜200 mg/日）と低脂肪食（飽和脂肪酸＜7%）；？ω-3脂肪酸
- ●少なくともLDL-C＜70 mg/dL（&50%以上LDL-C↓）（*Circ* 2019;139:e1082）
- ●血圧＜130/80（*JACC* 2018;71:e127）；禁煙
- ●DM患者では個別に目標HbA$_{1c}$を設定（HFがあればチアゾリジン系，サキサグリプチンは避ける）；GLP1作動薬とSGLT2阻害薬はMACE↓，SGLT2阻害薬は心不全入院↓（*Lancet* 2019;393:31, *Circ* 2019;139:2022）
- ●運動（30～60分，5～7回/週）；血行再建後1～2週間；心臓リハビリテーション；目標BMIは18.5～24.9 kg/m^2
- ●インフルエンザおよび肺炎球菌ワクチン接種（*JAMA* 2013;310:1711, *NEJM* 2018;378:345）；うつ状態のスクリーニング

肺動脈カテーテル検査と個別化治療

■原理
- ●心拍出量＝SV×HR；SV（&心拍出量）の最適化は，前負荷/LVEDV（輸液，利尿薬），収縮力（循環作動薬），後負荷（血管拡張薬）をコントロールすることによる
- ●カテーテル先端のバルーンを拡張➡肺動脈に"楔入"；カテーテル先端は肺静脈循環を介して左房近位部まで連続；血流のない状況下ではPCWP≒LAP≒LVEDPとなり，LVEDVに比例
- ●この基本的な仮定が成立しない状況：
    1. カテーテル先端がWestのZone 3にない（&∴PCWP＝肺胞圧≠LAP）；a波やv波の消失，PADP＜PCWPなどが手がかりとなる
    2. PCWP＞LAP（例：縦隔線維症，肺静脈閉塞症/狭窄症）
    3. 平均LAP＞LVEDP（例：僧帽弁閉鎖不全症/狭窄症）
    4. LVEDP-LVEDVの関係の変化（コンプライアンス異常のため，"正常な"LVEDPが最適でなくなる）

■適応（*Circ* 2009;119:e391, *NEJM* 2013;369:e35）
- ●診断と評価
    ショックの鑑別診断（心原性vs. 血液分布異常性；特に輸液に反応しないか高リスクの場合），肺水腫の鑑別診断（心原性vs. 非心原性；特に利尿薬に反応しないか高リスクの場合）
    心拍出量，心内シャント，肺高血圧症，僧帽弁閉鎖不全症，タンポナーデ，心腎症候群の評価
    原因不明の呼吸困難の評価（運動/血管拡張薬負荷下）
- ●治療（*Circ* 2006;113:1020）
    HF/ショックの個別化治療としてPCWP，SV，SvO$_2$，RAP，PVRを最適化
    肺高血圧症，右室梗塞の血管拡張療法（例：吸入NO，ニフェジピン）のガイド
    高リスク患者，移植前&機械的循環補助患者の周術期管理のガイド
- ●禁忌
    絶対禁忌：右心系の心内膜炎，血栓/腫瘍，機械弁；近位部PE
    相対禁忌：凝固障害（補正後に留置），最近の恒久ペースメーカー/ICD（透視下留置），LBBB（RBBB➡完全心ブロックのリスク約5%，透視下留置），右心系の生体弁

■有益性に関する留意点（*NEJM* 2006;354:2213, *JAMA* 2005;294:1664）
- ●高リスク手術，敗血症，ARDSに対するルーチンの肺動脈カテーテル検査には利益なし
- ●非代償性HFに対しては利益なし（*JAMA* 2005;294:1625）；心原性ショックでは未検証
- ●ただし，臨床的に推測された心拍出量やPCWPの約半数は不正確；CVPとPCWPの相関は高くない；∴肺動脈カテーテル検査の用途は，(a) 血行動態上の疑問の確認（すぐに抜去），(b) 心原性ショックの管理

■留置 (*NEJM* 2013;369:e35)
- 穿刺部位：肺動脈に楔入させやすいのは**右内頸静脈**または**左鎖骨下静脈**
- カテーテル挿入時と**PCWP測定時にはバルーンを拡張させる**（最大1.5 mL）
- 拡張させたバルーンの抵抗と圧波形に注意して，過拡張と肺動脈破裂のリスクを回避
- それ以外はカテーテル**抜去時**を含めバルーンは**収縮させておく**
- カテーテル留置後，CXRでカテーテルの位置と気胸のないことを確認
- カテーテルがうまく進まないとき（重度の三尖弁閉鎖不全症や右室拡大），透視下に挿入することを考慮

■合併症
- **中心静脈穿刺**：気胸/血胸（約1%），動脈穿刺（誤穿刺，拡張してしまったら➡外科的/血管内視鏡的評価），空気塞栓，胸管損傷
- **挿入時**：心房/心室不整脈（VT 3%；NSVT 20%；PVC > 50%），RBBB（5%），カテーテルのもつれ，心穿孔/タンポナーデ，肺動脈破裂
- **留置時**：感染症（特に > 3日），血栓，肺梗塞（≤1%），弁/腱索損傷，肺動脈破裂/仮性動脈瘤（特に肺高血圧症を伴う場合），バルーン破裂

■心内圧
- 壁内外圧差（≒前負荷）＝測定された心内圧－胸腔内圧
- 胸腔内圧（通常わずかに陰圧）が血管と心臓に伝わる
- **心内圧は常に呼気終末で測定**；胸腔内圧は呼気終末で最も0に近づく（自発呼吸の患者では"high point"；陽圧換気中の患者では"low point"）
- 胸腔内圧↑の場合（例：PEEP），PCWPの実測値は真の壁内外圧差より大きくなる；PEEPの半分を引いて補正可能（cmH₂OをmmHgに換算するには3/4を掛ける）
- PCWP：左室前負荷を最もよく推測できるのはa波；肺水腫のリスクは平均PCWPから評価

■心拍出量
- **熱希釈法**：右房/熱フィラメント近位部に生理食塩液を注入；温度の時間変化を肺動脈内のサーミスタで測定し，計算式を用いて心拍出量を算出；心拍出量↓，重度の三尖弁閉鎖不全症，シャントのある場合は不正確
- **Fick法**：酸素消費量（$V\bar{O}_2$）（L/分）＝心拍出量（L/分）×動静脈O_2較差
  ∴ **心拍出量＝VO_2／動静脈O_2較差**
  酸素消費量は直接測定するのが最善だが（特に代謝亢進時），推定値を用いることも多い（125 mL/分/m²）
  動静脈O_2較差＝10×1.36（mL O_2/g Hb）×Hb（g/dL）×（$SaO_2 - S\bar{v}O_2$）；おもに変化する重要な変数は$S\bar{v}O_2$
  $S\bar{v}O_2 > 80\%$では，カテーテルの"楔入状態"（肺静脈酸素飽和），左右シャント，O_2利用障害（重症敗血症，シアン化物/CO中毒），FiO_2↑↑を考慮

肺動脈カテーテルの波形

部位	RAP	RVP	PAP	PCWP
カテーテル長（cm）	約20	約30	約40	約50
正常圧（mmHg）	平均≦6	収縮期15～30 拡張期1～8	収縮期15～30 平均9～18 拡張期6～12	平均≦12
波形	a波、c波、v波、x谷、y谷を含む波形（0～10 mmHg程度）	収縮期ピークの波形（～30 mmHg程度）	ノッチを含む波形（～25 mmHg程度）	a波、v波、x谷、y谷を含む波形
備考	a波＝心房収縮によりPR間で生じる c波＝収縮期開始時に三尖弁が右房側へ突出 x谷＝心房弛緩と心基部下降 v波＝右房への血液流入によりT波の間で生じる y谷＝拡張期開始時に三尖弁が開いて右房の血流が流出	RVEDPは上向きの直前で測定され、三尖弁狭窄症/閉鎖不全症がないかぎり平均RAPより大きい	波形はノッチ（肺動脈弁の閉鎖による）を含む；ピークはT波の間にあり；圧較差（例：肺動脈弁狭窄症）がないかぎりPASP＝RVSP；経肺圧較差↑（例：PVR↑）がないかぎりPADP≒PCWP	RAP波形と似ているが、やや遅れ、鈍い；QRSより後にa波、±明瞭なc波、T波の後にv波（僧帽弁閉鎖不全症に伴う高いv波のあるPCWPを、PAPと区別するのに有用）

PCWPの波形異常：高いa波 ➡ ？僧帽弁狭窄症；高いv波 ➡ ？僧帽弁閉鎖不全症；浅いy谷 ➡ ？タンポナーデ；深いx谷とy谷 ➡ ？収縮性心膜炎

ショックのタイプと血行動態プロファイル（NEJM 2013;369:1726）

ショックのタイプ	RAP	PCWP	心拍出量	SVR
循環血液量減少性	↓	↓	↓	↑
心原性	正常/↑	↑	↓	↑
右室梗塞/広範型PE	↑	正常/↓	↓	↑
タンポナーデ	↑	↑	↓	↑
血液分布異常性	さまざま	さまざま	通常は↑（敗血症では↓の可能性）	↓

代用指標：頸静脈圧≒RAP（1 mmHg＝1.36 cmH₂O）；CXR上の肺水腫 ➡ PCWP↑；尿量∝心拍出量（AKIでなければ）；毛細血管再充満時間の延長（＞2～3秒）➡ SVR↑

■**心原性ショックの個別化治療**（*Circ* 2009;119:e391）
●**目標**：肺水腫のリスクを下げるとともに，MAPと心拍出量の両者を最適化
  MAP＝心拍出量×SVR；心拍出量＝SV×HR（SVは前負荷，後負荷，収縮性に依存）
  PCWP＞20〜25で肺水腫が発症（慢性HFではより高いPCWPにも耐えうることあり）
  CVP/RAP＞15 mmHgで肝うっ血，腎うっ血が出現
●**前負荷**（≒LVEDV≒LVEDP≒LAP≒PCWP）の最適化（*NEJM* 1973;289:1263）
  目標PCWPは急性MIで約14〜18，急性非代償性HFで≦14付近
  異なるPCWPでSVを測定してStarling曲線を作成，患者個別に前負荷を最適化
  生理食塩液投与で前負荷↑（Albは生理食塩液と比較して臨床的優位性なし；重度貧血には赤血球液）
  利尿薬（当該項目参照）で前負荷↓；利尿薬に反応しない場合は限外濾過/透析
●**後負荷**〔≒左室駆出時の壁応力＝(SBP×心室半径)/(2×心室壁厚)；∴∝MAP，∝SVR＝(MAP−CVP)/心拍出量〕の最適化；目標：**MAP＞60，SVR＝800〜1,200**
  MAP＞60かつSVR↑：血管拡張薬（例：ニトロプルシド，NTG，ACEI，ヒドララジン），または昇圧薬中止
  MAP＜60かつSVR↑（∴心拍出量↓）：心拍出量↑となるまで一時的に昇圧薬投与（次項参照）
  MAP＜60かつSVR正常/↓（∴不適切な血管麻痺）：昇圧薬〔例：ノルアドレナリン（α，β），ドパミン（D，α，β），フェニレフリン（α），無効な場合はバソプレシン（V_1）〕；心原性ショックの場合はドパミンよりノルアドレナリンのほうがよい（*NEJM* 2010;362:779）
●**収縮性**（前負荷と後負荷が一定であれば∝心拍出量）の最適化；**目標CI（＝心拍出量/BSA）は＞2.2**
  前負荷と血管拡張薬が最適でも収縮性が非常に低い場合（MAPが許せば）：
  陽性変力作用薬を追加：例えばドブタミン（中等度の陽性変力作用，弱い血管拡張作用），ミルリノン（強い陽性変力作用，肺動脈を含む強い血管拡張作用），いずれも催不整脈性あり；またはアドレナリン（強い陽性変力作用，強い血管収縮作用）
  機械的循環補助（L/分）：例えばIABP（0.5），Impella（2〜5），TandemHeart（5），VAD（LVAD，RVAD，または両者；一時的/恒久的；10），ECMO（6）（*JACC* 2015;65:e7&2542）

心不全（HF）

■**定義**（*Braunwald's Heart Disease*, 11th ed., 2019）
●心臓が末梢組織の代謝需要に見合う十分な量の血液を駆出できない状態，またはその達成に異常に高い心充満圧を必要とする状態
●低拍出性HF（心拍出量↓）vs. 高拍出性HF（SV↑±心拍出量↑）
●左心不全（肺水腫）vs. 右心不全（頸静脈怒張，肝腫大，末梢性浮腫）
●後方不全（充満圧↑，うっ血）vs. 前方不全（全身灌流↓）
●収縮不全（十分な量の血液を駆出できない）vs. 拡張不全（正常に弛緩して充満できない）
●EFの低下した心不全（HFrEF，EF＜40％），EFが軽度低下した心不全（HFmrEF，EF 40〜49％），EFの保たれた心不全（HFpEF，EF＞50％）；収縮不全と拡張不全の組み合わせは，EFにかかわらず起こりうる

図1-3 左心不全へのアプローチ

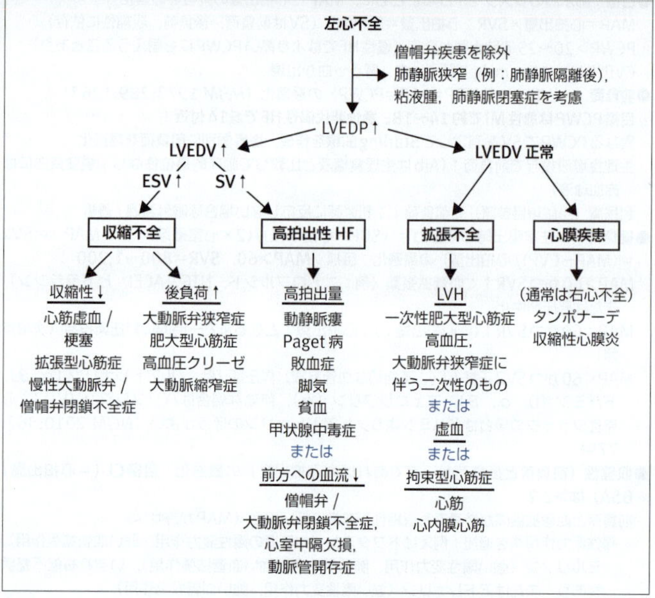

```
                          左心不全
                            │
                            │ 僧帽弁疾患を除外
                            ↓ 肺静脈狭窄(例: 肺静脈隔離後),
                              粘液腫, 肺静脈閉塞症を考慮
                          LVEDP↑
              ┌─────────────┴─────────────┐
          LVEDV↑                      LVEDV 正常
         ┌───┴───┐                   ┌─────┴─────┐
       ESV↑    SV↑                                
      ┌───┐   ┌───┐                ┌───┐       ┌───┐
      │収縮│   │高拍│                │拡張│       │心膜│
      │不全│   │出性│                │不全│       │疾患│
      └───┘   │ HF │                └───┘       └───┘
              └───┘
```

収縮不全		高拍出性 HF	拡張不全	心膜疾患
収縮性↓	後負荷↑	高拍出量	LVH	(通常は右心不全)
心筋虚血 /	大動脈弁狭窄症	動静脈瘻	一次性肥大型心筋症	タンポナーデ
梗塞	肥大型心筋症	Paget 病	高血圧,	収縮性心膜炎
拡張型心筋症	高血圧クリーゼ	敗血症	大動脈弁狭窄症に	
慢性大動脈弁 /	大動脈縮窄症	脚気	伴う二次性のもの	
僧帽弁閉鎖不全症		貧血	または	
		甲状腺中毒症	虚血	
		または	または	
		前方への血流↓	拘束型心筋症	
		僧帽弁 /	心筋	
		大動脈弁閉鎖不全症,	心内膜心筋	
		心室中隔欠損,		
		動脈管開存症		

■病歴
- 拍出量↓:疲労感,筋力↓,運動耐容能低下,意識障害,食欲不振
- うっ血:左心不全➡呼吸困難,起座呼吸,発作性夜間呼吸困難
  右心不全➡末梢性浮腫,右上腹部不快感,鼓腸,満腹感

■機能分類(NYHA分類)
- クラスⅠ:日常的な身体活動では無症状;クラスⅡ:日常的な身体活動で症状出現;クラス Ⅲ:最低限の身体活動で症状出現;クラスⅣ:安静時にも症状あり

■身体診察("2分間"血行動態プロファイル)(JAMA 1996;275:630, 2002;287:628)
- うっ血("dry"か"wet"か):頸静脈怒張(約80%の確率で頸静脈圧>10 ➡ PCWP>22)
  肝頸静脈逆流試験(+):≧15秒の腹部圧迫で頸静脈怒張≧4 cm
    RAP>8で感度73%,特異度87%;PCWP>15で感度55%,特異度83%(AJC 1990; 66:1002)
  Valsalva手技に対する反応の異常:矩形波(負荷でSBP↑),オーバーシュートなし(負荷解放後の血圧↑なし)
  Ⅲ音(HF患者のⅢ音➡HFによる入院/ポンプ不全死のリスク約40%↑;NEJM 2001; 345:574)
  ラ音,胸水に伴う心底部濁音(慢性HFではリンパ系への吸収のためしばしば消失)±肝腫大,腹水と黄疸,末梢性浮腫
- 灌流("warm"か"cold"か)
  脈圧が狭い(SBPの<25%)➡CI<2.2(感度91%,特異度83%;JAMA 1989;261: 884)
  Ⅰ音減弱(dP/dt↓),交互脈,冷たく蒼白な四肢,尿量↓,筋萎縮
- ±その他:Cheyne-Stokes呼吸,心尖拍動の異常(HFの原因により,びまん性,持続性,

挙上)，IV音（拡張不全），心雑音（弁膜症，僧帽弁輪拡大，乳頭筋偏位）

■ HFの存在の評価
- CXR（巻末の「画像」参照）：肺水腫，胸水±心拡大，"cephalization（角出し像）"，Kerley B線；肺エコーがCXRより優れる（PPV 92% vs. NPV 77%；Chest 2015;148:202）
- BNP/NT-proBNPはHFの除外に有用；加齢，腎機能障害，心房細動で↑，肥満で↓；呼吸苦を呈する心不全患者において感度≧95%，特異度約50%，PPV約65%，NPV≧94%（BMJ 2015;350:h910）
- 臓器灌流↓を示す所見：Cr↑，Na↓，肝機能障害
- 心エコー（巻末の「画像」参照）：EF↓，心腔容積↑⇒収縮不全；心肥大，僧帽弁流入異常，組織Doppler異常⇒？拡張不全；弁/心膜の異常；推定RVSP↑
- 肺動脈カテーテル検査：PCWP↑，心拍出量↓，SVR↑（低抵出性HFにおいて）

■ HFの潜在的原因の評価
- ECG：CAD，LVH，左房拡大，心ブロックを示す所見，または低電位（？浸潤性/拡張型心筋症）
- 経胸壁心エコー：左室および右室の径，機能，弁異常（原因もしくは結果？），浸潤性もしくは心膜疾患
- 心臓MRI：虚血性/非虚血性の鑑別，加えて非虚血性の病因診断に有用
- 冠動脈造影（またはCT血管造影などの非侵襲的画像検査）；CADがなければ心筋症の検査

■ 急性HFの誘因
- **不健康な食生活，服薬不履行**（約40%）
- **心筋虚血/梗塞**（約10～15%）；心筋炎
- **腎不全**（急性，CKDの進行，または透析不十分）⇒前負荷↑
- **高血圧クリーゼ（腎動脈狭窄によるものも含む），大動脈弁狭窄症の増悪**⇒左心系後負荷↑
- **薬物**（β遮断薬，CCB，NSAIDs，チアゾリジン系），**抗癌薬**（アントラサイクリン系，トラスツズマブ），**毒物**（アルコール）
- **不整脈；急性弁機能不全**（例：心内膜炎，特に僧帽弁/大動脈弁逆流症
- **COPD/PE**⇒右心系後負荷↑；貧血，極端なストレス，全身感染，甲状腺疾患

■ 急性非代償性HFの治療 (NEJM 2017;377:1964)
- うっ血の程度と灌流の適切性を評価
- うっ血に対しては "LMNOP"
  Lasix（フロセミド）IV：通常の1日内服量×2.5⇒尿量↑，ただし通常量と比較して一過性にCr↑；持続投与と12時間ごとの投与に明確な差はなし（NEJM 2011;364:797）
  Morphine（モルヒネ）：症状↓，血管拡張薬，後負荷↓
  Nitrates（硝酸薬）：血管拡張薬
  Oxygen（酸素）±非侵襲的換気：症状↓，PaO$_2$↑；死亡率に差はなし（「人工換気」の項参照）
  Position（体位）：ベッドの端に腰かける⇒前負荷↓
- 低灌流に対しては表参照
- 経口薬の調節
  ACEI/ARB：低血圧でも継続，腎代償不全ではヒドララジンと硝酸薬への変更を考慮
  β遮断薬：中等症HFでは少なくとも半量まで減量，陽性変力作用薬が必要な重症HFでは中止

	うっ血？ なし	うっ血？ あり
低灌流？ なし	warm & dry 外来治療	warm & wet 利尿薬
低灌流？ あり	cold & dry 陽性変力作用薬 （CCU）	cold & wet 利尿薬， 陽性変力作用薬， 血管拡張薬（CCU）

- **■急速に進行したHFの治療**（*Circ* 2009;119:e391）
- ●治療が無効，体液分布の状態が不明，低血圧，Cr↑，陽性変力作用薬が必要な場合は，肺動脈カテーテル検査を考慮
- ●肺動脈カテーテル検査と個別化治療（当該項目参照）；目標はMAP>60, CI>2.2（M$\dot{V}$O$_2$>60%，SVR<800, PCWP<18
- ●IV血管拡張薬：NTG，ニトロプルシド（CADでは冠盗血のリスクあり）
- ●陽性変力作用薬（収縮性↑以外の特徴を下記に示す）
  ドブタミン：≤5μg/kg/分で血管拡張作用；PVR軽度↓；時間とともに耐性化
  ドパミン：内臓血管拡張作用➡GFR↑とNa利尿；≥5μg/kg/分で血管収縮作用
  ミルリノン：顕著な全身および肺血管拡張作用；腎不全では50%に減量
- ●機械的循環補助（「個別化治療」も参照，*JACC* 2015;65:e7&2542）
  一時的：回復，移植，高耐久性補助までのブリッジ；周術期サポート
  IABP：拡張期にバルーン拡張，収縮期に収縮➡左室の駆出抵抗↓，心筋酸素需要↓，冠灌流↑，心拍出量0.5L/分増加
  軸流ポンプ（例：Impella）：左室におけるアルキメディアンスクリューの原理：+2.5～5L/分
  体外式遠心ポンプ：Tandem Heart（+5L/分，経皮的），CentriMag（10L/分，外科的）
  ECMO：6L/分（*JACC HF* 2018;6:503）
  高耐久性：外科的植え込みのLVAD±RVAD：十分な回復（非虚血性心筋症の5~50%；*JACC* 2017;69:1924）または移植までのブリッジ，もしくは最終的な治療として（薬物療法と比較して50%超の1年死亡率低下；*NEJM* 2001;345:1435, 2009;361:2241）；磁気浮上型遠心流ポンプ（HeartMate 3）；軸流ポンプのHeartMate IIに比し脳卒中/再手術が減少（*NEJM* 2019;380:1618）；Heart Ware LVAD：その他の遠心力利用の治療選択肢（*NEJM* 2017;376:451）
- ●心移植：米国で約2,500件/年，1年死亡率は10%，生存期間中央値は約10年

HFのステージ別に推奨される慢性期治療（*Circ* 2009;119:e391）	
ステージ（NYHAクラスとは別）	治療
A	HFの高リスク（例：高血圧，心筋症の家族歴）だが，無症状で器質的心疾患（−）	高血圧，脂質異常症，DMの治療 禁煙，禁酒，運動↑ 高血圧/DM/CAD/末梢動脈疾患があればACEI/ARB
B	器質的心疾患（例：心筋症，LVH）を有するが無症状	ステージAのとおり+MI/CADまたはEF↓があればACEI/ARBとβ遮断薬；？ICD
C	器質的心疾患を有し，心不全症状がある（既往または現在の）	ステージAのとおり+利尿薬，Na制限；EF低下があればACEI，ARBもしくはARNI；β遮断薬；アルドステロン阻害薬；ICD；？心臓再同期療法；硝酸薬/ヒドララジン；ジゴキシン
D	特別な介入を要する難治性HF	ステージA~Cのすべての治療法；IV陽性変力作用薬，VAD，心移植，終末期ケア（4年死亡率>50%）

- ●BNP値に基づいた治療（外来・入院）の有用性は議論あり（*Eur Heart J* 2014;35:16）
- ●NYHA IIIに対する植え込み型PAPセンサー➡入院リスク33%↓（*Lancet* 2016;387:453）

EFの低下した慢性HFの治療 (*JACC* 2017;70:776)	
食事, 運動	Na<2 g/日, 水分摂取制限, 歩行可能な患者では運動療法
血圧	目標130/80未満 (*JACC* 2018;71:127)
ACEI	死亡率↓:NYHA IVで40%↓, NYHA II/IIIで16%↓, 無症候性だがEF↓で20~30%↓ (*NEJM* 1992;327:685, *Lancet* 2000;355:1575) 低用量より高用量のほうが効果が高い;Cr↑, K↑(低K食, 利尿薬, K吸着薬で改善), 咳嗽, 血管性浮腫に注意
ARB	ACEIへの忍容性がないとき (例:咳嗽) に代替薬として考慮 ACEIに劣らない (*Lancet* 2000;355:1582, 2003;362:772) ACEIと同じく高用量のほうが効果が高い (*Lancet* 2009;379:1840) ACEIに追加可能→K↑とCr↑のリスク上昇 (*BMJ* 2013;346:f360)
ARNI(ARB+ネプリライシン阻害薬) (ACEIとの併用禁忌, ACEI中止36時間後から使用可)	NYHA II~IVにおけるRAAS阻害薬として推奨;中性エンドペプチダーゼ(ネプリライシン)はナトリウム利尿ペプチド, ブラジキニン, アンジオテンシンを分解;バルサルタン+サクビトリル(ネプリライシン阻害薬)は心血管による死亡率とHFでの入院↓ ACEIと比較して, 低血圧とAKI↑ (*NEJM* 2014;371:993, 2019;380:539) 血管性浮腫の既往がある場合は禁忌
ヒドララジン+硝酸薬	ACEI/ARBへの忍容性がないとき, またはNYHA III/IVの黒人で考慮 死亡率25%↓ (*NEJM* 1986;314:1547);ACEIに劣る (*NEJM* 1991;325:303) 標準治療を受けている黒人で死亡率40%↓ (A-HEFT, *NEJM* 2004;351:2049)
β遮断薬(カルベジロール, メトプロロール, ビソプロロールのデータ)	EFは一過性に↓してから↑;非代償性HFには禁忌 NYHA II~IVで死亡率35%↓, 再入院40%↓ (*JAMA* 2002;287:883) 1つの試験でカルベジロールは低用量メトプロロールより有効 (*Lancet* 2003;362:7), ただしメタ解析はβ遮断薬間に差はないことを示唆 (*BMJ* 2013;346:f55)
アルドステロン拮抗薬	腎機能が保たれていて高K血症がないときに考慮;K↑に注意 EF≤35%のNYHA II~IVで死亡率25~30%↓ (*NEJM* 2011;364:11) EF≤40%のMI後HFで死亡率15%↓ (EPHESUS, *NEJM* 2003;348:1309)
心臓再同期療法 (CRT, 関連項目参照)	EF≤35%, LBBB (QRS≥130 ms) の症候性HFで考慮 NYHA III/IVで死亡率36%↓, EF↑ (CARE-HF, *NEJM* 2005;352:1539) EF≤30%かつLBBBのNYHA I/IIで死亡率41%↓ (*NEJM* 2014;370:1694)
ICD (「心臓リズム管理装置」の項参照)	EF≤30~35%の場合の一次予防, または二次予防に使用;NYHA IVでは使用しない 虚血性心筋症では死亡率↓, しかし近年では非虚血性心筋症では突然死のみ↓と報告されている (*NEJM* 2005;352:225, 2016;375:1221)
利尿薬	ループ利尿薬±チアジド系 (症状緩和;死亡率↓なし)

(次頁につづく)

ジゴキシン	HFによる入院23%↓，死亡率に差はなし（*NEJM* 1997;336: 525）；**?** 血中濃度↑だと死亡率↑（*NEJM* 2002;347:1403）；適切なジゴキシン濃度は0.5〜0.8 ng/mL（*JAMA* 2003;289:871）
イバブラジン（I_f阻害薬，強心作用なし）	β遮断薬の最大投与量でEF≤35%，NYHA II/III，HR≥70，正常洞調律で考慮 死亡率18%↓もしくはHF入院↓（*Lancet* 2010;376:875）
鉄補充	**?**（内服ではなく）静注；NYHA II/III，EF≤40%，鉄欠乏（フェリチン<100，またはフェリチン100〜300かつTSAT<20%）の場合；Hctとは関係なくQOL↑（*NEJM* 2009;361:2436）
抗凝固療法	AF，VTE，左室内血栓，±左室に大きな無収縮領域がある場合 EF低下を伴う洞調律例で脳梗塞↓，ただし出血↑（*NEJM* 2012; 366:1859, 2018;379:1332）
心調律	AF＋EF<35%のNYHA II〜IVに対するカテーテルアブレーションは，薬物療法（レートまたはリズムコントロール；*NEJM* 2018; 378:417）と比較して死亡/HF入院↓
その他	SGLT2iはDM患者の死亡/HF入院↓（*Lancet* 2019;393:31）
避けるべき薬物	NSAIDs，非ジヒドロピリジン系CCB，チアゾリジン系

(*Circ* 2013;128:e240, 2016;134:e282, *EHJ* 2016;37:2129)

■EFの保たれた心不全（HFpEF；"拡張期HF"）（*NEJM* 2016;375:1868）
- 疫学：HF患者の約半数で，収縮能は正常か，わずかな低下のみ（EF≥40%）；HFpEFのリスク因子として年齢↑，女性，DM，AF；死亡率は収縮不全の患者と同等
- 原因（弛緩不全または受動的スティフネス↑）：虚血，MIの既往，LVH，肥大型心筋症，浸潤性心筋症，拘束型心筋症，加齢，甲状腺機能低下症
- 肺水腫の増悪因子：循環血液量過多（左室コンプライアンス↓➡少しの容量↑にも反応）；虚血（弛緩↓）；頻脈（拡張期充満時間↓），AF（心房による左室充満の後押し消失）；高血圧（後負荷↑➡SV↓）
- 診断は正常収縮能のHFの臨床的症候による（拡張期不全の所見により支持される）
  1. 心エコー：僧帽弁流入異常（E/A逆転，E波減速時間の変化），心筋弛緩↓（等容弛緩時間↑，組織Doppler法による拡張早期壁運動速度↓）
  2. 運動誘発性のPCWP↑（±心拍予備能と血流予備能↓）
- 治療：循環血液量過多に対する利尿薬，血圧管理，頻脈と虚血の予防
  利益なし：ACEI/ARB（*NEJM* 2008;359:2456），PDE5阻害薬（*JAMA* 2013;309: 1268）
  ? スピロノラクトンは心血管死亡およびHF入院↓（少なくとも米国で）（*NEJM* 2014; 370:1383）；ARNI（*JACC Heart Fail* 2017;5:471）は研究段階；経カテーテル的心房間シャントは運動中のPCWPを低下させるが，症状および転帰を改善させるかははっきりしていない（*Circ* 2017;137:364）

心筋症

心筋の機械的/電気的な機能障害を伴う病態

拡張型心筋症

■定義と疫学（*Circ* 2013;128:e240, *JACC* 2013;62:2046）
- 虚血/梗塞，弁膜症もしくは高血圧によって惹起される心筋疾患の非存在下において，心室

拡張と収縮性↓±壁厚↓
- 年間発生率：5〜8/10万；有病率：1/2,500；心移植の最も一般的な理由

■原因 (JACC 2011;57:1641, Circ Res 2012;111:131)
- **家族性**（約35%）：患者と2人以上の近親者で原因不明の拡張型心筋症を有する場合；細胞骨格，核の構成蛋白をコードする遺伝子が現在までに約30判明している
- **特発性**（<25%）：？診断未確定の感染性，アルコール性，遺伝的な要因
- **感染性心筋症**（10〜15%；Lancet 2012;379:738, JACC 2012;59:779)
  ウイルス（パルボウイルスB19，HHV-6＞コクサッキーウイルス，アデノウイルス，エコーウイルス，CMV，HCV)：亜急性（左室は拡張し，軽度〜中等度の機能障害を伴う）から劇症（左室の拡張はなく，肥厚して浮腫性；重度の機能障害を伴う）まであり
  細菌，リケッチア，結核，ライム病（軽度の心筋炎，しばしばAVBを伴う)
  HIV：無症候性HIV⊕患者の約8%；HIVやその他のウイルス，抗レトロウイルス薬による；若年性CADにも関連
  Chagas病：心尖部動脈瘤±血栓，RBBB，巨大食道/巨大結腸（Lancet 2018;391:82)
- **中毒性**：アルコール（約20%），通常は7〜8杯/日×＞5年だが個人差あり；コカイン；放射線照射（通常は拘束型心筋症）；アントラサイクリン系（＞550 mg/m^{2}でリスク↑，晩期発症あり），シクロホスファミド，トラスツズマブ
- **浸潤性**（5%）：しばしば拡張型心筋症＋拘束型心筋症が混在し（当該項目参照)，壁肥厚を伴う
  アミロイドーシス，サルコイドーシス，ヘモクロマトーシス，腫瘍
- **自己免疫性**：膠原病（3%）：多発性筋炎，SLE，強皮症，PAN，RA，GPA
  周産期（分娩前1か月〜分娩後5か月；EHJ 2015;36:1090）：約1/3,000妊娠；経産婦，年齢↑，アフリカ系でリスク↑；HFの標準治療（妊娠中であればACEIやスピロノラクトンは禁忌)；？ブロモクリプチンでプロラクチン↓；約72%でEF正常化（JACC 2015;66:905）；EFが正常化しても次回の妊娠で約30%は再発
  特発性巨細胞心筋炎：平均42歳，劇症，AVB/VT（Circ HF 2013;6:15)
  好酸球増性（末梢血好酸球数はさまざま）：過敏性心筋炎（軽症HFだが心臓突然死リスクあり）または急性壊死性好酸球性心筋炎（ST↑，心膜液，重症HF)
- **ストレス誘発性**（たこつぼ心筋症＝心尖部の無収縮）：典型的には閉経後女性；MIに類似（胸痛，±ST↑とトロポニン↑；深い陰性T波とQT延長)；心中部/心尖部のdyskinesis；？治療はβ遮断薬，ACEI；通常は数週間で改善（JAMA 2011;306:277)；院内合併症および死亡はACSに類似（NEJM 2015;373:929)
- **不整脈原性右室心筋症**：右室の線維脂肪性置換→拡大（診断：MRI)；ECG：±RBBB，V$_1$〜V$_3$で陰性T波，ε波；VTのリスク（NEJM 2017;376:61)
- **頻拍誘発性**：発症率∝HR/持続時間；しばしばHRコントロールで寛解（Circ 2005;112:1092)
- **左室緻密化障害**（Lancet 2015;386:813）：顕著な肉柱発達，不整脈，心原性塞栓
- **代謝性/その他**：甲状腺機能低下症，先端巨大症，褐色細胞腫，OSA，Vit B$_1$，セレン，カルニチン欠乏

■臨床症状
- **HF**：うっ血性/前方血流↓の症状；左/右心不全の徴候
  心尖拍動の範囲拡大/側方偏位，III音，±僧帽弁/三尖弁閉鎖不全症（弁輪拡大，乳頭筋偏位)
- 血栓塞栓イベント（約10%)，上室/心室不整脈，動悸
- 原因によっては（例：心筋炎）胸痛を認めることも

■診断的検査と精密検査 (JACC 2016;67:2996)
- **CXR**：中等度〜重度の心拡大，±肺水腫と胸水
- **ECG**：R波増高不良，Q波，BBB；低電位；AF（20%）；正常なこともあり
- **心エコー**：左室拡大，EF↓，局所的/全般的な左室過収縮，±右室過収縮，±壁在性血栓
- **心臓MRI**：心筋炎/浸潤性疾患で感度76%，特異度96%（JACC Imaging 2014;7：

254);心筋中層線維化の程度は非虚血性心筋症の死亡率と相関あり（*JAMA* 2013;309:896），ICDが有効な患者（EF>40%）を特定できる可能性（*Circ* 2017;135:2106）
- 臨床検査：TFT，鉄動態，HIV，血清蛋白電気泳動，ANA；血清学的ウイルス検査は推奨されない；その他疑いに応じて
- 家族歴（20〜35%が家族性），遺伝カウンセリング±遺伝学的検査（*JAMA* 2009;302:2471）
- 負荷試験：虚血の除外に有用（偽陰性率が低い），画像検査を加えても偽陽性率は高い
- リスク因子，狭心症の既往，ECG上のQ波梗塞がある場合，または運動負荷試験の結果が曖昧な場合は，冠動脈造影でCADを除外；冠動脈CTを考慮（*JACC* 2007;49:2044）
- **?** 心内膜心筋生検（*JACC* 2007;50:1914）：診断能10%；75%が治療法が証明されていない心筋炎，25%が全身性疾患；偽陰性率（斑状病変）と偽陽性率（壊死→炎症）が40%
  ∴以下の場合は生検：発症が急速で血行動態不良（特発性巨細胞心筋炎，急性壊死性好酸球性心筋炎を除外）；不整脈または拘束型心筋症の特徴（浸潤性を除外）；中毒性，アレルギー性，腫瘍の疑い

■ 治療（HFの標準治療は「心不全（HF）」の項参照）
- 心筋症が可逆性である可能性があれば，デバイス植え込みは慎重に判断
- 免疫抑制：巨細胞心筋症（プレドニゾロン＋アザチオプリン），膠原病，周産期（**?** IVIg），好酸球増加性；ウイルス性心筋炎に対する効果は確立していない
- 予後は原因により異なる（*NEJM* 2000;342:1077）：分娩後で最も良好，虚血性心筋症/特発性巨細胞心筋炎で最も不良

肥大型心筋症

■ 定義と疫学
- 血行動態上の負荷に不相応なLVH（通常≧15 mm）/RVH
- 有病率：1/500；50%が散発性，50%が家族性，多くは無症候性
- 鑑別診断：高血圧や大動脈弁狭窄症に伴うLVH，一流アスリート（左室壁厚は通常<13 mm，対称性で組織Doppler法による拡張期弛緩速度は正常/↑；*Circ* 2011;123:2723），Fabry病（Cr↑，皮膚所見）

■ 病理
- 心筋サルコメア遺伝子（例：β型ミオシン重鎖）の常染色体優性変異
- 肥大を伴う心筋線維の錯綜配列→不整脈原性基質
- 心肥大の多くの形態学的異型：非対称性中隔肥厚；求心性肥大；心室中部閉塞性肥大；心尖部肥大

■ 病態生理
- 左室流出路狭窄（LVOTO）が70%以上：中隔肥厚に伴う流出路狭小化＋僧帽弁前尖の収縮期前方運動（常に認める場合/時に認める場合/存在しない場合あり）と乳頭筋偏位；収縮性↑（ジゴキシン，β刺激薬，運動，PVC），前負荷↓（例：Valsalva手技），または後負荷↓で圧較差↑
- 僧帽弁閉鎖不全：収縮期前方運動（収縮中期〜後期，後方への逆流ジェット），僧帽弁尖や乳頭筋の異常（全収縮期，前方への逆流ジェット）による
- 拡張期不全：心腔スティフネス↑＋弛緩不全
- 虚血：小血管疾患，冠動脈心筋内穿通枝の圧迫，冠灌流↓
- 失神：負荷依存性心拍出量の変化，不整脈

■ 臨床症状（診断時には70%が無症候性）
- **呼吸困難**（90%）：LVEDP↑，僧帽弁閉鎖不全，拡張期不全による
- **狭心症**（25%）：心外膜CADを伴わない場合もあり；微小血管機能障害（*NEJM* 2003;

349:1027)
- **不整脈**（20〜25%でAF；VT/VFもあり）：動悸，失神，心臓突然死

■身体診察
- 持続性心尖拍動，流出路狭窄が重度であればⅡ音の奇異性分裂，Ⅳ音（時に触知可）
- 収縮期雑音：胸骨左縁下部のクレシェンド-デクレシェンド型（ダイヤモンド型）心雑音；**Valsalva手技**，立位で↑（前負荷↓）
- ±心尖部で収縮中期〜後期 / 全収縮期の僧帽弁閉鎖不全雑音
- 二峰性頸動脈拍動（急峻に立ち上がり，いったん弱まって再度立ち上がる）；顕著な a 波を伴う頸静脈波
- 対照的に大動脈弁狭窄雑音はValsalva手技で↓，頸動脈拍動↓

■診断的検査 (*EHJ* 2014;35:2733)
- CXR：心拡大（左室，左房）
- ECG：LVH，前側壁誘導で陰性T波と下壁誘導で偽性Q波，±心尖部巨大陰性T波（心尖部肥大）
- 心エコー：いずれかの領域で左室壁≧15 mm（?あるいは≧13 mmでも家族歴を伴えば），必須条件ではないが中隔肥大はよく認められる；その他の所見として，動的流出路狭窄，収縮期前方運動，僧帽弁閉鎖不全症
- MRI：心肥大＋斑状の遅延造影所見（診断と予後予測に有用）(*Circ* 2015;132:292)
- 心臓カテーテル検査：大動脈弁圧較差，Brockenbrough徴候＝PVC後の脈圧↓（大動脈弁狭窄症では対照的にPVC後の脈圧↑）；二峰性（スパイク-ドーム型）の大動脈圧パターン
- ?家系内スクリーニング目的での遺伝型決定，ただし病原性変異が同定されるのは半数未満 (*Circ* 2011;124:2761)

■治療 (*EHJ* 2014;35:2733, *NEJM* 2018;379:655)
- HF
  陰性変力 / 変時作用薬：β遮断薬，CCB（ベラパミル），ジソピラミド
  利尿薬は注意して使用（さらに前負荷↓の可能性があるため）；LVOTOがあれば血管拡張薬は避ける；収縮力↑により流出路狭窄をきたすためジゴキシンは避ける
  薬物療法が無効＋閉塞性の病態生理（圧較差≧50 mmHg）のとき：
  1. 外科的筋切除：長期的症状改善率90% (*Circ* 2014;130:1617)
  2. エタノール中隔心筋焼灼術 (*JACC* 2018;72:3095)：圧較差は約80%↓，5〜20%のみにNYHA Ⅲ/Ⅳの症状が残存；14%で焼灼術の再施行または筋切除が必要；高齢患者や併存症の多い患者にはよい代替手段；合併症：一過性の（時に遅れてみられる）3度AVB ➡ 10〜20%は恒久ペースメーカーが必要；瘢痕関連のVT
  二腔ペーシングには明確な利益なし (*JACC* 1997;29:435, *Circ* 1999;99:2927)
  薬物療法が無効＋非閉塞性の病態生理のとき：心移植
- 急性HF：脱水 / 頻脈で誘発されることあり；治療：輸液，β遮断薬，フェニレフリン
- AF：β遮断薬でHRコントロール；ジソピラミド，アミオダロンで洞調律維持；抗凝固薬の閾値は低い
- VT/VFがあればICD；以下の場合は心臓突然死予防を考慮：NSVT，心臓突然死の家族歴，原因不明の失神，左室壁≧30 mm，運動時にSBPが20 mmHg以上上昇もしくは低下しない，?拡大するMRI遅延造影；電気生理学的検査は有用でない；HCM Risk-SCDスコア (*EHJ* 2014;35:2010)：高リスクならICD考慮（≧6%/年），中等度でも考慮してよい（4〜6%/年）
- 脱水や過度の運動を避けるよう指導
- 心内膜炎予防は推奨されない (*Circ* 2007;16:1736)
- 第一度近親：10歳代あるいはアスリートは経胸壁心エコーを12〜18か月ごと，成人は5年ごとに施行，ECG（肥大型心筋症の発症時期はさまざまなため）；既知の変異がある場合は遺伝学的検査

拘束型心筋症

■定義（*Circ* 2006;113:1807）
- 心室充満の障害で，肥大も拡張もみられない心室のコンプライアンス↓による；拡張期容積は正常/↓，EFは正常/ほぼ正常；心膜疾患を除外

■原因（*JACC* 2010;55:1769, 2016;68:411）
- **心筋の異常**

  自己免疫性（強皮症，多発性筋炎/皮膚筋炎）

  浸潤性疾患（心外症状，診断，治療については当該項目参照）

  アミロイドーシス（*Circ* 2011;124:1079）：診断時年齢は約60歳；男性：女性＝3：2
  - ALアミロイドーシス（例：多発性骨髄腫など）；家族性アミロイドーシス（トランスサイレチン，ATTR）；AA/老人性アミロイドーシス（TTR，ANPの沈着）
  - ECG：QRS振幅↓（50%），偽梗塞パターン（Q波），AVB（10〜20%），ヘミブロック（20%），BBB（5〜20%）
  - 心エコー：両心室壁肥厚（ただしECG上は低電位），顆粒状の輝度増加（30%），両心房拡大（40%），弁肥厚，少量の心膜液
  - 正常電位かつ正常中隔厚の場合，NPV約90%
  - 臨床検査：血清蛋白電気泳動/尿蛋白電気泳動，血清遊離軽鎖比（<0.25または>1.65 κ/λ比）
  - MRI：明瞭なガドリニウム遅延造影所見（*JACC* 2008;51:1022）

  サルコイドーシス（拡張型心筋症を呈しうる）：診断時年齢は約30歳；黒人，北欧人種，女性に多い
  - 全身性サルコイドーシス患者の5%は明らかな心病変を有する；うち10%は全身病変なし
  - ECG：AVB（75%），RBBB（20〜60%），VT；PET：病変部でFDG集積↑
  - 心エコー：菲薄化/軽度心肥大を伴う局所的壁運動異常（特に中隔基部）
  - 炎症部位，非冠動脈性セスタミビ灌流欠損領域にガリウム/FDG集積
  - 心臓MRI：ガドリニウム造影T2強調早期像（浮腫）；基部中隔における線維化/瘢痕；遅延造影は予後指標となる
  - 散在するため心筋生検の診断率は低い

  ヘモクロマトーシス：中年男性（特に北欧人種）；15%は心症状として発症

  糖尿病；蓄積症：Gaucher病，Fabry病，Hurler症候群，糖原病

- **心内膜心筋の異常**

  慢性的な好酸球浸潤：Löffler心内膜炎（温帯気候；好酸球↑；壁在性血栓の塞栓）；心内膜心筋線維症（熱帯気候；好酸球数はさまざま；壁在性血栓）

  有害因子：放射線（収縮性心膜炎，弁膜症，冠動脈入口部狭窄症の原因ともなる），アントラサイクリン系

  セロトニン：カルチノイド，セロトニン作動薬，麦角アルカロイド；転移性腫瘍

■病理と病態生理
- 病理：正常または壁肥厚±浸潤/異常沈着
- 心筋コンプライアンス↓ ➡ EDV正常だがEDP↑➡全身静脈圧↑，肺静脈圧↑
- 心室腔容積↓ ➡ SV↓，心拍出量↓

■臨床症状（*Circ* 2000;101:2490）
- **右心不全＞左心不全**，末梢性浮腫＞肺水腫
- **利尿薬"抵抗性"；血栓塞栓イベント**
- 悪性の頻脈性不整脈；VT➡失神/心臓突然死

■身体診察
- 頸静脈怒張，±Kussmaul徴候（吸気で頸静脈圧が低下しない，収縮性心膜炎の古典的所見）

- ●循環器：±Ⅲ音とⅣ音，±僧帽弁／三尖弁閉鎖不全雑音
- ●うっ血性肝腫大，±腹水と黄疸，末梢性浮腫

■診断的検査
- ●CXR：心室腔容積正常，心房拡大，±肺うっ血
- ●ECG：低電位，偽梗塞パターン（Q波），±不整脈
- ●心エコー：対称性壁肥厚，両心房拡大，±壁在性血栓，±拡張期不全を伴う内腔閉塞：拡張早期最大流速（E）↑と心房収縮最大流速（A）↓，E/A比↑，E波減速時間↓
- ●心臓MRI/PET：炎症や浸潤の存在を発見できることあり（ただし非特異的）
- ●心臓カテーテル検査
  心房圧：**M型**または**W型**（深い*x*谷と*y*谷）
  心室圧："**dip-and-plateau**" パターン（RVPは拡張期開始時に急峻に↓，急峻に↑，すぐにプラトー）
  呼吸周期中のLVPとRVPの**ピーク一致**（対照的に収縮性心膜炎では不一致；*Circ* 1996;93:2007）
- ●浸潤性疾患の疑いがある場合は心内膜心筋生検；アミロイドーシス疑いでは脂肪生検
- ●拘束型心筋症 vs. 収縮性心膜炎（「心膜疾患」の項参照）

■治療（基礎疾患の治療に加えて）
- ●緩徐に利尿；CCBやその他の血管拡張薬には忍容性がない可能性
- ●HRコントロール（ただし心拍出量↓の可能性）；洞調律維持（拡張期充満に必要）；アミロイドーシスにジゴキシンは催不整脈作用
- ●抗凝固療法（特にAF/低心拍出量を伴う場合）
- ●難治例には心移植
- ●タファミジス（TTR結合物質）はTTRアミロイドーシスにおける死亡および心血管入院↓（*NEJM* 2018;379:100）

心臓弁膜症

大動脈弁狭窄症

■原因
- ●**石灰化**：>70歳の患者での主要な原因；リスク因子：高血圧，Chol↑，ESRD
- ●**先天性**（若年性石灰化を伴った大動脈二尖弁）：<70歳の患者で原因の50%
- ●**リウマチ性疾患**：通常，大動脈弁狭窄症と閉鎖不全症が混在，僧帽弁疾患を併発
- ●大動脈弁狭窄症と間違えやすい疾患：弁下狭窄（肥大型心筋症，大動脈弁下膜性狭窄症），弁上狭窄

■臨床症状（通常はAVA<1 cm^{2}で発症，または随伴するCAD症状）
- ●**狭心症**：O$_2$需要↑（心肥大）+ O$_2$供給↓（心灌流圧↓）±CAD
- ●**失神**（労作時）：心拍出量は変わらず末梢血管拡張 ➡ MAP↓ ➡ 脳血流↓
- ●**HF**：流出路狭窄+拡張期不全 ➡ 肺水腫；特にHR↑/AFのある場合（左室充満↓）
- ●後天性 von Willebrand 症候群（重症大動脈弁狭窄症の約20%）：vWFの後天性の低下；消化管および血管の形成異常
- ●自然経過：発症までは通常は緩徐進行性（年間約0.1 cm^{2}のAVA↓，ただし個人差あり；*Circ* 1997;95:2262）；症状別の平均生存期間：狭心症=5年，失神=3年，CHF=2年

■身体診察
- ●**胸骨右縁上部の収縮中期クレシェンド-デクレシェンド型（ダイヤモンド型）心雑音**；粗く

高調，頸動脈や心尖部へ放散（心尖部の全収縮期雑音＝Gallavardin効果），他動的な下肢挙上で↑，立位またはValsalva手技で↓；動的流出路狭窄（肥大型心筋症）では逆の反応
- 大動脈二尖弁では時にⅠ音の後に駆出性クリックが聴取される
- 重症の徴候：後半にピークのある雑音，Ⅱ音の奇異性分裂，ⅡA音が聴取されない，頸動脈の弱い遅脈（"pulsus parvus et tardus"），左室挙上，Ⅳ音（時に触知可）

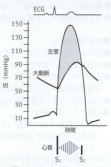

■診断的検査
- **ECG**：LVH，左房拡大，LBBB，AF（晩期）
- **CXR**：心拡大，大動脈弁石灰化，上行大動脈の狭窄後拡張，肺うっ血
- **心エコー**：弁の形態，ジェットの速度，圧較差の評価とAVA，LVEFの計算

（本図ほかは *Pathophys Heart Dis.*, 6th ed., 2015 より）

- **心臓カテーテル検査**：通常はCADを除外するため（石灰化を伴う大動脈弁狭窄症の約半数）；身体所見と心エコー所見が一致しない場合は血行動態検査のため：大動脈弁圧較差，AVAを計算（中等症／重症の大動脈弁閉鎖不全症では過小評価の可能性）
- **EFが低く圧較差<40ならば，ドブタミン負荷検査（心エコー／カテーテル）で鑑別**
  - 後負荷不整合：SVと圧較差が20%↑，AVAは変わらず（弁置換術後の収縮予備能とEF↑を示唆）
  - 偽狭窄：SVが20%↑，圧較差が変わらず，AVA↑（左室機能障害のアーチファクトとしてのAVA狭小化を示唆）
  - 収縮予備能の制限：SV，圧較差，AVAのいずれも変わらず（弁置換ではおそらくEFは改善しないことを示唆）

大動脈弁狭窄症の重症度分類 (*Circ* 2014;129:e521)						
stage	症状	重症度	最大流速 (m/s)	平均圧較差 (mmHg)	AVA (cm²)[a]	LVEF
n/a	なし	正常	1	0	3〜4	正常
A	なし	潜在的リスク	<2	<10	3〜4	正常
B	なし	軽症	2〜2.9	<20	>1.5	正常
		中等症	3〜3.9	20〜39	1〜1.5	正常
C1	なし	重症	≥4	≥40	≤1.0	正常
		超重症	≥5	≥60	≤0.8	正常
C2		重症+EF↓	≥4	≥40	≤1.0	↓
D1	あり	重症	≥4	≥40	≤1.0	正常
D2		重症+低流量・低圧較差+EF↓[b]	<4	<40	≤1.0	↓
D3		重症+低流量・低圧較差+正常EF[c]	<4	<40	≤1.0	正常

[a] BSAあたりのAVAが<0.6 cm²/m²も重症の指標となる；[b] ドブタミン負荷心エコー➡最大流速≥4&AVA≤1.0；[c] SV↓を伴うsmall LV

■治療（*Circ* 2014;129:e521, *Lancet* 2016;387:1312, *JACC* 2017;69:1313）
- 症状に基づく；発症したら弁置換術が必要
- **大動脈弁置換術**：適応となるのは症候性（stage D1）；無症候性重症大動脈弁狭窄症+EF

<50%（stage C2）；あるいは重症大動脈弁狭窄症（stage C1）で他の心臓手術の施行予定ありの場合

以下の場合も妥当な選択と考えられる：

無症候性重症例（stage C1）だが**運動時に症状発現/血圧↓の場合**（無症状の患者には症状確認のため注意深く運動負荷してよいが，有症状の患者には不可）または**超重症**の場合

低流量・低圧較差，低EFの症候性重症例で，ドブタミン負荷へ反応（stage D2），もしくは正常EFだが大動脈弁狭窄症が症状の原因と考えられる場合（stage D3）

無症候性の中等症例（stage B）で心臓手術を受ける患者

- 経カテーテル的大動脈弁置換術（TAVR，下記参照）は手術に代わる魅力的な選択肢
- 薬物療法（弁置換術の適応でない患者，または手術までの管理として）：注意深く利尿薬の頓用，高血圧の管理，洞調律維持；EF↓のHF，またはAFではジゴキシン；重症の場合，血管拡張薬（硝酸薬）や陰性変力作用薬（β遮断薬/CCB）は避ける；中等症〜重症の場合，激しい運動は避ける；？重症大動脈弁狭窄症，EFおよび心拍出量↓，高血圧を伴うHFではニトロプルシド（肺動脈カテーテル下で）（*Circ* 2013;128:1349）
- IABP：症状安定化，手術までのブリッジ
- 経皮的バルーン大動脈弁形成術：AVA↑だが，脳卒中/大動脈弁閉鎖不全症，再狭窄のリスク↑；∴弁置換術までのブリッジ/症状緩和

経カテーテル大動脈弁置換術（TAVR）（*JACC* 2017;135:e1159）

- 弁：バルーン拡張型あるいは自己拡張型；経大腿的逆行性アプローチが最も一般的（最良の転帰）；腋窩動脈や上行大動脈経由（胸骨小切開および大動脈切開を要する）での逆行性アプローチもある；その他に，小開胸およびLV穿刺（腸骨大腿動脈の狭小化もしくは大動脈石灰化がある場合）による経心尖部順行性アプローチも用いられる
- 周術期および術後合併症：低心拍出量；弁輪破裂あるいは冠動脈閉塞（いずれもまれ）；脳卒中；局所血管性；弁周囲逆流；完全房室ブロック（？自己拡張型でより高率）
- 術後：生涯アスピリン75〜100 mg＋クロピドグレル3〜6か月
- TAVR施行時の転帰：非観血的治療の患者において（vs.薬物療法）：死亡率44%↓だが，いまだTAVR群で年間死亡率は約20%（*NEJM* 2012;366:1696, *JACC* 2014;63:1972）

  高リスク患者（STSスコアによる予想術後30日死亡率>8%）を手術による弁置換術と比較：バルーン拡張型を用いた場合，死亡率は同等，早期の脳卒中リスク↑；自己拡張型では死亡または脳卒中が20〜30%↓（*Lancet* 2015;385:2477, *JACC* 2016;67:2565）

  中等度リスク患者（予想30日死亡率約4〜8%）：死亡および脳卒中は同等（？経大腿でバルーン拡張型を用いると↓）（*NEJM* 2016;374:1609, 2017;376:1321）

  低リスク患者（予想30日死亡率<4%）：死亡，脳卒中↓（*NEJM* 2019;380:1695&1706）

  TAVRでは血管合併症↑だが，出血合併症↓，AKI↓，AF↓；自己拡張型では約25%でペースメーカー植え込みが必要

  中等度〜重症の大動脈弁周囲逆流は2年で5〜10%，5年で約14%（低リスク患者ではより低い見込み）；再留置可能な弁では1年で1%未満，しかしペースメーカー植え込みを要する率は約40%（*JAMA* 2018;319:27）

大動脈弁閉鎖不全症

原因（*Circ* 2006;114:422）

- 弁膜疾患（43%）

  リウマチ性心疾患：通常は大動脈弁閉鎖不全症と狭窄症が混在，僧帽弁疾患を併発；**大動脈二尖弁**（自然経過：1/3→正常，1/3→大動脈弁狭窄症，1/6→大動脈弁閉鎖不全症，1/6→心内膜炎→大動脈弁閉鎖不全症）；**感染性心内膜炎**；弁膜炎（RA, SLE，特定の食欲抑制薬，セロトニン作動薬，放射線照射）

- 大動脈基部疾患（57%）

  高血圧，大動脈瘤/大動脈解離，大動脈弁輪拡張症（Marfan症候群），**大動脈の炎症**（GCA，高安動脈炎，強直性脊椎炎，反応性関節炎，梅毒）

■臨床症状
- 急性期：突然の前方SV↓とLVEDP↑(心室コンプライアンス↓)➡肺水腫±低血圧と心原性ショック
- 慢性期：左室の拡大(心室コンプライアンス↑➡LVEDPを低く維持)により肥大が代償されている間は無症状➡慢性的な容量過負荷➡左室代償不全➡CHF
- 自然経過：進行は多様(大動脈弁狭窄症と異なり，急速な場合も緩徐な場合もあり)；代償不全が生じると弁置換術なしには予後不良(年間死亡率は約10%)

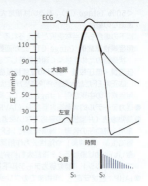

■身体診察
- 胸骨左縁上部の拡張早期デクレッシェンド型心雑音
  (大動脈基部拡張があると胸骨右縁上部)；前屈みの座位，呼気時，手を握る動作で↑；重症度∝雑音の持続時間(急性期や重症晩期を除く)；
  Austin Flint雑音：心尖部の拡張中期～後期ランブル(大動脈弁からの逆流ジェットが僧帽弁からの流入に干渉)
- SV↑，高拍出のため脈圧↑；晩期には左室機能↓のため脈圧↓；二峰性脈
- 心尖拍動の範囲拡大/側方偏位；I音減弱(僧帽弁早期閉鎖)；±III音(EF↓がなくても大動脈弁閉鎖不全症の容量過負荷により生じる)

慢性大動脈弁閉鎖不全症の古典的徴候 (*South Med J* 1981;74:459)	
徴候	説明
Corrigan脈	"水槌"脈(急激に上下，拡張/虚脱する脈拍)
Hill徴候	(膝窩SBP－上腕SBP)>60 mmHg
Duroziez雑音	大腿動脈を軽く圧迫すると聴取される往復雑音
ピストル射撃音	大腿動脈で聴取されるピストルを撃つような雑音
Traube徴候	大腿動脈の遠位を圧迫すると聴取される重複音
de Musset徴候	心拍ごとの頭部の前後のゆれ(低感度)
Müller徴候	口蓋垂の収縮期拍動
Quincke徴候	爪下毛細血管の拍動(低特異度)

■診断的検査
- ECG：LVH，左軸偏位，再分極異常；CXR：心拡大±上行大動脈拡張
- 心エコー：重症度(重症=逆流ジェット幅≧左室流出路幅の65%，逆流率≧50%，逆流弁口面積≧0.3 cm^2，下行大動脈における全拡張期逆流；中等度=逆流ジェット幅25～64%，逆流率30～49%，逆流弁口面積0.1～0.29 cm^2)；左室のサイズと機能

■治療 (*Circ* 2014;129:e521, *Lancet* 2016;387:1312)
- 急性代償不全期(急性の誘因として心内膜炎を考慮)：
  急性の重症大動脈弁閉鎖不全で左室による代償ができない場合，通常は緊急手術が必要
  後負荷↓(ニトロプルシドIV)，陽性変力作用薬(ドブタミン)
  ±陽性変時作用薬(HR↑➡拡張期↓➡逆流時間↓)
  血管収縮薬とIABPは禁忌
- 慢性大動脈弁閉鎖不全症：左室のサイズと機能に基づき(症状発現前に)治療方針を決定
- 手術(大動脈弁置換術，可能ならば弁形成術)
  重症かつ症候性の大動脈弁閉鎖不全(はっきりしなければ負荷試験を考慮)
  無症候かつ，EF<50%または左室拡大〔左室収縮末期径>50 mmもしくは左室収縮末期

径係数≧20もしくは25 mm/m² (JACC 2019;73:1741)〕または心臓手術を予定
- 経カテーテル大動脈弁置換術は検討段階 (JACC 2013;61:1577, 2017;70:2752)
- **薬物療法**:症状または左室機能障害のある重症大動脈弁閉鎖不全症で,手術適応のない患者;弁置換術前の血行動態改善;**血管拡張薬**(ニフェジピン,ACEI/ARB,ヒドララジン);軽度の左室拡大があるが左室機能正常で無症候性の重症大動脈弁閉鎖不全症に対しては明らかな利益なし (NEJM 2005;353:1342)

僧帽弁閉鎖不全症

■**原因** (Lancet 2009;373:1382, NEJM 2010;363:156)
- **一次性(弁機構の変性)**
  弁尖の異常:粘液腫性変性(僧帽弁逸脱症),心内膜炎,石灰化を伴うリウマチ性心疾患,弁膜炎(膠原病による),先天性,食欲抑制薬 (fenfluramine/phentermine),放射線照射

  腱索断裂:粘液腫性変性,心内膜炎,特発性,外傷性

  虚血による乳頭筋機能不全,MIに伴う断裂(通常は後内側乳頭筋(後下行枝のみに栄養される);前外側乳頭筋は対角枝と鈍角枝に栄養される〕
- **二次性(機能性)**:虚血性左室リモデリングあるいは拡張型心筋症による心尖部下壁乳頭筋の偏位,肥大型心筋症 (JACC 2015;65:1231)

■**臨床症状**
- 急性期:**肺水腫**,低血圧,心原性ショック (NEJM 2004;351:1627)
- 慢性期:通常は何年にもわたり無症状,その後,左室機能障害➡進行性の労作時呼吸困難,疲労感,AF,肺高血圧症
- 予後:治療した場合の5年生存率は無症状期では80%だが,有症状期には45%に低下

■**身体診察**
- 心尖部の高調な吹鳴様全収縮期雑音;腋窩へ放散;±振戦;手を握る動作で↑(感度68%,特異度92%),Valsalva手技で↓(感度93%) (NEJM 1988;318:1572)
  前尖の異常➡脊椎付近で後方への逆流ジェットを聴取
  後尖の異常➡胸骨付近で前方への逆流ジェットを聴取
- 弁を流れる血流↑➡±拡張期ランブル
- 大きな心尖拍動の側方偏位,I音不明瞭,II音は分裂(左室後負荷↓によりIIA音が早く,肺高血圧症があればIIP音が遅くなる);±III音
- 頸動脈波の急峻な立ち上がり(大動脈弁狭窄症では弱く遅れる)

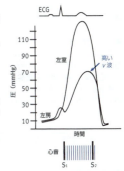

■**診断的検査** (NEJM 2005;352:875)
- ECG:左房拡大,LVH,±AF
- CXR:左房/左室拡大,±肺うっ血
- **心エコー**:僧帽弁の形態(閉鎖不全の原因);重症度:ジェット面積,起始部でのジェット幅 (vena contracta) あるいは有効逆流弁口面積 (ERO;生存率を予測);左室機能(代償されていればEFは正常より↑,∴EF<60%の重症僧帽弁閉鎖不全症=左室機能障害)
- TTE所見で十分な情報が得られない場合はTEEもしくは心臓MRIを考慮
- 心臓カテーテル検査:PCWPの高い c-v 波(僧帽弁閉鎖不全症に特異的ではないが),左室造影による重症度とEFの評価

僧帽弁閉鎖不全症の重症度分類

重症度	逆流率（%）	ジェット面積（左房面積に対する割合）	ジェット幅（cm）	ERO（cm²）	血管造影*
軽症	<30	<20	<0.3	<0.2	1+
中等症	30〜49	20〜40	0.3〜0.69	0.2〜0.39	2+
重症	≧50	>40	≧0.70	≧0.40	3/4+

*1+=1心拍ごとに左房の造影消失；2+=数拍後にも左房の造影が消失せずにわずかに残存；3+=左房と左室が同等に造影される

二次性僧帽弁閉鎖不全症では，EROが過小評価され，左室機能障害が進行する傾向にあるため，ERO≧0.20で重症とする

■治療 (Lancet 2016;387:1324, Circ 2017;135:e1159, JACC 2017;70:2421)

- **急性重症僧帽弁閉鎖不全症**：誘因として虚血と心内膜炎を考慮；後負荷軽減（ニトロプルシド），うっ血緩和（利尿薬，NTG），±陽性変力作用薬（ドブタミン），IABP；血管収縮薬は禁忌；急性の重症僧帽弁閉鎖不全症では通常は手術が必要（手術なしには予後不良，JAMA 2013;310:609）
- **慢性重症一次性僧帽弁閉鎖不全症**：手術（弁置換術よりも可能ならば弁修復術が望ましい）：症候性かつEF>30%；無症候かつ，EF 30〜60%または左室収縮末期径≧40 mm；? 無症候，EF>60%，左室収縮末期径<40 mm，しかしEF↓あるいは左室収縮末期径↑；無症候かつ，EF>60%＋左室収縮末期径<40 mmまたは新規発症のAF/肺高血圧症のある場合には，弁形成術を考慮；AFのある場合，外科的アブレーションでAF再発率↓，脳卒中発症率は差なし；抗凝固療法を計画していない場合は症状コントロールを考慮（NEJM 2015;372:1399）
- **二次性僧帽弁閉鎖不全症**：中等症〜重症の僧帽弁閉鎖不全症（理想的にはERO≧0.40），EF 20〜50%，最適なガイドライン遵守治療のもとで有症状の場合，弁尖間クリップによる経皮的な僧帽弁修復は死亡率およびHF入院↓（NEJM 2018:379;2297&2307）
- **一次性（変性）僧帽弁閉鎖不全症**では，経皮的修復より手術が優れる（NEJM 2011;364:1395）
- 僧房弁輪の高度石灰化を伴う重症僧帽弁閉鎖不全症におけるバルーン拡張型生体弁治療は研究段階（JACC 2018;71:1841）
- 症候性かつEF<60%だが手術不適応の場合：HF治療（β遮断薬，ACEI，±アルドステロン拮抗薬）；利尿薬で前負荷↓，症状緩和およびERO↓のためにNTG（特に虚血性僧帽弁閉鎖不全症）；洞調律の維持
- 無症候患者：臨床的な利点なし；β遮断薬は左室機能↑（JACC 2012;60:833）

僧帽弁逸脱症

■定義と原因
- 心エコー傍胸骨長軸断層像で，僧帽弁尖が弁輪より≧2 mm突出しているもの
- 一次性：散発性もしくは家族性の僧帽弁海綿状組織の粘液腫性増殖
- 二次性：外傷，心内膜炎，先天性，結合組織病（例：Marfan症候群，骨形成不全症，Ehlers-Danlos症候群）

■臨床症状（通常は無症状）
- 僧帽弁閉鎖不全症，心内膜炎，塞栓症，不整脈（まれに乳頭筋由来のVTによる心臓突然死）
- 高調な収縮中期クリック（前負荷↓で早期化）±収縮中期〜後期雑音
- 逸脱に特化した治療法はない（心内膜炎予防は推奨されない；Circ 2007;116:1736）；治療は上記の僧帽弁閉鎖不全症に準じる

僧帽弁狭窄症

■原因 (Lancet 2012;379:953)
- **リウマチ性心疾患**：交連部の癒合 ➡ β溶連菌感染に対する自己免疫反応による"魚の口"型弁；現在では大部分が発展途上国でみられる
- **僧帽弁輪石灰化**：弁尖への石灰化進展 ➡ 機能的僧帽弁狭窄症；特に末期腎不全
- **先天性**，広範囲の感染性心内膜炎，僧帽弁近傍の粘液腫，血栓
- **弁膜炎**（例：SLE，アミロイドーシス，カルチノイド），弁浸潤（例：ムコ多糖症）

■臨床症状 (Lancet 2009;374:1271)
- **呼吸困難と肺水腫**（リウマチ性心疾患が原因であれば，通常は30歳代で発症）
  誘因：運動，発熱，貧血，循環血液量過多（妊娠を含む），頻脈，AF
- **AF**：僧帽弁狭窄症の患者ではしばしばHFの誘因となる
- **血栓塞栓イベント**：脳梗塞が一般的，特にAFや心内膜炎で
- **呼吸器**：喀血，頻回の気管支炎（うっ血による），肺高血圧症，右室不全
- **Ortner症候群**：左房の反回神経圧迫による嗄声

■身体診察
- **心尖部の低調な拡張中期ランブル**：前収縮期雑音を伴う（AFがなければ）；左側臥位で呼気時に最もよく聴取され，運動で↑；重症度∝雑音の持続時間（強さではなく）
- **僧帽弁開放音**：合わさった弁尖が離れるときに生じる心尖部の高調な拡張早期雑音；MVA∝Ⅱ音と開放音の間隔（MVA↓ ➡LAP↑➡間隔↓）
- **Ⅰ音↑**（僧帽弁石灰化や可動性低下のない場合）

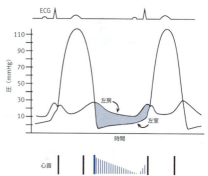

■診断的検査
- **ECG**：左房拡大（"僧帽性P波"），±AF，±RVH
- **CXR**：左房拡大（心陰影左縁の平坦化，右縁の二重陰影，左主気管支の偏位）
- **心エコー**：圧較差，RVSP，僧帽弁口面積，僧帽弁エコースコア（0〜16；弁尖の可動性と肥厚，弁下部肥厚，石灰化に基づき算出）の評価；安静時の症状と重症度に乖離のあるときは運動負荷TTE（RVSPの変動と圧較差を評価）；経皮的僧帽弁交連切開術の前にTEEで左房内血栓を評価
- **心臓カテーテル検査**：圧較差，MVAを計算；LAの高い a 波と浅い y 谷；PAP↑

僧帽弁狭窄症の重症度分類				
重症度	平均圧較差 (mmHg)	圧較差半減時間 (ms)	MVA (cm²)	PASP (mmHg)
正常	0		4〜6	<25
軽症〜中等症	<5	100〜149	1.6〜2	<30
重症	5〜9	150〜219	1.1〜1.5	30〜50
超重症	≥10	≥220	≤1	>50

- ■治療 (*Circ* 2014;129:e521, *Lancet* 2016;387:1324)
- ●薬物療法：Na制限，注意深く利尿薬を使用，β遮断薬，AFコントロール，症状が出ない程度の運動負荷
- ●予防的抗菌薬投与：リウマチ性心疾患の既往があり，10年以上または40歳までに弁膜症を発症している患者に推奨される
- ●抗凝固療法：AF；塞栓症の既往；左房内血栓；？左房径＞55 mm/左房拡大＋もやもやエコーを認めるとき
- ●機械的インターベンション：**HF症状がありMVA≦1.5**；無症状だが超重症（MVA≦1）で，形態的に経皮的僧帽弁交連切開術に適している場合は妥当；MVA＞1.5だが運動時に顕著に血行動態変化がある，もしくは無症状だがMVA≦1.5で新規発症のAFがある場合には経皮的僧帽弁交連切開術を考慮
- ●**経皮的僧帽弁交連切開術**：リウマチ性心疾患に推奨される治療；MVAは倍増，圧較差50%↓；弁形成術スコア＜8，中等度〜重症僧帽弁閉鎖不全症ではない，左房内血栓なしであれば弁置換術と同等の成績
- ●手術（弁置換術，可能ならば弁形成術）：有症状かつMVA≦1.5の患者で，経皮的僧帽弁交連切開術が困難/失敗/禁忌または弁の形態が不適切な場合に考慮
- ●妊娠：NYHA III/IVならば経皮的僧帽弁交連切開術，それ以外は低用量の利尿薬とβ遮断薬で薬物療法

三尖弁逆流症 (*Circ* 2014;129:2440, *Lancet* 2016;388:2431)

- ●主要な原因：リウマチ性心疾患，結合組織病，放射線，感染性心内膜炎，Ebstein病，カルチノイド，腫瘍，ペースメーカーリード
- ●機能的原因（最多）：右室高血圧または肺高血圧症（左心系心疾患に続発することも），右室拡大±心筋梗塞
- ●全収縮期雑音，第3/4肋間，吸気で増強(Carvallo徴候)；III音；内頸静脈圧における頸静脈波増高
- ●症候性の重症三尖弁閉鎖不全症（例：ERO≧0.40 cm^2）では弁形成術もしくは弁置換術を考慮；経カテーテル的治療は研究段階：接合，大静脈内植え込みデバイス，人工弁（*JACC* 2018;71:2935）

人工弁

■機械弁（60%）
- ●二葉弁（例：St. Jude Medical弁），傾斜ディスク弁，ボール弁
- ●耐久性は非常に高い（20〜30年）が，血栓を形成しやすく抗凝固療法が必要；＜約50歳または抗凝固薬をすでに使用している患者で考慮（*JACC* 2010;55:2413）

■生体弁（40%）
- ●ウシ心膜，ブタ異種グラフト（例：Carpentier-Edwards弁），同種グラフト
- ●耐久性は人工弁に劣るが，血栓を形成しにくい；＞約70歳，余命＜20年，または抗凝固薬が使用できない場合に考慮
- ●50〜69歳では2回の再手術が必要だが，機械弁に比し出血や脳卒中は半分（*JAMA* 2014; 312:1323, 2015;313:1435）

■身体診察
- ●クリック音，±前方血流時の柔らかい雑音（軽度の圧較差は正常）

■**人工弁に対する抗凝固療法と抗血小板療法**（*Circ* 2017;135:e1159）
●**高リスク所見**：血栓塞栓症の既往，AF，EF＜30〜35%，凝固能亢進
●**ワルファリン（DOACは不可）**
機械弁僧帽弁置換術（MVR）/高リスク群の機械弁大動脈弁置換術（AVR）：INR 3
低リスク群の機械弁AVR/高リスク群の生体弁MVR/AVR：INR 2.5
生体弁MVR/AVRは出血リスクが低いため術後3か月ないし6か月
●**＋アスピリン**（≦100 mg）はすべての人工弁患者に投与；ただし消化管出血の既往，コントロール不良の高血圧，INR異常値，＞80歳がある場合は投与しない
●血栓症がみられたら増量（例：INR 2〜3 ➡ 2.5〜3.5；2.5〜3.5 ➡ 3.5〜4.5；投与していなければアスピリンを追加）
●経カテーテル大動脈弁置換術後は抗血小板薬2剤〔「大動脈弁狭窄症」の「経カテーテル大動脈弁置換術（TAVR）」を参照〕

機械弁患者に対する手技前後の"ブリッジング"抗凝固療法	
リスク因子のない大動脈弁置換術患者	術前2〜4日はワルファリン中止；術後12〜24時間で再開
リスク因子のある僧帽弁置換術/大動脈弁置換術患者	術前：ワルファリン中止，INR＜2で未分画ヘパリン開始（低分子量ヘパリンより望ましい） 術前4〜6時間：未分画ヘパリン中止；術後は可及的すみやかに未分画ヘパリンとワルファリンを再開

JACC 2017;70:253：ここでいう手技は非心臓手術，侵襲的手技，主要な歯科処置を含む

■**過剰な抗凝固の補正**（*Circ* 2014;129:e521）
●重大出血のリスクと人工弁血栓症のリスクを比較して考慮
●出血なし：INR 5〜10であればワルファリン中止；INR＞10なら中止＋Vit K 1〜2.5 mg PO
●出血あり：FFP/プロトロンビン複合体製剤±低用量（1 mg）Vit K IV

■**心内膜炎の予防：すべての人工弁患者に**（「心内膜炎」の項参照）

■**合併症**
●**機械的合併症**（心内膜炎を除外）；機械弁：Bjork-Shiley弁以外ではまれ；生体弁：10〜15年以内に最大30%に発生，僧帽弁＞大動脈弁；TAVRを考慮（*JACC* 2017;69:2253）
●**弁周囲逆流**（心内膜炎を除外）；機械弁では弁中央からの小さな逆流ジェットは正常
●**血栓閉塞**（*JACC* 2013;62:1731）またはパンヌス形成による閉塞：√TTE，TEE，造影CT，フルオロスコピー
明らかな症状を伴うパンヌス形成：除去手術
血栓：左側弁にあり，症状が重症か血栓が大きい（＞1 cmまたは0.8 cm²）場合は手術；もしくは連日の未分画ヘパリン投与；遷延する場合は血栓溶解薬（例：tPA 10 mg IVボーラス ➡ 90 mg 2時間かけてもしくは25 mg 6時間かけて必要に応じて反復投与；*JACC CV Imaging* 2013;6:206），約80%で成功するが，約10%で死亡リスク，脳卒中，大出血；右心系血栓症には血栓溶解薬が有効
●**感染性心内膜炎±弁膿瘍と刺激伝導系異常**（「心内膜炎」の項参照）
●**塞栓症**（心内膜炎を除外）；術後90日間が最も高リスク，ワルファリン使用中の年間リスクは約1%（アスピリンでは2%，投薬なしでは4%）；機械弁僧帽弁置換術は機械弁大動脈弁置換術と比較して血栓塞栓イベントのリスク2倍（*Circ* 1994;89:635）
●**出血**（過剰な抗凝固による），**溶血**（特にボール弁や弁周囲逆流のある場合）

心膜疾患

■解剖
- 心臓と大血管近位部を包む嚢状組織；2層（壁側心膜と臓側心膜）

■病態
- 炎症（心膜液貯留を伴う場合と伴わない場合あり）➡心膜炎
- 液体貯留➡心膜液貯留±タンポナーデ
- コンプライアンス↓（炎症による）➡収縮性心膜炎
- タンポナーデと収縮性心膜炎➡心室間相互作用↑

心膜炎と心膜液

急性心膜炎の原因 (*JAMA* 2015;314:1498, *EHJ* 2015;36:2873)	
特発性（>80%）	多くは診断未確定のウイルス感染が原因と推定される
感染性（感染と確定できるのは<5%）	ウイルス：コクサッキーウイルス，エコーウイルス，アデノウイルス，EBV，VZV，CMV，パルボウイルス，HIV，インフルエンザウイルス 細菌（心内膜炎，肺炎，心臓手術による）：肺炎球菌，髄膜炎菌（*Neisseria*），*Coxiella*属，黄色ブドウ球菌，*Borrelia*属（ライム病）；結核菌 真菌：*Histoplasma*，*Coccidioides*属，*Candida* 寄生虫：*Entamoeba*属，*Echinococcus*，*Toxoplasma*
腫瘍（<10%）	一般的：転移性腫瘍（肺癌，乳癌，リンパ腫，白血病，腎細胞癌） まれ：原発性心臓腫瘍，原発性心膜腫瘍（中皮腫）
自己免疫性	結合組織病：SLE，RA，強皮症，Sjögren症候群 血管炎：結節性多発動脈炎（PAN），ANCA関連血管炎（EGPA，GPA） 薬物性：プロカインアミド，ヒドララジン，イソニアジド，シクロスポリン
尿毒症	透析施行前の患者の約5～13%；長期透析患者の約20%
心血管	STEMI，心筋梗塞後（Dressler症候群）；上行大動脈解離；胸部外傷；心膜切開術後，手技関連合併症（例：PCI，ペースメーカー留置）
放射線照射	>40 Gyの縦隔照射；急性または晩発性；おそらく漏出性
心膜炎以外による心膜液	慢性心不全，肝硬変，ネフローゼ症候群，甲状腺機能低下症，アミロイドーシス；漏出性

■臨床症状 (*NEJM* 2014;371:2410)
- **心膜炎**：胸骨後胸痛，胸膜性，体位性（前屈みに座ると↓），僧帽筋へ放散；結核性，腫瘍性，放射線照射後，尿毒症性の心膜炎は胸痛を伴わないことも；±発熱；±全身性の原因による症候
- **心膜液**：心膜疾患者の約2/3で認める；無症状からタンポナーデまで多様

■身体診察
- **心膜炎**：多相性の**心膜摩擦音**；胸骨左縁下部で聴診器の膜面を用いると最も聴取しやすい；変動しやすく一過性の引っ搔くような雑音で，最大3つの成分からなる：心房収縮，心室収

縮，心室弛緩（*NEJM* 2012;367:e20）
- 心膜液：心音減弱，左後肺野に濁音聴取（Ewart徴候）；心膜液貯留に伴う圧迫性無気肺による

■診断的検査（*JAMA* 2015;314:1498, *EHJ* 2015;36:2921）
- 以下の2つ以上が必要：胸痛（前述），心膜摩擦音，心電図所見，心膜液
- **ECG**：広範囲のST↑（下に凸）とPR↓（aV_Rでは ST↓とPR↑），陰性T波；STEMIとは対照的に，陰性T波はSTが正常化するまで観察されない
 段階：（Ⅰ）ST↑でPR↓；（Ⅱ）STとPR正常化；（Ⅲ）広範囲の陰性T波；（Ⅳ）T波正常化
 ECG上の低電位と電気的交互脈（"swinging heart"のため心拍ごとにQRS振幅/軸が変化）は多量の心膜液の存在を示唆
- **CXR**：多量の心膜液（>250 mL）➡ "water-bottle"心と心周囲ハローを伴う心陰影↑
- **心エコー**：心膜液の存在，量，貯留部位，タンポナーデの存在；心膜炎それ自体は特異的な異常を示さないが（∴エコー上は正常），心膜に線維状の構造物を認める場合あり（フィブリン/腫瘍）；左室/右室機能障害（？心筋炎）を認めることもあり
- **CT**：心膜液（しばしば心エコーよりも多く見える）±石灰化
- **MRI**：心外膜の肥厚/炎症だけでなく，心筋障害を明らかにする
- 心筋心膜炎ならトロポニン/CK-MB（⊕：約30%；*JACC* 2003;42:2144）；ESR/CRPを考慮

■心膜液の検査
- 感染の除外：通常は病歴とCXRから明らか；？急性期/回復期の血清学的検査
- 非感染性の原因の除外：BUN，Cr，ANA，RF，HIV，薬物性，腫瘍関連の評価
- 感染や悪性腫瘍の疑いがある場合，心膜液が多量（>2 cm）の場合，再発性の場合は心膜穿刺
 ✓細胞数，TP，LDH，glc，グラム染色，培養，抗酸染色，細胞診
 臨床的疑いに応じてADA，結核菌PCR，特異的腫瘍マーカー
 "滲出性"：TP>3 g/dL，心膜液TP/血清TP>0.5，心膜液LDH/血清LDH>0.6，またはglc<60 mg/dL；感度は高い（約90%）が特異度は非常に低い（約20%）；総合的な有用性は低い（*Chest* 1997;111:1213）
- 悪性腫瘍や結核が疑われる場合は心膜生検；外科的ドレナージ時に実施

■心膜炎の治療（*JAMA* 2015;314:1498, *EHJ* 2015;36:2921）
- 高用量NSAIDs（例：イブプロフェン600～800 mg tid）またはアスピリン（例：650～1,000 mg tid）×7～14日，その後数週間かけて漸減；急性心筋梗塞の場合はNSAIDsよりもアスピリンを優先；消化管出血リスク↓のためPPIを考慮
- コルヒチンの追加。0.6 mg bid（≦70 kgの場合はqd）×3か月；炎症再燃/心膜炎再発のリスク50%↓（*NEJM* 2013;369:1522）；アミオダロン，ジルチアゼム，ベラパミル，アトルバスタチンはP-糖蛋白↓，コルヒチン中毒リスク↑
- 全身性自己免疫疾患，尿毒症，妊娠，NSAIDs禁忌，および難治性特発性心膜炎を除いてステロイドの使用は避ける；心膜炎の再発率↑の可能性（*Circ* 2008;118:667）；結核性の場合にはステロイドは収縮性心膜炎のリスク↓（*NEJM* 2014;371:1121）
- 抗凝固療法は避ける（出血/タンポナーデのリスク↑となる明らかなデータはない）
- 感染性心膜液➡心膜ドレナージ（外科的処置が望ましい）＋抗菌薬全身投与
- 症状消失/血清CRP↓まで運動制限；運動競技はTTE/ECGの正常化から3か月以上の待機が必要
- 急性特発性心外膜炎は70～90%の症例で自然消退
- 再発性心膜炎（*Circ* 2007;115:2739）
 リスク因子：亜急性，多量の心膜液/タンポナーデ，>38℃，NSAIDsを7日投与しても不応
 治療：コルヒチン0.6 mg bid×6か月（*Annals* 2011;155:409, *Lancet* 2014;383:2232）；薬物相互作用に配慮（前述）
- 再発性心膜液貯留：心膜開窓術（経皮的/外科的）を考慮

心タンポナーデ

■原因
- あらゆる原因による心膜炎，特に**悪性腫瘍，感染症**，尿毒症，上行大動脈解離，心破裂，手技関連合併症，外傷，心筋生検後
- 急速に貯留する心膜液はタンポナーデを最も起こしやすい；心膜が伸展（コンプライアンス↑）する時間が十分になく，適応しきれないため

■病態生理 (*NEJM* 2003;349:684)
- 心膜腔内圧↑，心腔圧迫，静脈還流量↓➡心拍出量↓
- 拡張期血圧↑とすべての心腔内圧の均一化➡三尖弁開口時の右房から右室への血流最小化➡浅いy谷
- 心室間相互作用↑➡奇脈（生理学的反応の病的な亢進による）
   吸気➡心膜腔内圧と右房圧↓➡静脈還流量↑➡右室サイズ↑➡心室中隔の左方偏位；さらに
   肺血管コンプライアンス↑➡肺静脈還流量↓；結果的に左室充満↓➡**左室拍出量**と血圧と
   脈圧↓

■臨床症状
- **肺水腫を伴わない心原性ショック**（低血圧，疲労感）
- 呼吸困難（約85％にみられる）は静脈還流を増大させるための呼吸ドライブ↑による

■身体診察 (*EHJ* 2014;35:2279)
- **Beckの三徴**（3つ揃うことはまれ）：**心音減弱，頸静脈怒張，低血圧**
- 浅いy谷を伴う頸静脈怒張（76％）
- 反射性頻脈（77％），低血圧（26％；時に高血圧），四肢冷感
- 奇脈（感度82％，特異度70％）＝吸気時に収縮期血圧≧10 mmHg低下
   LR（＋）3.3（＞12ならば5.9），LR（－）0.03
   鑑別診断：PE，脱水，重症COPD，auto-PEEP，収縮性心膜炎（約1/3），右室梗塞
   ? もともとLVEDP↑，不整脈，重症大動脈弁閉鎖不全症，心房中隔欠損症，局所的なタンポナーデがある場合は認められないことあり
- 心音減弱（28％），±心膜摩擦音（30％）
- 頻呼吸と起坐呼吸だが呼吸音正常

■診断的検査
- ECG：心拍数↑，低電位（42％），電気的交互脈（20％），±心膜炎の徴候
- CXR：心陰影↑（89％）
- **心エコー：心膜液貯留**，下大静脈拡張，吸気時の**心室中隔偏位**
   右房の**拡張期虚脱**（感度85％，特異度80％），右室の**拡張期虚脱**（感度＜80％，特異度90％）
   弁血流速度の呼吸性交互変化（吸気時に三尖弁血流速度↑，僧帽弁血流速度↓）
   心臓手術後のタンポナーデは限局的で容易に確認できないことあり
- 心臓カテーテル検査（右心，心膜腔）：拡張期内圧↑（15〜30 mmHg），心膜腔内圧と拡張期圧（RAP, RVP, PCWP）の均一化，RAPの浅いy谷
   心膜穿刺後のSV↑＝タンポナーデの最終的証明
   ドレナージ後もRAP↑が残存の場合，鑑別診断：滲出性収縮性心膜炎（臓側心膜性収縮性心膜炎），心筋機能不全（例：併存する心筋炎による）

■治療 (*EHJ* 2014;35:2279)
- 補液（過剰な補液はタンポナーデを増悪させるおそれがあるので注意），陽性変力作用薬（β遮断薬は避ける）
- 血管収縮薬は心拍出↓とHR↓のおそれがあるので避ける
- 陽圧換気はさらに心腔の血液充満を妨げるおそれがあるので避ける (*Circ* 2006;113:1622)

- **心膜穿刺**（大動脈破裂/心破裂が原因の場合を除く；その場合は緊急の外科的介入が選択肢となる；あまりに不安定な場合にはPEAを防ぐ目的で心膜液を少量穿刺除去することを考慮）
- 心膜液が急速に再貯留する，限局性，または血性の場合には外科的ドレナージを考慮

収縮性心膜炎

■原因 (*Circ* 2011;124:1270)
- あらゆる原因による心膜炎（急性心膜炎後の発生率は約1～2%）
- リスクが特に高いのは**結核，細菌感染，腫瘍，放射線治療**，結合組織病，心臓手術後
- 心膜炎の最も一般的な原因である**ウイルス感染/特発性**もかなりの割合を占める

■病態生理
- 臓側心膜と壁側心膜の癒着➡硬化した心膜が心室の拡張期充満を制限➡全身静脈圧↑
- 静脈還流が制限されるのは拡張早期の急速充満相の直後のみ；∴心房弛緩と三尖弁開放に伴い急速なRAP↓，**深いx谷とy谷**
- Kussmaul徴候：吸気時に頸静脈圧↓がみられない（吸気時に静脈還流量↑，しかし心膜の硬化のため胸腔内陰圧が心膜まで伝わらない）

■臨床症状 (*NEJM* 2011;364:1350)
- 右心不全＞左心不全（全身性うっ血＞肺うっ血）

■身体診察
- **頸静脈怒張，深いy谷，Kussmaul徴候**〔鑑別診断：三尖弁狭窄症，急性肺性心，右室機能不全（心筋症，右室梗塞），上大静脈症候群〕
- 肝脾腫，腹水，末梢性浮腫；鑑別診断では特発性肝硬変を考慮
- 心尖拍動を通常は触れない；**心膜ノック音**；通常は奇脈を認めない

■診断的検査
- ECG：非特異的；進行例ではAFがよくみられる（33%）
- CXR：石灰化（結核が最も一般的な原因），特に側面像で（ただし特異的ではない）
- 心エコー：±心膜肥厚，**心室中隔呼吸性偏位**＝拡張早期に心室中隔が左室方向へ過剰に偏位
- 心臓カテーテル検査
  心房圧：**M型またはW型**（深いx谷とy谷）
  心室圧：**"dip-and-plateau"パターン**（square-root-sign：√‾）（RVPは拡張期開始時に急峻に↓，急峻に↑，すぐにプラトー）
  呼吸周期中のLVPとRVPの**ピーク不一致**（*Circ* 1996;93:2007）
- CTまたはMRI：弁尖の牽引を伴う心膜肥厚（>4 mm；感度約80%）(*Circ* 2011;123:e418)

■治療
- 循環血液量過剰の場合は利尿薬；感染性あるいは進行例では心膜切開術

収縮性心膜炎 vs. 拘束型心筋症		
評価手段	収縮性心膜炎	拘束型心筋症
身体診察	Kussmaul徴候 心尖拍動を触れない 心膜ノック音	±Kussmaul徴候 心尖拍動増強，±III音とIV音 ±僧帽弁/三尖弁閉鎖不全雑音
ECG	±低電位	浸潤性心筋症であれば低電位 ±伝導異常

(次頁につづく)

心エコー	弁血流速度の**呼吸性交互変化**（25～40％）：吸気時➡三尖弁血流速度↑，僧帽弁血流速度↓ E'波（組織Doppler法）正常/↑（>12 cm/秒） **呼気時の肝静脈逆流** **拡張早期の心室中隔呼吸性偏位** 壁厚正常		弁血流速度の呼吸性交互変化＜10％ 最大充満速度↓ 最大充満速度までの時間↑ E'波↓（＜8 cm/秒）（感度95％，特異度96％；*HF Rev* 2013;18: 255） **吸気時の肝静脈逆流** **両心房拡大** ±壁肥厚
CT/MRI	**しばしば心膜肥厚を伴う**		心膜正常
NT-proBNP	さまざま		通常は↑/↑↑（*JACC* 2005;45: 1900）
心臓カテーテル検査	深い *x* 谷と *y* 谷（収縮性心膜炎で顕著） "dip-and-plateau" パターン（収縮性心膜炎で顕著）		
	LVEDP＝RVEDP RVSP＜55 mmHg（感度90％，特異度29％） RVEDP＞1/3 RVSP（感度93％，特異度46％） 呼吸周期中のLVPとRVPの**ピーク不一致** **systolic area index**〔(RVP－時間面積)/(LVP－時間面積)の，吸気時の値/呼気時の値〕＞1.1（感度97％，特異度100％）		**LVEDP＞RVEDP**（特に水分負荷時） RVSP＞55 mmHg RVEDP＜1/3 RVSP 呼吸周期中のLVPとRVPのピーク一致 systolic area index≦1.1（*JACC* 2008;51:315）
心内膜心筋生検	通常は異常なし		±拘束型心筋症に特異的な病因（線維化，浸潤，肥大）

高血圧

JNC8分類				2017 AHA/ACC血圧分類		
分類	SBP (mmHg)	DBP (mmHg)		分類	SBP (mmHg)	DBP (mmHg)
正常	＜120	＜80		正常	＜120	＜80
前高血圧	120～139	80～89		高値血圧	120～129	＜80
ステージ1 高血圧	140～159	90～99		ステージ1 高血圧	130～139	80～89
ステージ2 高血圧	≧160	≧100		ステージ2 高血圧	≧140	≧90

血圧（mmHg）：1～2分以上間隔をあけた2回以上の測定の平均値；ステージ1は1～4週間以内に再検；ステージ2はすぐに薬物療法開始可（*J Clin HTN* 2014;16:14, *Circ* 2018;138:e426）

■**疫学**（*JAMA* 2014;311:1424, *Circ* 2018;138:e426）
- 米国成人の有病率は約30％，アフリカ系米国人は≧44％；男女差なし
- 高血圧患者のうち，治療中が約3/4，目標血圧達成が約1/2，診断されていないのが約1/6

■原因 (*JACC* 2017;71:127)
- **本態性** (95%):25〜55歳で発症;家族歴あり;機序は明確ではないが,慢性的な腎微小血管障害に加えて交感神経活動亢進の寄与が推測される(*NEJM* 2002;346:913)
  年齢↑➡動脈コンプライアンス↓➡収縮期高血圧;遺伝的要因+環境要因の寄与(*Nature* 2011;478:103)
- **二次性**:<30歳,突然発症,重症,治療抵抗性の高血圧の場合に考慮

高血圧の二次性の原因			
病態		示唆する所見	初期評価
腎性	**腎実質性**(2〜3%)	DM,多発性嚢胞腎,糸球体腎炎の既往	
	腎血管性(1〜2%) 動脈硬化(90%) FMD(10%,若年女性) PAN,強皮症	ACEI/ARBによるAKI 繰り返す急性肺水腫 腎動脈雑音;低K血症 (*NEJM* 2009;361:1972)	MRA(感度と特異度>90%,FMDでは↓),CT血管造影,デュプレックスエコー,血管造影,血漿レニン活性(低特異度)
内分泌	高アルドステロン症またはCushing症候群(1〜5%)	低K血症 代謝性アルカローシス	「副腎疾患」の項参照
	褐色細胞腫(<1%)	発作性高血圧,頭痛,動悸	
	粘液水腫(<1%)	「甲状腺疾患」の項参照	TFT
	高Ca血症(<1%)	多尿症,脱水,意識障害	イオン化Ca
その他	OSA(当該項目参照);アルコール		
	薬物:OCP,ステロイド,甘草;NSAIDs(特にCOX-2阻害薬);EPO;シクロスポリン		
	大動脈縮窄症:下肢脈拍↓,収縮期雑音,橈骨-大腿動脈脈拍遅延;TTEやCXRの異常		
	真性多血症:Hct↑		

■標準的な評価
- **目標**:(1) 心血管リスクの同定;(2) 二次性高血圧の考慮;(3) 標的臓器障害の評価
- **病歴**:CAD,HF,TIA/脳血管障害,末梢動脈疾患,DM,腎不全,睡眠時無呼吸,妊娠高血圧腎症(子癇前症);高血圧の家族歴;食生活,Na摂取量,喫煙,アルコール,処方薬/一般用医薬品,OCP
- **身体診察:両腕の血圧をチェック**;眼底検査,BMI,心臓(LVH,心雑音),血管(血管雑音,橈骨-大腿動脈脈拍遅延),腹部(腫瘤,血管雑音),神経学的診察
- **臨床検査**:K,BUN/Cr,Ca,血糖値,Hct,尿検査,脂質,TSH,尿中Alb/Cr比(Cr↑,DM,末梢性浮腫のある場合),?レニン,ECG(LVHの評価),CXR,TTE(弁異常,LVHの評価)
- **24時間血圧測定(ABPM)**:一過性高血圧,仮面高血圧,白衣高血圧,治療抵抗性の場合に考慮;診察室血圧より強い予後予測因子(*NEJM* 2018;378:1509);24時間目標値<130/80

■合併症
- **神経系:TIA/脳血管障害**,動脈瘤破裂,脳血管性認知症
- **網膜症**:ステージⅠ=細動脈狭細化;Ⅱ=銅線動脈,動静脈交差現象;Ⅲ=出血斑,滲出斑;Ⅳ=乳頭浮腫

- ●循環器：CAD，LVH，**心不全**，AF
- ●血管：大動脈解離，大動脈瘤（高血圧＝動脈瘤の重要なリスク因子）
- ●腎：蛋白尿，**腎不全**

■治療（*J Clin HTN* 2014;16:14, *Circ* 2018;138:e426, *NEJM* 2018;378:636）
- ●血圧10 mmHgごとに➡MACE 20%↓，心不全28%↓，死亡率13%↓（*Lancet* 2016;387:957）
- ●ACC/AHA：臨床的に心血管疾患（虚血性心疾患，心不全，脳卒中）がある場合または10年動脈硬化性心血管疾患リスク≧10%の場合は，血圧≧130/80で降圧薬を開始；それ以外では血圧≧140/90で開始
- ●JNC8：60歳未満またはDM/CKDありでは目標＜140/90，60歳以上でDM/CKDなしでは目標＜150/90
- ●DMのない心血管高リスク例では，目標SBP＜120（自動血圧測定）は目標SBP＜140と比較してMACE↓と死亡率↓，しかし血圧低下/AKI/失神/電解質異常のリスク↑（*NEJM* 2015;373:2103）；同様の傾向は≧75歳の群でも認められた（*JAMA* 2016;315:2673）
- ●生活習慣改善（それぞれ約5 mmHgのSBP↓）
  減量：目標BMI 18.5〜24.9；有酸素運動：90〜150分の運動/週
  食事：果物と野菜を豊富に，飽和脂肪と総脂肪は少なく（DASH；*NEJM* 2001;344:3）
  Na制限：理想的には≦1.5 g/日，もしくは1.0 g/日の減量；K摂取の励行（3.5〜5 g/日）
  節酒：男性は≦2杯/日；女性と体重の軽い患者は≦1杯/日；NSAIDsを避ける
- ●薬物療法の選択肢
  前高血圧：ARBは高血圧の発症を防ぐが，臨床イベント↓はなし（*NEJM* 2006;354:1685）
  高血圧：治療選択には議論あり；併存疾患とステージに応じて選択
  併存疾患なし：CCB，ARB/ACEI，またはチアジド（chlorthalidoneが好ましい）が第1選択；β遮断薬は第1選択とならない
  黒人，高齢者，**?**肥満者：CCBまたはチアジドから開始でよい
  ＋冠動脈疾患（*Circ* 2015;131:e435）：ACEI/ARB（*NEJM* 2008;358:1547）；ACEI＋CCBは，ACEI＋チアジド（*NEJM* 2008;359:2417）やβ遮断薬＋利尿薬（*Lancet* 2005;366:895）より優れる；狭心症コントロールのためβ遮断薬や硝酸薬が必要になることも；心筋梗塞後はβ遮断薬±ACEI/ARB±アルドステロン拮抗薬〔「急性冠症候群（ACS）」の項参照〕
  ＋心不全：ACEI/ARB/ARNI，β遮断薬，利尿薬，アルドステロン拮抗薬〔「心不全（HF）」の項参照〕
  ＋脳卒中後：ACEI±チアジド（*Lancet* 2001;358:1033）
  ＋DM：ACEI/ARBを考慮；チアジド，CCBも考慮しうる
  ＋CKD：ACEI/ARB（*NEJM* 1993;329:1456, 2001;345:851&861）
- ●個別化治療：ステージ1では単剤療法で開始；ステージ2では併用療法で開始することを考慮（例：ACEI＋CCB；*NEJM* 2008;359:2417）：最大投与量の1/2量から開始する；1か月経過後，薬物の用量調整または追加を行う
- ●**妊娠**：メチルドパ，ラベタロール，ニフェジピンが好ましい；ヒドララジンも可；利尿薬は避ける；ACEI/ARBは禁忌
  目標DBP 85が105と比較して安全で重症高血圧を防ぐ（*NEJM* 2015;372:407）

■治療抵抗性高血圧（利尿薬を含めて3剤以上の使用でも目標血圧に達しない）（*HTN* 2018;72:e53）
- ●除外：二次性高血圧（表参照）と偽性治療抵抗性：不適切な血圧測定（カフサイズ），不適切な食生活（Na↑），服薬不履行，不十分な用量，白衣高血圧（✓ABPM）
- ●効果的な利尿を確保（chlorthalidoneまたはインダパミド＞ヒドロクロロチアジド；eGFR＜30の場合はループ利尿薬＞チアジド）
- ●アルドステロン拮抗薬（*Lancet* 2015;386:2059），β遮断薬（特に血管拡張作用のあるラベタロール，カルベジロール，nebivolol），α遮断薬，あるいは直接血管拡張薬を追加してもよい

高血圧クリーゼ

- **高血圧緊急症**：SBP＞180 または DBP＞120 で標的臓器の障害を伴う
  - 神経学的障害：脳症，出血性／虚血性脳卒中，乳頭浮腫
  - 循環器障害：ACS，心不全／肺水腫，大動脈解離
  - 腎障害：蛋白尿，血尿，AKI；強皮症腎クリーゼ
  - 微小血管性溶血性貧血；妊娠高血圧腎症（子癇前症）／子癇
- **高血圧切迫症**：SBP＞180 または DBP＞120 で標的臓器の障害を伴わない

■誘因
- 本態性高血圧の進展±服薬不履行（特にクロニジン）または食生活の変化
- 腎血管疾患の進展；AGN；強皮症；妊娠高血圧腎症
- 内分泌：褐色細胞腫，Cushing症候群
- 交感神経刺激薬：コカイン，アンフェタミン，MAO阻害薬＋チラミンが豊富な食品

■治療：臨床状況に応じて調整 (*Circ* 2018;138:e426)
- 大動脈解離，子癇／重症妊娠高血圧腎症，褐色細胞腫：目標SBP＜140（大動脈解離では＜120）を1時間以内に
- 上記がない緊急症：1時間で約25%の降圧；次の2～6時間で160/100～110に降圧；その後1～2日かけて正常化を目指す
- 急性期脳梗塞（発症から72時間以内）：血栓溶解開始前は＜185/110，そうでなければ目標＜220/120（脳出血のSBP目標と同様）
- 尿量，Cr，精神状態に注意；降圧に耐えられないことの指標となる

高血圧緊急症の静注薬 (*Circ* 2018;138:e426, *Stroke* 2018;49:46)		
薬物	用量	適応疾患
ラベタロール	20～80 mgボーラス投与10分ごとまたは0.4～2 mg/分	大動脈解離，急性冠症候群，脳卒中，子癇
エスモロール	0.5～1 mg/kg負荷投与→50～200μg/kg/分	大動脈解離，急性冠症候群
ニトロプルシド*	0.25～10μg/kg/分	肺水腫
ニトログリセリン	5～500μg/分	肺水腫，急性冠症候群
ニカルジピン	5～15 mg/時（5分ごとに2.5 mg/時ずつ増量可）	脳卒中，AKI，子癇，褐色細胞腫
clevidipine	1～32 mg/時（5～10分ごとに用量調整可）	脳卒中，肺水腫，AKI，褐色細胞腫
fenoldopam	0.1～1.6μg/kg/分	AKI
ヒドララジン	10～20 mg 20～30分ごと必要時	子癇
フェントラミン	5～15 mgボーラス投与5～15分ごと	褐色細胞腫
enalaprilat	1.25～5 mg 6時間ごと	

*シアン化物に代謝→意識障害，乳酸アシドーシス，死亡；超高用量（8～10μg/kg/分）の使用は＜10分に制限する

- **高血圧切迫症**：正常血圧に到達するまで数時間～数日をかける；高血圧治療薬の再設定／強化；追加内服薬の選択肢：ラベタロール200～800 mg 8時間ごと，カプトプリル12.5～100 mg 8時間ごと，ヒドララジン10～75 mg 6時間ごと，クロニジン0.2 mg負荷投与→0.1 mg 1時間ごと

大動脈瘤

■定義
- **真性大動脈瘤**（大動脈の3層すべてが50%以上拡張），**仮性大動脈瘤**（血管壁の破綻が外膜内に収まっている）
- 部位：基部大動脈瘤（大動脈弁輪拡張症），胸部大動脈瘤（TAA），胸腹部大動脈瘤（TAAA），腹部大動脈瘤（AAA）
- 種類：紡錘状大動脈瘤（大動脈壁の円周状の拡張），嚢状大動脈瘤（大動脈壁の局所的な拡張）

■疫学 (Circ 2010;121:e266, 2011;124:2020, Nat Rev Cardiol 2011;8:92)
- **TAA**：男性：女性＝2:1；約60%が基部/上行大動脈；40%が下行大動脈
- **AAA**：>65歳の有病率は約4～8%；女性より男性に5倍多い；大部分は腎動脈より下部

■病態生理・リスク因子 (NEJM 2009;361:1114, Nat Med 2009;15:649)
- 中膜変性/血管壁ストレス↑：血管壁にかかるストレス∝ $[(\Delta P \times r)/壁厚]$（Laplaceの法則）
- **TAA**：中膜変性（血管平滑筋のアポトーシス，エラスチン線維の脆弱化）；結合組織病，大動脈炎に伴う
- **AAA**：長期にわたる高血圧＋アテローム性動脈硬化と炎症➡中膜の脆弱化
- 古典的**リスク因子**：高血圧，アテローム性動脈硬化，喫煙，年齢，男性
- **結合組織病**（Marfan症候群，Ehlers-Danlos症候群IV型，Loeys-Dietz症候群）；**先天性**（大動脈二尖弁，Turner症候群）；**大動脈炎**（高安動脈炎，巨細胞動脈炎，脊椎関節炎，IgG4関連疾患，梅毒）；外傷

■スクリーニング (Circ 2010;121:e266, 2011;124:2020, Annals 2014;161:281, JAMA 2015;313:1156)
- **TAA**：先天性大動脈二尖弁か，第一度近親の家族に（a）TAAもしくは先天性二尖弁，（b）上記の結合組織病がある場合
- **AAA**：✓拍動性の腹部腫瘤；>60歳の男性でAAAの家族歴がある場合＆65～75歳の男性で喫煙歴がある場合にはエコー検査

■診断的検査 (Circ 2010;121:e266, 2011;124:2020)
- **造影CT**：すべての大動脈瘤に対し迅速で非侵襲的，感度と特異度の高い検査
- **TTE/TEE**：基部/近位大動脈瘤にはTTEが最も有用；TEEでTAA患者の胸部以外の部位を描出可能
- **MRI**：TAAの大動脈基部の描出にCTよりも優れる；AAAにも有用だが時間がかかる；大動脈の評価に非造影 "black blood" MRI
- **腹部エコー**：腎動脈より下部のAAAのスクリーニングと精査に有用

■治療 (Circ 2008;117:1883, 2010;121:e266, 2016;133:680, NEJM 2014;371:2101)
- 目標はリスク因子を是正して破裂（来院前死亡率50%）を防ぐこと
- **リスク因子の是正**：禁煙；LDL-C<70～100 mg/dL
- **血圧管理**：β遮断薬（dP/dt↓）は動脈瘤の増大↓（NEJM 1994;330:1335）；**ACEI**は破裂リスク↓（Lancet 2006;368:659）；**ARB**はMarfan症候群で大動脈基部拡張↓の可能性（NEJM 2008;358:2787）
- 中等度の運動は可；いきみを要する急激な運動は不可（例：重い物の持ち上げ）
- **手術適応**（家族歴，体格，性別，解剖に基づき個別的に判断）
  TAA：有症状；上行大動脈≧5.5 cm（Marfan症候群，Loeys-Dietz症候群，Ehlers-Danlos症候群，大動脈二尖弁の場合は4～5 cm）；下行大動脈>6 cm；瘤径≧4.5 cmで大動脈弁手術を受ける場合；>0.5 cm/年の増大

AAA：有症状；腎動脈下≧5.5 cm；女性の場合は≧5.0 cmで考慮；>0.5 cm/年の増大；炎症/感染

■**腹部大動脈瘤ステントグラフト挿入術（EVAR）**（NEJM 2008;358:494, Circ 2011;124: 2020, 2015;131:1291）
●大動脈が解剖学的に適していることが必要
●**TEVAR**（胸部EVAR）：下行TAA≧5.5 cmの症例で，周術期の合併症↓と死亡率↓の可能性 あり（Circ 2010;121:2780, JACC 2010;55:986, J Thorac CV Surg 2010;140: 1001,2012;144:604）
●**AAA**：ガイドラインでは手術適応のある腎動脈より下部のAAAに対し，開腹修復術またはEVARを推奨
短期死亡率・出血・在院期間↓；ただし長期的なグラフト合併症（3～4%/年；動脈瘤内の血流残存，再手術）のため定期的な経過観察が必要：長期死亡率には差はない（Lancet 2016;388:2366, NEJM 2019;380:2126）
手術適応がないまたは周術期リスクの高い患者：薬物療法と比較して動脈瘤関連死亡率↓，ただし全死亡率に差はなし（NEJM 2010;362:1872）；解剖学的に適応のあるAAA破裂に対してEVARは開腹修復術に劣らない（?より優れる）（Ann Surg 2009;250:818）

■**合併症**（Circ 2010;121:e266, Nat Rev Cardiol 2011;8:92）
●**疼痛**：胸部/背部/腹部の疝痛；新規または増悪する疼痛は破裂を示していることあり
●**破裂**：大きな瘤，女性，現在の喫煙習慣，高血圧でリスク↑
 TAA：<6 cmでは約2.5%/年，>6 cmでは7%/年
 AAA：<5 cmでは約1%/年，5～5.9 cmでは6.5%/年；死亡率は24時間で約80%
●**大動脈弁閉鎖不全（TAA），慢性心不全，急性大動脈症候群**（当該項目参照）
●**血栓塞栓性の虚血イベント**（例：脳，内臓，四肢）
●**隣接組織の圧迫**（例：上大静脈，気管，食道，喉頭神経）

■**経過観察**（Circ 2010;121:e266, Nat Rev Cardiol 2011;8:92, JAMA 2013;309:806）
●TAAでは約0.1 cm/年，AAAでは約0.3～0.4 cm/年の増大
●**AAA**：<4 cmでは2～3年ごと；4.0～5.4 cmでは6～12か月ごと；拡大率が6か月で>0.5 cmの場合はより頻回にフォローアップ
●**TAA**：診断後6か月で安定していることを確認，安定している場合はその後年1回のフォローアップ（Circ 2005;111:816）
●冠動脈疾患，末梢動脈疾患，大動脈以外の動脈瘤（特に膝窩動脈）の検索；TAA患者の約25%にAAAが，AAA患者の25%にTAAが併存：大動脈全域の画像検査を考慮

急性大動脈症候群

■**定義**（Circ 2010;121:e266, EHJ 2012;33:26）
●**大動脈解離**：内膜亀裂➡中膜への血液流入（偽腔形成）
●**壁内血腫**：栄養血管破裂➡大動脈内腔と中膜血腫（偽腔）との間に交通なし；大動脈症候群の6%；臨床的には大動脈解離として扱う
●**穿孔性潰瘍**：アテローム性プラークが潰瘍化して内弾性板を貫通➡中膜血腫

■**分類**（近位が遠位の2倍）
●**近位**：上行大動脈，入口部によらず（＝Stanford A，DeBakey I/II）
●**遠位**：下行大動脈のみ，左鎖骨下動脈より遠位（＝Stanford B，DeBakey III）

■**リスク因子**（Lancet 2015;385:800）
●**古典的**（高齢患者）：**高血圧**（大動脈解離の>70%に高血圧の既往）；**年齢**（60～70歳），

男性（約65%）；喫煙；脂質↑；**急激な血圧↑**：コカイン，Valsalva手技（例：ウェイトリフティング）
- **遺伝的/後天的要因**：結合組織病（Marfan症候群，Loeys-Dietz症候群，Ehlers-Danlos症候群Ⅳ型）；先天性異常（大動脈二尖弁，大動脈縮窄症（例：Turner症候群），多発性囊胞腎）；大動脈炎（高安動脈炎，GCA，Behçet病，梅毒）；妊娠（通常は第3期）；フルオロキノロン曝露
- **外傷**：鈍的外傷，減速外傷（例：自動車事故）；IABP，心臓/大動脈手術，Impella，心臓カテーテル検査

臨床症状と身体所見*（JAMA 2000;283:897）		
特徴	近位（%）	遠位（%）
"大動脈"痛〔突然の激しい引き裂くような痛み；発症時に最強（ACSの痛みは徐々に増強）〕	94（胸部，背部）	98（背部，胸部，腹部）
失神（しばしばタンポナーデが原因）	13	4
心不全（通常は急性大動脈弁閉鎖不全症による）	9	3
脳血管障害	6	2
高血圧	36	70
低血圧/ショック（タンポナーデ，大動脈弁閉鎖不全症，MI，破裂）	25	4
脈拍欠損（頸動脈/鎖骨下動脈/大腿動脈が関与する場合）	19	9
大動脈弁閉鎖不全雑音	44	12

* 症候は関与する分岐動脈/遠隔臓器に関連あり；解離の進展に伴って変化する可能性

■**初期評価と診断的検査**（*Circ* 2010;121:e266, *JACC CV Img* 2014;7:406）
- 病歴聴取と身体診察（両腕の血圧と橈骨動脈の拍動➡差がないか確認）；ECGでは，心臓に進展した場合はST上昇を伴う
- **CXR**：60～90%で異常〔縦隔拡大（なければLR（-）0.3），左胸水〕，ただし異常がなくても大動脈解離は除外できない
- **CT**：迅速ですぐに利用でき，感度≧93%，特異度98%；"triple rule-out"はACS/PE/大動脈解離の鑑別を容易にする
- **MRI**：感度と特異度>98%；時間のかかる検査で，すぐに利用できないことも
- **TEE**：感度は近位>95%，遠位80%；冠動脈/心膜/大動脈弁の評価も可能；気管の陰が"死角"となる
- 初回の画像検査⊖でも臨床的に疑いがある場合➡追加検査（大動脈解離患者の2/3は2種類以上の検査を受けている）
- **Dダイマー**：感度/NPVは約97%，特異度約50%；<500 ng/mLで解離を除外できる；ただし高リスク患者や壁内血腫の除外はできない
- **?リスクスコア**（0～3点）：高リスク（例：遺伝，最近の大動脈操作）；大動脈痛；灌流障害を示す所見，大動脈弁閉鎖不全症/ショック；スコア>1➡画像検査；≦1とDダイマー<500 ng/mLはNPV>99%（*Circ* 2018;137:250）

■**治療**（*Circ* 2010;121:1544, *JACC* 2013;61:1661, *Lancet* 2015;385:800）
- HR<60，中心血圧<120を目標として**d*P*/d*t*↓**（または灌流を維持できる最低レベル；偽性低血圧の除外，例：鎖骨下動脈解離による腕の血圧↓；最も高く測定された血圧を用いる）
- **まずβ遮断薬**（例：エスモロール，ラベタロール）をIV投与し，血管拡張薬の投与による反射性のHR↑，収縮性↑を抑制；β遮断薬が禁忌の場合はベラパミル/ジルチアゼム；**その後，血管拡張薬**IV投与（例：ニトロプルシド）で**SBP↓**
- **低血圧の場合**：緊急手術のコンサルト，正常な体液量を達成するための輸液，昇圧剤によりMAP 70 mmHgを維持；合併症を除外（例：タンポナーデ，contained rupture，重症大

動脈弁閉鎖不全症)
- **近位**:手術(基部置換術):**急性例はすべてで考慮**;慢性例は進展がみられる場合,大動脈弁閉鎖不全症や動脈瘤を伴う場合
- **遠位**:合併症(下記参照)がある場合を除き薬物療法;ただし先行的血管内修復術は晩期併症および死亡率↓の可能性がある(*JACC* 2013;61:1661, *Circ Cardiovasc Int* 2013; 6:407)

■合併症(約20%) (*Circ* 2010;121:e266, *Lancet* 2015;385:800)
- **頻回の評価**(症状,血圧,尿量),脈拍,血液検査(Cr, Hb,乳酸),画像検査(約7日/症状がある場合はより早期に施行)
- 治療抵抗性の高血圧や難治性の痛みは合併症/解離の進展を示唆している可能性がある
- **進行**:解離の進展,瘤径↑,偽腔径↑
- **破裂**:心膜腔内破裂➡タンポナーデ(PEAの場合を除き心膜穿刺は避ける);胸膜腔,縦隔,後腹膜腔への血液貯留;画像上の血腫拡大は破裂の前兆
- **灌流障害**(分岐動脈の部分/完全閉塞)
  冠動脈➡MI(通常は右冠動脈➡下壁梗塞;解離は弓部の外側の曲線に沿って生じることが多いため);腕頭動脈/頸動脈➡脳血管障害,Horner症候群;肋間動脈/腰動脈➡脊髄虚血/対麻痺;腕頭動脈/鎖骨下動脈➡上肢虚血;腸骨動脈➡下肢虚血;腹腔動脈/腸間膜動脈➡腸管虚血;腎動脈➡AKI/緩徐なCr↑,治療抵抗性の高血圧
- **大動脈弁閉鎖不全症**:弁輪拡大,または偽腔による弁尖の損傷/下垂による
- **死亡率**:近位の急性例では約1%/時×48時間,30日で10〜35%;高血圧/低血圧の場合は死亡率↑
- **長期間連続画像検査**(CT/MRI;MRIで被曝↓):1,3,6か月,その後は毎年

不整脈

徐脈,房室ブロック(AVB),房室解離

■洞徐脈 (*NEJM* 2000;342:703)
- **原因**:薬物(例:β遮断薬,CCB,アミオダロン,リチウム,ジゴキシン),**迷走神経緊張**↑(例:アスリート,睡眠,下壁梗塞),**代謝**(低酸素症,敗血症,粘液水腫,低体温,低血糖),OSA,頭蓋内圧↑
- **治療**:症状がなければ不要;症状のある場合はアトロピン,短時間作動型β₁刺激薬,ペーシング
- 洞停止の最も一般的な原因は非伝導性心房期外収縮

■洞不全症候群(SSS)
- **特徴**:誘因なく起こる洞徐脈,洞房停止,発作性の洞徐脈と心房頻脈性不整脈(徐脈頻脈症候群),運動負荷試験施行時の変時性不全
- **治療**:薬物療法のみでは失敗することが多い(頻脈を適切にコントロール➡許容できない徐脈);通常は**多剤併用療法**(β遮断薬,CCB,ジゴキシン)で頻脈を,**恒久ペースメーカー**で徐脈をコントロール

AVBの病型分類と特徴	
病型	特徴
1度	PR延長（>200 ms），すべての心房刺激が伝導（1：1）
Mobitz I型 （Wenckebach型） 2度	刺激が伝導しなくなるまで徐々にPR↑（→"grouped beating"） **房室結節**の異常による：虚血（下壁梗塞），炎症（心筋炎，心内膜炎，僧帽弁手術），迷走神経緊張↑（アスリート），薬物が原因 典型的（約50％）には延長したPR間隔は徐々に回復（→RR短縮；休止持続時間<先行するRR間隔×2）；QRS幅正常 AVBは通常，頸動脈洞マッサージで増悪，アトロピンで改善 しばしば発作性/夜間/無症候性，治療不要
Mobitz II型2度	刺激がブロックされる；PR間隔は一定，QRS幅は延長することがある **His-Purkinje系**の異常による：虚血（前壁梗塞），伝導系変性，浸潤性疾患，炎症/（外科的/経皮的）大動脈弁置換術が原因 AVBは頸動脈洞マッサージで改善，アトロピンで増悪することがある 3度AVBに進展することもあり，体外ペーシング/経静脈的ペーシングが必要になることが多い
3度（完全）	房室伝導を認めない；補充収縮がある場合，QRS幅が狭ければ房室接合部性，広ければ心室性

注意：2：1ブロックでは，2度AVBのI型とII型を区別できず（PR延長を観察できないため），通常はその他のECG所見と臨床データに基づき分類；高度AVBとは通常，連続する2つ以上の刺激がブロックされる場合をいう

■房室解離
- 自動能低下：洞調律が遅延して下位調律（例：房室接合部調律）が支配的に
- 自動能亢進：下位調律の促進（例：房室接合部頻拍，VT）
- 3度AVB：房調律が心室を捕捉できず下位調律が出現；等頻度房室解離（心房レート≒心室レートで，心室に伝導されないP波あり）とは区別

■一時ペーシング
- 血行動態不安定な徐脈/不安定な補充調律で，恒久ペースメーカーがすぐに使用できない場合に考慮；リスク：感染症，右室穿孔，VT，気胸，LBBBがあるときの完全房室ブロック
- 是正可能な原因（β遮断薬/CCBの過量投与，ライム病，亜急性感染性心内膜炎，心筋炎，心臓手術/外傷後/経カテーテル大動脈弁置換術）による症候性徐脈，TdP，急性MI（症候性徐脈，高度AVB）に対し，恒久ペースメーカーの代わりに考慮

上室頻拍（SVT）

心室よりも上で発生，∴変行伝導/早期興奮を伴わないかぎり**QRS幅は狭い**

SVTの一般的な原因 (NEJM 2012;367:1438)

	病型	特徴
心房性	洞頻脈	痛み,発熱,脱水,低酸素,肺塞栓症,貧血,不安,禁断症状,β刺激薬などにより誘発される
	心房頻拍	心房の洞結節以外の部位から発生;CAD, COPD, カテコールアミン類,アルコール,ジゴキシンでみられる
	多源性心房頻拍 (MAT)	心房の複数の部位で自動能↑;肺疾患が背景にみられる
	心房粗動	時計回りか半時計回りのマクロリエントリー,通常は右房内
	心房細動 (AF)	無秩序な心房興奮が早く,不規則に房室結節に伝わる;しばしば肺静脈から発生
房室接合部性	房室結節リエントリー性頻拍 (AVNRT)	房室結節内の2本の伝導路がリエントリー回路を形成
	房室回帰性頻拍 (AVRT)	房室結節と副伝導路がリエントリー回路を形成;早期興奮あり (WPW),なし (不顕生副伝道路) がみられることあり;順行性か逆行性がある (下記参照)
	非発作性房室接合部頻拍 (NPJT)	房室接合部の自動能↑;逆行性P波,房室解離を認めることあり;心筋炎,心内膜炎,心臓手術,下壁梗塞,ジゴキシンと関連

SVTの病型診断 (NEJM 2012;367:1438)

発症	突然の発症/停止は洞頻脈を否定
HR	ほとんどのSVTで140~250なので診断には役立たない;ただし洞頻脈は通常<150,心房粗動はしばしば2:1伝導➡HR 150;AVNRTとAVRTは通常>150
調律	不規則➡AF,種々の房室ブロックを伴う心房粗動,MAT
P波の形状	QRSより前 (long RP)➡洞頻脈,心房頻拍 (P≠同調律),MAT (3種類以上の形状) QRSより後 (short RP)&下壁誘導で陰性P波➡逆行性心房興奮 　AVNRT:QRS後半部分に隠れているか波形を歪める (V₁で偽RSR′パターン) 　AVRT:QRSよりわずかに後 (RP間隔>100 msであればAVNRTよりAVRTの可能性) 　NPJT:AVNRTに類似したP波消失/逆行性P波 細動波 (f波),またはP波消失➡AF 鋸歯状波 (F波;下壁誘導とV₁で最もよくみられる)➡心房粗動
迷走神経刺激/アデノシンに対する反応	HR↓は洞頻脈,AF,心房粗動,心房頻拍でしばしばみられる;リエントリー性調律 (AVNRT, AVRT) は突然停止 (典型的には最後のQRSより後にP波) または反応なし;心房頻拍は時に停止 心房粗動やAFでは,AVB↑により鋸歯状波/細動波が観察しやすくなる

図1-4 SVTへのアプローチ (*NEJM* 2012;367:1438)

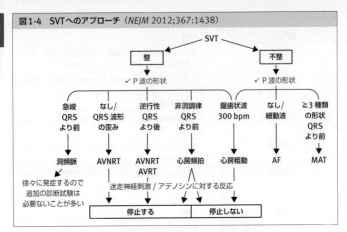

SVTの治療 (*Circ* 2016;133:e506)		
調律	急性期治療	長期治療
不安定	ACLSアルゴリズムに従って**除細動**	—
洞頻脈	基礎にあるストレッサーの治療	—
心房頻拍	β遮断薬，CCB，アデノシン；？アミオダロン	高周波アブレーション (RFA)；β遮断薬/CCB，±Ic/III群抗不整脈薬
AVNRT/AVRT	**迷走神経刺激** **アデノシン** (AVRTでは注意*) CCB/β遮断薬，他の治療法が有効でなければ直流電気除細動	AVNRT (AVRTについては次節参照)：**高周波アブレーション**；CCB，β遮断薬，ジギタリス (長期投与/頓用)，±Ic/III群抗不整脈薬 (心機能に問題がなければ)
NPJT	CCB，β遮断薬，アミオダロン	基礎疾患の治療 (例：ジギタリス中毒，虚血)
AF	**β遮断薬，CCB，ジゴキシン，抗不整脈薬**	「心房細動 (AF)」の項参照
心房粗動	β遮断薬，CCB，抗不整脈薬	高周波アブレーション；β遮断薬/CCB，±III群抗不整脈薬
MAT	忍容性があればCCBまたはβ遮断薬	基礎疾患の治療；CCB/β遮断薬；薬物療法が無効なときは房室結節アブレーション＋恒久ペースメーカー

*副伝導路＋早期興奮 (下記参照) ではアデノシンと房室結節抑制薬は避ける (*JACC* 2003;42:1493)

● カテーテルアブレーション：高い奏効率 (心房粗動/AVNRTで約95%，AVRTで約90%，AFで約70%)
合併症：脳梗塞，MI，出血，穿孔，刺激伝導障害 (*JAMA* 2007;290:2768)

副伝導路（Wolff-Parkinson-White 症候群：WPW）

■定義
- **副伝導路（バイパス路）**：正常な房室結節伝導の遅延を回避して心房と心室を結ぶ心筋伝導路

δ波

- **早期興奮（WPW）パターン**：PR間隔↓，δ波（QRSの始まりがなだらかに；ほとんどみられないこともある）を伴うQRS幅↑，STおよびT波異常（陳旧性下壁梗塞に類似）
  順行性伝導路でのみみられる（逆行性伝導路のみの場合，洞調律の間はECG正常；潜在性副伝導路）
- 房室結節伝導が遅延している場合，肺動脈カテーテル検査は早期興奮を増悪させることあり
- **WPW**：WPW副伝導路＋発作性頻拍

■WPWでみられる典型的頻脈：副伝導路
- **順行性AVRT**：（通常は）QRS幅の狭いSVTで，房室結節を順行，副伝導路を逆行；逆行性伝導が必要；∴潜在性副伝導路で起こることあり
- **逆行性AVRT**（まれ）：QRS幅の広いSVTで，副伝導路を順行，房室結節を逆行；順行性伝導が必要；∴洞調律の間は早期興奮パターン
- 副伝導路の速い順行性伝導を伴うAF；∴QRS幅の広い不規則なSVT；順行性伝導が必要；∴洞調律の間は早期興奮パターン；まれにVFに進展

■治療（Heart Rhythm 2012;9:1006, Circ 2016;133:e506）
- **AVRT（順行性）**：迷走神経刺激，β遮断薬，CCB；アデノシンは気をつけて使用（AFを誘発することあり）；除細動器を準備
- 副伝導路の順行性伝導を伴う**AF/心房粗動**：不整脈の治療と副伝導路の不応期を延長させる必要あり；**プロカインアミド，ibutilide**または電気的除細動；CCB，β遮断薬，アミオダロン，ジゴキシン，アデノシンは避ける（副伝導路の不応期を短縮させる可能性➡HR↑➡VFのため）（Circ 2016;133:e506）
- **長期治療**：症候性であれば高周波アブレーション；アブレーションの適応がなければ抗不整脈薬（Ia群，III群）かCCB/β遮断薬
  無症状だが電気生理学的検査でAVRT/AFが誘発される場合（NEJM 2003;349:1803），または速い伝導が可能な場合（√電気生理学試験とともに運動負荷試験中に早期興奮が持続するかどうか）には高周波アブレーションを考慮
  SVT誘発の際に，AF（例：≦250 ms）での短いRR間隔に関連した心臓突然死のリスク

QRS幅の広い頻拍（WCT）

■原因（Lancet 2012;380:1520）
- **心室頻拍（VT）**：任意の集団でWCTの80％を占める
- **変行伝導を伴うSVT**：固定性BBB，心拍依存性BBB（通常はRBBB），副伝導路を介した伝導，心房起源の心室ペーシング

■単形性心室頻拍
- QRSの形状が単一；V₁で大部分の波形が陽性波＝RBBB型，陰性波＝LBBB型
- 構造異常のある心臓での原因：**陳旧性梗塞（瘢痕）；心筋症；心筋炎**
  不整脈原性右室心筋症：不完全RBBB，安静時ECGのV₁～V₃でε波（QRS終末部のノッチ）と陰性T波；LBBB型VT，診断：MRI（Lancet 2009;373:1289）
- **正常構造の心臓（安静時ECG正常）での原因**：
  右室流出路起源VT：下方軸を示すLBBB型VTかPVC；通常はアブレーション
  左室起源特発性VT：上方軸を示すRBBB型VTかPVC；ベラパミル感受性

V₂ ε波

多形性心室頻拍
- QRSの形状が心拍ごとに変化
- 原因：**虚血；心筋症**；カテコールアミン誘発性

TdP（"ねじれた波形"，多形性VT＋QT延長）：QT延長は**後天性**（薬物，電解質異常，脳卒中；「心電図（ECG）」の項参照）または**先天性**（K/Naチャネル病）；後天性はHR↓，しばしばPVC（休止期依存性）によりリスク↑；先天性は安静時T波異常を呈し，交感神経刺激（例：運動，強い感情，突然の大きな音）により誘発（*Lancet* 2008;372:750）

Brugada症候群（Naチャネル病；*JACC* 2018;72:1046）：男性＞女性；安静時ECGのV₁～V₃でST↑（Ia/Ic群薬で誘発）を伴う偽RBBB

■ VTを示唆する診断的手がかり（明確に除外できるまでは仮にVTとして考える）
- **陳旧性心筋梗塞，CHF，左室機能障害の既往は，QRS幅の広い頻拍がVTであることを示唆する**最良の指標（*Am J Med* 1998;84:53）
- 血行動態とHRからはVTとSVTを明確には鑑別できない
- 単形性VTは整だが，最初はわずかに不整なことがあり，変行伝導を伴うAFに類似；著しく不規則な調律は変行伝導か早期興奮を伴うAFを示唆
- VTを示唆するECG所見（*Circ* 2016;133:e506）
  房室解離（独立したP波，捕捉収縮/融合収縮）はVTを示唆
  非常に広いQRS幅（RBBB型で＞140 ms，LBBB型で＞160 ms）；極端な軸偏位
  BBBでは非典型的なQRSの形状
    RBBB型：V₁で高いR'波の欠如（または単相性Rの存在），V₆でr/S比＜1
    LBBB型：V₁で始まりから最下点までが＞60～100 ms，V₆でq波
  aV_R誘導でのinitial R：同方向性（すべての胸部誘導でQRSが同一のパターン/極性）

■ 長期管理（*EHJ* 2015;36:2793, *Circ* 2016;133:1715, *NEJM* 2019;380:1555）
- **精密検査**：**心エコー**で左室機能評価，**カテーテル検査/負荷試験**で虚血を除外，? MRI/右室心筋生検で浸潤性心筋症/不整脈原性右室心筋症を検索，? **電気生理学的検査**で誘発性を評価
- **ICD**：VT/VFによる心停止発生後の二次予防（是正可能な原因による場合を除く）；高リスク群での一次予防：例えばEF＜30～35％，? 不整脈原性右室心筋症，? Brugada症候群，ある種のQT延長症候群，重度肥大型心筋症；「心臓リズム管理装置」の項参照；? ICD植え込み待機または原因が是正可能ならば着用型自動除細動器（*NEJM* 2018;379:1205）；抗頻拍ペーシング（VTより速い周期のバーストペーシング）は電気ショックなしにVTを停止させることが可能
- **薬物**：VTを抑制する目的でβ遮断薬，左室起源特発性VTならベラパミル，または抗不整脈薬（例：アミオダロン，メキシレチン）
- **TdPの薬物療法➡QT＞500±心室期外収縮**：投与中止，K補充，Mg補充，±ペーシング（*JACC* 2010;55:934）
- **高周波アブレーション**：VTの起源が単一の場合や，ICDを作動させるVTが反復する場合に考慮（VT stormを34％減少；*NEJM* 2016;375:111）；ICD植え込み前にアブレーション施行➡作動頻度40％↓（*Lancet* 2010;375:31）；非侵襲的高周波アブレーション（15分）が検証中（*Circ* 2019;139:313）

心房細動（AF）

■ 分類（*Circ* 2014;130:e199）
- **発作性**（通常は＜48時間で自然に停止，しばしば肺静脈から発生）vs. **持続性**（＞7日持続）vs. **長期持続性**（＞1年持続）vs. **永続性**（除細動が無効か試みられなかった場合）
- **弁膜症性**（リウマチ性僧帽弁狭窄症，人工弁，僧帽弁修復術）vs. **非弁膜症性**

■疫学と原因（Circ 2011;124:1982, NAT Rev 2016;2:1）
- 人口の1〜2%（≧80歳では10%）がAFを有する；男性＞女性；生涯リスク約25%
- 急性（50%は原因を特定できない）

  循環器：HF, 心筋症, 心膜炎/心筋心膜炎, 心筋虚血/梗塞, 高血圧クリーゼ, 弁膜症, 心臓手術
  呼吸器：急性呼吸器疾患/低酸素血症（例：COPDの増悪, 肺炎）, PE, OSA
  代謝：高カテコールアミン状態（ストレス, 感染, 術後, 褐色細胞腫）, 甲状腺中毒症
  薬物：アルコール, コカイン, アンフェタミン, テオフィリン, カフェイン, 喫煙, イブルチニブ
  神経：くも膜下出血, 脳梗塞

- 慢性：年齢↑, 高血圧, 虚血, 弁膜症（僧帽弁, 三尖弁, 大動脈弁）, 心筋症, 甲状腺機能亢進症, 肥満

■評価
- 病歴聴取と身体診察, ECG, CXR, TTE（左房サイズ, 血栓, 弁, 左室機能, 心膜）, K, Mg, Cr, 抗凝固前に便潜血試験, TFT；他の虚血症状がなければ心筋梗塞の除外は必要ない
- AF急性期（＜48時間）：約70%が一過性で, 48時間以内に洞調律に復帰（NEJM 2019; 380:1499）

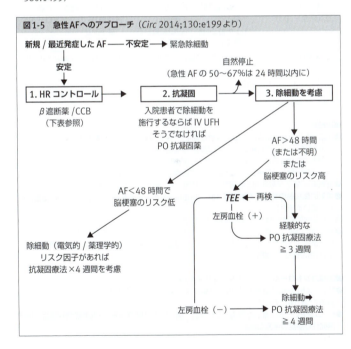

図1-5 急性AFへのアプローチ（Circ 2014;130:e199より）

AFに対するHRコントロール（症候性AFの場合，目標HR<80；無症候性のAFおよびEF >40%の場合，目標HR<110）(*Circ* 2014;130:e199)

薬物		急性（IV）	維持（PO）	備考
CCB	ベラパミル	5～10 mgを2分かけて 30分後に再投与可	120～360 mg/日を分割投与	血圧↓(治療：グルコン酸Ca) HFを増悪させることあり 重症COPDの場合に推奨 ジゴキシン濃度↑の可能性
	ジルチアゼム	0.25 mg/kgを2分かけて 15分後に5～15 mg/時で再投与可	120～360 mg/日を分割投与	
β遮断薬	メトプロロール	2.5～5 mgを2分かけて 5分ごとで3回反復投与可	25～100 mg bid/tid	血圧↓(治療：グルカゴン) CADの場合に推奨 リスク：HF, 気管支痙攣
ジゴキシン* (効果発現>30分)		0.25 mg 2時間ごと 1.5 mg/24時間まで	0.125～0.375 mg qd (CrClに応じて調節)	HF/低血圧の場合に考慮 労作時HRのコントロールには不向き
アミオダロン		300 mgを1時間かけてボーラスIV→10～50 mg/時×24時間		

Lancet 2016;388:818；WPW（当該項目参照）の所見（早期興奮，QRS幅の広い頻拍）がある場合，IV β遮断薬，CCB, ジゴキシンは禁忌

*多くの薬物（アミオダロン，ベラパミル，キニジン，プロパフェノン，マクロライド系/アゾール系抗真菌薬など）がジゴキシン濃度を上昇させる

■除細動
- 初回または症候性のAF，頻脈誘発性心筋症，HRコントロールが困難な場合は考慮
  AFの持続が>48時間➡薬理学的/電気的除細動に伴う脳梗塞のリスク2～5%
  ∴TEEで血栓を否定するか，前もって抗凝固療法を≧3週間
  緊急で除細動が必要➡しばしば緊急で抗凝固療法（例：IV UFH）
- 奏効率∝AFの持続期間と心房サイズ；誘因（例：体液量，甲状腺機能）のコントロール
- 電気的除細動の前に抗不整脈薬（例：ibutilide）の前投与を考慮（特に初回の除細動に失敗している場合）
- 薬理学的除細動ではIII/Ic群薬の有効性が最も高い
- 洞調律に復帰（自然に，または治療により）しても，心房の収縮能は低下している可能性あり；また3か月間はAF再発のリスク高；∴**除細動後も抗凝固療法は≧4週間継続**（？AF<48時間の低リスク群を除く）

■調律コントロール (*Lancet* 2016;388:829)
- HRコントロールと比較して死亡率/脳梗塞↓なし (*NEJM* 2002;347:1825, 2008;358:2667, 2016;374:1911)
- HRコントロールで症状が改善しない場合（例：HF），HRコントロールが困難な場合，頻脈誘発性心筋症の場合に考慮

AFに対する抗不整脈薬 (*EHJ* 2012;33:2719, *Circ* 2014;130:e199)			
薬物		除細動	維持	備考
III群	アミオダロン	5～7 mg/kgを30～60分かけてIV →1 mg/分, 総投与量10 gまで	200～400 mg qd (洞調律への復帰に最も有効な薬物)	QT延長, ただしTdPはまれ; しばしば洞調律復帰に時間を要する; 肺/肝/甲状腺毒性; ワルファリン併用でINR↑
	dronedarone	—	400 mg bid	アミオダロンと比較して副作用は少ないが有効性も低い
	ibutilide	1 mgを10分かけてIV 1回反復投与可	—	K↓, QT延長のある場合は禁忌 (TdPのリスク3～8%); Mg IV
	dofetilide	500μg PO bid	500μg bid	QT延長; TdPのリスク↑; 腎機能に応じて調節
	ソタロール	—	80～160 mg bid	HR↓, QT延長に注意; 腎機能に応じて調節
Ic群	フレカイニド	300 mg PO×1	100～150 mg bid	房室結節抑制薬を前投与; 器質的心疾患/虚血性心疾患がある場合, 使用しない
	プロパフェノン	600 mg PO×1	150～300 mg tid	
Ia群	プロカインアミド	10～15 mg/kgをIV	—	血圧↓; QT延長; ±房室結節抑制薬

基礎疾患と維持投与に用いる抗不整脈薬:
なし/ほとんどなし (LVHのない高血圧を含む): Ic群薬 ("pill in the pocket"), ソタロール, dronedarone; **LVHのある高血圧**: アミオダロン; **CAD**: ソタロール, dofetilide, アミオダロン, dronedarone; **HF**: アミオダロン, dofetilide

■アブレーション
- 肺静脈隔離術 (高周波/クライオバルーン; *NEJM* 2016;374:2235): 奏効率は約70%; 抗凝固療法中断は不要; 抗不整脈薬より優れ (*JAMA* 2014;311:692), QOL↑ (*JAMA* 2019;321:1059)
- NYHA II～IV+EF<35%の場合, アブレーションは薬物療法 (レート/リズムコントロール) と比較して死亡/心不全入院↓ (*NEJM* 2018;378:417)
- 他治療では不十分な場合は房室結節アブレーション+恒久ペースメーカー (*NEJM* 2001;344:1043, 2002;346:2062)

■経口抗凝固療法 (*Circ* 2014;130:e199, 2019;139:epub, *EHJ* 2018;39:1330)
- 弁膜症性AF (例: リウマチ性僧帽弁狭窄症, 人工弁, 弁修復術): 脳梗塞のリスクが非常に高いため, 全例に施行
- 非弁膜症性AF: 脳梗塞の年間リスク約4.5%
- **CHA$_2$DS$_2$-VAScスコア**: CHF (1点), 高血圧 (1点), ≧75歳 (2点), DM (1点), 脳梗塞/TIAの既往 (2点), 血管疾患 (例: 心筋梗塞, 末梢動脈疾患, 大動脈プラーク) (1点), 65～74歳 (1点), 女性 (1点)

脳梗塞の年間リスク（*Lancet* 2012;379:648）：低スコアでは1点あたり約1%：0➡約0%，1➡1.3%，2➡2.2%，3➡3.2%，4➡4.0%；より高いスコアではリスク↑↑（5➡6.7%，≧6➡≧10%）

スコア≧2➡抗凝固療法；スコア1➡抗凝固療法またはアスピリンを考慮（？後者はリスク因子として65～74歳，血管疾患，または女性である場合に妥当）または治療しない；スコア0➡治療しないのが妥当

- **薬物の選択肢**：ワルファリン（INR 2～3）より**直接経口抗凝固薬**（非弁膜症性AFのみ）が推奨される；抗凝固療法が施行できない患者ではアスピリン＋クロピドグレル，または有効性は劣るがアスピリン単剤を考慮（*NEJM* 2009;360:2066）
- **AF＋CAD/PCI**：直接経口抗凝固薬（いくつかのデータでは減量しているが，脳梗塞予防が十分かどうかは不明），クロピドグレル（チカグレロル/プラスグレルではない）を考慮；アスピリン中止（？約1週間後）を考慮（*Lancet* 2013;381:1107，*NEJM* 2016;375:2423, 2017;377:1513, 2019;380:1509）
- 手技中の出血が心配であれば，経口抗凝固薬を中断（直接経口抗凝固薬の場合は1～2日間，ビタミンK拮抗薬の場合4～5日間）；CAH_2DS_2-VASc≧7（または≧5でCVA/TIAの既往がある）の場合，UFH/LMWHによるブリッジを考慮，それ以外ではブリッジは行わない（*JACC* 2017;69:735）

非弁膜症性AFに対する直接経口抗凝固薬（DOAC）（*Lancet* 2014;383:955）		
抗凝固薬	投与法	有効性と安全性（ワルファリンとの比較）
ダビガトラン（直接トロンビン阻害薬）	150 mg bid（CrCl 15～30では75 mg bid）	150 mg：脳梗塞と頭蓋内出血↓，しかし消化管出血↑ 110 mg：脳梗塞は同等；頭蓋内出血を含む重大な出血↓ リスク：消化管副作用，ワルファリンと比較して心筋梗塞↑
リバーロキサバン（第Xa因子阻害薬）	20 mg qd（CrCl 15～50では15 mg qd），午後の食事時に内服	脳梗塞/重大な出血は同等，頭蓋内出血を含む致死的な出血↓
アピキサバン（第Xa因子阻害薬）	5 mg bid（リスク因子2項目以上の異常：≧80歳，≦60 kg，Cr≧1.5 mg/dL➡2.5 mg bid）	脳梗塞は同等，頭蓋内出血を含む重大な出血↓，死亡11%↓；ワルファリンを内服できない患者では，アピキサバンはアスピリン単剤と比較して脳梗塞55%↓，出血↑なし
エドキサバン（第Xa因子阻害薬）	CrCl 51～95では60 mg qd（CrCl 15～50では30 mg）	脳梗塞は同等，頭蓋内出血を含む重大な出血↓，心血管死14%↓；CrCl>95では虚血性脳血管障害↑
いずれも効果発現は数時間以内；拮抗薬：ダビガトランに対するイダルシズマブ；第Xa因子阻害薬に対するandexanet；4因子プロトロンビン複合体製剤（4F-PCC）		

■非薬理学的脳梗塞予防（*JACC* 2015;66:1497）

- 長期間の経口抗凝固薬が禁忌の場合，経皮的左心耳（LAA）閉鎖術を考慮（*JACC* 2017;70:2964）；※理想的にはワルファリン＋アスピリン×45日間➡6か月までアスピリン/$P2Y_{12}$阻害薬➡アスピリン
- 他の心臓手術を施行する場合，心外膜からの左心耳結紮または外科的切除を考慮

■心房粗動
- マクロリエントリー性頻拍；典型的には下大静脈-三尖弁輪間解剖学的狭部を含む（反時計回りの場合，下壁誘導で粗動波⊖；時計回りの場合，⊕）；非典型的：瘢痕に関連した他の伝導路
- 脳梗塞リスクは AF と同様，∴ AF と同様に抗凝固療法を行う
- 典型的な心房粗動（下大静脈-三尖弁輪間解剖学的狭部）のアブレーションの奏効率は 95%

失神

■定義
- 脳全体の低灌流による突然で一過性の意識消失
- CPR/除細動が必要な場合は心臓突然死であり，失神ではない（予後が異なる）
- 前失神＝意識消失までにはいたらない，軽いふらつきを伴う前駆症状

■原因 (*JACC* 2017;70:e39, *EHJ* 2018;39:1883)
- **神経調節性**（血管迷走神経性ともいう；約 25%）：交感神経緊張↑➡強い左室収縮➡左室の機械受容器が迷走神経緊張↑を誘発（Bezold-Jarisch反射）➡HR↓（心抑制型）/血圧↓（血管抑制型）；咳嗽，嚥下，排便，排尿➡迷走神経緊張↑のため誘因となりうる；関連疾患：頸動脈洞過敏症候群（頸動脈洞マッサージに対する迷走神経反射の亢進）
- **起立性低血圧**（約 10%）
  脱水／利尿薬，体調不良；血管拡張薬（特に陰性変時作用薬との併用時）
  自律神経ニューロパチー（一次性＝Parkinson病，MSA/Shy-Drager症候群，Lewy小体型認知症，体位性頻脈症候群（若年者に多い自律神経障害）；二次性＝DM，アルコール，アミロイドーシス，CKD）(*NEJM* 2008;358:615)
- **心原性**（約 20%，男性のほうが多い）
  不整脈（約 15%）：しばしば一過性のため診断は難しい
  　徐脈性：洞性徐脈，洞不全症候群，高度AVB，陰性変時作用薬，恒久ペースメーカー機能不全
  　頻脈性：VT，SVT（器質的心疾患/WPWでなければ失神はまれ）
  器質的心疾患（5%）
  　心内膜/弁：重症大動脈弁/僧帽弁/肺動脈弁狭窄症，人工弁血栓症，粘液腫
  　心筋：肥大型心筋症による流出路狭窄（もしくはVT）
  　心膜：タンポナーデ
  　血管：PE（他疾患で説明できない失神の約 25%；*NEJM* 2016;375:1524），肺高血圧症，大動脈解離，AAA破裂
- **脳血管性**（約 10%）：椎骨脳底動脈循環不全，脳動脈解離，くも膜下出血，TIA/脳血管障害，片頭痛
- **意識消失（失神ではない）のその他の原因**：痙攣，低血糖，低酸素症，ナルコレプシー，心因性

■精査（約 40%の症例で原因は特定できない）(*JAMA* 2019;321:2448)
- 病歴聴取と身体診察（起立試験を含む）が診断能，費用対効果とも最大 (*Archives* 2009; 169:1299)
- 致死的疾患の除外：心原性失神，重症の血液減少，PE，くも膜下出血
- 病歴聴取（患者本人と可能ならば目撃者から）
  発作前の動作と姿勢
  増悪因子：労作（大動脈弁狭窄症，肥大型心筋症，肺高血圧症），体位変化（起立性低血圧）；血を見た，痛み，精神的苦痛，疲労，長時間起立，暖かい環境，悪心/嘔吐，咳嗽/嚥下/排尿，排便（神経調節性），頭部回旋やひげ剃り（頸動脈洞過敏症候群）などのストレッ

サー；腕の運動（鎖骨下動脈盗血）
突然発症➡心原性；前駆症状（例：発汗，悪心，霧視）➡神経調節性
随伴症状：胸痛，動悸，神経学的，発作後，便/尿失禁（<10秒の痙攣発作は一過性の脳虚血でも起こることあり）
●**既往歴**：失神の既往，心疾患/神経疾患の既往；心血管疾患なし➡5%が心原性，25%が神経調節性；心血管疾患あり➡20%が心原性，10%が神経調節性（*NEJM* 2002;347:878）
●**誘因となりうる薬物**
血管拡張薬：α遮断薬，硝酸薬，ACEI/ARB，CCB，ヒドラジン，フェノチアジン系，抗うつ薬，利尿薬；陰性変時作用薬（例：β遮断薬，CCB）
催不整脈性薬物/QTを延長させる薬物：Ia，Ic，III群抗不整脈薬〔「心電図（ECG）」の項参照〕
向精神薬：抗精神病薬，TCA，バルビツレート，ベンゾジアゼピン；アルコール
●**家族歴**：心筋症，心臓突然死，失神（神経調節性失神には遺伝的要因の寄与もある可能性）
●**身体診察**
起立試験を含めたバイタルサイン（仰臥位➡立位で≧20 mmHgのSBP↓か≧10 mmHgのDBP↓，または3分以内にSBP<90 mmHgで診断；10分以内に≧30 bpmのHR↑があれば体位性頻脈症候群），両腕の血圧
循環器：HF（頸静脈怒張，心尖拍動の偏位，III音），心雑音，LVH（IV音，左室挙上），肺高血圧症（右室挙上，IIp音↑）
血管：✓拍動の左右差，頸動脈/椎骨動脈/鎖骨下動脈の血管雑音；頸動脈洞マッサージで頸動脈洞過敏症候群の評価（血管雑音がなければ）：3秒以上の心停止か>50 mmHgのSBP↓で診断
神経学的診察：局所徴候，咬舌の確認；便潜血試験
●**ECG**（約50%に異常を認めるが，失神の原因が特定できるのは<10%のみ）
刺激伝導：洞徐脈，洞停止/洞性不整脈，AVB，BBB/心室内伝導遅延
不整脈：期外収縮，QT短縮/延長，早期興奮（WPW），Brugada症候群，ε波（不整脈原性右室心筋症），SVT/VT
虚血性変化（新規/陳旧性）；心房/心室肥大
●**血液検査**：血糖，Hb，hCG（閉経前），?Dダイマー，?トロポニン/Nt-proBNP（他の徴候なければ意義↓）

■**その他の診断的検査**（病歴，身体所見，ECG所見に基づき考慮）
●携帯型心電計によるモニタリング：不整脈原性失神の疑いがある場合
 Holter ECG（24〜72時間の連続ECG）：症状出現頻度の高い場合に有用
  不整脈+症状あり（4%）；無症状だが重大な不整脈あり（13%）；症状はあるが不整脈なし（17%）
 イベントレコーダー（患者自身が記録を開始）：前駆症状がある場合にしか有用でないので失神での用途は限られる
 外付けループレコーダー（継続的に調律を記録し続けている，∴症状が出現してから遡って保存可能）：1か月以内に症状が出現する可能性の高い場合に有用（前駆症状のないものも含む）；携帯型心臓遠隔モニタリングと併用でき，特定リズムで自動的に動作開始できる
 植え込み型ループレコーダー（皮下植え込み；2〜3年間の記録が可能；自動動作開始可能）：症状出現頻度の低い場合（月に1回未満）に有用；55%の症例で診断；前駆症状なしに繰り返す失神に推奨
●心エコー：器質的心疾患の除外に考慮〔例：心筋症（肥大型心筋症，不整脈原性右室心筋症など），弁膜症（大動脈弁，僧帽弁狭窄症，僧帽弁逸脱症など），粘液腫，アミロイドーシス，肺高血圧症，±冠動脈奇形〕
●運動負荷試験/冠動脈CT/心臓カテーテル検査：特に労作時失神の場合；虚血による不整脈，カテコールアミン誘発性不整脈の除外
●電気生理学的検査：頻脈/徐脈が原因の疑いが濃厚（例えば心筋梗塞の既往）だが確定できない高リスク患者で考慮；心電図やエコーが正常であれば避ける
心疾患があれば50%に異常所見（誘発可能なVT，伝導異常）；ただしその臨床的意義には

議論あり
ECGが異常なら3〜20%は異常；心疾患がなくECGが正常なら異常は<1%
- ティルト試験：感度/特異度/再現性が低く，有用性には議論あり；神経調節性，起立性低血圧，体位性頻脈症候群，心因性の疑いがあるが初期評価では確定できない場合に考慮
- 心臓MRI：ECG，心エコー（右室機能障害），心臓突然死の家族歴からサルコイドーシスや不整脈原性右室心筋症が示唆される場合の診断に有用
- 神経学的検査（脳血管画像，CT，MRI，脳波）：病歴と身体所見から示唆される場合；診断能は低い

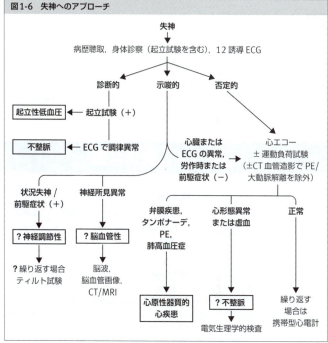

図1-6 失神へのアプローチ

(*JACC* 2017;70:e39より)

■高リスクの特徴（テレメトリーでの入院が必要）(*JACC* 2017;70:620, *EHJ* 2018;39:1883)
- >60歳，CAD，心不全/心筋症，弁膜疾患，先天性心疾患，不整脈の既往，心臓突然死の家族歴
- 心原性失神の疑いがある場合（前駆症状なし，労作時，転倒時の外傷）；繰り返す失神
- 胸痛/呼吸困難；バイタルサイン/心臓/肺/神経学的所見の異常，低いHct
- 収縮障害，不整脈，虚血を示唆するECG；恒久ペースメーカー/ICD
- カナダ失神リスクスコア (*CMAJ* 2016;188:e289) で<1%から>20%まで重症不整脈リスクが分類される；低リスクかつ救急外来の2時間で不整脈がなければ，30日でのリスクは0.2%

■治療 (*EHJ* 2018;39:1883)
- 不整脈/器質的心疾患による心原性失神，神経調節性失神：基礎にある病態の治療；

- ?Brugadaパターン，サルコイドーシス，不整脈源性右室心筋症，早期再分極を伴う失神であればICD
- 神経調節性失神：フルドロコルチゾン，ミドリンを考慮（*JACC* 2016;68:1, *Neuro* 2014;83:1170）；?β遮断薬やSSRI（*Circ A&E* 2012;5:920）
  ロングポーズを伴うエピソードが記録されていれば，デュアルチャンバーペースメーカーを考慮（*Circ* 2012;125:2566）
- 起立性失神：2～3Lの補液と1日10gの塩分；寝た状態からはゆっくりと起床，弾性ストッキング；ミドリン，フルドロコルチゾンを考慮；?アトモキセチン（*HTN* 2014;64:1235）

■予後（*Ann Emerg Med* 1997;29:459, *NEJM* 2002;347:878）
- 特発性の場合，再発率22%；それ以外の場合は3%
- 心臓性失神は予後不良（心臓突然死の年間発生率20～40%）；神経調節性失神は良好な予後
- 原因不明の失神では死亡率は1.3倍↑；非心原性／原因不明の失神で，ECG正常，VTの既往なし，心不全なし，＜45歳➡再発率は低く，心臓突然死の年間発生率＜5%
- 自動車運転に関する州法を確認〔訳注：日本では日本循環器学会の「失神と診断・治療ガイドライン」（2012年改訂版）を参照〕，医師の報告義務；運動／スポーツ，機械操作，高リスクの職業（例：パイロット）への従事が適正かどうか検討

心臓リズム管理装置

ペースメーカーコード				
A：心房，V：心室，O：なし，I：抑制，D：デュアル，R：心拍応答機能	**1文字目** ペーシング部位	**2文字目** センシング部位	**3文字目** 作動モード	**4文字目** プログラミング機能

一般的なペーシングモード	
VVI	右室リード1本のみで必要に応じて心室ペーシング；心室興奮をセンシングすると心室ペーシングを抑制；症候性徐脈がある慢性AFに使用
DDD	心房と心室（右房リードと右室リード）でセンシング／ペーシング；心房興奮をセンシングすると心房ペーシングを抑制，心室ペーシングをトリガー➡内因性心房活動を追跡；房室同期の維持，AF↓
モードスイッチ	心房内で頻脈性不整脈（例：AF）が生じると，恒久ペースメーカーはDDDからノントラッキングモードに変更（例：VVI）；頻脈性心房レートに追従してペースメーカーが早い心室レートになるのを防ぐ
マグネット（ジェネレータ上に置く）	恒久ペースメーカー：固定レートでペーシング（＝VOO/DOO）；ICD：電気ショックなしにペーシング継続；適応：捕捉機能の確認；手術；恒久ペースメーカーによる不適切な作動／ICDショックの抑制，ペースメーカー誘発性頻脈

リードレス恒久ペースメーカーが，右室ペーシングだけであれば承認（*Circ* 2017;135:1458）；His束ペーシングは右室単独ペーシングと比較して，死亡／心不全／心臓再同期療法へのアップグレード率を下げる（*JACC* 2018;71:2319）

恒久ペースメーカーの適応 (Circ 2008;117:350, 2012;126:1784)	
AVB	症候性の3度/Mobitz II型2度AVB；覚醒時無症候性の3度/Mobitz II型2度AVBでHR<40または心静止≥3秒（AFでは≥5秒）；？無症候性の3度/Mobitz II型2度AVB；二束ブロック/交代性BBB
洞結節機能不全	症候性の洞徐脈/洞停止（SSS），症候性の変時性不全，または症状と頻脈の関連が明らかでないとき
頻脈性不整脈	SSSを伴うAF；薬物療法やアブレーションは無効だがペーシングが有効な，症候性の反復するSVT；持続性の休止期依存性VT；？先天性QT延長症候群を有する高リスク患者
失神	>3秒の心静止を伴う頸動脈洞過敏症候群 ？過敏な心抑制反応を伴う神経心臓性失神 ？二束/三束ブロックを伴う失神で，その他の原因によらないもの

恒久ペースメーカーの合併症		
合併症	症状	説明/病態
穿孔	心膜液貯留/心タンポナーデ/疼痛	典型的には急性，低血圧のとき考慮
ペーシング不良	徐脈	バッテリー↓，リードの損傷/位置ずれ，局所組織反応/傷害によるペーシング閾値↑；オーバーセンス➡不適切な抑制
センシング不良	不適切なペーシング	リードの位置ずれ，高すぎるセンシング閾値
ペースメーカー誘発性頻脈	高いレートでみられるQRS幅の広い頻脈	DDDでみられる；VからAへの逆行性伝導；心房リードでセンシング➡心室ペーシングをトリガー➡繰り返し
ペースメーカー症候群	動悸，HF	VVIでみられる；房室同期の喪失による

■心臓再同期療法/両心室ペーシング (JACC 2013;61:e6)
●ペースメーカーのリードは3本（右房，右室，冠静脈洞～左室）；V₁でR>Sなら適切に左室を捕捉していることを示唆
●左心室を同期（心拍出量/EF↑，有害な心室リモデリング↓）；心不全症状や入院↓，予後↑ (NEJM 2010;363:2385)
●適応：LVEF≤35%＋薬物療法下でもNYHA II～IV＋洞調律＋LBBB≥150 ms（LBBB≥120 ms, LBBBはないがQRS≥150 ms, >40%のVペーシング率でも妥当）；LBBB（QRS≥130 ms）のみであってもCRT-Dによる恩恵が得られることも (NEJM 2014;370:1694)
　？AVBで恒久ペースメーカーの適応があるNYHA I～III，EF≤50%でも恩恵 (NEJM 2013;368:1585)

■植え込み型除細動器（ICD）(JACC 2013;61:e6, Circ 2015;132:1613)
●右室リード：除細動とペーシング（±抗頻脈ペーシング＝VTより速い周期のバーストペーシングでVTを停止）；±デュアルチャンバーペースメーカーのための右房リード；皮下埋め込み型ICD（若年者で考慮，ただしペーシングや抗頻脈ペーシングはできない
●患者選択 (JACC 2008;51:e1, Circ 2012;126:1784)
　二次予防：是正可能な原因のないVT/VFによる心停止からの生還者；無症状の持続性VT＋器質的心疾患
　一次予防：LVEF≤30%＋MI後，またはLVEF≤35%＋NYHA II～III（待機：MI後は≥40日，非虚血性心筋症は≥90日），またはLVEF≤40%＋誘発可能なVT/VF；平均余命>1年で

あること；より最近では，非虚血性心筋症へのICDは突然死↓だが，死亡率は変わらないといわれている（*NEJM* 2016;375:1221）；拡張型心筋症で原因不明の失神がある場合や，肥大型心筋症，不整脈原性右室心筋症，Brugada症候群，サルコイドーシス，QT延長症候群，Chagas病，CHDで心臓突然死のリスク因子がある場合に考慮
? 最近のMIの既往ある患者は着用型除細動器で死亡率↓（*NEJM* 2018;379:1205）
- **リスク**：3年で約15〜20%に不適切な電気ショック（SVTの分類の誤りによることが多い）；感染症；リード損傷
- **ICDショック作動**：適切な作動かどうかを確認；虚血を除外；6か月間は運転禁止（州法を確認）
- **MRI**：旧式のシステムでも問題ないかもしれない（*NEJM* 2017;377:2555）；MRI前に再プログラムが必要かもしれない

■**デバイス感染**（*JAMA* 2012;307:1727, *NEJM* 2012;367:842, 2019;380:1895）
- ポケット感染（熱感，紅斑，圧痛），菌血症を伴う敗血症として発症
- 発生率は5年で約2%；黄色ブドウ球菌血症では≧35%がデバイス感染；抗菌薬溶出性エンベロープがリスク↓
- 異常（例：疣腫）をTTE/TEEで描出できる可能性があるが，TEE ⊖でも除外はできない
- 治療：抗菌薬；ポケット感染かGPC菌血症ならデバイス抜去；侵襲的手技施行前のルーチンの抗菌薬投与は行わない

非心臓手術のための心リスク評価

目標:患者と手術のリスクを層別化➡適切な検査(結果で管理方法が変わるならば)と介入〔主要心血管イベント(MACE)を減らしうるならば〕を行う

■術前評価(*NEJM* 2015;373:2258)

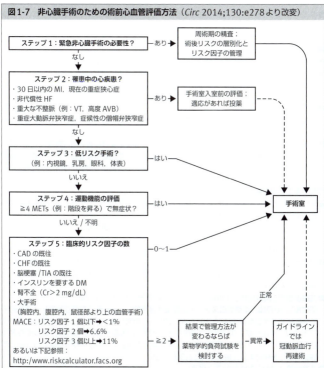

図1-7 非心臓手術のための術前心血管評価方法(*Circ* 2014;130:e278より改変)

非侵襲的検査の結果		
高リスク	高リスク	中リスク
<4 METsの負荷で虚血所見(以下のうち1項目以上) ●水平型/下降型ST↓(≧1 mm)またはST↑ ●5つ以上の誘導で異常所見、または異常所見が労作後3分以上持続 ●≧10 mmHgのSBP↓、または典型的な狭心症状	4~6 METsの負荷で虚血所見(以下のうち1項目以上) ●水平型/下降型ST↓(≧1 mm) ●3~4つの誘導で異常所見 ●労作後1~3分持続	>7 METsの負荷で虚血所見(以下のうち1項目以上) または所見なし ●ST↓(≧1 mm) ●1~2の誘導で異常所見

■追加の術前検査（*Circ* 2014;130:e278）
- ECG：既知の心血管疾患があり，低リスク手術を除くすべての症例
- TTE：以下の要素があり，過去12か月以内にTTEを施行していない場合や症状に変化がある場合には施行すべきである：原因不明の呼吸困難，呼吸困難の進行を伴うHF既往，中等度以上の弁膜症の疑い（例：心雑音）あるいは既往

■冠動脈疾患
- 待機的手術前の血行再建術がない場合には，MI後は可能ならば60日間程度待機するのが望ましい
- 標準的な適応に基づいて再灌流療法を行う；待機的血管手術前の再灌流療法で死亡や術後MIのリスクが変わることは証明されていない（*NEJM* 2004;351:2795）

■心不全（*JACC* 2014;64:e77）
- 非代償期の心不全では待機的手術前に薬物的治療を行うことが望ましい
- 30日心血管イベントの確率：症候性HF＞無症候性HFrEF＞無症候性HFpEF＞非心不全患者

■心臓弁膜症
- 弁膜症疾患の介入基準を満たすのであれば，待機的手術前に施行すべきである（必要ならば手術は延期する）
- 緊急手術が必要だが重度の弁膜症がある場合には，術中および術後の血行動態のモニタリングを行うべきである（特に大動脈弁狭窄症は仮に症状が重度でなくてもリスクが高い；前負荷を維持し，血圧低下をきたさないように注意する；心房細動の出現がないかを観察する）

■植込み型心臓電気デバイス
- 外科チームとデバイスの必要性（完全心ブロックなど）を相談し，デバイスへの機能的な干渉，電磁波の干渉可能性を話し合う
- 必要なら再度のプログラミングやマグネットの使用などを検討する

■術前/周術期薬物管理
- **アスピリン**：適応があるなら継続投与；手術前に開始しても30日時点での心筋梗塞発症リスクは減らず，出血リスクは増す（*NEJM* 2014;370:1494）；ただしステント治療後一定期間の患者は除く
- **抗血小板薬2剤併用療法（DAPT）**：バルーン血管形成術後は14日間，ベアメタルステント留置後は30日間，薬剤溶出ステント留置後は理想的には6か月（最低3か月）は待機的手術を延期すべきである（*JACC* 2016;68:1082）；出血リスクがステント内血栓症あるいはACSのリスクより高くない限りは内服する；$P2Y_{12}$阻害薬を中止する必要があってもアスピリンは継続し，なるべく早期に$P2Y_{12}$阻害薬を再開する；高リスクならばcangrelorの静注内投与を検討する（*JAMA* 2012;307:265）
- **β遮断薬**（*JAMA* 2015;313:2468）
  長く常用しているならβ遮断薬は継続する；術後すぐにβ遮断薬を中止しない（交感神経の反射的な活性化が起こるかもしれない）；内服が難しい場合は静注薬を使用する
  特に血管手術などでは，中から高リスクの負荷試験⊕あるいはRCRIが3点以上ならば始めてもよい；手術の1週間以上前（手術当日ではなく）に始める；低用量で使用し，短時間作動型のβ遮断薬を選択する；目標心拍数，血圧に合わせて漸増する（？HR 55〜65）；徐脈と低血圧は避ける
- **スタチン**：血管手術を受ける患者の虚血と心血管イベント↓（*NEJM* 2009;361:980）；リスク因子が存在する場合や低リスクではない手術の場合，そして血管手術を受けるすべての患者で考慮する
- **ACEI/ARB**：術前24時間は内服しないことで術中の血圧低下↓（*Anes* 2017;126:16）；なるべく早期に再開する
- **アミオダロン**：術前に開始することで術後AF↓（*NEJM* 1997;337:1785）

■術後モニタリング
- ECG：CADの既往があるか高リスク手術の場合；CADのリスク因子が2つ以上ある場合には考慮
- ルーチンのトロポニンは予後指標となるが（*JAMA* 2017;317:1642），症状/ECGの変化がACSを示唆する場合にのみ確認する

末梢動脈疾患

■臨床像（*NEJM* 2016;374:861）
- 有病率は年齢とともに↑：<40歳で<1%，≧70歳で約15%；リスク因子：**喫煙，DM，高血圧**，コレステロール
- **跛行**（鈍痛／痙攣，ふくらはぎに多い）：歩くと出現，止まると軽減（脊柱管狭窄と対照的；当該項目参照）；Leriche症候群=跛行，大腿動脈の拍動↓/消失，勃起障害
- **重症四肢虚血**：末梢動脈疾患による**安静時痛**（挙上➡灌流低下➡痛みが増悪），**潰瘍**（圧の集中する部位に通常は発生し，乾燥している；一方で静脈潰瘍は内果部に多く，湿潤で，ヘモジデリン沈着を伴う），**壊疽**がみられ，持続期間は>2週間（急性四肢虚血と比較して慢性化を示す；下記参照）

■診断（*Circ* 2016;135:e686）
- 末梢動脈の拍動↓，雑音；慢性末梢動脈疾患の徴候：脱毛，皮膚萎縮，爪肥大
- 足関節上腕血圧比（ABI）：正常1～1.4，境界域0.91～0.99，異常≦0.90；>1.4の場合，おそらく石灰化のために血管が圧迫されず診断に適さない➡✓容積脈波記録（PVR），足趾上腕血流比（TBI）；ABI異常➡容積脈波記録を用いた区域的ABIで病変部を同定；有症状だがABI正常の場合は，運動後の下肢血圧↓がないか確認（運動時に20%以上のABIの低下，あるいは30 mmHg以上の下肢血圧↓）
- 動脈デュプレックスエコー；CT血管造影でdistal run-offの評価；MRA/血管造影，可能ならインターベンション

■治療（*JACC* 2013;61:1555, *JAMA* 2013;309:453, 2015;314:1936）
- リスク因子の是正；CADとAAAの検索；指導下の運動療法（*JAMA* 2013;310:57）
- 症状があるか無症状でABI≦0.9の場合，アスピリン／クロピドグレル／チカグレロルで死亡／MI／脳梗塞↓（*NEJM* 2017;376:32）
  抗血小板療法をより強化すれば，MACEも四肢虚血リスクも↓（*JACC* 2016;67:2719）
  アスピリンにリバーロキサバン2.5 mg bidを追加すれば，MACE/死亡を減らすが出血が増える（*NEJM* 2017;377:1319）
- スタチン & PCSK9iはMACEと下肢虚血を↓（*Circ* 2018;137:338）；シロスタゾール（HFがなければ）
- 日常生活に支障のある／難治性の症状または重症下肢虚血に対しては血管内治療（血管形成術 vs. ステント）あるいは外科的血行再建術

■急性四肢虚血（*Circ* 2016;135:e686）
- 四肢の生存可能性を脅かすような突然の灌流低下（突如の冷感や疼痛）
- 原因：塞栓症>急性血栓症（例：動脈硬化，抗リン脂質抗体症候群，HITT症候群），動脈損傷
- 臨床症状（**6つのP**）：**P**ain（痛み；遠位から近位へ，増強），**P**oikilothermia（変温症），**P**allor（蒼白），**P**ulselessness（無脈），**P**aresthesia（感覚異常），**P**aralysis（麻痺）
- 臨床検査：詳細な脈拍検査と神経学的診察；動脈/静脈Doppler；血管造影，CTAまたはMRA
- ただちに血管内科／血管外科へコンサルト

急性四肢虚血の分類と治療						
可聴Doppler (audible Doppler)		運動機能障害	感覚障害	毛細血管再充満	状態	治療
動脈	静脈					
あり	あり	なし	なし	早い	改善可能	抗凝固薬+準緊急の血行再建
なし	あり	一部消失	一部消失	遅い	危機的状態	抗凝固薬+緊急の血行再建
なし	なし	全部消失	完全消失	なし	改善不能	下肢切断

第2章
呼吸器

呼吸困難

病態生理	原因
気道閉塞（気流への抵抗↑）	喘息，COPD，気管支拡張症，嚢胞性線維症，腫瘍，異物，声帯機能不全，アナフィラキシー
肺胞/肺実質疾患	**肺水腫**：心原性または非心原性 **間質性肺疾患（ILD）**；**肺炎**；無気肺
血管性（V/Q不均等）	大血管：**肺塞栓症（PE）**，腫瘍塞栓 小血管：**肺高血圧症**，血管炎，ILD，肺気腫，肺炎
胸壁（拡張への抵抗↑；呼吸筋力↓）	**胸膜疾患**：多量の胸水，線維化，気胸 **胸郭/横隔膜**：脊柱後側弯症，腹囲↑ **神経筋疾患**（ALS，GBS，重症筋無力症） **過膨張**（COPD，喘息）
受容体刺激	化学受容体：**低酸素血症**，代謝性アシドーシス 機械受容体：**間質性肺炎**，**肺水腫**，肺高血圧症，肺塞栓症
O_2運搬能↓（PaO_2は正常）	**貧血**，メトヘモグロビン血症，CO中毒
心理的	不安，パニック発作，抑うつ，身体化

■評価
- 病歴：呼吸困難の質，経過，体位依存性，増悪/緩和因子，労作の影響
- 心肺診察，SaO_2，CXR（「付録」と巻末の「画像」参照），ECG，動脈血ガス分析，超音波
  CHFの予測因子：CHFの既往，発作性夜間呼吸困難，Ⅲ音，CXRの肺うっ血所見，AF（*JAMA* 2005;294:1944）
  CXR正常な呼吸困難：CAD，喘息，肺塞栓症，肺高血圧症，早期のILD，貧血，アシドーシス，神経筋疾患
- 初期評価の結果に基づいて：呼吸機能検査，胸部CT，TTE，心肺機能検査
- **BNPおよびNT-proBNP↑**：CHFで上昇（AF，右室負荷を伴う肺塞栓症，COPD増悪，肺高血圧症，ARDSでも↑）
  BNPによる心不全の除外にはBNP＜100 pg/mL（感度90％），心不全の診断には＞400 pg/mL（*NEJM* 2002;347:161）
  NT-proBNPによる心不全の除外には＜300 pg/mL（感度99％）；年齢調整した診断のカットオフは＞450 pg/mL（＜50歳），＞900（50〜75歳，＞1800（＞75歳）（*EHJ* 2006; 27:330）
  慢性心不全では↑，∴既知の"dry BNP"との比較が必要

肺機能検査（PFT）

- **スパイロメトリー**：閉塞性疾患の評価
  フローボリューム曲線：閉塞性疾患の診断と閉塞部位の同定
  気管支拡張薬：もともと閉塞状態が存在しているか，臨床的に喘息の疑いがある場合に使用
  メタコリン誘発試験：スパイロメトリー正常の場合の喘息の診断に有用；FEV_1 が $>20\%\downarrow$
  ➡喘息
- **肺気量**：過膨張 / 拘束性疾患（神経筋疾患によるものも含む）の評価
- **D_LCO**：機能的換気面積の評価；閉塞性 / 拘束性の鑑別と，血管疾患や初期ILDのスクリーニングに有用

図2-1　PFT異常値へのアプローチ

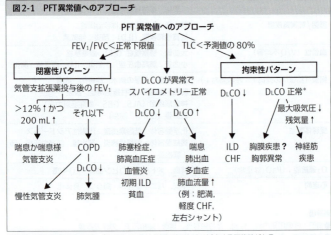

FEV_1/FVC 正常下限値は 0.75。＊D_LCO は二次性の無気肺のために減少する可能性がある

喘息

■定義と疫学（*Lancet* 2018;391:783）
- 気道過敏性とさまざまな程度の気道閉塞を伴う慢性炎症性疾患
- 人口の約5〜10%が罹患；約85%は40歳までに発症

■臨床症状（*NEJM* 2013;369:549）
- 古典的三徴＝喘鳴，咳嗽，呼吸困難；その他に，胸苦しさ，喀痰；症状は通常は慢性で，発作的に増悪
- **誘因**
  気道刺激物（煙，香水など），アレルゲン（ペット，ダニ，花粉など）
  感染症（上気道感染症，気管支炎，副鼻腔炎）
  薬物（例：アスピリンとNSAIDsはロイコトリエンを介して，β遮断薬は気管支痙攣を介して，モルヒネはヒスタミンを介して発作誘発）
  情動ストレス，冷気，運動（呼吸亢進が気道の乾燥を招く）

■身体診察
- 喘鳴と呼気相の延長
- 鼻ポリープ，鼻炎，皮疹の存在 ➡ アレルギーの関与
- 増悪 ➡ RR↑，HR↑，呼吸補助筋の使用，発汗，奇脈

■診断的検査（*JAMA* 2017;318:279）
- **スパイロメトリー**：FEV_1↓，FEV_1/FVC↓，フローボリューム曲線は下に凸；肺気量：残気量とTLC↑
  気管支拡張薬に対する反応（FEV_1が＞12%かつ≧200 mL↑）は喘息を強く示唆
  スパイロメトリー正常の場合，メタコリン誘発試験（FEV_1が＞20%↓）：感度＞90%
- アレルギーの疑い ➡ 血清IgE，好酸球，皮膚テスト/RASTのチェックを考慮

■鑑別診断（「喘鳴のすべてが喘息というわけではない…」）
- 過換気，パニック発作
- 上気道閉塞，異物吸入；喉頭/声帯の機能不全（例：GERDの続発症）
- CHF（"心臓喘息"）；COPD；気管支拡張症；ILD（サルコイドーシスを含む）；血管炎；肺塞栓症

■"喘息＋"症候群
- アトピー＝喘息＋アレルギー性鼻炎＋アトピー性皮膚炎
- アスピリン喘息（Samter症候群）＝喘息＋アスピリン過敏性＋鼻ポリープ（*J Allergy Clin Immunol* 2015;135:676）
- ABPA＝喘息＋肺浸潤＋*Aspergillus*に対するアレルギー反応（*Chest* 2009;135:805）
  診断：*Aspergillus*に対するIgE↑かつ総IgE（＞1,000），*Aspergillus*に対するIgG↑，好酸球↑，中枢性気管支拡張の存在
  治療：ステロイド，±難治性の場合はイトラコナゾール/ボリコナゾール（*NEJM* 2000;342:756）
- EGPA＝喘息＋好酸球↑＋肉芽腫性血管炎（以前はChurg-Strauss症候群と呼ばれていた）

慢性期の管理

■"リリーバー"治療（すみやかな症状緩和のために頓用）
- 短時間作用型吸入$β_2$刺激薬（SABA）：サルブタモール

- 短時間作用型吸入**抗コリン薬**（イプラトロピウム）は$β_2$刺激薬の送達を促進➡気管支拡張↑

■**"コントローラー" 治療**（コントロール維持のために毎日服用）（*JAMA* 2017;318:279）
- **吸入ステロイド**（ICS）：選択すべき治療薬．喀痰の好酸球数が2％以上であればLAMAより優れる（*NEJM* 2019;380:2009）．コントロール不良の重症喘息では経口ステロイドを要することがあるが，全身性副作用があるなら可能ならば避ける
- **長時間作用型吸入**$β_2$**刺激薬**（LABA；サルメテロールなど）：安全で，ICSに追加すると増悪頻度が低下する（*NEJM* 2018;378:2497）
- **長時間作用型ムスカリン受容体拮抗薬**（LAMA；チオトロピウム，ウメクリジニウムなど）：ICS＋LABAで症状緩和できない場合に追加考慮（*JAMA* 2018;319:1473）
- **ロイコトリエン受容体拮抗薬**：一部の患者には非常に有効．特にアスピリン喘息の患者（*AJRCCM* 2002;165;9）や運動誘発喘息（*Annals* 2000;132;97）など．ICSによる初期治療，LABAによる追加治療に劣らない可能性（*NEJM* 2011;364;1695）
- **nedocromil/クロモリン**：成人での有用性は限定的．若年患者，運動誘発性気管支攣縮に有用；誘因／運動への曝露前に使用しなければ無効

■**免疫治療**（*NEJM* 2017;377:965）
- **免疫療法**（例：脱感作療法）：アレルギーの関与が強い場合は有用な可能性あり（*JAMA* 2016;315:1715）
- **抗IgE薬**（オマリズマブ）：ICS±LABAでコントロール不良の中等症〜重症アレルギー性喘息（IgE>30）に
- **抗IL-5抗体**（メポリズマブ，reslizumab）：重症喘息の増悪頻度↓（*NEJM* 2014;371:1189, 1198）
- **抗IL-5受容体**$α$**鎖抗体**（ベンラリズマブ）：ステロイド使用↓，末梢血好酸球数が増加している重症喘息の増悪↓（*NEJM* 2017;376:2448）
- **抗IL-4受容体**$α$**鎖抗体**（デュピルマブ）：IL-4およびIL-13のシグナル伝達を抑制：重症喘息の増悪↓，ステロイド使用↓，FEV_1↑（*NEJM* 2018;378:2475, 2486）

■**治療の原則**
- 環境誘因とその回避について説明（*Lancet* 2015;386:1075）；毎年インフルエンザワクチン接種
- すべての患者で発作時の速効性薬物を必要に応じて使用
- **完全なコントロール**の目標＝日中の症状≦週2回，夜間症状／行動制限なし，発作治療薬の使用≦週2回，PEF/FEV_1正常；部分的コントロール＝上記のいずれかが週に1〜2回あり；コントロール不良＝上記のいずれかが週に3回以上あり
- コントロールが得られるまで徐々に治療をステップアップ，またはコントロールが得られたらステップダウン
- コントロールが悪化した場合，ICSを4倍にすると悪化を抑制できる（*NEJM* 2018;378:902）

喘息の段階的治療〔Global Initiative for Asthma（GINA）2018 updateより〕					
すべての患者に対して，**低用量ICS＋ホルモテロール**または短時間作用型$β_2$刺激薬の頓用					
	ステップ1	ステップ2	ステップ3	ステップ4	ステップ5
長期管理薬の選択	低用量ICS＋ホルモテロール頓用	**低用量ICS連日，** または **低用量ICS＋ホルモテロール頓用，** または ロイコトリエン受容体拮抗薬	低用量ICS＋LABA， または 中用量ICS， または 低用量ICS＋ロイコトリエン受容体拮抗薬	中用量ICS＋LABA， または 高用量ICS±チオトロピウム±ロイコトリエン受容体拮抗薬	高用量ICS＋LABA±生物製剤±経口ステロイド（最少量）

喘息の増悪

■評価
- **病歴**：PEF基礎値，ステロイド必要量，救急外来受診，入院，挿管
  現在の増悪：持続期間，重症度，可能性のある誘因，使用薬物
  致死的な喘息のリスク因子：挿管歴，致死的な喘息の既往，喘息による過去1年以内の救急外来受診／入院，現在／最近の経口ステロイド使用，ICS不使用，SABAへの過度な依存，精神的問題，服薬アドヒアランス不良
- **身体診察**：バイタルサイン，呼吸音，呼吸補助筋の使用，奇脈，奇異呼吸
  圧損傷の評価：呼吸音の左右差，気管偏位，皮下気腫➡気胸，前胸部のバリバリ音（Hammanクランチ）➡縦隔気腫
- **診断的検査：PEF**（既知の自己ベストの<80%➡コントロール不良を示唆，既知の自己ベストの<50%➡重度増悪を示唆）；**SaO₂**；**CXR**で肺炎／気胸を除外；重度増悪ではABG（PaCO₂は当初は低値；PaCO₂正常ないし高値は呼吸筋疲労を意味する場合あり）

喘息増悪の重症度

特徴	軽度	中等度	重度
呼吸困難	歩行時	会話中	安静時
会話	文	語句	単語
呼吸数	↑	↑	>30
呼吸補助筋の使用	なし	あり	あり
喘鳴	中等度，呼気終末	大きい	さらに大きい
HR	<100	100〜120	>120
奇脈	正常（<10）	10〜25	>25
PEF	>80%	60〜80%	<60%
SaO₂	95%	91〜95%	<90%
PaO₂	正常	>60	<60
PaCO₂	<45	<45	>45

呼吸停止の予兆：傾眠，奇異呼吸，喘鳴が聴取できない（気流がなくなるため），徐脈，奇異呼吸の消失（呼吸筋疲労）。特徴のいくつか（必ずしもすべて必要ではない）の存在により分類（GINA 2019 updateより）

■初期治療（NEJM 2010;363:755）
- **酸素投与**：SaO₂≧90%を維持
- **吸入SABA**（例：サルブタモール）：MDI（4〜8パフ）またはネブライザー（2.5〜5 mg）20分ごと
- **ステロイド**：在宅患者の場合はプレドニゾロン40〜60 mg内服；救急外来や来院患者はメチルプレドニゾロン静注
- **イプラトロピウム**：MDI（4〜6パフ）または重度の場合はネブライザー（0.5 mg）20分ごと（Chest 2002;121;1977）
- 治療60〜90分後に再評価
  軽度〜中等度増悪：SABAを1時間ごとに継続投与
  重度増悪：SABAとイプラトロピウムを1時間ごとまたは持続投与；再燃する場合はMg±ヘリオックスを考慮
- **入院適応の判定は発症から4時間以内かつ治療1〜3時間後に行う**
- **高用量ステロイド**：メチルプレドニゾロン125 mg静注6時間ごと（NEJM 1999;340:1941）

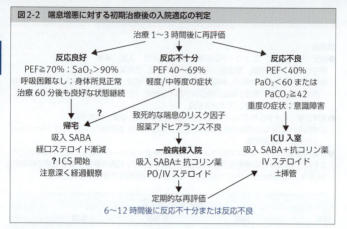

図2-2 喘息増悪に対する初期治療後の入院適応の判定

■ICUでの処置
●侵襲的人工換気：
●太い気管チューブ，プラトー圧<30 cmH$_2$O（圧損傷の予測指標としてPIPよりも優れる），呼気時間を最大に
PEEPは患者の呼吸生理に基づき個別に設定
有効性が報告されている方法として，筋弛緩，吸入麻酔薬，粘液溶解薬を用いたBAL，ヘリオックス（60〜80% He），ECMO
●NPPVは気道閉塞を改善する可能性（Chest 2003;123;1018）、ただし議論もあり，ほとんど行われない

アナフィラキシー

■定義と病態生理（Ann Emerg Med 2006;47:373）
●急速に発症し（分〜時間単位），致命的となることもある重篤な全身性アレルギー反応
●IgEを介した肥満細胞の脱顆粒➡ヒスタミン，トリプターゼ，TNFの放出
●全身性反応（気管支痙攣，組織腫脹，体液移動，血管拡張）を誘発
●一般的な誘因：ペニシリン系，セファロスポリン系，甲殻類，ナッツ，昆虫による刺咬傷，造影剤静注（実際にはIgEを介した機構ではないが，臨床的に類似）

■診断（次の3項目のうちいずれか）
1) 皮膚±粘膜徴候（皮疹，潮紅，蕁麻疹）を伴う急性疾患で，かつ次の少なくともいずれかを伴う
呼吸困難（喘鳴，ストライダー，呼吸困難，低酸素血症）
低血圧／循環不全（失神，失禁）
2) 可能性のあるアレルゲンへの曝露後，以下のうち2項目以上：皮膚／粘膜徴候，呼吸困難，低血圧／循環不全，消化管症状
3) その患者にとって既知のアレルゲンへの曝露後の低血圧

■治療
●アドレナリン：1,000倍希釈液：0.3〜0.5 mL IM, 5〜20分ごと；血圧↓がみられたら，0.1 μg/kg/分で持続投与；ボーラスの静注は避ける

- 気道：酸素投与±挿管か輪状甲状膜切開（喉頭浮腫のある場合）；β_2刺激薬
- 晶質液の大量輸液≧1〜2 L（血液の最大35%が血管外に滲出するため）
- 抗ヒスタミン薬は蕁麻疹や瘙痒を緩和するが，気道症状や血行動態には効果なし；H_1遮断薬（ジフェンヒドラミン50 mg IV/IM）±H_2遮断薬（ラニチジン50 mg IV）
- ステロイドは即効性はないが，再発予防に役立つ可能性：メチルプレドニゾロン125 mg IV 6時間ごと
- α選択的作動薬による昇圧は避ける

■入院適応
- 蕁麻疹や軽度の気管支痙攣のみの軽症患者は6時間以上経過観察；それ以外は全例入院
- 二峰性の反応に注意；23%にみられ，第2の反応は通常は8〜10時間以内に発現するが，最大72時間まで遅れる

■血管浮腫（J Allergy Clin Immunol 2013;131:1491）
- 皮膚／粘膜の局所的な腫脹；顔，唇，舌，口蓋垂，喉頭，腸を含む
- 病因：肥満細胞を介した経路（例：NSAIDs）；ブラジキニンを介する経路（例：ACE阻害薬，アンジオテンシン受容体・ネプリライシン阻害薬，遺伝性血管性浮腫，後天性C1インヒビター欠乏症）；特発性
- 診断：C4およびC1インヒビター測定，トリプターゼ（アナフィラキシーが疑われる場合），ESR/CRP
- 治療：窒息のリスクがあれば気管挿管。アレルギー性血管浮腫：H_1/H_2受容体拮抗薬，ステロイド
  ACE阻害薬の使用による二次性のものであれば，ACE阻害薬の中止，抗ヒスタミン薬，イカチバント（ブラジキニン受容体拮抗薬；NEJM 2015;372:418）
  遺伝性血管性浮腫：血漿由来C1インヒビター（NEJM 2010;363:513），ecallantide（カリクレイン阻害薬；NEJM 2010;363:523）

慢性閉塞性肺疾患（COPD）

■定義と疫学（Lancet 2017;389:1931）
- 気道および肺実質の炎症に起因する進行性の気流制限

肺気腫 vs. 慢性気管支炎		
	肺気腫	慢性気管支炎
定義	肺実質の拡張／破壊（病理学的定義）	湿性咳嗽＞3か月/年×≧2年（臨床的定義）
病態生理	組織破壊 V/Q：死腔の割合↑ ➡高CO_2血症，ただし軽度の低酸素血症のみ	細気管支の炎症 V/Q：シャント割合↑ ➡重度の低酸素血症，高CO_2血症 肺高血圧症，肺性心
臨床症状	重篤で持続する呼吸困難 軽度の咳嗽	間欠的な呼吸困難 大量の喀痰
身体所見	"赤やせ型（pink puffer）" 頻呼吸，チアノーゼなし，やせ型 呼吸音減弱	"青ぶとり型（blue bloater）" チアノーゼ，肥満，浮腫 連続性ラ音，喘鳴

■病因（Lancet 2017;389:1931）
- 喫煙（小葉中心性肺気腫，喫煙者の15〜20%が罹患）

- ●繰り返す気道感染症
- ●α₁-AT欠損症:早期発症の汎小葉性肺気腫,COPD患者の1〜3%。<45歳,下葉優位,胸郭外症状(肝疾患(MZ型を除く),線維筋異形成症,膵炎)がある場合に疑う。血清α₁-AT値(注意:急性期反応物質)チェック
- ●成人早期のFEV₁が低いことがCOPDの発症に関連(NEJM 2015;373:111)

■臨床症状
- ●慢性咳嗽,喀痰,呼吸困難;進行するとたびたび増悪,起床時の頭痛,体重↓
- ●増悪の誘因:感染症,肺塞栓症を含む別の心肺疾患
  感染症:ウイルス,肺炎球菌,インフルエンザ菌,M. catarrhalis,または常在菌叢の変化によって誘発される明らかな気管気管支炎/肺炎(NEJM 2008;359;2355)
- ●身体診察:胸郭前後径↑("樽状胸"),共鳴亢進,横隔膜可動域↓,呼吸音↓,呼気相↑,連続性ラ音,喘鳴
  増悪期:頻呼吸,呼吸補助筋の使用,奇脈,チアノーゼ
- ●喘息-COPDオーバーラップ症候群(NEJM 2015;373:1241):喘息とCOPDの両者の特徴をあわせもつ
  例:COPD患者で気管支拡張薬による気道閉塞の可逆性あり;喘息における好中球性炎症(COPDではより古典的);COPDにおける好酸球炎症

■診断的検査(JAMA 2019;321:786)
- ●CXR(巻末の「画像」参照):過膨張肺,横隔膜平坦化,±間質浸潤影&囊胞
- ●PFT:**気道閉塞**:FEV₁↓↓,FVC↓,**FEV₁/FVC<0.7**(気管支拡張薬投与後も変化なし),フローボリューム曲線は下に凸;**過膨張**:残気量↑↑,TLC↑,残気量/TLC↑;**ガス交換異常**:DLCO↓(肺気腫で)
- ●ABG:PaO₂↓,±PaCO₂↑(慢性気管支炎ではFEV₁<1.5 Lの場合のみ),pH↓
- ●症状のある患者はスパイロメトリーでスクリーニング。症状のない患者はスクリーニングしない。α₁-AT欠損症もスクリーニングを行う

■慢性期治療(JAMA 2019;321:786)
- ●気管支拡張薬(第1選択治療):**長時間作用型ムスカリン受容体拮抗薬(LAMA)**,長時間作用型β₂刺激薬(LABA)
  LAMA(例:チオトロピウム):増悪頻度↓,FEV₁の経年低下↓,入院↓,呼吸不全↓;イプラトロピウムやLABA単剤より優れる(NEJM 2008;359:1543, 2011;364:1093, 2017;377:923)
  LABA:増悪頻度は約11%↓,心血管イベント増加なし(Lancet 2016;387:1817)
  LAMA+LABA:FEV₁↑,自覚症状↓,それぞれの単剤(Chest 2014;145:981)やLABA+ICSより優れる(NEJM 2016;374:2222)
- ●吸入ステロイド(ICS):増悪頻度は約11%↓かつFEV₁の経年低下↓;肺炎のリスクや死亡率に差はない(Lancet 2016;387:1817)
- ●"トリプルセラピー(ICS-LAMA-LABA)":増悪頻度↓,入院頻度↓,肺炎↑(Lancet 2016;388:963, 2018;391:1076, NEJM 2018;378:1671)
- ●roflumilast(PDE-4阻害薬)+気管支拡張薬:FEV₁↑,増悪↓(Lancet 2015;385:857)
- ●抗IL-5抗体(例:メポリズマブ,ベンラリズマブ):好酸球が上昇している患者の増悪↓(NEJM 2017;377:1613, 2019;DOI:10.1056/NEJMoa1905248)
- ●抗菌薬:アジスロマイシン毎日投与で増悪頻度↓,ただしルーチンではない(JAMA 2014;311:2225)
- ●酸素:PaO₂≦55 mmHgまたはSaO₂≦89%(安静時,運動時,睡眠中)の場合に肺性心を予防;死亡率↓が証明されている唯一の治療(Annals 1980;93;391, Lancet 1981;i;681);軽度の低酸素血症の患者(SaO₂ 89〜93%)に対する利益はない(NEJM 2016;375:1617)
- ●NPPV:直近の増悪かつPaCO₂>53であれば,再入院と死亡率↓(JAMA 2017;317:2177)
- ●**予防**:インフルエンザ/肺炎球菌ワクチン;禁煙➡肺機能経年低下50%↓(AJRCCM 2002;

- 166;675), 長期死亡率↓ (*Annals* 2005;142;223)
- リハビリ：呼吸困難↓, 疲労感↓, 運動耐容能↑, QOL↓ (*NEJM* 2009;360;1329)
- 外科＆内視鏡的インターベンション

  肺容量減少手術：FEV$_1$＞20%, 上葉, 運動耐容能が低い場合➡運動耐容能↑, 死亡率↓ (*NEJM* 2003;348:2059)

  気管支内バルブやコイルを用いた内視鏡的肺容量減少術：肺機能↑, しかし肺炎や気胸などの合併症あり (*NEJM* 2015;373:2325, *Lancet* 2015;386:1066, *JAMA* 2016;315:175)

- 肺移植：QOL↑, 症状↓ (*Lancet* 1998;351;24), 生存率↑は不明 (*Am J Transpl* 2009;9;1640)

■病期分類と予後

- 息切れ, 咳, 痰, 運動耐容能, エネルギーを評価（CATやmMRCなどのツールを評価の一部として使用可能）
- 肺動脈径/大動脈径比＞1➡増悪のリスクが約3倍 (*NEJM* 2012;367;913)
- ステージ：I＝FEV$_1$≧80%, II＝FEV$_1$ 50～79%（3年死亡率約11%）, III＝FEV$_1$ 30～49%（3年死亡率約15%）, IV＝FEV$_1$＜30%（3年死亡率約24%）

GOLD分類によるCOPDの病期分類と推奨治療法			
年間増悪回数	軽度の症状		中等症/重症の症状
＜2	A 短時間作用型の吸入気管支拡張薬を頓用	B	LAMA
≧2	C LAMA＋LABA	D	LAMA＋LABA＋ICS
	気管支拡張薬にPDE-4阻害薬を追加することを検討する		

全例に禁煙＆予防接種。B～D群では呼吸リハビリ。SaO$_2$に応じた酸素投与〔GOLD Executive Summaryより抜粋 (*AJRCCM* 2017;195:557)〕

COPDの増悪

COPD増悪時の治療		
薬物	投与法	備考
イプラトロピウム	MDI 4～8パフ1～2時間ごと, またはネブライザー 0.5 mgを1～2時間ごと	第1選択治療 (*NEJM* 2011;:1093)
サルブタモール	MDI 4～8パフ1～2時間ごと, またはネブライザー 2.5～5 mgを1～2時間ごと	可逆的な気管支収縮の要素があれば有効
ステロイド	プレドニゾロン40 mg/日×5日間 (*JAMA* 2013;309:2223)；重度の場合は高用量/長期間投与のほうが有効な患者もいる より重度の増悪にはメチルプレドニゾロン125 mg IVを6時間ごと×72時間	治療失敗↓, 入院日数↓, FEV$_1$↑；ただし死亡率↓なし, 合併症↑ (*Cochrane* 2009;CD001288) 救急外来受診後の外来治療により再発率↓ (*NEJM* 2003;348:2618)
抗菌薬	アモキシシリン, ST合剤, ドキシサイクリン, クラリスロマイシン, 抗肺炎球菌フルオロキノロン系（いずれも効	インフルエンザ菌, *M. catarrhalis*, 肺炎球菌がしばしば誘因となる

（次頁につづく）

		果は同等);地域のアンチバイオグラムを考慮し,同一の抗菌薬の反復使用は避ける;軽度〜中等度の増悪にはおそらく≦5日間の治療で十分(*JAMA* 2010;303;2035)	PEF↑,治療失敗↓,短期死亡率↓は不明,再増悪↓(*Chest* 2008;133:756, 2013;143:82) 膿性痰やCRP>40の場合に考慮(*Chest* 2013;144:1571)
酸素投与		$PaO_2≧55〜60$ または SaO_2 90〜93%となるよう FiO_2 ↑	**CO_2貯留に注意**(V/Q不均等↑,低酸素による換気ドライブの消失,Haldane効果による);しかし酸素化は維持すること!
NPPV		中等度/重度の呼吸困難,pH↓/$PaCO_2$↑,RR>25なら**早期に開始** 挿管率58%↓,在院期間3.2日↓,死亡率59%↓ 禁忌:意識障害,分泌物を排泄できないか協力が得られない患者,血行動態不安定,上部消化管出血 (*NEJM* 1995;333:817, *Annals* 2003;138:861, *Cochrane* 2004; CD004104, *ERJ* 2005;25:348)	
気管挿管		PaO_2<55〜60,$PaCO_2$↑傾向,pH↓傾向,RR↑,呼吸疲労,意識障害,血行動態不安定の場合に考慮	
その他の処置		粘液溶解薬の効果はおそらくなし(*Chest* 2001;119;1190) 不整脈をモニタリング	
増悪後のケア		1か月以内のフォローアップ;喫煙者の場合は禁煙;予防接種(インフルエンザ,肺炎球菌),呼吸リハビリテーションの導入(*AJRCCM* 2007;176:532)	

孤立性肺結節

■基本
- 定義:孤立性,<3 cm,境界は比較的明瞭,正常肺に囲まれる,リンパ節腫脹/胸水はなし
- CTの利用が増えたため,"偶発腫瘍"としての発見が多い;治療可能な初期の悪性腫瘍の可能性あり

孤立性肺結節の原因	
良性(70%)	**悪性(30%)**
肉芽腫(80%):結核,ヒストプラズマ症,コクシジオイデス症 **過誤腫**(10%):気管支原性嚢胞,動静脈奇形,肺梗塞,エキノコックス症,回虫症,アスペルギローマ,GPA,リウマトイド結節,サルコイドーシス,脂肪腫,線維腫,アミロイドーマ	**原発性肺癌**(75%) 末梢:腺癌(最も高頻度),大細胞癌 中枢:扁平上皮癌,小細胞癌 **転移性**(20%):肉腫,黒色腫,乳癌,頭頸部癌,結腸癌,精巣癌,腎癌 カルチノイド,原発性肉腫

■初期評価
- 病歴:癌の既往,喫煙,年齢(<30歳では2%が悪性,30歳以降は10年ごとに+15%)
- CT:大きさ/形,石灰化,リンパ節腫脹,胸水,骨破壊,**以前の画像との比較**
  石灰化なし➡悪性率↑;層状➡肉芽腫;"ポップコーン"様➡過誤腫

- 悪性腫瘍の高リスク所見：大きさ（直径≧2.3 cm），スピキュラ，上葉，男性，＞60歳，1日1箱以上の現喫煙者，禁煙歴なし（*NEJM* 2003;348:2535, 2013;369:910）

■診断的検査
- PET：腫瘍の亢進した代謝活性を検出；悪性腫瘍（特に＞8 mm）では感度97%，特異度78%
  予想外の転移を検出できるので術前病期分類に有用（*JAMA* 2001;285:914）
  病変を生検すべきか，CTで経過観察するかの判断に有用（*J Thorac Oncol* 2006;1:71）
- 経胸壁針生検：技術的に実施可能ならば，97%で確定的な組織診が可能（*AJR* 2005;185:1294）；情報が得られないか悪性の場合➡切除
- VATS：経皮的に到達できない病変に対して；感度が非常に高く切除も可能；開胸手術に取って代わった
- 経気管支肺生検：病変の多くは小さすぎて確実に採取できないので，気管支内エコー下に施行（*Chest* 2003;123:604）；気管支ブラッシングは気管支浸潤がないかぎり診断能は低い；バーチャル気管支鏡ナビゲーションは診断能70%，大きな結節では感度↑（*Chest* 2012;142:385）
- ツベルクリン試験，血清学的真菌検査，ANCA

■管理（＞8 mmの充実性結節に対して；≦8 mmであればCTで6～12か月ごとに経過観察）（*Chest* 2013;143:840）
- 低リスク（＜5%，文献参照）：CTで経過観察（頻度はリスクによる）；生検に関する判断は患者と相談して行う
- 中リスク（5～60%）：PET：⊖➡低リスク群として管理，⊕➡高リスク群として管理
- 高リスク（および手術の対象）：経気管支肺生検，経胸壁針生検，VATS➡悪性ならば肺葉切除
- スリガラス様結節：悪性であっても増殖が遅い場合もあるので，長く経過観察またはPET

喀血

■定義と病態生理
- 血液または血痰の喀出
- 大量喀血：1時間に＞100 mLか24時間で＞500 mL；大量喀血は通常，蛇行/増生した気管支動脈に由来

喀血の原因 (*Crit Care Med* 2000;28:1642)	
感染/炎症	**気管支炎**（軽微な喀血の最も一般的な原因） **嚢胞性線維症を含む気管支拡張症**（大量喀血の一般的な原因） 結核/アスペルギローマ（大量喀血の原因となりうる） 肺炎/肺膿瘍
腫瘍	通常は原発性**肺癌**，ときに転移性肺癌（大量喀血の原因となりうる）
心血管	**肺塞栓症**（大量喀血の原因となりうる），肺動脈破裂（器具操作に伴う），CHF，僧帽弁狭窄症，外傷/異物，気管支動脈瘻
その他	血管炎（GPA，Goodpasture症候群，Behçet症候群），動静脈奇形，抗凝固療法（肺疾患が基礎にあるとき），凝固障害，コカイン，特発性肺ヘモジデローシス

■診断的検査
- 出血部位の特定（消化管/耳鼻咽喉出血を除外：身体診察＆病歴聴取，場合によっては内視

鏡検査）
肺出血であれば**一側性か両側性か**，局所性かびまん性か，肺実質か気道か：CXR/胸部CT, 必要であれば気管支鏡検査
- 凝固障害を除外：PT，PTT，血算
- 喀痰培養/染色による細菌，真菌，抗酸菌の検索；細胞診で**悪性腫瘍を除外**
- 血管炎/肺腎症候群：ANCA，抗GBM抗体，尿検査

■治療
- **死亡は失血ではなく窒息による**；ガス交換の維持，凝固能の是正，基礎にある病態の治療；鎮咳薬は窒息リスク↑の可能性
- 吸入型トラネキサム酸は有望な治療である（*Chest* 2018;154:1379）
- 大量喀血：**出血側を下に**；必要であれば健側肺に選択的挿管
  血管造影：診断と治療のため（血管閉塞バルーン，**選択的気管支動脈塞栓術**）
  硬性気管支鏡：軟性鏡よりも介入の選択肢が多い（電気焼灼/レーザー焼灼）
  外科的切除

気管支拡張症

■定義と疫学（*NEJM* 2002;346:1383）
- 気管支/細気管支の閉塞性疾患；慢性全層性炎症による気道の拡張および肥厚，易虚脱性，クリアランス低下による粘液栓を伴う

■初期評価
- 病歴聴取と身体診察：咳嗽，呼吸困難，大量の喀痰，±喀血，吸時の "squeaks"
- CXR：散在性/限局性陰影；肥厚し拡張した気道による輪状陰影，"軌道陰影"
- PFT：閉塞性パターン
- 胸部CT：気道の拡張および肥厚±嚢胞性変化，浸潤，縦隔リンパ節腫脹

原因	その他の特徴	診断的検査
慢性感染症（例：結核，ABPA）	慢性咳嗽，頻回かつ持続性の肺浸潤，難治性喘息（ABPA）	喀痰培養（抗酸菌，真菌を含む），±気管気管支洗浄/BAL，IgEと好酸球（ABPA）
原発性線毛機能不全症候群	副鼻腔炎，不妊，中耳炎	ダイニン変異
免疫不全	反復性感染（多くは小児期）	IgA，IgG，IgM，IgGサブクラス
関節リウマチ，SLE	呼吸器症状が関節症状に先行することあり	RF，ANA
炎症性腸疾患	腸管切除で緩和しない	大腸内視鏡，生検
α_1-AT欠損症	下葉の肺気腫	α_1-AT値
構造異常	鋭角な気管支分岐による中葉症候群，異物吸引	気管支鏡検査

■治療
- 急性増悪：以前の培養歴があればその細菌に対する抗菌薬；先行する培養データがない場合は➡フルオロキノロン系抗菌薬
- 慢性期の管理：基礎疾患を治療する，呼吸リハビリ，吸入高張食塩水，気管支拡張薬；予防的アジスロマイシン投与は嚢胞性線維症でない気管支拡張症の悪化↓（*JAMA* 2013;1251）

■ **非結核性抗酸菌症（NTM）**（水場によく存在する細菌）
● 慢性咳嗽，体重↓；Lady Windermere症候群：痰や咳をしないようにする高齢女性に多くみられる中葉の気管支拡張症
● 診断：CT（木の芽所見，結節，空洞，気管支拡張），3連痰またはBAL，抗酸菌染色＋培養
● 治療：（アジスロマイシンまたはクラリスロマイシン）＋リファンピシン＋エタンブトールを12か月以上内服（*Chest* 2004;126:566）

嚢胞性線維症（CF）

■ **定義と病態生理**（*NEJM* 2015;372:351）
● 塩化物チャネル（CFTR遺伝子）の変異による常染色体劣性遺伝性疾患
● 粘液の厚さ↑，粘膜クリアランス↓，感染症↑➡気管支拡張症

■ **臨床症状**
● 反復する肺炎，副鼻腔炎
● 遠位腸閉塞症候群（DIOS），膵機能不全（脂肪便，吸収不良，衰弱，体重減少），CF関連糖尿病，不妊症

■ **治療**（*Lancet* 2016;388:2519）
● 急性増悪：FEV_1 の持続的な低下と関連している可能性あり（*AJRCCM* 2010;182:627）；積極的な気道クリアランスを継続し，喀痰検査（多剤耐性肺膿菌を含む）に基づいた抗菌薬使用；一般的な病原体には，緑膿菌，黄色ブドウ球菌，無莢膜型インフルエンザ菌，*Stenotrophomonas*, *Burkholderia*, NTMが含まれる
● 慢性管理：呼吸リハビリ，吸入高張食塩水，吸入DNase（ドルナーゼアルファ），SABAによる気道クリアランス；慢性呼吸器症状がある場合はアジスロマイシンを経口投与，緑膿菌感染が持続する場合はトブラマイシンまたはアズトレオナムを吸入する
● 変異に応じてCFTR増強剤（ivacaftor）または補正剤（lumacaftor, tezacaftor）を投与；ΔF508（最も一般的な変異）のホモ接合体患者では併用も認められている（*NEJM* 2011; 365:1663, 2015;373:220, 2017;377:2013&2024）
● 肺移植；FEV_1 が予測値の30％未満，FEV_1 が急速に低下している，6分間歩行距離が400m未満，肺高血圧症，臨床的に有意に悪化している場合は，肺移植センターに紹介を

間質性肺疾患（ILD）

ILDの検査（*Thorax* 2008;63:v1）

偶発的に見つかる場合や，亜急性の呼吸困難，または急速に進行する低酸素血症，呼吸不全を呈することがある

■ **大まかな分類**
● (1) **サルコイドーシス**；(2) **曝露物質関連**（例：薬物，放射線治療，有機・無機粉塵）；(3) **膠原病関連**（例：強皮症，GPA，RA）；(4) **特発性**（例：IPF）

■ **間違えやすい疾患の除外**
● **CHF**（✓BNP，利尿薬試験投与）；**感染症**：ウイルス，異型肺炎；**悪性腫瘍**：癌性リンパ管症，細気管支肺胞上皮癌，白血病，リンパ腫

■病歴聴取と身体診察
- 職業, 曝露歴 (例:鳥), 喫煙, 薬歴, 放射線治療, 家族歴, 誘因となる事象
- 経過 (急性➡感染症, CHF, 過敏性肺臓炎, 好酸球性肺炎, AIP, COP, 薬物性)
- 肺外症候 (皮膚変化, 関節痛/関節炎, 筋肉痛, 筋力低下, ばち指)

■診断的検査 (巻末の「付録」と「画像」参照)
- CXRと胸部高分解能CT
  上葉優位:過敏性肺臓炎, 炭坑夫塵肺, 珪肺, 喫煙関連ILD
  下葉優位:IPF, NSIP, アスベスト肺
  縦隔リンパ節腫脹:悪性腫瘍, サルコイドーシス, ベリリウム肺, 珪肺
  胸膜病変:膠原病肺, アスベスト肺, 感染症, 放射線肺臓炎
- PFT:D$_L$CO↓(初期の徴候), 拘束性パターン (肺容量↓), PaO$_2$↓(特に労作時);閉塞性パターンも合併している場合はサルコイドーシスを考慮
  もしcombined pulmonary fibrosis and emphysema (CFPE) である場合は➡肺気量はほぼ正常
- 血清学的検査:ACE, ANA, RF, ANCA, CCP, SSA/SSB, Scl 70, CK, アルドラーゼ, 筋炎パネル
- びまん性肺胞出血の場合は, Hbが典型的には1〜2 g/dL↓
- BAL:感染症, 肺胞出血, 好酸球増加症候群の診断
- 病因が不明な場合は生検 (所見の場所によってはTBLB, CTガイド, VATS)

ILDの特定の病因

■サルコイドーシス (Lancet 2014;383:1155)
- 有病率:アフリカ系米国人, 北欧人種, 女性に多い;20歳代〜40歳代で発症
- 病態生理:細胞性免疫が末梢で抑制, 中枢で亢進

サルコイドーシスの臨床症状	
臓器系	症状
肺	肺門リンパ節腫脹;線維化;肺高血圧症。ステージ:I=両側肺門リンパ節腫脹, II=リンパ節腫脹+ILD, III=ILDのみ, IV=びまん性線維化
皮膚 (約15%)	光沢のあるプラーク性病変;凍瘡状狼瘡 (顔面に生じる青紫色の硬結性病変);結節性紅斑 (脂肪織炎による赤色の有痛性結節, 通常は前脛部)。鑑別診断:特発性 (34%), 感染性 (33%;レンサ球菌, 結核), サルコイドーシス (22%), 薬物 (OCP, ペニシリン系), 血管炎 (Behçet症候群), IBD, リンパ腫
眼 (10〜30%)	ぶどう膜炎 (前部>後部);涙腺腫脹
内分泌系, 腎臓 (10%)	腎結石, 高Ca血症 (10%), 高Ca尿症 (40%) マクロファージによるVit Dの水酸化が原因
神経 (10%臨床的, 25%病理学的)	顔面神経麻痺, 末梢性ニューロパチー, CNS病変, 痙攣発作
心臓 (5%臨床的, 25%病理学的)	刺激伝導障害, VT, 心筋症
肝, 脾, 骨髄	肉芽腫性肝炎 (25%), 脾/骨髄肉芽腫 (50%)
全身	発熱, 寝汗, 食欲不振と体重↓ (肝の病態と関連)
筋骨格系	関節痛, 関節周囲腫脹, 骨嚢胞

- **Löfgren症候群**：結節性紅斑＋肺門リンパ節腫脹＋関節炎（予後良好）
- **診断的検査：リンパ節生検➡非乾酪性肉芽腫**＋多核巨細胞

    超音波気管支鏡ガイド下縦隔リンパ節生検（EBUS-TBNA）は従来の気管支鏡よりも診断能に優れる（*JAMA* 2013;309:2457）

    18FDG-PETで病変の広がりと診断的生検の標的部位を決定できる

    ACE↑（感度60%，活動性疾患では90%；特異度80%；肉芽腫性疾患では偽陽性あり）
- 疾患の程度の評価：CXR，PFT，詳細な眼科診察，ECG，血算（リンパ球↓，好酸球↑），Ca，24時間尿中Ca，LFT；±Holter ECG，心エコー，心臓MRI，脳MRIなど，症候に応じて
- 治療：症状または胸郭外臓器不全がある場合には**ステロイド**（例：プレドニゾロン20～40 mg/日，症状は改善するが長期経過には変化なし）；広範な皮膚病変にはヒドロキシクロロキン；慢性/難治性病変にはTNF阻害薬，MTX，アザチオプリン，ミコフェノール酸
- 予後：約2/3は10年以内に自然寛解（ステージIで60～80%，ステージIIで50～60%，ステージIIIで30%），再燃はまれ；約1/3は進行性

■曝露物質によるもの

- **薬剤/医原性**

    アミオダロン：間質性肺炎↔器質化肺炎↔ARDS；治療：アミオダロンを中止してステロイド投与

    その他の薬物：nitrofurantoin，サルファ薬，イソニアジド，ヒドララジン

    化学療法薬：ブレオマイシン，ブスルファン，シクロホスファミド，MTX，免疫療法，放射線照射など

- **塵肺（無機塵）**（*NEJM* 2000;342:406, *Clin Chest Med* 2004;25:467）

    炭坑夫塵肺：上葉の炭粉斑；重篤な線維化に進行することも

    珪肺：上葉の透過性↓±リンパ節の卵殻状石灰化；結核のリスク↑

    アスベスト肺：下葉の線維化，胸膜プラークの石灰化，労作時呼吸困難，乾性咳嗽，ラ音；アスベスト曝露➡胸膜プラーク，良性胸水貯留，びまん性胸膜肥厚，円形無気肺，中皮腫，肺癌（特に喫煙者）

    ベリリウム肺：サルコイドーシスに類似した多臓器の肉芽腫性病変

- **過敏性肺臓炎**（有機塵）：疎な分布を示す非乾酪性肉芽腫

    抗原：農夫肺（好熱性放線菌の胞子）；鳩飼病（鳥の羽毛や排泄物中の蛋白成分）；加湿器肺（好熱性細菌）

■膠原病関連ILD（*Chest* 2013;143:814）

- **リウマチ性疾患**

    強皮症：約50%に肺線維症；CREST症候群患者の約10%に肺高血圧症合併

    多発性筋炎/皮膚筋炎：ILD，皮膚や筋肉の所見；MCTD：肺高血圧症，肺線維症

    SLE，RA：ILDよりも胸膜炎と胸水貯留が多い；SLEはびまん性肺胞出血を起こすことあり
- **血管炎**（びまん性肺胞出血を呈することあり）

    GPA（c-ANCA⊕）：壊死性肉芽腫を伴う

    EGPA（c-/p-ANCA⊕）：好酸球↑，壊死性肉芽腫を伴う

    MPA（p-ANCA⊕）：肉芽腫を伴わない
- **Goodpasture症候群**＝びまん性肺胞出血＋RPGN；喫煙者に多い；90%で抗GBM抗体⊕
- 肺リンパ脈管筋腫症（LAM）：嚢胞形成，女性に多い；治療はシロリムス（*NEJM* 2011;364:1595）

■特発性間質性肺炎（IIP）（*AJRCCM* 2013;188:733）

- 定義：**原因不明のILD**；画像所見，病理所見，臨床所見に基づき診断

IIPの分類		
分類	画像/病理所見	臨床所見
IPF	UIPパターン：網状影，蜂巣肺，牽引性気管支拡張；末梢，胸膜下，肺底部優位	症状＞12か月 5年死亡率は約80%
NSIP	均一なスリガラス様陰影/浸潤影，不規則な網状影；左右対称，末梢，肺底部，胸膜下優位；細胞型と線維型の2型，後者はUIPに類似するが均一	症状：数か月～年 5年死亡率10%
COP	両側性の斑状浸潤影；胸膜下，気管支周囲優位；細気管支の肉芽組織増生と周囲の肺胞の炎症	感染後，放射線照射，薬物等 5年死亡率＜5%
AIP	びまん性スリガラス様陰影，浸潤影，非区域性；病理所見はびまん性肺胞傷害に類似	症状＜3週間 6か月死亡率60%
DIP	びまん性スリガラス様陰影，網状影；下葉，末梢優位；肺胞内マクロファージ↑	30～50歳の喫煙者 症状：数週間～数か月
RB-ILD	気管支壁肥厚，小葉中心性結節，斑状のスリガラス様陰影，上葉優位；肺胞内マクロファージ↑	死亡はまれ

UIP：通常型間質性肺炎（IP），IPF：特発性肺線維症（*Lancet* 2017;389:1941, *NEJM* 2018;378:1811）．
NSIP：非特異性IP，COP：特発性器質化肺炎，AIP：急性IP（Hamman-Rich症候群），DIP：剝離性IP，
RB-ILD：呼吸細気管支炎を伴う間質性肺疾患

- **IPFの治療**：酸素投与，呼吸リハビリ，GERDの治療，肺高血圧のスクリーニング，肺移植の検討；**ピルフェニドン**（抗線維化薬）や**ニンテダニブ**（線維増殖因子を介したチロシンキナーゼ阻害薬）はFVCの低下抑制（*NEJM* 2014;370:2071&2083, *AJRCCM* 2015;192:3）
  高用量ステロイドは急性増悪に使用する場合も．ただしRCTデータはない
- 他のタイプのIIPにはステロイド投与：NSIP（特に細胞型タイプ）とCOP（*AJRCCM* 2000;162:571）；AIPやDIP/RB-ILDへの効果は疑問（いずれの患者でも喫煙はやめるべき）

■肺好酸球増加（PIE）症候群＝BALF±末梢血中の好酸球↑
- **アレルギー性気管支肺アスペルギルス症（ABPA）**
- Löffler症候群：寄生虫/薬物➡一過性肺浸潤＋咳嗽，発熱，呼吸困難，好酸球↑
- 急性好酸球性肺炎：急性発症する低酸素症と発熱；治療：ステロイド，禁煙
- 慢性好酸球性肺炎：CHFの"陰画"様所見；女性に多い

■その他
- 肺胞蛋白症：サーファクタント様リン脂質の肺胞内貯留；白色粘稠痰；乳白色のBALF（*NEJM* 2003;349:2527）；治療：肺洗浄，GM-CSF
- Langerhans細胞組織球症：若い喫煙男性；肺尖部嚢胞；気胸（25%）

胸水

■病態生理
- **全身性の要因**（例：PCWP↑，膠質浸透圧↓）➡漏出性
- **局所的な要因**（胸膜透過性の変化）➡滲出性

■漏出性胸水
- **CHF（40%）**：80%は両側性，±CXR上の心肥大
  ときに滲出性（特に積極的な利尿後または慢性の場合）

- **収縮性心膜炎**：心膜叩打音，画像検査で石灰化/肥厚
- **肝硬変**("肝性胸水")：腹水が横隔膜の小孔から胸膜腔へ移動
  多く (2/3) は右側かつ大量（著明な腹水貯留がなくても）
- **ネフローゼ症候群**：通常は少量，両側性，無症候性（凝固能亢進によるPEは除外）
- **その他**：PE（通常は滲出性），悪性腫瘍（リンパ管閉塞），粘液水腫，CAPD

■滲出性胸水
- **肺実質感染症（25%）**
  細菌（肺炎随伴性胸水）：滲出期（無菌性）➡線維素膿性期（感染性胸水）➡器質化期（線維化と硬い胸膜充胝の形成）
  主な原因：肺炎球菌，黄色ブドウ球菌，*Streptococcus milleri*，*Klebsiella*，緑膿菌，*Haemophilus*，*Bacteroides*，*Peptostreptococcus*，誤嚥性肺炎での混合細菌叢
  抗菌部：80%でリンパ球＞50%，ADA＞40，胸膜生検は感度約70%
  真菌，ウイルス（通常は少量胸水），寄生虫（例：アメーバ症，エキノコックス症，肺吸虫症）
- **悪性腫瘍（15%）**：原発性肺癌が最も一般的，転移性肺癌（特に乳癌，リンパ腫など），中皮腫（√ 血清オステオポンチン；*NEJM* 2005;353:15）
- **PE（10%）**：PEの約40%に胸水；滲出性（75%）＞漏出性（25%）；血性（所見はさまざまなので疑いを強くもつこと）
- **膠原病**：RA（大量），SLE（少量），GPA，EGPA
- **消化器疾患**：膵炎，胆嚢炎，食道破裂，腹腔内膿瘍
- **血胸**（胸水Hct/血液Hct＞50%）：外傷，PE，悪性腫瘍，凝固障害，大動脈瘤からの漏出，大動脈解離，肺血管奇形
- **乳び胸**（TG＞110）：外傷による胸管損傷，悪性腫瘍，肺リンパ脈管筋腫症
- **その他**：
  CABG後：左側；初期には血性，数週間後は透明
  Dressler症候群（心筋梗塞後の心膜炎/胸膜炎），尿毒症，放射線照射後
  アスベスト曝露：良性；好酸球性
  薬物誘発性（例：nitrofurantoin，methysergide，ブロモクリプチン，アミオダロン）：好酸球性
  尿毒症；放射線照射後；サルコイドーシス
  Meigs症候群：卵巣良性腫瘍➡腹水と胸水
  黄色爪症候群：黄色爪，リンパ浮腫，胸水，気管支拡張症

■診断的検査（*NEJM* 2018;378:740）
- **胸腔穿刺**（理想的にはエコーガイド下に）（*NEJM* 2006;355:e16）
  適応：側臥位撮影で＞1 cmの胸水を認める全例
  CHFの疑いがある場合は利尿薬で胸水が改善するか確認（75%は48時間で改善）；左右非対称，発熱，胸痛，または胸水が改善しない場合➡胸腔穿刺
  肺炎随伴性胸水はできるだけ早く胸腔穿刺（臨床的には感染を除外できない）
  診断的検査：TP，LDH，glc，細胞数と白血球分画，グラム染色と培養，pHを確認；余った検体は追加検査用に保存
  合併症：気胸（5〜10%），血胸（約1%），再膨張性肺水腫（1.5 L以上除去した場合），脾/肝損傷；穿刺後のCXRは必ずしも必要ない（*Annals* 1996;124:816）
  エコーガイド，経験豊富な指導者により気胸↓；エコーと経験豊富な施術者であればINRが約1.9でも出血リスクは低い（*Chest* 2009;135:1315, 2013;144:456, *Archives* 2010;170:332）
- **漏出性 vs. 滲出性**（*JAMA* 2014;311:2422）
  Lightの基準：滲出性＝胸水TP/血清TP＞0.5または胸水LDH/血清LDH＞0.6または胸水LDH＞2/3×血清LDHの基準値上限（感度97%，特異度85%）；感度はあらゆる方法のなかで最良；ただし，漏出性胸水の25%を滲出性と誤る；∴滲出性の基準に合致するが臨床的には漏出性の疑いがある場合，より特異度の高い基準で確認
  より特異度の高い滲出性胸水の基準：胸水Chol＞55 mg/dL（特異度95〜99%）；胸水

Chol>45 mg/dL かつ胸水LDH>200（特異度98%）；胸水Chol/血清Chol>0.3（特異度94%）；血清Alb－胸水Alb≦1.2（特異度92%）；血清TP－胸水TP≦3.1（特異度91%）

CHFに伴う胸水：利尿薬投与または慢性化で胸水TP↑の可能性➡"偽性"滲出性胸水；血清Alb－胸水Alb≦1.2，胸水Chol>60 mg/dL（感度54%，特異度92%），または臨床判断による鑑別（*Chest* 2002;122:1524）

- ●**複雑性 vs. 単純性肺炎随伴性胸水**（*Chest* 1995;108:299）

    複雑性肺炎随伴性胸水＝グラム染色あるいは培養⊕，またはpH<7.2またはglc<60

    複雑性肺炎随伴性胸水の改善には通常は胸水ドレーンを要する

    膿胸＝明らかな膿性胸水；胸水ドレーンを要する（*J Thorac CV Surg* 2017;153:e129）

- ●**その他の胸水検査**（*NEJM* 2002;346:1971）

    NT-proBNP≧1,500 pg/mL：CHFの診断能は感度91%，特異度93%（*Am J Med* 2004;116:417）

    白血球と白血球分画：滲出性胸水は漏出性胸水と比較して白血球↑の傾向があるが，非特異的

    好中球➡肺炎随伴性胸水，PE，膵炎

    リンパ球（>50%）➡悪性腫瘍，結核，リウマチ性

    好酸球（>10%）➡血液，空気，薬物反応，アスベスト，肺吸虫症，EGPA，PE

    赤血球：胸水Hct 1～20%➡悪性腫瘍，PE，外傷；胸水Hct/血液Hct>50%➡血胸

    抗酸菌：結核の診断能は塗抹検査で0～10%，培養で11～50%，胸膜生検で約70%

    ADA：肉芽腫性疾患で上昇；>70は結核を示唆，<40で結核を除外可

    細胞診：できれば150 mL以上，最低60 mLの胸水を提出（*Chest* 2010;137:68）

    glc：<60 mg/dL➡悪性腫瘍，感染症，RA

    アミラーゼ：膵疾患，食道破裂（唾液アミラーゼ）で検出

    リウマチ因子（RF），C_H50，ANA：膠原病診断での有用性は低い

    TG：>110➡乳び胸，50～110➡リポ蛋白分析でキロミクロンをチェック

    Chol：>60➡慢性胸水で検出（例：CHF，RA，陳旧性結核）

    Cr：胸水Cr/血清Cr>1➡尿胸

    ファイブリン-3：血漿中やまたは胸水中レベル↑➡中皮腫（*NEJM* 2012;367:1417）

- ●胸部CT；胸膜生検；VATS
- ●診断未確定の持続性胸水（*Clin Chest Med* 2006;27:309）

    漏出性：CHFに伴う胸水または片性胸水が最も一般的；CHF/肝硬変の症状をチェック，胸水NT-proBNP，^{99m}Tc-硫黄コロイドの腹腔内注入を考慮

    滲出性（上記の高特異度の基準で確認）：悪性腫瘍，膿胸，結核，PEが最も一般的；悪性腫瘍の症候をチェック，胸部造影CT，ADA，IFNγ遊離試験；胸腔鏡検査を考慮

胸水の特徴（診断基準ではない）							
原因	性状	白血球分画	赤血球	pH	glc	備考
CHF	透明，淡黄色	<1,000 リンパ球	<5,000	正常	≒血清	両側性，心肥大
肝硬変	透明，淡黄色	<1,000	<5,000	正常	≒血清	右側
単純性肺炎随伴性胸水	混濁	5,000～4万 多核球	<5,000	正常～↓	≒血清（>40）	
複雑性肺炎随伴性胸水	混濁～膿性	5,000～4万 多核球	<5,000	↓↓	↓↓（<40）	要ドレナージ
膿胸	膿性	25,000～10万 多核球	<5,000	↓↓↓	↓↓	要ドレナージ

（次頁につづく）

結核性	漿液血性	5,000～1万 リンパ球	<1万	正常～↓	正常～↓	抗酸菌と ADA チェック
悪性腫瘍	混濁～血性	1,000～10万 リンパ球	<10万	正常～↓	正常～↓	細胞診 チェック
PE	ときに血性	1,000～5万 多核球	<10万	正常	≒血清	梗塞なし➡ 漏出性
RA/SLE	混濁	1,000～2万 さまざま	<1,000	↓	RA↓↓↓ SLE正常	RF↑, C$_H$50↓, 免疫複合体↑
膵炎	漿液血性～ 混濁	1,000～5万 多核球	<1万	正常	≒血清	左側, アミラーゼ↑
食道破裂	混濁～膿性	<5,000 >5万	<1万	↓↓↓	↓↓	左側, アミラーゼ↑

■治療
- 症候性胸水：治療的胸腔穿刺, 基礎疾患の治療
- 肺炎随伴性胸水（*Chest* 2000;118:1158）
  単純性胸水➡肺炎に対する抗菌薬
  片側胸郭の1/2以上, 複雑性肺炎随伴性胸水, 膿胸➡胸腔ドレーン挿入（ドレーン挿入しないと器質化のリスクがあり, 外科的胸膜胼胝切除術が必要となる）
  被胞化胸水➡胸腔ドレーン挿入またはVATS；tPA+DNaseの胸腔内注入により外科への紹介頻度↓（*NEJM* 2011;365:518）
- 悪性胸水：定期的な胸腔穿刺 vs. 胸腔ドレーン挿入＋胸膜癒着術（奏効率は約80～90%）vs. 胸腔ドレーン, 入院日数↓だが合併症↑（*JAMA* 2017;318:1903）；ステロイド全身投与, pH<7.2が胸膜癒着術の失敗率↑に関連
- 結核性胸水：胸水はしばしば自然消退；ただし活動性結核の患者では治療
- 肝性胸水
  治療：圧較差の是正（腹水量↓, NPPV）
  胸腔ドレーン挿入は避ける；薬物療法が無効なときは, 必要に応じて胸腔穿刺, 胸膜癒着術, TIPS, VATSによる横隔膜欠損部閉鎖；急性期の短期管理にはNPPV
  特発性細菌性膿胸を起こすことあり（特発性細菌性腹膜炎がなくても）, ∴感染の疑いがあれば胸腔穿刺
  根治的治療は肝移植；早急に準備開始

静脈血栓塞栓症（VTE）

■定義
- 表在性血栓性静脈炎：表在静脈沿いの痛み, 圧痛, 紅斑
- 深部静脈血栓症（DVT）：**近位**＝腸骨静脈, 大腿静脈, 膝窩静脈の血栓症（深部静脈系の「表在性」大腿静脈部分）。**遠位**＝膝下のふくらはぎ静脈；近位よりも肺塞栓症（PE）/死亡のリスクが低い（*Thromb Haem* 2009;102:493）
- PE：静脈系に由来する血栓が肺動脈系に塞栓；1症例/1,000人年；年間25万例（*Archives* 2003;163:1711）

■リスク因子
- Virchowの三徴（血栓形成の要因）

血流停滞：臥床，不動，CHF，3か月以内の脳血管障害，>6時間の飛行機旅行（*NEJM* 2001:779）
血管内皮障害：外傷，手術，DVTの既往，炎症，中心静脈カテーテル留置
血栓形成傾向：遺伝性疾患（関連項目参照），ヘパリン起因性血小板減少症（HIT），経口避妊薬，女性ホルモン補充療法，タモキシフェン，ラロキシフェン
- 悪性腫瘍"特発性"DVT/PEの12%；*Circ* 2013;128:2614）
- 血栓症の既往（遺伝性血栓形成傾向よりもVTE再発のリスク↑）
- 肥満，喫煙，急性感染症，産後（*JAMA* 1997;277:642, *Circ* 2012;125:2092）

血栓予防（*Chest* 2012;141:e195S, 227S, 278S）	
患者とその状況	予防法
低リスクの内科患者：<40歳の日帰り手術	早期からの積極的歩行
運動可能な患者の小手術	機械的予防法
高リスクの内科患者（例:不動,VTEの既往，血栓形成傾向，悪性腫瘍）&手術患者のほとんど	**未分画ヘパリン（UFH）** 5,000 U SC bid/tid，または**低分子量ヘパリン（LMWH）**，またはフォンダパリヌクス（HITの場合），または機械的予防法（特に出血リスクの高い場合）；DOACによる予防は確立されていない（*NEJM* 2016;375:534） 癌患者ではDOACが予防になるかもしれない（*NEJM* 2019;380:711&720）*
高リスク手術（例：外傷，脳卒中/脊髄損傷，VTEの既往，血栓形成傾向）	〔LMWHかUFH SC〕+機械的予防法
整形外科手術	LMWH〔またはフォンダパリヌクス，ワルファリン〔INR 2～3〕〕+機械的予防法；DOACはLMWHに対し有利な可能性 DOACの5日間の予防的投与は，アスピリンによる予防と同様（*NEJM* 2018;378: 699）

エノキサパリンでは，最高リスクの場合は30 mg bid．中等度リスクまたは脊髄/硬膜外麻酔の場合は40 mg qdで投与する。* Khoranaスコアが2以上の場合

■ DVTの臨床症状
- 腓腹部痛，腓腹部腫脹（外周の左右差>3 cm），静脈怒張，紅斑，熱感，圧痛，触知可能な静脈，Homans徴候（足部の背屈時の腓腹部痛；ただし患者の<5%のみに認める）
- 有痛性青股腫：浮腫，チアノーゼ，疼痛，コンパートメント症候群を伴う大きな近位DVT
- 症候性DVT患者の50%に無症候性PEが存在
- 膝窩（Baker）嚢胞：膝窩静脈が圧迫されてDVTを起こすことがある

"簡易Wellsスコア"によるDVTの検査前確率スコアリング（*JAMA* 2006;295:199）
各1点ずつ： ● 活動性のある癌（薬を服用しているか，6か月以内に服用しているか，緩和治療を受けているか） ● 麻痺，不全麻痺，または最近の下肢固定 ● 最近の3日以上の臥床または12週間以内の大手術 ● 深部静脈系に沿った圧痛 ● 下肢全体の腫脹 ● 腓腹部外周（脛骨粗面より10 cm末梢側）の左右差≥3 cm ● 患肢の圧痕浮腫 ● 患肢の表在性側副静脈路の拡張（静脈瘤ではない） ● DVTの既往

（次頁につづく）

−2点：
- ●DVTと少なくとも同等の可能性のある別の診断

検査前確率（外来患者であれば有用，入院患者であればそうではない；*JAMA IM* 2015; 175:1112）		
スコア≦0点	スコア1または2点	スコア≧3点
低確率（5%）	中等度の確率（17%）	高確率（53%）

●上肢DVTの場合，静脈カテーテル，局所疼痛，片側浮腫を各1点，代替診断の場合は−1点とする。≦1＝可能性少ない，≧2＝可能性あり。可能性あり，または可能性は少ないがDダイマー異常があればエコー (*Annals* 2014;160:451)

■DVTの診断的検査
●Dダイマー：＜500なら除外に有用；？低リスクであれば1,000を閾値として使用 (*Annals* 2013;158:93)
●圧迫エコー：症候性DVTについて感度と特異度＞95%（無症候性DVTではより低い）；確率が中等度以上であれば下肢全長を検索

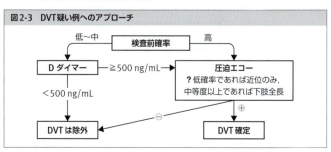

図2-3 DVT疑い例へのアプローチ

■PEの臨床症状
●呼吸困難（約50%），胸膜痛（約40%），咳嗽（約23%），喀血（約8%）
●RR↑（約70%），断続性ラ音（51%），HR↑（30%），発熱，チアノーゼ，胸膜摩擦音，IIp音↑
●重度：失神，低血圧，PEA；頸静脈怒張，右心性III音，Graham Steell（肺動脈弁閉鎖不全）雑音

簡易WellsスコアによるPEの検査前確率 (*Annals* 2011;154:709)	
・PE/DVTの既往	・DVTの臨床徴候
・活動性の癌	・HR＞100
・不動（臥床≧3日）または4週間以内の手術	・喀血
・PEより可能性の低い別の診断	
Wellsの二分法による検査前確率の評価	
≦1項目該当＝"PEらしくない"（確率13%）	≧2項目該当＝"PEらしい"（確率39%）

■PEの診断的検査 (*EHJ* 2014;35:3033)
●CXR（感度と特異度は低い）：正常（12%），無気肺，胸水，片側横隔膜挙上，Hamptonのこぶ（胸膜に隣接する楔形陰影）；Westermark徴候（塞栓部より遠位の無血管野）
●ECG（感度と特異度は低い）：洞頻脈，AF；右室ストレインパターン➡右軸偏位，肺性P波，RBBB，$S_1Q_{III}T_{III}$パターンとV_1～V_4の陰性T波（McGinn-Whiteパターン；*Chest* 1997; 111:537）
●ABG：低酸素血症，低CO_2血症，呼吸性アルカローシス，A-aDO_2↑ (*Chest* 1996;109:

78)
18%は室内気でPaO$_2$ 85〜105 mmHg, 6%はA-aDO$_2$正常（Chest 1991;100:598）
- Dダイマー：感度は高いが特異度は低い（約25%）; ELISA法で⊖のときNPV>99%, 検査前確率が"PEらしくない"患者でPEの除外に有用（JAMA 2006;295:172）; カットオフ値は50歳未満では500, 50歳以上では年齢×10（JAMA 2014;311:1117）
- 心エコー：リスク層別化（右室機能障害）に有用だが, 診断には役立たない（感度<50%）
- V/Qスキャン：感度は高い（約98%）が特異度は低い（約10%）; V/Q不均等の可能性が高い場合は特異度97%
  PEの検査前確率が高く, CTが利用できないか禁忌の場合に利用; 検査前確率が低く, V/Q不均等の可能性が低い場合にPEの除外に利用できるが, 偽陰性率4%（JAMA 1990; 263:2753）
- CT血管造影（巻末の「画像」参照; JAMA 2015;314:74）：感度約90%, 特異度約95%; 画像所見が臨床的疑いと矛盾しない場合はPPVとNPV>95%, 矛盾する場合は≦80%（∴両方の可能性を考慮）; 単発かつ亜区域枝の所見は約25%の確率で偽陽性の可能性あり; CTは鑑別疾患の診断にも有用
- 下肢の圧迫エコーはDVTの約9%を検出でき, CT血管造影の代わりとなった

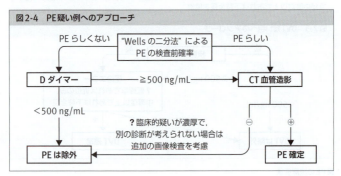

図2-4　PE疑い例へのアプローチ

特発性VTEの精密検査（NEJM 2015;373:697）
- 血栓形成傾向の検査：家族歴のある場合; 血栓, ヘパリン, ワルファリンは結果に影響するので, タイミングを考慮; 管理を変更しない場合（例：検査結果に関係なく長期の抗凝固療法を計画する場合）は, 親族には有用であるかもしれないが, 患者には有用ではない
- 悪性腫瘍の検査："特発性"DVT/PE患者の12%が悪性腫瘍を有する; 年齢層に応じたスクリーニングが妥当; 詳細な精密検査は控える

PEを有する患者のリスク層別化
- 高リスク（広範）：持続性低血圧（SBP<90）, 徐脈, または心停止
- 中間リスク（準広範）：低血圧を伴わない右心負荷所見
  心エコー：右心機能不全（トロポニンが正常でも）（Chest 2013;144:1539）
  バイオマーカー：トロポニン↑, BNP↑（Chest 2015;147:685）
  CT血管造影：右室径/左室径比>0.9（Circ 2004;110:3276）
  臨床的評価（持続的な頻脈, 低血圧, 低酸素血症）：高度な治療を考慮（下記参照）
- 低リスク：右心負荷や低血圧にならない

治療対象（Lancet 2016;388;3060, Chest 2016;149:315, JAMA 2018;320:1583）
- 表在性静脈血栓症：四肢挙上, 温湿布, 圧迫ストッキング, NSAIDsの服用。DVTのリスクが高い場合（例：5 cm以上, 深部静脈が5 cm以下で近位, その他のリスク因子）は, 4週間の抗凝固療法を行う（約10%は3か月以内にVTEを発症するため）（Annals 2010; 152:218）
- 下肢DVT：近位➡抗凝固療法; 遠位➡症状が重度の場合は抗凝固療法, そうでなければ2

週間後の画像検査とし，もし進行していたら抗凝固療法としてもよい（とはいえ出血リスクが低ければ抗凝療法が選択されることが多い）
- **上肢DVT**：抗凝固療法（下肢と同じ方針；*NEJM* 2011;364:861）；カテーテル関連の場合，機能していて留置しておく必要があるならば抜去の必要なし
- **PE**：抗凝固療法

抗凝固療法の選択薬（*Chest* 2016;149:315）
- 検査中に高〜中等度に疑われる場合は，ただちに非経口治療を開始する
- **直接経口抗凝固薬**（DOAC；*NEJM* 2010;363:2499, 2012;366:1287, 2013;369:799&1406）
 出血量が少なく，VTEの再発防止効果がワルファリンよりも優れていることから好まれている
 抗凝薬として単独で投与でき，初回負荷量（リバーロキサバンまたはアピキサバン）を投与するか，5日以上の非経口抗凝固薬と併用（エドキサバンやダビガトラン；UFHの静注を中止した場合の1回目の投与量，または次のLMWH投与が予定されている場合の2時間前までに投与する）
- **LMWH**（例：エノキサパリン1 mg/kg SC bidまたはダルテパリン200 IU/kg SC qd）は，腎不全（CrCl<25），極度の肥満，血行動態不安定または出血リスクのある患者を除いてUFHより好ましい（特に癌の場合）（*Cochrane* 2004;CD001100）
 長期的な経口抗凝固療法への外来患者でのブリッジとして使用することができる
- 癌の場合，UFHとワルファリンの組み合わせに比較して，LMWHは再発と死亡率↓（*Lancet Oncol* 2008;9:577）；メラノーマ，腎細胞癌，甲状腺癌，絨毛癌の場合は，脳転移検索のため頭部CTをチェック；エドキサバンは同じくらい有効かもしれないが，特に消化器系癌の場合は大出血↑（*NEJM* 2018;378:615）
- **フォンダパリヌクス**：5〜10 mg SC qd（*NEJM* 2003;349:1695）；HIT患者に使用；腎不全では禁忌
- **UFH静注**：80 U/kgボーラス➡18 U/kg/時➡APTTが1.5〜2.3×基準値（例：60〜85秒）となるよう調節；血栓溶解療法やカテーテルによる治療を検討している場合は好ましい選択肢（関連項目参照）
- **直接トロンビン阻害薬**（例：アルガトロバン，bivalirudin）：HIT患者に使用
- **ワルファリン**（目標INR 2〜3）：全身状態が安定で，?血栓溶解薬の必要性，カテーテル治療，手術療法がないかぎり非経口凝薬と同日に開始；非経口凝薬とのオーバーラップは5日間以上，かつ24時間以上INR≧2となるまで

血栓溶解療法（*Chest* 2012;141:e419S, 2016;149:315）
- 通常，tPA 100 mgを2時間かけて投与するか，または体重で調節したtenecteplaseをボーラス投与；頭蓋内出血のリスクは約1.5%で年齢とともに↑
- 低血圧を伴う急性PEや抗凝固療法後に心肺機能の低下などを伴い，出血リスクが低い場合は考慮すべき
- **高リスクPE**：死亡と再発PEがそれぞれ約50%低下（*JAMA* 2014;311:2414, *EHJ* 2015;36:605）&長期的に肺血管抵抗が低下（*JACC* 1990;15:65）
- **中等度リスクPE**：血行動態不良↓，頭蓋内出血やその他の大出血↑，短期的には死亡率↓，しかし長期的には死亡率，肺高血圧症または右心機能障害に変化なし；?75歳未満や出血リスクが低い場合に検討する（*NEJM* 2014;370:1402, *JAMA* 2014;311:2414, *JACC* 2017;69:1536）
- 半用量血栓溶解（50 mgまたは<50 kgの場合は0.5 mg/kg；10 mgボーラス➡2時間かけて残量投与）を中等度リスクPE患者に投与する。PE：肺高血圧↓，ヘパリン単独と比較してPEまたは出血による死亡↓（*AJC* 2013;111:273）
- **DVT**：(a) 急性（<14日）で広範囲（腸骨大腿部など），(b) 重度の症状，腫脹や虚血，(c) 出血リスクが低い場合に検討する

機械的介入
- **カテーテル治療**（血栓の溶解と断片化/吸引；*Circ* 2012;126:1917）

血行動態不良や高リスクのPEで，全身溶解や外科的血栓摘出術の候補にならない場合に検討する（Circ 2011;124:2139）。一部の施設では全身溶解よりも好ましいとされているエコー使用により血行動態と右心機能障害が改善され，抗凝固薬単独よりも改善があった（EHJ 2015;36:597）
広範囲のDVTでは効果なし（NEJM 2017;377:2240）
- **血栓除去術**：大きな血栓による近位のPE＋血行動態不安定＋血栓溶解療法が禁忌の場合；大きな血栓による近位のPE＋右室機能障害の場合は専門施設での施行を考慮（J Thorac CV Surg 2005;129:1018）
- **IVCフィルター**：抗凝固薬禁忌の場合に使用；抗凝固薬に追加するメリットはない（JAMA 2015;313:1627）
合併症：迷入，急性DVT，DVT再発リスク↑，IVC閉塞のリスク（5～18%）

■抗凝固療法の期間
- 表在性静脈血栓症：4週間
- 初回近位DVT，可逆性／一過性のリスク因子によるPE，遠位DVT：3～6か月
- 初回の非誘発性近位DVT/PE：≧3か月，その後再評価し延長
  治療法を決定する際には，血栓の状態，出血リスク，患者の希望，治療の強度を考慮
- 再発VTEイベントや癌：無期限（または癌が治癒するまで）（NEJM 2003;348:1425）

■長期抗凝固療法の治療選択
- 抗凝固薬投与6か月以上ののち，以下のレジメンを延長治療なしの場合（またはアスピリン）と比較した：
- full-dose DOAC：VTE再発80～90%↓，2～5倍の出血はあるが，大出血の有意な増加は認められない（NEJM 2010;363:2499, 2013;368:699&709）
- アピキサバンまたはリバーロキサバンの半量投与：VTE再発75%以上↓，出血↑なし（NEJM 2013;368:699, 2017;376:1211）
- ワルファリンは通常量（JAMA 2015;314:31）または低用量（NEJM 2003;348:1425）のいずれか
- アスピリン：VTE再発32%↓（NEJM 2012;366:1959, 367:1979）

■合併症と予後
- 血栓後症候群（23～60%）：痛み，浮腫，静脈性潰瘍
- VTE再発：年間1%（初回VTE後）～5%（再発VTE後）
- 急性PE後の慢性血栓塞栓性肺高血圧症：約2～3%，血栓内膜摘出術を検討
- 死亡率：3～6か月時点においてDVTで約10%，PEで約10～15%（Circ 2008;117:1711）

肺高血圧症（PHT）

PHTは安静時の平均肺動脈圧（PAP）＞25 mmHgとして定義される
? 新しいデータに基づき，将来は平均PAP≧20 mmHgとなる可能性も（Lancet Respir Med 2018;6:168）
平均PAP＝心拍出量（CO）×PVR＋肺動脈楔入圧。経肺圧較差＝平均PAP－肺動脈楔入圧

原因(改訂WHO分類)(*JACC* 2013;62:D34)	
肺動脈性肺高血圧症(PAH)(第1群) 前毛細血管性肺高血圧症 PCWP≦15 mmHg 経肺圧較差↑ PVR↑	・特発性(IPAH):年発生率100万人あたり1〜2人;平均発症年齢36歳(♂のほうが♀よりも年齢上);♂:♀=約2:1,PAPは通常軽度↑ ・家族性(FPAH) ・各種疾患に伴う(APAH) ・膠原病関連:CREST症候群,SLE,MCTD,RA,多発性筋炎,Sjögren症候群 ・先天性左右シャント:ASD,VSD,PDA ・門脈圧亢進に伴う肺高血圧症(**?**末期肝疾患のため蓄積した血管作動性物質による;≠肝肺症候群) ・HIV;薬毒物:食欲抑制薬,SSRI,L-トリプトファン ・肺静脈閉塞症:**?**化学療法や骨髄移植に続発;起座呼吸,胸水,CHF,PCWP正常;血管拡張薬はCHFを増悪させる(*AJRCCM* 2000;162:1964) ・肺毛細血管血管腫症
左心系疾患(第2群) PCWP↑	・左房/左室機能障害(拡張期/収縮期) ・左心系弁膜症(例:僧帽弁狭窄症/閉鎖不全症)
肺疾患,慢性低酸素血症(第3群)	・COPD ・肺胞低換気(例:神経筋疾患) ・ILD ・慢性低酸素血症(例:高地) ・睡眠時無呼吸 ・発達異常
CTEPH(第4群)	・近位/遠位PE;約半数はPEの既往なし(*NEJM* 2011;364:351) ・非血栓性栓子(腫瘍,異物,寄生虫)
その他/多因子(第5群)	・サルコイドーシス,ヒスチオサイトーシスX,肺リンパ脈管筋腫症,住血吸虫症,末期腎不全 ・肺血管圧迫(リンパ節腫脹,腫瘍,線維形成性縦隔炎,ヒストプラズマ症,放射線照射) ・その他:甲状腺障害,グリコーゲン貯蔵障害,Gaucher病,HHT,鎌状赤血球など,慢性骨髄増殖性疾患,脾臓摘出術

■**臨床症状**
● 呼吸困難,労作時失神(低酸素症,心拍出量↓),労作時胸痛(右室虚血)
● 右心不全の症状(例:末梢性浮腫,右上腹部膨満感,腹部膨満感)
● WHO機能分類:class I=症状はなく身体活動に制約なし,class II=症状があるが身体活動には制約なし,class III=症状があり身体活動が制約される,class IV=安静時にも症状あり

■**身体所見**
● PHT:II$_P$音↑,右心性IV音,右室挙上,肺動脈のtap&flow雑音,肺動脈弁閉鎖不全症(Graham Steell雑音),三尖弁閉鎖不全症
● ±右心不全:頸静脈怒張,肝腫大,末梢性浮腫

■**診断的検査と精密検査**(*JACC* 2013;62:D40, *Circ* 2014;130:1820)
● 胸部高分解能CT:肺動脈の拡張と狭小化,右房と右室拡張;実質性肺病変の除外
● ECG:右軸偏位,RBBB,右房拡大("肺性P波"),RVH(感度55%,特異度70%)
● PFT:D$_L$CO↓,軽度の拘束性パターン;閉塞性/拘束性肺疾患を除外
● ABGやポリソムノグラフィー:PaO$_2$↓とSaO$_2$↓(特に労作時),PaCO$_2$↓,A-aDO$_2$↑;低換気およびOSAを除外
● TTE:RVSP↑(ただしPHT患者の半数で≧10 mmHgの↑/↓あり;*Chest* 2011;139:

988)
右房，右室，肺動脈の拡張，圧↑ ➡ 心室中隔の平坦化（"D"型の左室横断面）
右心収縮機能↓（三尖弁輪収縮期移動距離（TAPSE）<1.6 cm）；三尖弁閉鎖不全症，肺動脈弁閉鎖不全症；左室機能障害，僧帽弁疾患，大動脈弁疾患，先天性心疾患を除外
●右心カテーテル検査：RAP↑，RVP↑，PAP↑；左心系の圧やシャント疾患をチェック
肺動脈性肺高血圧症（PAH）の場合：PCWP正常，経肺圧較差↑（平均PAP − PCWP>12〜15），拡張期肺圧較差↑（拡張期肺動脈圧 − PCWP>7），PVR↑，±心拍出量↓
左心疾患による二次性PHの場合：PCWP（またはLVEDP）>15；PVR正常 ➡ "受動的PHT"；PVR>240は混合した病態を示唆：もしPCWP↓ ➡ PVR↓ならば，"反応する"PHT；もしPCWP↓ ➡ PVR↓がなければ，"固定化"したPHT
● CT血管造影（大/中血管），V/Qスキャン（小血管；CTEPHを除外），±懸念が強い場合は肺血管造影
● 血液検査：ANA（PAHでは約40%で⊕），RF，抗Scl-70抗体，抗セントロメア抗体，ESR；肝機能；HIV
● 6分間歩行試験（6MWT）または運動負荷心肺機能検査：運動耐容能の評価

■治療（*JACC* 2013;62:25S, 2015;65:1976, *EHJ* 2016;37:67）
●原則：
　1）血管作動性物質の不均衡と血管リモデリングの予防/治療
　2）右心不全の予防：心室壁応力↓（PVR↓，PAP↓，右室径↓）；適切な全身DBPの確保
●支持療法
酸素：SaO_2>90〜92%を維持（血管収縮の緩和）
利尿薬：右室壁応力↓，右心不全症状の緩和；右室は前負荷依存性が強いので注意して投与
ジゴキシン：AFのコントロール，？Ca拮抗薬の陰性変力作用を拮抗
抗凝固療法：全例には使用しない；右心不全によるVTEのリスク↑；？局所微小血栓症の予防；？正常洞調律であっても死亡率↓，ただしRCTなし（*Chest* 2006;130:545）
監視下での運動トレーニング；CPAP/BiPAPを使用した積極的な無呼吸/低換気に対する治療
●血管拡張薬（理想的には開始前に右心カテーテル検査を；*NEJM* 2004;351:1425）
急性肺血管反応性試験：吸入NO/アデノシン/PGI_2を負荷し，経口Ca拮抗薬に長期反応性を示す患者候補を特定（肺血管反応⊕＝心拍出量は不変で，PAPが10 mmHg以上低下して40 mmHg未満に）；患者の約10%が急性反応⊕；反応⊖➡別の血管拡張薬には反応する可能性あり

血管作用薬	説明（おもに第1群のデータ；二次性PHTではほとんどエビデンスがない）
PDE5阻害薬 シルデナフィル，タダラフィル，バルデナフィル	cGMP↑➡血管拡張，血管平滑筋増殖↓，症状↓，6MWT↑，臨床転帰に関してはデータなし；しばしば第1選択となり，副作用が少ない：頭痛，視覚異常，鼻閉（*NEJM* 2009; 361:1864）
エンドセリン受容体拮抗薬 ボセンタン，アンブリセンタン，マシテンタン	血管平滑筋リモデリング↓，血管拡張，線維化↓，症状↓，6MWT↑，PAHの悪化またはプロスタノイドの必要性↓，PAH死亡率↓の傾向（マシテンタンで） 副作用：肝機能障害↑，頭痛，貧血，浮腫，催奇形性（*NEJM* 2002;346:896, *Circ* 2008;117:3010, *NEJM* 2013; 369:809）
IV PGI_2 エポプロステノール	血管拡張，血小板凝集↓，血管平滑筋増殖↓；時間とともに有効性↑（？血管リモデリング）；6MWT↑，QOL↑，**死亡率↓** 副作用：頭痛，顔面潮紅，顎/下肢痛，腹部痙攣痛，悪心，下痢，カテーテル感染（*NEJM* 1996;334:296, 1998;338:273, *Annals* 2000;132:425）

（次頁につづく）

PGI₂アナログ イロプロスト（吸入），トレプロスチニル（IV/吸入/SC） PGI₂受容体作動薬 セレキシパグ（PO）	IV PGI₂と作用機序は同一だが，使用しやすく，副作用↓，カテーテル感染のリスクなし，症状↓，6MWT↑；イロプロストは臨床イベント↓の傾向あり，トレプロスチニルではなし；吸入治療はV/Qマッチングを改善。セレキシパグは疾患進行＆入院を約40%↓(*NEJM* 2015;373:2522)
可溶性グアニル酸シクラーゼ（sGC）刺激薬 リオシグアト	PAHではNO非依存性cGMP↑➡血管拡張，平滑筋増殖↓，症状↓，6MWT↑；CTEPHでは症状↓，PVR↓，6MWT↑(*NEJM* 2013;369:319&330)
経口Ca拮抗薬 ニフェジピン，ジルチアゼム	急性の血管反応があれば考慮すべき；ただし第1選択ではない；副作用：低血圧，下肢浮腫

- 当初から併用治療した場合（タダラフィル＋アンブリセンタン，単剤と比較して）：症状↓，NT-BNP↓，6MWT↑，入院↓(*NEJM* 2015;373:834)
- 二次性PHTでは基礎にある原因の治療；血管拡張薬が使用可能だが，エビデンスはほとんどない
- CTEPH：上記のような治療。肺血管内膜切除術は治癒の可能性（*AJRCCM* 2011;183:1605）
- 難治性PHT：バルーン心房中隔開削術：右左シャント造設により心拍出量↑，SaO₂↓，組織への正味の酸素運搬量↑；肺移植（片肺/両肺；Eisenmenger化している場合は心肺同時移植が必要）

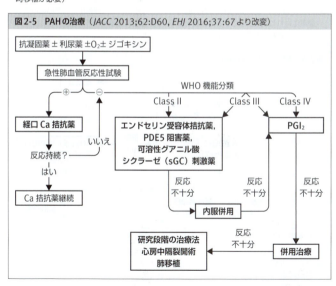

図2-5 PAHの治療（*JACC* 2013;62:D60, *EHJ* 2016;37:67より改変）

■ICU患者の管理
- 過度に積極的な輸液と頻脈性不整脈は避ける
- 左心機能不全のある場合，血管拡張薬は注意して使用。挿管すると血行動態が崩れることがある
- ドブタミンと吸入NOまたはプロスタサイクリン
- 右室側の機械的なサポートを考慮（*Circ* 2015;132:536）

- 急性の再発性代償不全では血栓溶解療法を考慮（例：tPA 100 mgを2時間かけて）

■予後
- 診断後の生存期間中央値は約2.8年；PAH（原因を問わず）：2年生存率66%，5年生存率48%（Chest 2004;126:78S）
- 予後不良の予測因子：右心不全の臨床所見，症状の急速な進行，WHO（修正NYHA）機能分類class IV，6MWT＜300 m，最大VO₂＜10.4 mL/kg/分，右房拡張または右室拡張または右室機能障害，RAP＞20またはCI＜2.0，BNP↑（Chest 2006;129:1313）
- 肺移植：1年生存率66～75%，5年生存率45～55%（Chest 2004;126:63S）

呼吸不全

$$低酸素血症 \Rightarrow P_AO_2 = [FiO_2 \times (760-47)] - \frac{PaCO_2}{R}$$

- **A-aDO₂ = P_AO₂ − PaO₂**：正常値（室内気）=「4＋年齢/4」または「2.5＋0.2×年齢」
- 低酸素血症＋A-aDO₂正常：問題は PiO₂/FiO₂↓ または PaCO₂↑（低換気）
- 低酸素血症＋A-aDO₂↑：問題はいずれか
  右→左シャント，解剖学的（先天性心疾患）か重篤な病態（肺胞に液体が溜まっている；例：肺炎，肺水腫）；Hb-O₂解離曲線のため100%酸素では改善しない
  V/Q不均等は，"シャントのような"領域（V↓，Q正常）で，酸素化されていない血液と酸素化された血液が混ざり合う原因となる；酸素投与で改善する
  拡散障害：運動/CO↑で一般的にみられる

図2-6　急性低酸素血症の検査

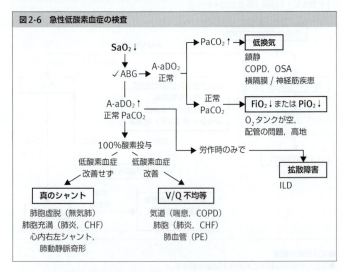

- **チアノーゼ**：皮膚／粘膜血管血中の還元型Hb＞4 g/dLで出現
  中枢性：SaO₂↓（呼吸器疾患，肺内シャント）；異常Hb〔メトHb，スルホHb，COHb（真のチアノーゼではない）〕
  末梢性：血流量↓ → O₂摂取率↑（例：心拍出量↓，寒冷，動脈/静脈閉塞）

細胞低酸素の原因化学物質

病態	原因	典型的特徴	PaO_2	SpO_2	SaO_2(COオキシメトリ)	治療(+100%酸素)
CO中毒	火災, ストーブ, 排気ガス	鮮紅色の皮膚 (COHbの色)	正常	正常	↓	高圧酸素療法
メトHb血症	硝酸薬, サルファ薬, ベンゾカイン, ジアフェニルスルホン	チョコレート色の血液	正常	軽度↓	↓	メチレンブルー
シアン化物中毒	ニトロプルシド, 火災, 工業用	苦扁桃臭;ピンク色の皮膚	正常	正常 (SvO_2↑)	正常	ヒドロキソコバラミンC

COはO_2よりも強くHbと結合する;パルスオキシメータはCOHbをHbO_2と誤って測定➡SpO_2は見かけ上正常

酸化剤はHb (Fe^{2+}) をO_2運搬能のないメトHb (Fe^{3+}) に変換;パルスオキシメータはメトHbをHbO_2と誤って測定

シアン化物はミトコンドリアのO_2利用を阻害➡細胞低酸素に陥るが, 皮膚はピンク色でSvO_2↑

$$\text{高}CO_2\text{血症} \Rightarrow PaCO_2 = k \times \frac{VCO_2}{RR \times \left(1 - \frac{V_D}{V_T}\right)}$$

$PaCO_2$↑の原因

"息をしようとしない"	"息ができない"		
RR↓	V_T↓	V_D↑かつまたはV_T↓	
呼吸ドライブ	神経筋	胸壁/胸膜	肺/気道
自発的な過換気 正常PI_{max} & A-aDO_2 **代謝性アルカローシス** **神経原発性**:脳幹卒中, 腫瘍, 原発性肺低換気 **神経続発性**:鎮静薬, CNS感染症, 甲状腺機能低下症	PI_{max}↓ PE_{max}↓ **ニューロパチー**:頸髄, 横隔神経, Guillain-Barré症候群, ALS, ポリオ **神経筋接合部**:重症筋無力症, Lambert-Eaton症候群 **ミオパチー**:横隔膜, 多発性筋炎/皮膚筋炎; PO_4↓, 筋ジストロフィー	身体所見異常 CT異常 **胸壁**:肥満症, 後弯症, 脊柱側弯症 **胸膜**:線維性胸水	PFT異常 呼気終末CO_2↓ **肺実質**:肺気腫, ILD/線維化, CHF, 肺炎 **気道**:喘息, COPD, OSA, 気管支拡張症, 囊胞性線維症

VCO_2↑は通常, $PaCO_2$↑の一過性の原因;鑑別診断:運動, 発熱, 甲状腺機能亢進症, 呼吸努力↑, 糖質摂取↑

人工換気

■適応
- ガス交換の改善:酸素化↑;肺胞換気↑と急性呼吸性アシドーシスの改善
- 呼吸困難の緩和:呼吸努力↓(総O_2消費量の最大50%を占める), 呼吸筋疲労↓
- 無呼吸, 気道保護, 肺洗浄

挿管前または抜管後の支持療法

酸素供給システム (Lancet 2016;387:1867)		
システムや装置	O_2流量[a]	FiO_2幅&備考
低流量鼻カヌラ	1〜6	24〜40%, 1 L増えるごとに約3% FiO_2↑
標準的なフェイスマスク	5〜10	35〜50%, 最小流量は5 L/分
部分的再呼吸マスク	>10	40〜70%
リザーバーマスク	>10	60〜80%(脇漏れがあり100%ではない)
ベンチュリー,ベンチュリーマスク(air-entrainment mask)	10〜15[b]	24〜50%, FiO_2を一定に保つ
ハイフローネーザル酸素 (NEJM 2015;372:2185, JAMA 2015;313:2331, 2016;315:1354)	≦40	21〜100%。高CO_2血症を伴わない急性低酸素血症の呼吸不全に対して,スタンダードな酸素投与やNPPVに比較して±挿管率↓(PaO_2/FiO_2≦200なら特に),90日死亡率↓。抜管後はルーチンに使用。再挿管の必要性↓

[a] L/分。[b] 総流量>60 L/分 (Marino P. *The ICU Book*, 4th ed, Philadelphia: LWW, 2014: 431より)

非侵襲的陽圧換気 (NPPV) (*NEJM* 2015;372:e30)	
適応 (*Lancet* 2009;374:250)	臨床:中等度〜重度の呼吸困難,RR>24〜30,呼吸努力↑の徴候,呼吸補助筋の過度な使用,奇異呼吸 ガス交換:$PaCO_2$>45 mmHg (&ベースラインより明らかに悪い場合),低酸素血症,PaO_2/FiO_2<200
禁忌 (*Crit Care Med* 2007;35:2402)	閉所恐怖症,マスクフィット不良,**意識障害**,嘔吐,**気道保護不能**,呼吸器系以外の臓器障害,血行動態不安定,上部消化管出血,気道分泌↑
持続気道陽圧 (CPAP)	≒PEEP。呼吸サイクルを通して気道の陽圧を一定に維持している間,患者は自分のペースで自発呼吸する O_2供給に制限なし (高流量で供給可能➡FiO_2≒1.0) 主な問題が**低酸素血症**の場合に使用 (例:CHF)
二相式陽圧換気 (BiPAP)	≒PSV+PEEP。吸気圧(通常8〜10 cmH_2O)と呼気圧(通常<5 cmH_2O)の両方を設定できる 主な問題が**低換気**の場合に使用;供給可能なFiO_2に制限あり
マスク換気 (ヘルメットがよりよい?;*JAMA* 2016;315:2435)	患者にしっかりフィットさせたマスクを標準的な人工呼吸器に接続 PS約20〜30 cmH_2O,PEEP約10 cmH_2O,FiO_2約1.0で供給可能 可逆的病態の短期サポート (<24時間) に使用
強いエビデンスがある病態 *Lancet* 2000;355:1931 *AJRCCM* 2006;173:164	**心原性肺水腫**:挿管率や死亡率↓の可能性 (*JAMA* 2005;294:3124, *Lancet* 2006;367:1155)。しかし最近の試験(高クロスオーバー)では死亡率の改善はみられなかった (*NEJM* 2008;359:142) 高CO_2を伴う**COPD増悪**:挿管率や死亡率↓,しかしpH<7.3なら➡挿管する

(次頁につづく)

	抜管の高リスク（65歳以上，CHF，APACHE II>12）：抜管後すぐに24時間NPPV装着➡再挿管↓。SBTの間にPaCO₂>45 mmHgの場合は死亡率↓。全換気日数の差はない（*JAMA* 2018;320:1881） 腹部手術後の低酸素呼吸不全：再挿管↓
JAMA 2016;315:1345 *NEJM* 2001;344:481	**免疫抑制患者**の肺浸潤：合併症と死亡率↓

人工呼吸器の管理

換気装置のモードと原理 （*NEJM* 2001;344:1986, *Chest* 2015;148:340）	
持続的強制換気（CMV），補助/調節換気（A/C）	人工呼吸器は最小回数の補助換気を提供 自発呼吸が完全に補助換気をトリガー ∴補助換気は自発呼吸に同調 頻呼吸➡？呼吸性アルカローシス，呼出不能，auto-PEEP 従圧式/従量式のいずれも可能（関連項目参照）
圧支持換気（PSV）	設定した吸気圧とPEEPで自発呼吸を補助 換気速度の設定はなく，部分的換気補助の一様式
その他	同期式間欠的強制換気（SIMV）：人工呼吸器は最小回数の補助換気を提供（自発呼吸努力に同調）；自発呼吸➡Vтは自発呼吸努力により決まる 比例補助換気（PAV）：呼吸仕事の目標%を達成するために可変圧力を提供

従量式/従圧式の選択	
従量式	人工呼吸器は設定したVтを供給；気道内圧は気道抵抗と肺/胸壁コンプライアンスに依存 **利点**：換気コントロール↑（人工呼吸器の初期設定として理想的）；ALI/ARDSで有益性あり；呼吸メカニクス（PIP，P_{plat}，気道抵抗，コンプライアンス）の計測が容易 容量コントロール（VC）：設定したVтとするために人工呼吸器が供給する圧はさまざま（リアルタイムの肺コンプライアンスに依存）
従圧式	人工呼吸器はVтに関係なく一定の吸気圧を供給 Vтは気道抵抗と肺/胸壁コンプライアンスに依存 **利点**：患者の苦痛が少なく（PSV），鎮静を浅くできる可能性
一般原則	換気方法の選択は通常，施設/呼吸療法士の好みや患者の快適性に基づいて行われる；特に優位だと証明されている換気方法はない **アラームの設定**：従圧式では換気容量↑に，従量式では気道内圧↑に **リスク**：容量損傷（設定した換気容量が高すぎた場合の過膨張による；*NEJM* 2013;369:2126），圧損傷〔設定した換気容量が比較的高いとき（特にstiff lungの場合）や設定した気道内圧が高すぎた場合に起こりうる；気道内圧ではなく肺内外圧差（P_{plat}と食道内圧≒胸腔内圧の差）のモニタリングが重要〕；気胸，縦隔気腫を起こすことあり **低換気/過換気**：分時換気量とpH/PaCO₂のモニタリングが必要

呼吸器のその他のパラメータの設定	
FiO_2	吸気中のO_2の割合
V_T（1回換気量）	供給された呼吸量；肺保護換気：目標≦6 mL/kg IBW ARDSがない場合，より高いV_Tでも同様の人工呼吸器装着日数（*JAMA* 2018;320:1872）
f（呼吸数）	人工呼吸器で設定された呼吸数fは，患者の自発呼吸をトリガーにする場合，実際の呼吸回数よりも低くなることがある 目標の$PaCO_2$になるように調整
呼気終末陽圧（PEEP）	呼気中に呼気ポートを介して供給される陽圧 利点：肺胞虚脱（虚脱による肺損傷）の予防，肺内シャント↓，肺胞のリクルートを介した酸素とコンプライアンス↑，重度に閉塞した患者が呼吸を開始することが可能に 心臓への効果：胸腔内圧↑により前負荷↓➡静脈還流量↓；心腔壁内外圧差↓により後負荷↓；上記背景により心拍出量↑/↓，酸素供給↑/↓ auto-PEEP（内因性PEEP）：不適切な呼気時間➡次の吸気の前に肺を完全に空にできない（呼出不能）；呼気終末に気流があれば気道内圧＝auto-PEEPがある 特に循環血液量↓のある場合，前負荷↓，心拍出量↓ 患者が呼吸するために打ち勝つ必要があるので呼吸努力↑；患者による人工呼吸器のトリガーを外因性PEEPで防ぐことが可能 呼気終末に気流があれば人工呼吸器の呼気ポートを塞ぐことで計測可能 呼気時間↑，RR↓，V_T↓，気管支攣や気道分泌物の処置により軽減できる
吸気時間	通常のI：E比＝約1：2。吸気時間（したがって吸気流速，下記参照）は変更可能；圧コントロールモードで設定
吸気流速	吸気流速↑➡吸気時間↓➡呼気時間↑➡∴閉塞性疾患で換気を改善しうるが，RRと気管支拡張/収縮に影響する可能性
最大吸気圧（PIP）	吸気中に動的に測定；従圧式モードで設定 気道抵抗と肺/胸壁コンプライアンスにより決まる P_{plat}↑を伴わないPIP↑➡気道抵抗↑（例：気管支攣/閉塞） PIP↓➡気道抵抗↓または呼吸回路のエアリーク
プラトー圧（P_{plat}）	気流のない吸気終末に静的に測定 呼吸系コンプライアンスにより決まる（気流がないので気道抵抗は無関係） P_{plat}↑➡肺または胸壁コンプライアンス↓（例：気胸，肺水腫，肺炎，無気肺），PEEPまたはauto-PEEP↑ P_{plat}＜30 cmH_2O➡圧損傷↓（V_T↓，PEEP↓，コンプライアンス↑（例：利尿により））

■人工呼吸器の個別的設定

- 酸素化改善には：例えばFiO_2↑，PEEP↑

  SaO_2 88～92%は許容（*AJRCCM* 2016;193:43），96%を超えないように（*BMJ* 2018; 363:k4169）

  まずはFiO_2↑；FiO_2＞0.6としても酸素化不十分であれば，PEEP↑

  PaO_2/FiO_2↑かつP_{plat}が安定している場合，リクルート可能な肺（無気肺）を示唆。PEEP 20 cmH_2O，FiO_2＝1.0としても酸素化不十分の場合は，レスキュー/研究段階の方法を考慮（「急性呼吸促迫症候群（ARDS）」の項参照）

  PEEP↑にもかかわらずPaO_2/FiO_2が↓/変化なしまたは$PaCO_2$↑がある場合には，それ

以上リクルートが不能な肺か,むしろ過伸展肺を示唆➡肺内シャント↑,死腔容積↑;∴ PEEP↓
- 換気改善：V_T↑か吸気圧↑,RR↑(吸気時間↓の必要あり);注意：ALI/ARDS(当該項目参照)ではpH>7.2であるかぎり$PaCO_2$↑を許容可能

■急性換気不良(通常はPIP↑)
- PIP↑への対応：人工呼吸器を外し,用手換気,聴診,吸引,CXR,ABG

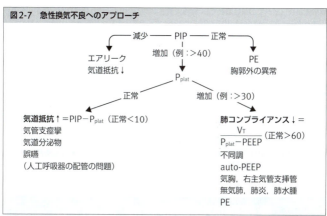

図2-7 急性換気不良へのアプローチ

(Marino PL. *The ICU Book*, 4th ed., Philadelphia: LWW, 2014より)

■人工呼吸器からの離脱 (*NEJM* 2012;367:2233, *Lancet* 2016;387:1856)
- 自発呼吸トライアル(SBT)を開始可能かどうか毎日評価
- 臨床的スクリーニング基準：バイタルサイン安定,気道分泌物が少ない,適切な咳嗽反射,呼吸不全の原因または最近失敗したSBT項目の改善
- 人工呼吸パラメータ：PaO_2/FiO_2>200,PEEP≤5,浅速換気指数(f/V_T比)<105,V_E<12 L/分,VC>10 mL/kg;f/V_T比>105は離脱失敗を予測;NPV 0.95 (*NEJM* 1991; 324:1445)
- 毎日の自発覚醒試験(鎮静薬をすべて中止；*Lancet* 2008;371:126)：開眼し,かつ興奮,RR>35,SaO_2<88%,呼吸困難,不整脈のいずれもみられないこと(覚醒に失敗したら,以前の半分の投与量で鎮静を再開)
- SBT＝CPAP×30分は,Tピース×120分より優れる (*JAMA* 2019;321:2175)。次の場合は失敗：ABG悪化,RR↑,HR↑/↓,血圧↑/↓,発汗,不安
- SBT成功➡抜管;SBT失敗➡?原因➡是正のための処置➡SBTを毎日実施
- 高リスク患者では,抜管後NPPVまたは高流量O_2へ (*JAMA* 2016;316:1565)
- ?アセタゾラミドは,COPDと代謝性アルカローシス合併の患者で使用する場合も (*JAMA* 2016;315:480)

■合併症
- 酸素毒性(理論上)；O_2↑(FiO_2>0.6)の持続時間＋程度に比例
- 人工呼吸器誘発性肺傷害(「急性呼吸促迫症候群(ARDS)」の項参照)
- VAP(約1％/日,死亡率は約30％)
  典型的な病原体：MRSA,緑膿菌,*Acinetobacter*,*Enterobacter*
  予防策 (*AJRCCM* 2005;171:388)：手洗い,頭側挙上,非経鼻挿管,?TPNよりも経腸栄養,声門下分泌物の定期的な吸引,不要な抗菌薬投与や輸液の回避,定期的な口腔内除菌
- ストレス潰瘍/上部消化管出血：PPIで予防,ただし全経過では差がない (*NEJM* 2018;

- 喉頭
  喉頭浮腫：人工呼吸管理＞36時間の患者；？カフ漏れ試験⊕により予測可能；抜管12時間前からメチルプレドニゾロン20 mg IV 4時間ごと➡浮腫↓↓，再挿管率50%↓（*Lancet* 2007;369:1003）
  潰瘍形成：人工呼吸管理＞14日が予測される患者では気管切開を考慮➡人工呼吸管理日数↓，ICU在室日数↓（*BMJ* 2005;330:1243）；約1週間での気管切開は約2週間まで待機して行うのと比較して優位性なし（*JAMA* 2010;303:1483）

- **栄養不良**（すべての重症患者で）：経腸栄養は早期に開始するのが無難だが，必ずしもそうする必要はない（*JAMA* 2012;307:795）；ボーラス注入ではVAPと*C. difficile*感染のリスク↑の可能性（*JPEN* 2002;26:174）；胃内残存物のチェックは明確な利益なし（*JAMA* 2013;309:249）；必要カロリーの半分まで（permissive enteral underfeeding）vs. 標準的な経腸栄養は同様の結果（*NEJM* 2015;372:2398）；感染リスク，胆汁うっ滞，腎代替療法，人工呼吸管理日数↓のために，非経口栄養は第8日以降に開始（*NEJM* 2011;365:506）

- **過鎮静／せん妄**：ベンゾジアゼピンと多剤併用がリスク因子
  プロポフォール：約25%に低血圧；プロポフォール注入症候群？特に高用量（＞5 mg/kg/時），長時間（＞48時間）の投与，昇圧薬の併用で➡AG↑，心機能障害，横紋筋融解，TG↑，腎不全（*Crit Care* 2009;13:R169）
  デクスメデトミジン：人工呼吸器非使用日数の明らかなベネフィットなし（*JAMA* 2016;315:1460, 2017;317:1321）；単独では作用しないが，他の鎮静薬と併用して投与（*NEJM* 2019;380:2506）

急性呼吸促迫症候群（ARDS）

■ベルリン定義（*JAMA* 2012;307:2526）
- 臨床的侵襲または呼吸症状の増悪から1週間以内の急性発症
- その他の理由（例：胸水，無気肺，結節）では説明のつかない両側肺浸潤影
- CHFや輸液過多では説明のつかない肺水腫
- 低酸素血症：5 cmH$_2$OのPEEP下にPaO$_2$/FiO$_2$を測定
  PaO$_2$/FiO$_2$ 200～300＝軽症ARDS（NPPVで対処可），100～200＝中等症，＜100＝重症

■病態生理（*Lancet* 2016;388:2416）
- 肺内シャント↑➡低酸素血症（∴再虚脱を予防するためPEEPで治療）
- 死腔容積↑（「付録」参照），死亡率↑を予測（*NEJM* 2002;346:1281）
- コンプライアンス↓：V$_T$/(P$_{plat}$ − PEEP)＜50 mL/cmH$_2$O

■病理
- びまん性肺胞傷害（DAD）は剖検例の40%にみられる（*AJRCCM* 2013;187:761）
- 明らかな誘因となるイベントがなく，ILDが鑑別診断として考えられる場合は，生検を考慮（*Chest* 2015;148:1073）

ARDSの原因	
直接的肺傷害	間接的肺傷害
・肺炎（約40%）　・吸入傷害 ・誤嚥（約15%）　・肺挫傷 ・溺水	・敗血症（約25%）　・膵炎 ・ショック　　　　・外傷／多発骨折 ・DIC　　　　　　・輸血（TRALI）

■治療 (NEJM 2017;377:562, AJRCCM 2017;195:1253, JAMA 2018;319:698)
- 目標はガス交換の維持，生命の維持，人工呼吸器関連肺損傷（VILI）の回避

VILIの機序	原因
圧損傷/容量損傷： 肺胞過膨張➡機械的損傷	V_T≦6 mL/kg，P_{plat}≦30 cmH_2O，$PaCO_2$↑許容 （ただしpH>7.2を維持），死亡率↓（NEJM 2000; 342:1301）
生物学的損傷➡SIRS	低V_T，高PEEPによる "open lung strategy"
虚脱による肺損傷：肺胞のリクルートメント/再虚脱の反復	換気ごとの肺胞虚脱を回避するようPEEPを調節 オプションは以下を参照
高酸素症：？傷害；V/Q不均等の増悪	FiO_2↑よりもPEEP↑（FiO_2は<0.60を維持） O_2による傷害はヒトでは理論上のものでしかない

■6つのP
- **PEEP**（以下参照）
- **Proning（腹臥位）**：PaO_2/FiO_2<150なら，腹臥位≧16時間➡死亡率約50%↓（NEJM 2013;368:2159）
- **Paralysis（筋弛緩）**：ルーチン使用はベネフィットなし（NEJM 2019;380:1997）；患者呼吸と同期しない場合に考慮
- **Peeing（利尿，体液バランス）**：CVP 4～6 cmH_2O（乏尿がなく正常血圧の場合）を目標➡人工呼吸器非使用/ICU非在室日数↑，ただし死亡率に差はなし（NEJM 2006;354:2564）；肺動脈カテーテル検査の意義は不明確（NEJM 2006;354:2213）；利尿（目標尿量4.5～9 mL/kg/時×3時間）のためにBNP>200を考慮
- **Pulm vasodilator（肺血管拡張薬）**：吸入NO/PGI_2：PaO_2/FiO_2↑，ただし死亡率↓や人工呼吸器非使用日数↑なし（BMJ 2007;334:779）
- **Perfusion（循環，V-V ECMO）**：難治性の場合は有用かもしれない（NEJM 2011;365:1905, 2018;378:1965）

■PEEPの微調節方法（ベストな方法は明らかではない）
- PaO_2のみで調節した場合，任意のV_Tでは効果なし（NEJM 2004;351:327, JAMA 2008;299:637）
- ベストPEEPへの調節：コンプライアンス，O_2，血行動態を用いたPEEP増加
  P_{plat}↑なしでPEEP↑ができるなら，"肺のリクルートメントのされやすさ"が示唆される
  ∴SaO_2（目標≧88～90%）↑ & P_{plat}≦30 cmH_2Oの場合にPEEP↑➡人工呼吸期間↓，よりよい換気力学（JAMA 2008;299:646），？死亡率↓（JAMA 2010;303:865）
- 目標SaO_2に対する最適なFiO_2/PEEPの組み合わせのためのARDSnet "high" PEEP表
- リクルート手技：急速に圧を上げるよりは少しずつ段階的に圧を上げるのが好ましい。ルーチン使用を推奨するには不十分なエビデンス（Resp Care 2015;60:1688）；高圧でのリクルート手技➡？死亡率↑（JAMA 2017;318:1335）
- 食道バルーン：胸腔圧を推定し，それによって経肺圧（すなわち真の気道拡張圧）を推定するために使用。食道圧に応じてPEEPを調整して最適な経肺圧を維持しても，人工呼吸器の非装着日数や死亡率は変わらないが，さらなる治療の必要性↓（上記参照）（JAMA 2019;321:846）
- driving pressure（ΔP=P_{plat}-PEEP）：ΔP↓で生存率↑；目標<15（NEJM 2015;372:747）

■予後 (JAMA 2016;315:788)
- 死亡率は臨床試験において全体で約40%；呼吸器系の要因で9～15%，肺外要因（多臓器不全症候群）で85～91%
- 生存者：PFTほぼ正常，D_LCO↓，筋消耗，筋力↓の持続（NEJM 2003;348:683），運動耐容能↓，QOL↓，精神合併症発生率↑（NEJM 2011;364:1293）；12か月後に44%が失業した（AJRCCM 2017;196:1012）

敗血症とショック

定義（*JAMA* 2016;315:801, 2017;317:290&301）	
敗血症	感染症による生命を脅かす臓器不全（SOFA≧2） Quick SOFA（qSOFA）：以下の2項目以上：RR≧22，意識変容，SBP≦100 mmHg
敗血症性ショック	敗血症による循環器および細胞/代謝異常により死亡率↑；十分な水分負荷にもかかわらず，MAP≧65および乳酸値>2の昇圧を必要とする低血圧

Sequential Organ Failure Assessment（SOFA）：ポイント↑➡臓器不全悪化：呼吸（P：F比↓）；凝固（血小板↓）；肝（血中ビリルビン値↑）；心血管系（MAP↓か昇圧薬↑）；中枢神経系（GCS↓）；腎（Cr↑か尿量↓）

systemic inflammatory response syndrome（SIRS）：以下2項目以上：(1) 体温>38または<36℃，(2) HR>90，(3) RR>20またはPaCO₂<32，(4) 白血球>12,000または<4,000または>10%桿状核球。今は使われていない

■**ショック**（サブタイプは「肺動脈カテーテル検査と個別化治療」の項参照；*NEJM* 2013;369:1726）
- 組織灌流↓➡組織O₂供給↓および/またはO₂消費↑や不十分なO₂利用による組織低酸素症
- 典型的な徴候としては，低血圧（SBP<90 mmHgまたはSBP>40 mmHgの低下），頻脈，乏尿（尿量<0.5 cc/kg/時），意識障害，代謝性アシドーシス±乳酸↑などがある
- 体血管抵抗（SVR）↑でSBPを維持できるので診断が難しいが，組織灌流は悪い；ショック指数（HR/SBP）>0.9，脈圧［(SBP−DBP)/SBP］<25%は重篤なショックの手がかりとなる

管理

■**輸液**
- 積極的な点滴静注方法（30 mL/kg）：発症から3時間以内にボーラスで投与
- 晶質液は膠質液と同等（*JAMA* 2013;310:1809, *NEJM* 2014;370:1412）
- 調整晶質液（乳酸リンゲル液またはPlasma-Lyte）は生食と比較して主要な腎イベント（死亡，腎代替療法の必要性，持続的腎障害の合併）↓（*NEJM* 2018;378:829）
- NaHCO₃は，AKIでpH<7.2の場合，死亡率と腎代替療法の必要性↓があるかもしれない（*Lancet* 2018;392:31）
- 体液反応性の予測因子：呼吸に伴う脈圧変動>13%（*Chest* 2008;133:252）；IVC径の呼吸性変動，または下肢挙上で脈圧10%以上↑；静的CVPは予測因子としては役立たない
- 早期の輸液後にALI/ARDSがある場合，CVPは4〜6 mmHgを目標に（輸液の追加は有害➡人工呼吸管理/ICU在室日数↑）（*NEJM* 2006;354:2564, *Chest* 2008;133:252）

■**昇圧薬や強心薬**（「ICUで用いられる薬物」の項も参照）
- MAP：目標65〜70 mmHgは80〜85と同等だがAF↓（*NEJM* 2014;370:1583）
- ノルアドレナリン：ドパミンと比較して不整脈や死亡率↓（*NEJM* 2010;362:779, *Crit Care Med* 2012;40:725）；敗血症性ショックの昇圧薬
- バソプレシン：ノルアドレナリンとの併用は，高用量ノルアドレナリンと比較してAFや腎代替療法のリスクを約1/4↓（*JAMA* 2018;319:1889）
- 十分な輸液と昇圧を行っても目標値（下記参照）に達しない場合は，強心薬を検討する

■目標
- 輸液の目標として乳酸クリアランス（≧20%/2時間）はScvO$_2$と同等に有効（*JAMA* 2010;303:739）
- 乳酸クリアランスより優れるものではないかもしれないが，毛細血管再充満時間≦3秒（30分ごとにチェック）を目標とするのもよい（*JAMA* 2019;321:654）

■抗菌薬
- 重症敗血症/敗血症性ショックと認識したらできるだけ早く経験的抗菌薬の静注を開始；開始が1時間遅れるごとに死亡率7.6%↑（*Crit Care Med* 2006;34:1589），救急外来で3時間以内での抗菌薬投与➡院内死亡率↓（*NEJM* 2017;376:2235）
- 抗菌薬を開始する前に，可能ならば血液培養を2セット採取（ただしそのために投与を遅らせてはならない）
- 通常はグラム陽性菌/陰性菌を広域にカバー（MRSA, 高度耐性GNR±嫌気性菌も含める）
- プロカルシトニンを指標に抗菌薬を中止（開始ではなく）➡死亡率↓（*Crit Care Med* 2018;46:684）
- 特に1,3-β-D-グルカン>80の患者では，原因不明の敗血症やカンジダコロナイゼーションを伴う致死的な患者に対する経験的なミカファンギンの投与は，侵襲性真菌症↓，侵襲性真菌症のない生存率↑（*JAMA* 2016;316:1555）

■ステロイド（*Crit Care Med* 2018;46:1411）
- 敗血症性ショックの場合，ヒドロコルチゾン50 mgを6時間ごと静脈内投与＋フルドロコルチゾン50μgを経鼻チューブ経由で1日1回投与：ショックの持続時間↓，死亡率↓の可能性（*NEJM* 2018;378:797&809）
- 難治性ショックのある患者には昇圧薬の増量を考慮

■早期目標指向型治療（EGDT）
- 従来は，MAP≧65 mmHg，CVP 8～12 mmHg，尿量≧0.5 mL/kg/時を目標に，輸液と必要に応じて昇圧薬を使用；ScvO$_2$≧70%を目標に，赤血球液と陽性変力作用薬を6時間ごとに（*NEJM* 2001;345:1368）
- しかし，早期抗菌薬と十分な水分投与が可能な時代になった今では，EGDTと現在の通常治療との比較では死亡率に差はなく，病院の費用もかかる傾向がある（*NEJM* 2017;376:2223）

毒物学

薬物/毒素	徴候/症状と診断	治療オプション
アセトアミノフェン	嘔吐，アニオンギャップ↑かつ浸透圧ギャップ正常 代謝性アシドーシス，肝炎&肝不全，腎不全	N-アセチルシステイン（NAC）静注 大量過量投与の場合は血液透析 「急性肝不全（ALF）」の項参照
サリチル酸	耳鳴り，過呼吸，腹痛，嘔吐，意識障害 アニオンギャップ↑かつ浸透圧ギャップ正常の代謝性アシドーシス＋呼吸性アルカローシスの混在	大量輸液 $NaHCO_3$でアルカリ化 呼吸性アルカレミア維持 血液透析考慮
オピオイド	精神状態↓，RR↓，縮瞳	ナロキソン静注
ベンゾジアゼピン	精神状態↓，運動失調，RR↓	フルマゼニルは必要ない（離脱症状や痙攣を引き起こす可能性がある）
Ca拮抗薬	徐脈，房室ブロック，低血圧，心不全，高血糖	輸液，血管収縮薬，Ca静注，高インスリン血症-正常血糖法，? 脂肪乳剤，ペーシング
β遮断薬	徐脈，房室ブロック，低血圧，心不全，低血糖	グルカゴン，血管収縮薬，ペーシング
ジゴキシン	嘔気/嘔吐，徐脈，房室ブロック，せん妄，黄視 血中ジゴキシン濃度チェック（ただし最後の投与から6時間未満の場合は不正確かもしれない），腎機能チェック	低カリウム血症の是正 高カリウム血症，生命を脅かす不整脈の場合はDigibind 血液透析考慮 不整脈に対してリドカイン
三環系抗うつ薬（TCA）	低血圧，痙攣，不整脈，QRS↑，QT↑	大量輸液，炭酸水素ナトリウム静注，血管収縮薬
リチウム	嘔気/嘔吐/下痢，振戦，反射亢進，クローヌス，眠気，痙攣，QT↑，房室ブロック，徐脈	生食輸液，尿量保持 血液透析考慮
エチレングリコール	中枢神経系抑制，アニオンギャップと浸透圧ギャップ↑の代謝性アシドーシス	エタノールまたはホメピゾール，$NaHCO_3$ 血液透析考慮
メタノール（NEJM 2018;378:270）	中枢神経系抑制，盲目 アニオンギャップと浸透圧ギャップ↑の代謝性アシドーシス	エタノールまたはホメピゾール，$NaHCO_3$ 血液透析考慮
イソプロパノール	中枢神経系抑制，胃炎	支持療法
一酸化炭素	頭痛，めまい，吐き気，意識障害 カルボキシHbレベル，COオキシメトリ（パルスオキシメトリ無効）	100%正常気圧酸素，重度の場合は高圧酸素

（次頁につづく）

有機リン酸塩	唾液分泌, 流涙, 発汗, 縮瞳, 嘔吐, 気管支痙攣, 意識障害	呼吸不全に対する気管挿管, アトロピン, プラリドキシム, ベンゾジアゼピン系薬物
シアン化物	昏睡, 痙攣, 代謝性アシドーシス, 低血圧	亜硝酸Naとチオ硫酸Na静注 ヒドロキソコバラミン静注

(Chest 2011;140:1072)

肺移植

■概要
- 適用：終末期, 最大限の治療にもかかわらず進行, ＜2年の余命；COPD, ILD (IPF), 肺高血圧症, 嚢胞性線維症, α_1アンチトリプシン欠損症
- 禁忌：年齢＞65歳（相対禁忌）, コントロール不良や治療法のない感染症, 2年以内の悪性腫瘍, 肺以外の重篤な疾患, BMI≧35, 現喫煙, アルコール中毒や薬物依存, 薬物アドヒアランス不良, 心理社会的問題

■移植後の治療
- 免疫抑制治療：施設により異なる；単一の最良レジメンはない。タクロリムス＞シクロスポリン（急性拒絶反応の発生率↓）＋ステロイド＋ミコフェノール酸モフェチル/アザチオプリン
- モニタリング：診察, PFT, 胸部X線, 気管支鏡検査による経気管支生検

■合併症
- 原発性移植片機能不全（PGD）：肺移植後の急性肺障害；早期死亡率と関連
- 吻合：血管（狭窄, 血栓症）と気道（感染症, 壊死, 縫合不全, 肉芽組織, 気管支軟化症, 狭窄, 瘻孔）
- 急性拒絶反応：肺機能↓, 咳, 息切れ, 発熱；診断は経気管支生検；治療は免疫抑制治療
- 慢性拒絶反応：閉塞性細気管支炎；肺機能で診断, 経気管支生検；治療は限定的（アジスロマイシン, モンテルカスト, 免疫抑制薬）
- 感染症：細菌, 真菌, ウイルス性肺炎, 全身性感染症, CMV, 眼感染症の増加
- 悪性腫瘍：全体で2倍↑のリスク；肺癌リスク5.5倍↑；移植後リンパ増殖性疾患（EBV関連）が一般的
- その他：GVHD, CKD, DM, CAD, CHF, 脳卒中, 脳症, 薬物毒性

第3章
消化器

食道と胃の異常

嚥下障害

- 口腔咽頭：食物の口〜上部食道括約筋〜食道の移送不能
- 食道：食物の嚥下と食道〜胃の通過困難

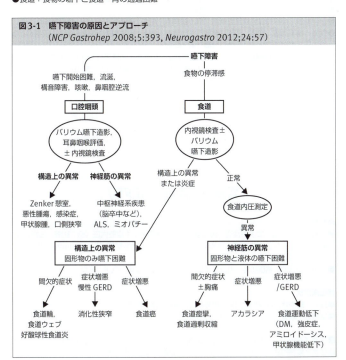

図3-1 嚥下障害の原因とアプローチ
(NCP Gastrohep 2008;5:393, Neurogastro 2012;24:57)

■**構造異常による嚥下障害**（固形物＞液体；JAMA 2015;313:18, Gastro 2018;155:1022）
●**口腔咽頭**
Zenker憩室（咽頭嚢）：高齢者，誤嚥と関連；診断：嚥下造影，治療：内視鏡/手術
悪性腫瘍；口側狭窄/食道輪/食道ウェブ；感染症；放射線傷害；甲状腺腫；骨棘

- **食道**
  - 食道輪（間欠的嚥下障害，同心円状の閉塞組織，例：Schatzki輪）：食道胃接合部近傍，食塊の嵌頓と関連，GERDと関係；治療：PPI，食道拡張術
  - 食道ウェブ（非同心円状）：上部食道に多い，鉄欠乏と関連することもある（Plummer-Vinson症候群）
  - 消化性または放射線性狭窄，異物，腫瘍，血管による圧迫（奇形性嚥下困難）
  - 感染性食道炎：嚥下痛＞嚥下障害；多くは免疫抑制によるCandida，HSV，CMV感染
  - ピル食道炎：嚥下痛＞嚥下障害；NSAIDs，塩化カリウム，ビスホスホネート，ドキシサイクリン，テトラサイクリン
  - 好酸球性食道炎：若年者/中年，男性に多い；診断：生検で好酸球＞15/hpf，食道機能障害（例：嚥下障害，食塊の嵌頓）；治療：第1選択はPPI（半数が反応）；代替治療（またはPPI不応例）は**3つのD**：まずは**D**iet（特定食物を回避；牛乳，大豆，卵，小麦，ナッツ，魚）；改善がなければ**D**rug（薬物；吸入ステロイド）；症状持続・狭窄があれば**D**ilation（拡張術）

■**神経筋性嚥下障害**（固形物と液体；*Neurogastero Motil* 2015;27:160, 2016;22:6）
- 口腔咽頭/食道の異常な運動や神経支配による
- 口腔咽頭：中枢神経系疾患を考慮（例：脳卒中，ALS，ミオパチー，脳・脊髄腫瘍）
- 食道：嚥下障害，胸痛，GERDを伴う蠕動障害；診断：従来型または高解像度内圧測定と食道内圧トポグラフィー。シカゴ分類（第3版）：
  1. **LESの不完全弛緩**：孤立性の胃食道接合部流出障害またはアカラシア。アカラシア：同時に蠕動振幅↓とLES弛緩↓；バリウム嚥下造影➡食道拡張と"鳥のくちばし状"遠位狭窄；主に特発性であるが，まれにChagas病と関連；治療：熟練者によるバルーン拡張術≒Heller粘膜外筋層切開術（*Gut* 2016;65:732）；経口内視鏡的筋層切開術（POEM）；CCB/硝酸薬/PDE阻害薬；手術不耐例ではボトックス療法
  2. **主要な蠕動障害**：収縮欠如，遠位攣縮（蠕動運動の協調↓と同時収縮），過剰収縮（高振幅収縮；治療はPPI，硝酸薬/CCB/PDE阻害薬，TCA）
  3. **その他の蠕動障害**：蠕動の断片化，蠕動低下（遠位食道収縮の振幅↓；強皮症，DM，甲状腺機能低下と関連；治療は原疾患の治療とPPI）

胃食道逆流症（GERD）

■**病態生理**
- 一過性LES弛緩↑による食道の胃酸曝露↑。増悪因子：↑腹腔内圧（例：肥満，妊娠），食道胃蠕動↓，裂孔ヘルニア。胃酸産生↑では胃液分泌過多状態（例：Zollinger-Ellison症候群）以外はまれ
- 誘因：仰臥位，高脂肪食，カフェイン，アルコール，喫煙，CCB，妊娠

■**臨床症状**
- 食道：**胸やけ**，非典型的胸痛，胃酸逆流，溜飲，嚥下障害
- 食道外：**咳嗽**，喘息（コントロール不良例が多い），喉頭炎，歯牙侵食

■**診断**（*Annals* 2015;163:ITC1, *Nat Rev Gastro Hepatol* 2016;13:501）
- 症状と経験的PPI投与に対する反応（"PPI試験"）に基づく臨床診断
- 内視鏡検査：（1）PPI無効の場合；または（2）**警告症候**：嚥下障害，嘔吐，体重↓，貧血がある場合
- 診断未確定で内視鏡所見が正常➡高分解能食道内圧測定と24時間食道pHモニタリング±食道インピーダンスで診断：
  - "非びらん性逆流性食道炎（NERD）"：びらん，潰瘍，Barrett食道の所見なし；半数にpH異常。PPIの効果は予測困難。大半はびらん性食道炎やBarrett食道に進行しない
  - "逆流性過敏"：pH/食道インピーダンスが正常，症状と逆流の間に相関あり

"機能性胸やけ"：pH/食道インピーダンスが正常，症状と逆流の間に相関なし

■**治療**（*World J Gastrointest Endosc* 2018;10:175）
- **生活習慣**：誘因の回避，減量，遅い時間の大食を避ける，頭側挙上
- **薬物療法**：PPIは奏効率80〜90%；間欠的症状にはH₂ブロッカー
- **難治性**：pH測定で確認（PPI投与下で増量の必要性を評価，またはPPIを中止して診断を確認）

　酸性または症状と逆流エピソードの間に相関あり：外科的噴門形成術（ラジオ波，磁気または電子デバイス留置によるLES増強が研究中）

　pH正常または症状と逆流の間に相関なし：診断は"機能性胸やけ"。治療：TCA，SSRI，バクロフェン

■**合併症**（*Gastro Clin NA* 2015;44:203, *Gastro* 2015;149:567&1599）
- **逆流性食道炎**（胃食道接合部より口側のびらん/潰瘍），狭窄（慢性炎症による）
- **Barrett食道**：胃食道接合部より口側の扁平上皮が腸上皮化生により置換される

　Barrett腺癌のリスク因子（>50歳，白人，裂孔ヘルニア，中心性肥満，喫煙，Barrett腺癌の家族歴）が≧2つある男性で，慢性（>5年）および/または頻繁な逆流症状（≧週1回）があればスクリーニング。女性では複数のリスク因子がある場合のみ考慮。年間0.1〜0.3%の食道腺癌リスク，異形成↑でリスク↑（*Am J Gastro* 2016;111:30）

　管理：PPI。異形成を伴わないBarrett食道：内視鏡による経過観察を3〜5年ごとに；低悪性度異形成：内視鏡による経過観察を12か月ごと；内視鏡的に根絶を考慮。高悪性度異形成：内視鏡的に根絶；高用量PPIとアスピリンの予防投与を考慮（*Lancet* 2018;392:400）

消化性潰瘍（PUD）

■**定義と原因**（*Lancet* 2017;390:613）
- 胃または十二指腸に潰瘍（>5 mmの粘膜欠損）とびらん（<5 mm）
- 主なリスク因子：*H. pylori*感染＞NSAIDs/アスピリン使用
- ***H. pylori*感染**：十二指腸潰瘍の約60〜70%，胃潰瘍の約30〜40%の原因。世界人口の約50%が*H. pylori*を保菌するが，PUDを発症するのは5〜10%のみ
- **アスピリン，NSAIDs**：プロスタグランジン産生↓による粘膜障害。*H. pylori*に関連しない胃/十二指腸潰瘍の主な原因。常用によりGIBリスクが5〜6倍
- **その他**：喫煙，ストレス，多飲酒，胃癌/リンパ腫，Crohn病，ウイルス感染（例：免疫抑制者のCMV/HSV），ビスホスホネート，ステロイド（単独ではリスク因子ではないが，NSAIDs併用でリスク↑）；まれにガストリノーマ（Zollinger-Ellison症候群），肥満細胞症，特発性
- **ストレス潰瘍**：リスク因子＝ICU管理で凝固異常あり，人工呼吸管理，GIBの既往，ステロイド使用；治療：PPI

■**臨床症状**
- **心窩部痛**：食事で緩和（十二指腸潰瘍）または増悪（胃潰瘍）
- **合併症**：UGIB，穿孔や穿通，胃流出閉塞

■**診断的検査**
- ***H. pylori*の検査**：便中抗原検査，尿素呼気試験（UBT）または内視鏡検査＋迅速ウレアーゼ試験（RUT）

　便中抗原検査，UBT，RUTは，抗菌薬，ビスマス製剤，PPIの投与中は偽陰性となる；可能なら検査前に中止

　血清学的検査：有用性は低く，有病率の低い地域（米国ではほぼ全域）での感染の除外にのみ有用

- ●内視鏡検査（確定診断）：経験的治療が無効または警告症候（「胃食道逆流症（GERD）」の項参照）がある場合に考慮；胃潰瘍は生検で悪性腫瘍と *H. pylori* を除外；＞2 cm，悪性所見，胃癌のリスク因子（家族歴，*H. pylori* 感染，萎縮性胃炎，生検で異形成／化生，＞50歳），症状持続の場合は6～12週間後に内視鏡再検

■治療（*Lancet* 2016;388:2355, *Gastro* 2016;151:51, *Gut* 2017;66:6, *AJG* 2017;112:212）
- ●*H. pylori* ⊕→除菌；⊖→PPIで胃酸分泌抑制
  第1選択：4剤併用療法：[メトロニダゾール＋テトラサイクリン＋ビスマス製剤＋PPI] または [メトロニダゾール＋アモキシシリン＋クラリスロマイシン＋PPI] ×14日間（訳注：日本では3剤併用療法：クラリスロマイシン＋（アモキシシリン／メトロニダゾール）＋PPI×7日間が主流）
  PUD以外に，胃MALTリンパ腫，早期胃癌切除後，胃癌の家族歴，原因不明の鉄欠乏性貧血，ITP，＜60歳で未精査のディスペプシアがあれば，あるいはNSAIDs長期投与開始前には検査と治療
- ●"治療効果判定"：治療4週間後，PPIを1～2週間中止して便中抗原検査，内視鏡検査＋RUTまたはUBT
- ●生活習慣改善：禁煙とおそらく禁酒；食事の関与は否定的
- ●手術：薬物療法が無効なとき（まずNSAIDs使用を除外），または合併症の処置（上記参照）

■アスピリン／NSAIDsの投与を要する場合の予防（*JACC* 2016;67:1661）
- ●PPI：PUD/UGIBの既往＋以下のいずれかが該当：（1）クロピドグレル併用，または（2）次のうち2つ以上：＞60歳，ステロイド使用，ディスペプシア；開始前に *H. pylori* の検査と治療
- ●心血管リスクが低く，アスピリン投与中でなければ，非選択的NSAIDsからCOX-2阻害薬への変更を考慮（PUDとUGIB↓，ただし心血管イベント↑）

消化管出血（GIB）

■定義
- ●中咽頭～肛門のいずれかの部位からの管腔内への失血
- ●分類：**上部（UGIB）**＝Treitz靱帯より口側；**下部（LGIB）**＝Treitz靱帯より肛門側
- ●"重症" GIB：ショック，起立性低血圧，Hctが6%↓（またはHbが2 g/dL↓），赤血球輸血≥2単位を要するGIBと定義され，入院を要する

■徴候
- ●**吐血**＝血液の混じった吐物（UGIB）
- ●**黒色嘔吐**＝胃酸に曝露された血液の嘔吐（UGIB）
- ●**下血（メレナ）**＝消化された血液に由来する黒色タール便（通常はUGIBだが，右側結腸の出血でも起こりうる）
- ●**血便**＝血液混じりまたは暗赤色の便（LGIB／激しいUGIB）

■初期管理
- ●**重症度の評価**：バイタルサイン（起立性変化を含む），頸静脈圧。頻脈（β遮断薬によりマスクされることあり）は血液量10%↓を示唆し，起立性低血圧は20%↓，ショックは＞30%↓。スコア化により再出血や死亡率を予測：AIMS65，Glasgow-Blatchfordスコア
- ●**既往歴**：過去のGIB，失血速度，具体的な臨床徴候（上記参照），その他消化管症状（例：腹痛，便通の変化，体重↓，嘔気／嘔吐），NSAIDs／アスピリン使用，飲酒，抗凝固薬／抗血小板薬，肝硬変の既往やリスク因子，放射線照射，消化管手術／大動脈手術の既往
- ●**身体診察**：限局した腹部圧痛，腹膜刺激症状，腫瘤，リンパ節腫脹，手術痕，肝疾患の徴候

(肝脾腫, 腹水, 黄疸, 毛細血管拡張), 直腸診:腫瘤, 痔核, 裂肛, 便の性状, 色調
- **輸液**:太い(≧18 G)静脈ラインを2本確保
  補液:生理食塩液/乳酸リンゲル液でバイタルサイン,尿量,意識状態を正常化
- **血液検査**:Hct(急性GIBでは24時間以内は正常なこともある)2~3%↓➡500 mLの失血;MCV低値➡鉄欠乏と慢性失血;**血小板, PT, PTT**;BUN/Cr比(UGIBでは消化管からの血液吸収±腎前性高窒素血症のため>36);LFT
- **輸血**:血液型と交差適合試験;緊急時はO型Rh-血を使用;UGIB(特に門脈圧亢進症によるもの)ではHb目標値を低めに設定(例:7 g/dL),冠動脈疾患がある場合は>8 g/dL(*JAMA* 2016;316:2025)
- **凝固障害の補正**:PT正常化のためFFPを考慮;血小板>5万を維持するよう輸血
- **トリアージ**:内視鏡医に一報。バイタルサイン不安定か末梢臓器灌流不全があれば,ICU入室を考慮。挿管の適応:緊急内視鏡,吐血の持続,ショック,呼吸状態の悪化,意識障害
  ? SBP≧110, HR<100, Hb≧13(男性)または≧12(女性), BUN<18で,下血,失神,心不全,肝疾患がなければ外来管理(*Clin Gastro Hepatol* 2015;13:115)

■診断的検査
- **UGIB**:24時間以内に**内視鏡検査**。重症出血の場合,**検査30分前に胃洗浄とエリスロマイシン250 mg IV**で胃内容物を除去することで診断/治療成績↑(*Am J Gastro* 2006;101:1211)
- **LGIB**:**大腸内視鏡**(>70%で原因を特定可能);重症出血の場合は12時間以内に施行➡PEG液6~8 Lを4~6時間かけて投与する急速腸管洗浄を考慮。起立性低血圧を伴う血便は激しいUGIBの可能性➡**まず上部消化管内視鏡検査でUGIBを除外する**。プッシュ式小腸内視鏡,肛門鏡,カプセル内視鏡を緊急大腸内視鏡検査と組み合わせると,>95%の症例で診断に至る(*GI Endo* 2015;81:889)
- **画像診断**:内視鏡検査を行うには不安定すぎるまたは再出血の場合➡血管内治療/手術
  標識赤血球スキャン:出血速度≧0.04 mL/分で大まかな出血部位の同定が可能
  CT血管造影:標識赤血球スキャンより迅速に検査でき,≧0.3 mL/分の出血が同定可能
  動脈造影:≧0.5 mL/分の出血速度があれば責任血管を特定して血管内治療が可能
- **腹腔鏡下で緊急試験開腹**(最終手段):出血源が同定できない致死的な出血の場合

UGIBの原因	概要と治療
PUD(20~67%) (*Am J Gastro* 2014;109:1005, *NEJM* 2016;374:2367, *Br J Clin Pharm* 2017;83:1619) 「消化性潰瘍(PUD)」の項参照	治療:**PPI**:POまたはIVで1回40 mg bid。**?** 静脈瘤を疑う場合はオクトレオチド。**内視鏡的治療**:アドレナリン局所投与+バイポーラ焼灼/止血クリップ。**?** *H. pylori*の生検を行い⊕なら除菌 再出血の高リスク:噴出性出血,血餅付着,露出血管。内視鏡的治療,PPIのIV×内視鏡後72時間,その後高用量PPIの内服に移行。不成功なら動脈造影+塞栓術;手術(最終手段) 中間リスク:安定している患者で血液の滲出。内視鏡的治療後はPPI内服に切り替え24~48時間の経過観察 低リスク:潰瘍底がきれいまたは平坦。PPI内服, **?** 退院 止血が得られるまで抗凝固薬/抗血小板薬を休薬;止血確認+PPI開始後に再開可能(*Endoscopy* 2015; 47:a1)

(次頁につづく)

びらん性胃炎（4～31%）	誘因：NSAIDs，アスピリン，飲酒，コカイン，消化管虚血，放射線照射 ICU患者のストレス関連粘膜傷害。リスク因子：重度の凝固異常，＞48時間の人工呼吸管理，高用量ステロイド使用 治療：高用量PPI
びらん性食道炎（5～18%）	リスク因子：肝硬変，抗凝固薬，重症疾患。原因の治療＋高用量PPI；Barrett食道の否定目的に後日内視鏡検査を再施行
食道胃静脈瘤（4～20%） (*Clin Gastro Hepatol* 2015;13:2109, *J Gastro Hepatol* 2016; 31:1519, *Hep* 2017;65:310) 「肝硬変」の項参照	門脈圧亢進による二次性変化。孤立性胃静脈瘤➡脾静脈血栓症を除外する **薬物療法** 静脈瘤を疑う場合は内視鏡検査開始前に**オクトレオチド**の50μgボーラスIV➡50μg/時（奏効率84%）；通常は2～5日だが，24～48時間以内が最も効果的 抗菌薬：GIBで来院する肝硬変患者の20%に感染があり，約50%が入院中に感染症を発症；予防的にセフトリアキソンIV，シプロフロキサシンまたはレボフロキサシン×7日間投与 **非薬物療法** 食道静脈瘤：**内視鏡的結紮術**（奏効率＞90%）。不応の場合はカバード食道ステントやSBチューブをTIPSまでのブリッジとして使用（特にChild-Pugh分類Cの患者では早期に考慮） 胃静脈瘤：動脈造影＋コイリング，または内視鏡下シアノアクリレート（接着剤）局注。不応の場合：TIPSまたはバルーン下逆行性経静脈的塞栓術（B-RTO）
門脈圧亢進症性胃症	門脈圧↑➡胃体部の口側に血管拡張と充血。内視鏡的治療の適応なし；治療：門脈圧亢進症（オクトレオチド），β遮断薬
血管形成異常（2～8%）	血管拡張，動静脈奇形（AVM），HHT（下記参照）	AVMは先天的。毛細血管拡張（粘膜下層の血管拡張）は高齢，CKD，肝硬変，結合組織病，虚血性心血管疾患と関連。Heyde症候群：大動脈弁狭窄症＋毛細血管拡張によるGIB。内視鏡的治療
	Dieulafoy潰瘍	太い（1～3mm）粘膜下層の動脈が粘膜基底層を貫通➡突然の大量UGIB。同定困難。内視鏡的治療
	胃前庭部毛細血管拡張症（GAVE）	血管拡張が放射状に縦走する"Watermelon stomach"；胃毛細血管の拡張，多くは肝硬変や結合組織病と関連し，高齢男性に多い。治療：内視鏡的焼灼止血/アルゴンプラズマ凝固，消失するまで4～8週間ごとに施行。TIPSは効果なし
	大動脈腸管瘻	AAA/大動脈グラフトが十二指腸水平脚に侵食 "警告出血"を主訴に来院；疑われれば内視鏡またはCTで診断
悪性腫瘍（2～8%）	根本治療まで一時的に内視鏡的止血を行う

（次頁につづく）

Mallory-Weiss症候群（4〜12%）	嘔吐による胃食道吻合部の裂創➡腹腔内圧↑と剪断効果。通常は内視鏡的治療せずに自然止血。治療：制吐薬，PPI
Cameron病変	横隔膜の物理的損傷により生じる食道裂孔ヘルニア内の線状びらん
乳頭切開（EST）後出血	ESTが施行されるERCPの約2%に生じる；複雑な処置でリスク↑。十二指腸内に出血。治療：内視鏡的止血

（*GI Endosc Clin N Am* 2015;25:415）

LGIBの原因	概要と治療（*NEJM* 2017;376:1054）
憩室出血（30%）	病態生理：直細血管が憩室ドーム上を走行中に内膜肥厚と中膜の菲薄化➡血管壁の脆弱性➡動脈破裂。憩室は左側結腸に多いが，憩室出血は右側結腸に多い 臨床所見：高齢，アスピリン/NSAIDs，通常無痛性の血便±痙性腹痛 治療：通常は自然止血（約75%）するが，数時間〜数日かかることがあり，約20%が再出血。内視鏡的止血：アドレナリン局注±焼灼，止血クリップ，バンド結紮術。動脈内バソプレシン投与または塞栓術。手術（腸管部分切除術）は最終手段
ポリープ/腫瘍（20%）	通常は緩徐に出血，主訴は倦怠感，体重↓，鉄欠乏性貧血
大腸炎（20%）	感染性（「急性下痢症」の項参照），IBD，虚血性腸炎，放射線照射
肛門直腸疾患（20%）	内/外痔核；裂肛，直腸潰瘍，直腸静脈瘤（治療：肝硬変患者では門脈圧↓），放射線照射
血管形成異常（<10%）	血管拡張とAVM（上記参照）。HHT（Weber-Osler-Rendu病）：びまん性AVM，消化管粘膜にびまん性の毛細血管拡張（口唇，口腔内粘膜，指先も影響）
Meckel憩室	腸管に生じる卵黄管遺残による先天性の盲嚢。人口の2%，回盲弁から60 cm（2フィート）以内，長さは約5 cm（2インチ），男女比2：1，2歳で発見されることが多い（しかし成人で原因不明のGIBも起こす）。診断：^{99m}Tcシンチ。治療：動脈塞栓術，外科的切除

■原因不明のGIB（*Am J Gastro* 2015;110:1265, *Gastro* 2017;152:497）
- **定義**：上部消化管内視鏡や大腸内視鏡で所見がない持続出血（下血，血便）；GIBの5%
- **原因**：Dieulafoy潰瘍，GAVE，小腸血管形成異常，潰瘍/癌，Crohn病，大動脈腸管瘻，Meckel憩室，胆道出血
- **診断**：活動出血時に上部消化管内視鏡/プッシュ式小腸内視鏡/大腸内視鏡を再施行
  所見がなければカプセル内視鏡で小腸を評価（*GIE* 2015;81:889）
  それでも所見がなければ^{99m}Tcシンチ（"Meckelシンチ"），小腸内視鏡（シングル/ダブルバルーン，スパイラル），標識赤血球スキャン，動脈造影を考慮

下痢

急性下痢症（＜4週間）

急性感染性の病因（*NEJM* 2014;370:1532, *JAMA* 2015;313:71, *CDC Yellow Book* 2018）

非炎症性		主に小腸での吸収と分泌の阻害 大量の下痢，悪心・嘔吐；便中白血球と便潜血は⊖
毒素		食中毒，＜24時間持続；黄色ブドウ球菌（肉，乳製品），*B. cereus*（炒飯），*C. perfringens*（温め直した肉）
ウイルス（*Lancet* 2018;392:175	ロタウイルス	ヒトからヒトへの伝播でアウトブレイク，デイケア施設；4〜8日持続
	ノロウイルス	下痢全体の約50％；冬期にアウトブレイク；ヒトからヒトへ，また食品/水を介して伝播；終生免疫は成立せず；1〜3日持続；嘔吐が顕著
細菌	大腸菌（毒素産生株）	旅行者下痢症の＞50％；コレラ様毒素；＜7日持続
	コレラ菌	汚染された水，魚介類；重度の脱水と電解質喪失を伴う白色の"米のとぎ汁様"下痢
寄生虫 （±治療後も数か月間続く吸収不良）	*Giardia*	水路/屋外スポーツ，旅行，アウトブレイク；鼓腸 急性（大量，水様性）➡慢性（グリース状，悪臭）
	Cryptosporidia	土壌に存在；水媒介性アウトブレイク；通常は自然寛解，ただし免疫抑制患者では慢性感染症の可能性；腹痛（80％），発熱（40％）
	Cyclospora	汚染された農産物
炎症性		主に結腸への侵襲；少量の下痢，左下腹部の筋痙攣，テネスムス，発熱，便中白血球や便潜血が通常は⊕
細菌	*Campylobacter*	加熱不十分な鶏肉，非低温殺菌乳；子犬や子猫が媒介；前駆症状：腹痛，"偽虫垂炎"；GBS，反応性関節炎を合併
	Salmonella（非チフス性）	卵，鶏肉，ミルク，ハムスター；5〜10％に菌血症；＞50歳の菌血症患者の10〜33％が大動脈炎を発症
	赤痢菌	突然発症；しばしば大量の血便や便中膿汁；白血球↑↑
	大腸菌（O157:H7，腸管侵襲性/出血性非O157:H7）	加熱不十分な牛肉，非低温殺菌乳，生の農産物；ヒトからヒトへ伝播 O157と非O157（40％）が志賀毒素を産生➡HUS（主に小児）；大量の血便

（次頁につづく）

C. difficile	後述
Vibrio parahaem.	加熱不十分なシーフード
チフス菌	アジア，アフリカ，南米渡航；全身性中毒症，比較的徐脈，ばら疹，イレウス➡"豆スープ様"下痢，菌血症
その他	*Yersinia*：加熱不十分な豚肉；非低温殺菌乳，腹痛➡"偽虫垂炎"（腸間膜リンパ節炎ともいう） *Aeromonas*, *Plesiomonas*, *Listeria*（肉，チーズ）

寄生虫	赤痢アメーバ	汚染された食品/水，旅行（米国内ではまれ）；肝膿瘍
ウイルス	CMV	免疫抑制患者；結腸生検検体のシェルバイアル培養で診断

■**評価**（*NEJM* 2014;370:1532, *Digestion* 2017;95:293, *PLOS One* 2017;12:11）
- **鑑別診断**：甲状腺機能亢進症，副腎不全，薬物性（抗菌薬，制酸薬，免疫チェックポイント阻害薬），虫垂炎，憩室炎，原発性腸疾患（例：IBD，セリアック病）の初発症状
- **病歴**：便通頻度，血便/下血の有無，腹痛，症状の持続時間（*C. difficile* を除く細菌やウイルスでは約1週間，寄生虫では>1週間），旅行歴，食事，最近の抗菌薬使用，免疫抑制
- **身体診察**：体液量↓（バイタルサイン，尿量，腋窩乾燥，皮膚ツルゴール，意識状態），発熱，腹部圧痛，イレウス，皮疹
- **検体検査**：カルプロテクチン，便培養，血液培養，電解質，*C. difficile*（最近の入院歴や抗菌薬使用歴がある場合），便寄生虫検査（>10日持続，流行地域への旅行歴，浄化されていない水への曝露，地域でのアウトブレイク，デイケア施設，HIV陽性者，男性間性交渉者の場合）；±便ELISA（ウイルス，*Cryptosporidium*, *Giardia*），血清学的検査（赤痢アメーバ）；PCR検査実施可（しかし陽性率が高く感染と定着の区別困難；免疫不全患者では検討）
- **画像/内視鏡検査**：**警告徴候**があれば検討（発熱，激しい腹痛，血便や便中膿汁，>6行/日，著明な脱水，免疫不全，高齢，>7日間持続，院内発症）；中毒性巨大結腸症の疑いがある場合はCT/KUB；免疫抑制患者または培養⊖の場合はS状結腸/大腸内視鏡検査

■**治療**（*Am J Gastro* 2016;111:602, *Clin Infect Dis* 2017;65:e45）
- 上記の**警告徴候**がなく経口摂取可能➡支持療法のみ：経口補液，ロペラミド，次サリチル酸ビスマス（抗コリン薬は避ける）
- 中等度の脱水：50〜200 mL/kg/日の経口液，スポーツドリンクなど；重度の脱水：IV補液
- 旅行者下痢症：フルオロキノロン，リファキシミンまたはリファマイシン；原虫➡フラジールまたは nitazoxanide
- 非 *C. difficile* 炎症性下痢症に対する経験的抗菌薬投与は妥当：フルオロキノロン系×5〜7日
  >50歳または免疫抑制/入院患者の赤痢菌，コレラ菌，*Giardia*，赤痢アメーバ，*Salmonella* 感染には抗菌薬を推奨；?*Campylobacter*（発症から4日以内の場合）
- 大腸菌O157:H7の疑い（曝露歴，肉眼的血便）がある場合は抗菌薬投与を避ける（HUSのリスク↑の可能性）

Clostridioides difficile 感染症

■**病原機序と疫学**（*NEJM* 2015;372:825）
- *C. difficile* の芽胞を摂取➡抗菌薬/抗癌剤で腸内細菌叢が乱されると定着➡トキシンA/B

を放出➡結腸粘膜の壊死と炎症➡偽膜形成
- 最も多く報告される院内感染症；市中感染は新規発症例の1/3にも及ぶ可能性がある；どの抗菌薬とも関連あり（特にβラクタム系，クリンダマイシン，キノロン系）
- 高齢者，免疫不全患者，IBD患者は直近の抗菌薬曝露がなくても発症しうる

■ 臨床症状（単一疾患ではない）
- 無症候性の定着：健康な成人の<3%；抗菌薬使用中の入院患者では約20%
- 急性水様性下痢（ときに血性）±粘液（しばしば下腹部痛を伴う），発熱，白血球↑↑↑
- 偽膜性大腸炎：上記の症状＋偽膜＋腸管壁肥厚
- 劇症大腸炎（2～3%）：**中毒性巨大結腸症**（結腸アトニー/腸管運動不全，KUBで≧6 cmの結腸拡張，全身性中毒症）および/または腸管穿孔

■ 診断（Ann Intern Med 2018;169:49）
- 症状（下痢，腸症状）がある場合のみ検査；水様便を検査（イレウスの懸念がなければ）
- EIA法で便トキシン（高特異度）＋グルタミン酸デヒドロゲナーゼ（高感度）
- 便PCR：高感度だが定着のみで活動性感染がなくても⊕；トキシンが⊖であればPCR⊕でも治療は必ずしも必要ではない（JAMA IM 2015;175;1792）
- 合併症（中毒性巨大結腸症）を疑うなら腹部/骨盤CT施行。軟性S状結腸内視鏡検査を考慮：診断未確定および/または標準治療で改善がみられない場合

■ 初期治療（CID 2018;66:48）
- 可能ならばできるだけ早く抗菌薬中止；消化管運動抑制薬やコレスチラミンは中止（バンコマイシンと結合してしまうため）
- 軽症～中等症：POバンコマイシン125 mgを6時間ごとまたはフィダキソマイシン200 mg bid×10日（>メトロニダゾール）
- 重症（便回数>12回/日，体温>39.4℃，白血球>25,000，低血圧，ICU管理を要する，イレウスのいずれかが該当）：PO（または経直腸）バンコマイシン500 mgを6時間ごと＋IVメトロニダゾール500 mgを8時間ごと
- 増悪傾向（イレウス，白血球↑，乳酸↑，ショック，中毒性巨大結腸症，腹膜炎）：腹部CT，結腸亜全摘術について**緊急外科へコンサルト**（?ループ式回腸人工肛門造設術または腸管洗浄）
- 当初の抗菌薬を継続する必要がある場合は，抗菌薬中止から7日以上 C. difficile に対する治療を継続（Am J Gastro 2016;111:1834）
- 便中への菌排泄は症状消退後も3～6週間続くが，追加治療は不要（C. difficile 再検査の有用性も限定的）

■ 反復性感染（抗菌薬中止後のリスクは15～30%，ほとんどは中止後2週間以内）
- 初回再発：POバンコマイシン125 mgを6時間ごと×10～14日またはPOフィダキソマイシン200 mg bid×10日
- 2回目以降の再発：POバンコマイシンのパルス療法➡漸減。感染症医にコンサルト。便微生物叢移植療法（JAMA 2017;318:1985, CID 2018;66:1）またはフィダキソマイシン（200 mg bid×10日）
- 予防的投与：POバンコマイシン125～250 mg bid投与で再発リスク27%↓➡4%（CID 2016;65:651）；重症/再発 C. difficile 感染の既往があり，抗菌薬の継続投与を要する患者に考慮。ベズロトクスマブ（トキシンBに対するモノクローナル抗体）は C. difficile 治療を受け再発リスクが高い成人における再発率↓（NEJM 2017;376:305）

慢性下痢症（>4週間）（JAMA 2016;315:2712）

■ 総合評価
- 臨床的に水様性，脂肪性，炎症性の下痢に分類される

- 追加問診：下痢のタイミング（頻度，食事との関連；**夜間の下痢**はIBSよりIBDなど器質的疾患を示唆），腹痛，体重減少，腹部手術歴，化学/放射線療法歴，食生活（カフェインまたは吸収しにくい炭水化物・糖類を含む），感染症状，免疫不全，旅行，下剤使用など
- 原因となりうる薬物の内服歴：PPI，コルヒチン，抗菌薬，H_2遮断薬，SSRI，ARB，NSAIDs，化学療法，カフェイン
- 身体診察：全身状態（BMI），全身疾患の徴候，手術痕，肛門トーヌス/直腸診
- 血液検査：血算，生化学，アルブミン，TSH，鉄動態，ESR；各項目参照
- 画像/内視鏡：原因不明の慢性下痢に大腸内視鏡。全身疾患を疑う場合は腹部CT/MRI

■ 浸透圧性（水様性；便中脂肪⊖，便の浸透圧較差（OG）↑，空腹時に下痢↓）

- 吸収されないカチオン/アニオン（下剤に含まれるマグネシウム，硫酸塩，リン）または糖類（例：マンニトール，ソルビトール；チューインガムに含まれる；乳糖不耐症の場合は乳糖）の摂取による。原因物質の中止により下痢は改善
- 診断：便OG↑（図を参照）；未吸収の炭水化物があれば便pH<6
- **乳糖不耐症**（非白人の75%，白人の25%）：胃腸炎，内科的疾患，消化管手術の後に発症することあり。臨床症状：鼓腸，放屁，腹部不快感，下痢。診断：水素呼気試験，乳糖除去食の試行。治療：乳糖除去食，ラクターゼ錠

■ 分泌性（水様性；便OG正常，絶食で下痢の改善なし，夜間の頻繁な下痢）

- 腸管へのアニオン/K^+の分泌またはNa吸収阻害➡便中水分↑；**感染症**（上記参照）の細菌性毒素が原因として最も多い；その他の原因：
- **内分泌疾患**：Addison病，VIPオーマ，カルチノイド，Zollinger-Ellison症候群，脂肪細胞腫，甲状腺機能亢進症（腸管運動↑）。検査：血清ペプチド（例：ガストリン，カルシトニン，VIP），尿中ヒスタミン
- **消化管腫瘍**：癌，リンパ腫，絨毛腺腫
- **顕微鏡性腸炎**：原因不明の慢性下痢で原因となることが多い。自己免疫性疾患を有する中年女性に多い。NSAIDs，SSRI，PPIが誘因として有名。大腸内視鏡所見は概ね正常であるが，生検で粘膜にリンパ球と形質細胞の浸潤±粘膜下層コラーゲン肥厚を認める。治療：止痢薬，コレスチラミン，ビスマス製剤，ブデソニド；難治性の場合は抗TNF製剤も考慮
- **胆汁酸性下痢**：回腸切除後または回腸疾患（例：Crohn病）➡結腸に胆汁酸↑➡電解質と水分泌。治療：胆汁酸吸着薬（例：コレスチラミン）による経験的治療

■ 機能性/IBS（水様性；便OG正常，空腹時に下痢↓）：「運動障害と栄養」の項参照

■ 吸収不良性（脂肪性；便中脂肪↑，便OG↑，空腹時に下痢↓）

- 以下の変化による粘膜の栄養素吸収障害：粘膜表面（外科的切除），全般性の粘膜疾患（セリアック病，IBD）。鼓腸，悪臭を伴う便器に浮く便（脂肪便）
- **セリアック病**（*JAMA* 2017;318:647, *Lancet* 2018;391:70）
  遺伝的素因のある患者（人口の約1%）に起こるグリアジン（小麦蛋白グルテンの成分）に対する免疫反応➡小腸の炎症性浸潤➡吸収障害
  下痢以外の症候：鉄/葉酸欠乏性貧血；骨粗鬆症；疱疹性皮膚炎，AST/ALT↑
  診断：抗組織トランスグルタミナーゼIgA抗体（最も高感度）；抗脱アミド化グルテンペプチドIgA抗体；抗α抗筋内膜IgA抗体。十二指腸生検（粘膜絨毛の鈍化，陰窩過形成，炎症細胞浸潤）で確定診断だが，血清学的に⊕で有症状であれば必須ではない。HLA-DQ2/Q8検査は陰性的中率が高く，グルテン除去食で血清学的に陰性化している場合に有用
  治療：グルテン除去食；7～30%は改善なし➡? 診断の誤り/患者のアドヒアランス不良
  合併症：約5%は難治性（忠実に除去食としているのに症状あり），T細胞リンパ腫や小腸腺癌のリスク
- **Whipple病**：*T. whipplei*感染症（*Lancet* 2016;16:13）
  下痢以外の症候：発熱，リンパ節腫脹，浮腫，関節炎，CNS変調，茶褐色の色素沈着，大動脈弁閉鎖不全症/僧帽弁狭窄症，眼筋咀嚼筋ミオリズミア（眼振＋咀嚼筋収縮）
  診断：培養/生検，免疫染色，PCR。治療：ペニシリン＋ストレプトマイシン，または第3

世代セファロスポリン×10〜14日➡ST合剤≧1年
- **小腸内細菌異常増殖**：小腸内に大腸細菌フローラ➡脂肪便，Vit B_{12}/鉄欠乏，蛋白漏出性胃腸症．蠕動低下（DM性神経症，強皮症），腸管の解剖学的構造変化（Crohn病，術後，瘻孔），免疫不全，セリアック病，嚢胞性線維症と関連．診断：水素呼気試験／^{14}C-キシロース吸収試験または経験的抗菌薬投与．治療：抗菌薬（例：リファキシミン，メトロニダゾール，フルオロキノロン系）×7〜10日
- **その他**：腸管部分切除後（短腸症候群），慢性腸間膜虚血，好酸球性胃腸炎，腸管リンパ腫，熱帯性スプルー，*Giardia*感染

■消化不全（便中脂肪；便中脂肪↑，便OG↑，空腹時に下痢↓）
- 腸管内の栄養の加水分解異常，通常は膵臓／肝胆道系の障害による
- **膵機能障害**：慢性膵炎／膵癌が最も一般的な原因．診断：便中エラスターゼ，ケモトリプシン，または経験的膵酵素補充療法
- **胆汁酸↓**：合成↓（肝硬変），胆汁うっ滞（PBC），回腸切除後．診断：経験的胆汁酸補充療法

■炎症性（便中白血球／ラクトフェリン／カルプロテクチン⊕；便潜血⊕，発熱，腹痛）
- **感染性**：慢性*C. difficile*感染症，赤痢アメーバ，*Yersinia*，CMV，結核（特に免疫不全患者）．CMVと*C. difficile*はIBDの急性増悪の原因として有名
- **炎症性腸疾患（IBD）**（Crohn病，潰瘍性大腸炎）
- 放射線性腸炎，虚血性腸炎，新生物（大腸癌，リンパ腫）

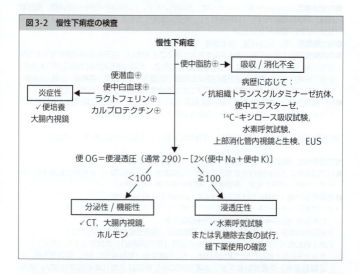

図3-2 慢性下痢症の検査

運動障害と栄養

■機能性消化管疾患（ローマⅣ基準で<30種類）（*Gastro* 2016;150:1257）
- 器質的異常を伴わない腸脳相関の異常による反復性の消化管症状
- **過敏性腸症候群（IBS）**（*JAMA* 2015;313:949, *Gastro* 2015;149:1399, 2018;154:1140）

以下の≧2項目を伴う腹部不快感：排便による改善，排便頻度の変化，便性状の変化
サブタイプ：**IBS-C**（便秘型），**IBS-D**（下痢型），IBS-M（混合型），IBS-U（分類不能型）。
症状は，ストレス，食事，生活習慣，おそらく腸内フローラの影響を受ける
治療：認知行動療法，プロバイオティクス，運動，腸脳軸調整薬（例：TCA, SSRI）を考慮，食事内容の変更（発酵性短鎖炭水化物↓）
IBS-C：水溶性繊維の摂取↑，緩下剤（例：ルビプロストン，リナクロチド，PEG），バイオフィードバック
IBS-D：ロペラミドまたはリファキシミン；eluxadoline，$\mu + \kappa$ 受容体アゴニスト，δ 受容体アンタゴニスト（*NEJM* 2016;374:242）
- **周期性嘔吐症候群**：急性再発性の嘔吐；マリファナ使用，片頭痛の既往／家族歴と関連。急性期治療：制吐薬，経静脈補液，スマトリプタン，ベンゾジアゼピン；予防：TCA／抗てんかん薬；マリファナ使用を避ける

■胃運動機能不全（*Gastro Clinics of NA* 2015;44:1, *World J Gastro* 2015;21:6842）

- 閉塞を伴わない胃内容排出遅延，一般的な症状は嘔気（＞90%），嘔吐（＞80%），早期満腹感（60%），食後膨満感／腹痛
- 原因：DM，術後，ウイルス感染後，重症疾患，Parkinson病，オピオイド，CCB，抗コリン薬
- 診断：胃内容排出シンチ
- 治療：運動促進剤（メトクロプラミド，エリスロマイシン），対症療法として制吐薬；難治性であればNGT；実験的に幽門内ボトックス注射や胃の電気刺激の試みあり

■麻痺性イレウス：結腸（Ogilvie症候群）（*ANZ J Surg* 2015;85:728），小腸

- 定義：機械的閉塞を伴わない腸管蠕動消失
- 腹部不快感と膨満感，腸管蠕動音↓または消失，±嘔気／嘔吐，吃逆
- 通常は重症疾患で入院している高齢者；誘因：腹腔内の病態（手術，膵炎，腹膜炎，腸管虚血），重症内科疾患（例：敗血症），内服薬（オピオイド，CCB，抗コリン薬），内分泌代謝異常（甲状腺，DM，腎不全，肝不全，低K血症），脊髄圧迫／外傷，神経疾患（Parkinson病，Alzheimer病，多発性硬化症）
- KUB/CTで機械的閉塞を伴わない腸管拡張（イレウスでは拡張した小腸ループ）；Ogilvie症候群で盲腸径＞12 cmは破裂のリスク↑
- 治療：通常は保存的加療（絶食，原因薬物の回避）で改善；**ネオスチグミン** IV（徐脈に注意），methylnaltrexone；NGTで腸管減圧，レクタルチューブ。Ogilvie症候群のみ：大腸内視鏡，改善なければ人工肛門造設または結腸切除

■便秘（*Annals* 2015;162:ITC1）

- 定義：排便に関する不満または（ローマⅣ診断基準）：過去3～6か月にわたり以下のうち≧2項目が≧25%の頻度で存在：排便時のいきみ，兎糞状便／硬便，残便感，直腸肛門の閉塞感，摘便，便通＜3回／週
- **機能性**：通過遅延，骨盤底協調不全
- **二次性**（4つのM）：
  Mechanical obstruction（機械的閉塞）：悪性腫瘍，圧迫，直腸膣壁弛緩症，狭窄
  Medication（薬物）：オピオイド，TCA，抗コリン薬，CCB，NSAIDs，利尿薬，Ca^{2+}，鉄
  Metabolic/endocrine（代謝／内分泌異常）：DM，甲状腺機能低下症，尿毒症，妊娠，汎下垂体機能低下症，ポルフィリン症，Ca↑，K↓，Mg↓
  Myopathy/Neurologic（ミオパチー／神経疾患）：Parkinson病，Hirschsprung病，アミロイドーシス，多発性硬化症，脊髄損傷，自律神経ニューロパチー
- 診断：病歴＋直腸診を含む身体所見。血液検査：血算，Caを含む電解質，TSHを考慮。警告症候がある場合は大腸内視鏡。肛門直腸内圧測定／バルーン排出検査；大腸通過時間検査；排便造影
- 治療：水分と食物繊維の摂取↑。便軟化剤（ドキュセート）：便を軟化する
  膨張性緩下薬（オオバコ，メチルセルロース，ポリカルボフィルCa）：結腸内残渣↑，蠕動運動↑

浸透圧性緩下薬〔Mg, リン酸Na（CKDでは避ける）, ラクツロース, PEG〕：結腸内水分↑
刺激性緩下薬（センナ, ヒマシ油, ビサコジル）：腸管運動／分泌↑
浣腸／坐剤（リン酸, 鉱油, 水道水, 石鹸水, ビサコジル）
ルビプロストン（分泌↑）；オピオイドによる便秘にはmethylnaltrexone, alvimopan
慢性特発性便秘にはplecanatide（cGMPアゴニスト）(Gastroenterol 2016;150: S317)
リナクロチド：便通頻度↑，排便時のいきみ／鼓腸↓(Am J Gastro 2018;113:105)

■ 重症患者と栄養（「人工換気」の項も参照）(Crit Care 2015;19:35)
● 経腸と非経腸栄養の臨床成績はほぼ同等 (Lancet 2018;391:133)
● **経腸栄養**：ICU入室後48〜72時間以内に開始：感染症と死亡率↓の傾向だが, 必要カロリーの100%補充は有害である可能性 (Cochrane CD0078767). 禁忌：消化管閉塞, 激しいGIB. 合併症：内臓の血液需要↑による腸管虚血の可能性；誤嚥性肺炎
● **非経口栄養**：経腸栄養に耐えられない場合に7日後に開始（ICU入室後＞8日目）
  禁忌：高浸透圧, 高度電解質異常, 高度高血糖；相対禁忌：敗血症
  合併症：高血糖（デキストロースによる）, カテーテル関連敗血症／塞栓, リフィーディング症候群, LFT異常（脂肪症, 胆汁うっ滞, 腸管刺激不足による胆泥形成）

大腸疾患

憩室症

■ 定義と病態生理 (Aliment Pharm Ther 2015;42:664)
● 結腸の粘膜層／粘膜下層が管腔から, 直細動脈が貫通する部位で外側に突出した後天性ヘルニア
● 異常収縮と腸管内圧↑を背景に生じると考えられている

■ 疫学
● リスク因子：食物繊維↓, 赤肉↑, 肥満, 喫煙, 運動不足, 飲酒, NSAIDs
● 有病率：年齢とともに↑（＜40歳で10%, ＞80歳で50〜66%）；食生活の西洋化
● 左側結腸（90%；大部分はS状結腸）＞右側結腸（しかしアジアでは75〜85%が右側）

■ 臨床症状
● 通常は無症状だが, 5〜15%が憩室出血（「消化管出血（GIB）」の項参照）, ＜5%が憩室炎を発症
● 高繊維の食事やナッツ／種の回避に関してはデータが限定的 (Ther Adv Gastro 2016;9: 213)

憩室炎

■ 病態生理 (Gastro 2015;149:1944, Am J Gastro 2018;112:1868)
● 未消化の食物と細菌が憩室に滞留➡糞石形成➡閉塞➡憩室への血液供給障害, 感染, 穿孔
● **単純性**：微小穿孔➡限局した感染
● **複雑性**（15%）：大穿孔➡膿瘍, 腹膜炎, 瘻孔（65%は膀胱瘻）, 閉塞

■ 臨床症状
● **左下腹部痛**, 発熱, 悪心・嘔吐, 便秘／下痢

- 身体所見：左下腹部の圧痛±触知可能な腫瘤から腹膜刺激症状，敗血症性ショックまで多様
- 鑑別診断：IBD，感染性大腸炎，PID，子宮外妊娠，膀胱炎，大腸癌

■臨床検査
- 腹部単純X線でフリーエア，イレウス，閉塞を除外
- 腹部CT（造影）：感度と特異度＞95％；合併症（膿瘍，瘻孔）の評価
- 大腸内視鏡は急性期では禁忌（穿孔リスク↑）；腫瘍の除外には6〜8週間後に施行

■治療（JAMA 2017;318:291, Dig Surg 2017;34:151, NEJM 2018;379:1635）
- 軽症：併存症がほとんどなくPO可能な場合は外来治療
  PO抗菌薬：メトロニダゾール＋フルオロキノロン系，またはアモキシシリン-クラブラン酸×7〜10日間；臨床的改善がみられるまでは流動食；ただし単純性の場合は抗菌薬は不要の可能性も（Br J Surg 2017;104:52）
- 重症：経口摂取不能，痛みの管理に麻薬が必要，合併症のある患者は入院治療
  NPO，輸液，NGT（イレウスの場合），IV抗菌薬（GNRと嫌気性菌をカバー；例：セフォタキシム＋メトロニダゾールまたはピペラシリン/タゾバクタム）
- ＞4 cmの膿瘍は経皮的または外科的に排膿
- 手術：薬物療法が無効，排膿不能な膿瘍，遊離穿孔
  結腸切除が腹腔鏡下洗浄より望ましい（JAMA 2015;314:1364）が，化膿性腹膜炎を伴う穿孔の場合は腹腔鏡下洗浄のほうが望ましい可能性（Annals 2016;164:137）
  感染源の制御後は抗菌薬×4日で足りる可能性（NEJM 2015;372:1996）
  再発性憩室炎に対する結腸切除の適応は症例ごとに判断
  免疫不全患者の場合は緊急/待機的手術の敷居を下げることを考慮

■予防（Cochrane CD009839, Am J Gastro 2016;11:579, Ann Gastro 2016;29:24）
- メサラジンとリファキシミンはいずれもエビデンスが弱い
- 初回発症から10年以内の再発リスク10〜30％；2回目は複雑性の可能性↑

大腸ポリープ

■病態生理と疫学（NEJM 2016;374:1065）
- 大腸上皮細胞DNAの変異蓄積が癌遺伝子/癌抑制遺伝子に影響➡腫瘍発生（腺腫の形成；APC機能喪失）➡腫瘍の進行（腺腫➡癌：K-ras機能獲得，DCC，p53機能喪失）
- リスク因子：年齢↑，家族歴（第一度近親者に特発性大腸癌，Lynch症候群，FAP），IBD，脂肪摂取↑，中心性肥満，飲酒，食物繊維↓，赤肉↑，？喫煙，DM
- 保護因子：運動↑，アスピリン/NSAIDs，Ca^{2+}摂取，ホルモン補充療法，BMI↓；おそらく食物繊維/Vit D/魚油/スタチン/セレン↑
- 腫瘍性：大腸腺腫（管状，絨毛，管状絨毛異形成），鋸歯状病変（中間期癌の懸念），大腸癌
- 非腫瘍性：過形成性，若年性，Peutz-Jeghers型，炎症性

■発見
- 大腸内視鏡がゴールドスタンダード
- 50歳から（American Cancer Societyは45歳から）全患者に推奨，異常がなければ原則としてその後は10年ごと
- 家族歴があれば40歳または最も若く診断された家族の診断時の年齢より10年早く開始し，その後は5年ごと

炎症性腸疾患（IBD）

■定義
- **潰瘍性大腸炎**：結腸粘膜の特発性の炎症；直腸から連続的
- **Crohn病**：消化管全層の特発性の炎症；病変の分布は非連続的で，消化管のどこにでも生じうる

■疫学と病態生理 (*Lancet* 2016;387:156, 2017;390:2769)
- 有病率：北米で約1～3/1,000人；白人，ユダヤ人，新興国に多い
- 発症時年齢：15～30歳；？二峰性で50～70歳に第2のピーク；北米では男女比1：1
- Crohn病は喫煙者でリスク↑；潰瘍性大腸炎は非喫煙者と喫煙既往者でリスク↑
- 遺伝的素因＋環境リスク因子➡T細胞の調節異常➡炎症

潰瘍性大腸炎 (*Lancet* 2018;389:1756)

■臨床症状
- **肉眼的血性下痢**，下腹部の筋痙攣，便意切迫，テネスムス
- 腸管外症状（＞25％）：結節性紅斑，壊疽性膿皮症，アフタ性潰瘍，ぶどう膜炎，上強膜炎，血栓塞栓イベント（特に再燃時；*Lancet* 2010;375:657），AIHA，血清反応陰性関節炎，慢性肝炎，肝硬変，PSC（胆管癌，大腸癌のリスク↑）
- 臨床的重症度を評価するスコアが複数存在する：Truelove & Witts指数；SCCAIスコア

■診断
- **大腸内視鏡**：直腸（95％）から通常は全周性に，結腸内で口側へ連続的に進展
- 部位：直腸（30～60％），左側大腸炎（15～45％），全大腸炎（15～35％）
- 肉眼所見：血管透見の消失，脆弱な粘膜，びまん性潰瘍，偽ポリープ（慢性期）
- 顕微鏡所見：表層の慢性炎症；陰窩膿瘍と構造異型
- 注腸造影：結腸の特徴のない管腔像（鉛管様）
- 再燃：ESRとCRP↑（感度も特異度も低い）；便カルプロテクチンがIBDとIBSの鑑別やIBD再燃の監視に有用（*Gastro Hep* 2017;13:53）

■合併症
- **中毒性巨大結腸症**（5％）：結腸拡張（KUBで≧6 cm），結腸アトニー，全身性中毒症，穿孔のリスク↑．治療：IVステロイド，広域抗菌薬；必要に応じて手術
- 狭窄（直腸S状結腸），腸管運動低下，炎症の反復による肛門直腸機能不全
- 大腸癌と異形成（下記参照）
- 術後に回腸嚢がある場合は回腸嚢炎の可能性（回腸嚢の炎症，≦半数に生じる）．治療：抗菌薬（メトロニダゾール，シプロフロキサシン），プロバイオティクス

■予後
- 任意の時点で患者の50％は寛解期；90％は間欠的に増悪；約18％は活動期が持続；口側への進展は10年で25％；10年で24％が結腸切除術
- 重症潰瘍性大腸炎の再燃による死亡率は＜2％；平均寿命は潰瘍性大腸炎患者＝非潰瘍性大腸炎患者

Crohn病 (Lancet 2018;389:1741)

■臨床症状 (Nat Rev Gastro Hep 2016;13:567)
- 腹痛，軟便/頻回排便（最大50%が便潜血⊖），発熱，倦怠感，体重減少
- 粘液を含む，**肉眼的に血液が目立たない下痢**
- 閉塞があれば，嘔気/嘔吐，鼓腸，便秘；腸管外症状は潰瘍性大腸炎と同様
- 複数の臨床スコア：CD Activity Index (CDAI)，Harvey-Bradshaw Index

■診断
- **回腸/大腸内視鏡＋生検**と小腸評価（例：MR腸管撮影）
- 部位：小腸/回腸（約25%），回結腸（約50%），結腸（約25%）；上部消化管のみはまれ
- 肉眼所見：脆弱性のない粘膜，敷石状病変，アフタ性潰瘍，深く長い**裂溝**
- 顕微鏡所見：単核球浸潤を伴う**全層性炎症**，**非乾酪性肉芽腫**（粘膜生検で＜25%），線維化，潰瘍，裂溝
- Montreal分類：診断時年齢，病変部位，病態（狭窄の有無，穿通の有無）＋上部消化管と肛門部病変に関する修飾

■合併症
- **肛門周囲病変**：裂溝，瘻孔，肛門皮膚垂，直腸周囲膿瘍（患者の24%；腸管症状より先に出現）
- **狭窄**：小腸，食後の腹痛；完全な腸管閉塞に進展し手術を要する可能性あり
- **瘻孔**：肛門周囲，小腸結腸，直腸膣，腸膀胱，腸皮膚
- **膿瘍**：発熱，圧痛のある腹部腫瘤，白血球↑；ステロイドは症状をマスクする；∴疑いを強くもつこと
- **吸収不良**：回腸病変/切除：胆汁酸吸収↓➡胆石；脂肪酸吸収↓➡シュウ酸Ca腎結石；脂溶性Vit吸収↓➡Vit D欠乏➡骨減少症

■予後
- 1年後の予後はさまざま：約50%は寛解，約20%は再燃，約20%は低活動性，約10%は慢性活動性
- 20年で大半は何らかの手術を経験；平均寿命はやや短縮

管理 (Lancet 2016;398:1756, Mayo Clin Proc 2017;92:1088)

■初期評価
- 病歴聴取と身体診察（腸管/腸管外症状），**診断的検査**は上記参照
- **検体検査**：血算/血液像，LFT，鉄，Vit B_{12}，葉酸，Vit D，ESR，CRP，便中カルプロテクチンを考慮
- **その他の原因の除外**：感染性（特に結核），虚血性大腸炎，腸管リンパ腫，大腸癌，IBS，血管炎，Behçet病，セリアック病，小腸内細菌異常増殖
- **感染症の除外**（特に結核，HBV，CMV）：免疫抑制薬や生物学的製剤の投与前に（ただし急性期に入院する全IBD患者が必ずしも治療前に感染症の除外を要するわけではない）

■治療目標 (Ther Adv Gastro 2015;8:143)
- 急性炎症の寛解導入➡寛解維持；粘膜治癒が主要目標
- 原則として段階的治療（毒性最小➡最大）；重症例では早期の生物学的製剤導入を検討

IBDの薬物治療	
潰瘍性大腸炎	
軽症	**5-ASA**：多くの製剤（サラゾスルファピリジン，メサラジン，olsalazine，balsalazide）を罹患部位によって選択。寛解導入と寛解維持に使用。合併症：下痢，腹痛，膵炎
軽症〜中等症	**ブデソニド-MMX**：急性増悪時にブデソニドPOが全結腸内に放出される。初回通過効果によりステロイドの全身副作用↓
中等症〜重症	**プレドニゾロンPO**：寛解導入に40〜60 mgで開始して数週間で漸減 **アザチオプリン/6-MP**：寛解維持療法として0.5〜1 mg/kgで開始し数週間かけて漸増；アザチオプリンをインフリキシマブと併用すると寛解率↑（*Gastro* 2014;146:392）。合併症：骨髄抑制，リンパ腫，膵炎，肝炎；TPMTの血中濃度測定で投与量を調整し，毒性代謝物産生リスク↓。一部の不応例に対してアロプリノール併用により効果を増強
重症〜難治性 (*Lancet* 2014; 384:309, 2017; 389:1218, *NEJM* 2016;374:1754, 2017;76: 1723, *JAMA* 2019;321: 156)	**ステロイドIV**：例：ヒドロコルチゾン100 mgまたはメチルプレドニゾロン16〜20 mg 8時間ごとで寛解導入；その後漸減し，非ステロイドにより寛解維持を目指す **シクロスポリンIV**：ステロイド不応の重症急性増悪に2〜4 mg/kg×7日，寛解維持薬（例：アザチオプリン/6-MP）への移行を目指す **抗TNF抗体**（インフリキシマブ，アダリムマブ，ゴリムマブ）：ステロイド不応の重症急性増悪または寛解維持に使用。合併症：結核の再活性化（✓治療前にツ反），ウイルス性肝炎；非Hodgkinリンパ腫のリスク軽度↑；ループス様反応，乾癬，多発性硬化症，CHF TNF不応の場合は他の生物学的製剤で寛解導入と寛解維持：**ベドリズマブ**（α4β7インテグリン阻害薬）；**トファシチニブ**（JAK阻害薬） 研究中：糞便微生物移植（効果はまちまちで投与法や前処置に左右される可能性がある）；etrolizumab（α4β7インテグリン阻害薬）；ozanimod（スフィンゴシン1-リン酸受容体アゴニスト）
Crohn病	
軽症	結腸型Crohn病であれば**5-ASA**を考慮 **抗菌薬**：化膿性の合併症（瘻孔，肛門周囲疾患）にフルオロキノロン系/メトロニダゾールまたはアモキシシリン・クラブラン酸
軽症〜中等症	**ブデソニド**：PO，ただしpH±時間依存性の放出➡回腸と上行結腸
中等症〜重症	**プレドニゾロンPO**：潰瘍性大腸炎と同様，寛解導入のみに使用 **アザチオプリン/6-MP**：潰瘍性大腸炎と同様；アザチオプリン+インフリキシマブで寛解導入率↑（*NEJM* 2010;362:1383） **MTX**：寛解維持に15〜25 mgを週1回IM/SCまたはPO；効果発現まで1〜2か月
重症〜難治性（*NEJM* 2016;375:1946）	**抗TNF抗体**〔インフリキシマブ，アダリムマブ，セルトリズマブ（PEG化）〕 インフリキシマブ投与中の再燃：トラフと抗インフリキシマブ抗体の有無を確認。低トラフ+抗体⊖➡投与量か投与頻度↑。抗体⊕➡他の生物学的製剤へ変更（*Am J Gastro* 2011;106:685） **ベドリズマブ**（α4β7インテグリン阻害薬）；**ウステキヌマブ**（抗IL 12/23抗体）

（次頁につづく）

研究中:トファシチニブとfilgotinib(JAK阻害薬;*Lancet* 2017; 389:266);脂肪由来幹細胞(*Lancet* 2016;388:1281)

■手術
- **潰瘍性大腸炎**:薬物に不応か重度の副作用,大腸癌,穿孔,中毒性巨大結腸症,制御不能の出血の場合は結腸切除術。回腸嚢肛門管吻合術(IPAA)が多い
- **Crohn病**:難治例では切除;狭窄には内視鏡的拡張または手術;肛門周囲疾患では空置式回腸肛門造設術

■癌のスクリーニング (*NEJM* 2015;372:1441)
- **結腸癌**:潰瘍性大腸炎でのリスクは10年で約2%,20年で約8%,30年で約18%;結腸Crohn病でも同様だが,小腸癌のリスクもある。異形成がリスクの最良の指標;その他のリスク因子:PSC,家族歴,広範な炎症,偽ポリープ
- **経過観察**:診断後8年で大腸内視鏡とランダム生検で異形成を評価,その後はリスク因子に応じて1〜3年ごと。高リスク病変の狙撃生検を目的とした色素内視鏡が最近注目されている。高度異形成または異形成関連病変/腫瘤➡結腸切除術

腸管虚血

急性腸間膜虚血

■定義と原因 (*NEJM* 2016;374:959)
- 小腸への血液還流の低下/消失:動脈閉塞(SMAまたはその分枝)や一過性低還流によることが多く,静脈閉塞は少ない
- **動脈塞栓**(約40〜50%):血栓によるSMA閉塞(起始部は大動脈に対して鋭角),背景にAF,心内膜炎を含む弁膜症,大動脈のアテローム性プラークがあることが多い
- **SMA血栓症**(約20〜30%):多くはSMA起始部のアテローム性動脈硬化による;その他リスク因子:感染,腸間膜動脈解離/瘤,腹部外傷による血管損傷
- **非閉塞性腸間膜虚血(NOMI)**(約10%):心拍出量↓,アテローム性動脈硬化,敗血症,腸管の灌流を低下させる薬物(昇圧薬,コカイン,アンフェタミン)による一過性の血管低灌流
- **腸間膜静脈血栓症**(約5%):凝固亢進状態,門脈圧亢進症,IBD,悪性腫瘍,炎症(膵炎,腹膜炎),妊娠,外傷,手術と関連
- **小腸の局所的虚血**(<5%):小腸の限局した範囲の血管閉塞(血管炎,アテローム塞栓,嵌頓ヘルニア,放射線照射)

■身体診察
- 動脈/静脈の完全閉塞:**身体診察時の圧痛の程度に見合わない突然の腹痛**,未治療では腹膜刺激徴候を伴う梗塞に進行
- 非閉塞性:腹部膨満感,腹痛,悪心・嘔吐,粘膜脱落によるLGIB;直近の低還流(例:冠動脈イベントまたはショック)の病歴がある場合に多い
- 所見の程度は軽微±鼓腸から腹膜刺激徴候(梗塞)まで幅広い。**便潜血は約75%で⊕**

■診断的検査
- 診断の際には疑いを強くもつこと;迅速な診断が梗塞(数時間以内に発症)の予防に重要
- 腸管梗塞の死亡率は20〜>70%;梗塞前の診断が最も重要な予後予測因子
- 血液検査:しばしば正常;約75%で白血球↑;アミラーゼ,LDH,P,Dダイマー↑;約50%で乳酸↑(後期)
- KUB:梗塞を起こす前〜初期は正常;進行すると拇指圧痕像,イレウス,腸管気腫

- **CT血管造影**（動脈相）：非侵襲的検査の第1選択；腸間膜静脈血栓症の診断には静脈相撮影
- **血管造影**：ゴールドスタンダード；治療も可能；血管閉塞の疑いがある場合に適応

■治療（NEJM 2016;374:959, World J Emerg Surg 2017;12:38）
- 輸液，絶食，**血行動態の最適化**（昇圧薬は最小限に），**広域抗菌薬**，血管閉塞には**抗凝固療法**（ヘパリン±tPA），NOMIにはパパベリンIV（血管拡張薬）
- 腹膜炎の所見がある場合：手術室に移動し，血管内治療または腸管切除
- **SMA血栓症**：経皮的（ステント留置）/外科的血行再建術
- **SMA塞栓症**：塞栓除去術（カテーテルによる血栓吸引または外科的除去）
- **非閉塞性**：原疾患（特に心疾患）を治療
- **腸間膜静脈血栓症**：初期ヘパリン化後にワルファリンを3〜6か月継続。血栓溶解療法や血栓除去術は一般的に血行動態が不安定または難治性の症状を有する患者のみ施行
- **局所的虚血**：外科的切除が一般的

慢性腸間膜虚血

- **定義と原因**：主に腸間膜のアテローム性動脈硬化による腸管血流↓による
- **症状**："**腹後アンギーナ**"＝**食後の腹痛**，早期満腹感，食事に対する恐怖による体重↓。持続痛に移行した場合は急性血栓（上記参照）の可能性がある
- **診断**：デュプレックス超音波またはCT血管造影；血管造影がゴールドスタンダード；胃運動トノメトリー検査
- **治療**：外科的血行再建（第1選択）；血管形成±ステント留置も考慮

虚血性大腸炎

■定義と病態生理
- 全身循環の変化または局所の腸間膜血管系の解剖学的/機能的変化に続発する非閉塞性疾患；多くは基礎病態が不明，高齢者によくみられる
- "**分水嶺**"領域（脾湾曲部と直腸S状結腸）に最も起こりやすい；25%が右側結腸；より予後が悪い（Clin Gastroenterol Hepatol 2015;13:1969）

■臨床症状，診断，治療
- 通常は**肉眼的血便を伴う左下腹部の痙攣痛**として発症；発熱と腹膜刺激症状は梗塞を疑わせる臨床所見
- 臨床像：可逆性結腸疾患（35%），一過性大腸炎（15%），慢性潰瘍性大腸炎（20%），狭窄（10%），壊疽（15%），劇症大腸炎（<5%）
- **診断**：**軟性S状結腸/大腸内視鏡検査**または**腹部/骨盤CT**で診断；IBDと感染性大腸炎を除外
- **治療**：腸管安静，輸液，**広域抗菌薬**，定期的な腹部診察；梗塞，劇症大腸炎，出血，薬物療法不成功，反復性敗血症，狭窄のある場合は**手術**
- 保存的治療により>50%の症例が48時間以内に軽快

膵炎

急性膵炎

■発症機序
- 直接/間接的な毒性による膵管と腺組織の傷害➡膵酵素分泌障害と消化性酵素の早期活性化➡自己消化と急性炎症

■原因 (*NEJM* 2016;375:1972)
- **胆石** (40%): 女性＞男性, 通常は小結石 (＜5 mm) または微小結石/胆泥による
- **アルコール** (30%): 男性＞女性, 4〜5杯/日を≥5年; 通常は急性増悪を伴う慢性膵炎
- **代謝性**: 高TG血症 (2〜5%; TG＞1,000; I, V型家族性高脂血症), 高Ca血症
- **薬物** (＜5%): 5-ASA, 6-MP/アザチオプリン, ACEI, シトシン, ジダノシン, ジアフェニルスルホン, エストロゲン, フロセミド, イソニアジド, メトロニダゾール, ペンタミジン, スタチン, サルファ剤, チアジド, テトラサイクリン, バルプロ酸
- **解剖学的**: 膵管癒合不全, 輪状膵, 十二指腸重複囊胞, Oddi括約筋機能不全
- **自己免疫性** (下記参照)
- **家族性**: 早期発症 (＜20歳) で疑う: 急性と慢性膵炎 (下記参照)
- **感染性**: 回虫, 肝吸虫, コクサッキーウイルス, CMV, EBV, HIV, ムンプスウイルス, *Mycoplasma*, 結核菌, *Toxoplasma*
- **虚血性**: ショック, 血管炎, Chol塞栓
- **腫瘍性**: 膵/乳頭部腫瘍, 転移性腫瘍 (RCCが最も多い, 乳癌, 肺癌, 悪性黒色腫)
- **ERCP後** (5%): 予防的にインドメタシン100 mg PRで症状↓, 高リスク例では一時的に膵管ステント留置
- **外傷後**: 鈍的腹部外傷, 膵臓/胆道手術後

■臨床症状
- **心窩部または左上腹部痛** (90%), 背部への帯状の放散痛は半数のみ
- 10%は疼痛なし (鎮痛薬/ステロイド使用, 免疫抑制, 意識障害, ICU/術後患者), ∴原因不明のショックではアミラーゼ/リパーゼを測定
- **嘔気/嘔吐** (90%), 腹部圧痛/筋性防御, 腸蠕動音↓, 胆管閉塞を伴う場合は黄疸
- **鑑別診断**: 急性胆囊炎, 消化管穿孔, 小腸閉塞, 腸間膜虚血, 下壁梗塞, AAA破裂, 遠位大動脈解離, 子宮外妊娠破裂
- **急性期** (＜1週間): SIRS±臓器不全の可能性; **慢性期** (＞1週間): 局所合併症 (下記参照)

■診断的検査 (*Am J Gastro* 2013;108:1400)
- **診断は以下3項目のうち2つを要する**: 特徴的な腹痛; アミラーゼ/リパーゼが＞3×基準値上限; 画像診断
- **血液検査**: アミラーゼ/リパーゼの値は重症度と相関しない
  - ↑**アミラーゼ**: 数時間で上昇, 3〜5日で正常化 (リパーゼより早期)
    偽陰性: アルコール性膵炎の20%; 高TG血症の50% (アッセイ干渉)
    偽陽性: その他の腹腔内異常, 唾液腺の異常, 酸血症, GFR↓, マクロアミラーゼ血症
  - ↑**リパーゼ**: アミラーゼより半減期が長い
    ＞3×基準値上限は急性膵炎の感度99%, 特異度99%
    ＞1万で胆道系の原因の陽性的中率80%, アルコール性の陰性的中率99% (*Dig Dis Sci* 2011;56:3376)
    偽陽性: 腎不全, その他の腹腔内異常, DKA, HIV, マクロリパーゼ血症
  - ALTが＞3×基準値上限: 胆石性膵炎の陽性的中率95% (*Am J Gastro* 1994;89:1863)
- **画像検査** (*Am J Gastro* 2013;108:1400)
  腹部エコー: 膵臓の観察には通常は有用でない (腸内ガスで不明瞭) が, 胆道の評価 (胆石,

胆管拡張)のために全例でオーダーすべき
腹部CT：診断が未確定でなければ初回評価には推奨されない（局所合併症がまだ顕在化していない，造影剤によるAKIの懸念）。しかし疼痛持続/48〜72時間後に臨床的に増悪がある場合は，造影CTは局所合併症（壊死，液体貯留）の否定目的に有用
MRI/MRCP：壊死の同定可能；結石や膵管損傷の評価にも使用
EUS：不顕性胆道疾患（微石症）の同定に有用

■重症度 (Gut 2013;62:102)
- 重症度は臓器不全（AKI，呼吸不全，GIB，ショック）と局所/全身合併症（膵壊死，液体貯留，幽門閉塞，脾静脈/門脈血栓）の存在による
  - **軽症（80%）**：臓器不全や局所/全身合併症なし；死亡率は低い
  - **中等症**：一過性（<48時間）臓器不全±局所/全身合併症；死亡率は高い
  - **重症**：遷延性（>48時間）臓器不全；死亡率は非常に高い

■予後 (NEJM 2016;375:1972)
- **Ransonスコア，APACHE II**：複数の生理学的項目を利用して入院48時間後に重症度を予測；陽性的中率は低い
- **BISAP**：最初の24時間以内に使用される単純なスコア（BUN>25，意識障害，SIRS，>60歳，胸水が各1点）；≧3点で臓器不全と死亡リスク↑を予測
- **CTSI**：入院48〜72時間後のCTデータ（液体貯留，壊死）で死亡率を予測；臨床所見に遅れる傾向

■治療 (NEJM 2016;375:1972, Am J Gastro 2017;112:797)
- **輸液**：軽症でも最初の24時間は大量補液。20 mL/kgのIVボーラス➡3 mL/kg/時。目標は12〜24時間かけてBUNとHct↓。尿量を確認。乳酸リンゲル液はおそらく生理食塩液より優れる（SIRS↓，ただしCa↑のある場合は避ける）
- **栄養** (NEJM 2014;317:1983)
  早期の経腸栄養が推奨されるが，72時間以内の経口摂取に対する優位性はない
  - **軽症**：悪心・嘔吐やイレウスがなければ経口栄養を開始；完全に無痛である必要はない可能性がある。低脂肪低残渣食は流動食と同等に安全であり，入院期間が短縮される
  - **重症**：早期（48〜72時間以内）の経腸が推奨され，TPNより望ましい：感染症，臓器不全，手術の必要性，死亡率↓
- **鎮痛**：オピオイドIV（呼吸状態を監視，腎障害↑の場合は用量を調整）
- **胆石性膵炎**：胆管炎，敗血症，総Bil>5の場合は緊急（24時間以内）ERCP+乳頭切開。軽症：初回入院中に胆嚢摘出し再発リスク↓ (Lancet 2015;386:1261)；壊死性膵炎では炎症と液体貯留が改善するまで手術を延期
- **高TG血症**：GI療法（リポ蛋白質リパーゼを活性化），フィブラート±血漿アフェレーシス
- 感染症の合併がなければ抗菌薬の予防投与は不要 (World J Gastro 2012;18:279)

■合併症
- **全身性**：ARDS，腹部コンパートメント症候群，AKI，GIB（仮性動脈瘤），DIC
- **代謝性**：低Ca血症，高血糖，高TG血症
- **液体貯留**：
  - **急性の液体貯留**：早期にみられ，被包化されておらず，大半は無治療で1〜2週間で消失
  - **仮性嚢胞**：発症から約4週間で発生，被包化されている。無症状の場合は（大きさ/部位を問わず）治療は不要。有症状➡内視鏡的 (Gastro 2013;145:583) または経皮的/外科的ドレナージ
- **膵壊死**：生育不能な膵組織。感染を疑う場合はCTガイド下FNA
  - **無菌性膵壊死**：無症状であれば経過観察，予防的抗菌薬投与は不要
  - **感染性膵壊死**（全症例の5%，重症例では30%）：死亡率が高い。治療：カルバペネムまたはメトロニダゾール+フルオロキノロン系。安定していればドレナージは>4週とし，液状化と被包化するまで待つ（以下参照）。有症状が不安定であれば，経皮的ドレナージ後に低侵襲の外科的デブリードマンまたは内視鏡的壊死組織切除術は，外科的壊死組織切除

術より優れる (*NEJM* 2010;362:1491)
被包化膵壊死：≧4週かけて線維性被膜が壊死を被包化；感染性または有症状の場合は内視鏡的または経皮的ドレナージ（>外科的壊死組織切除術）

慢性膵炎

■発症機序と原因 (*Gastro* 2013;144:1292, *BMJ* 2018;361:k2126)
- しばしば急性増悪を繰り返す➡炎症性浸潤➡線維化➡内外分泌組織の減少。膵機能不全 (DM, 脂肪/蛋白質吸収不全) は膵機能の90%が消失すると生じる
- TIGAR-O：**T**oxin（毒素）：60〜80%はアルコール；喫煙), **I**diopathic（特発性), **G**enetic（遺伝性：*PRSS1*, *SPINK1*, *CFTR*, *CTRC*, *CASR*), **A**utoimmune（自己免疫性), **R**ecurrent（再発性), **O**bstruction（閉塞）

■臨床症状
- 心窩部痛，悪心・嘔吐；時間が経過すると痛みはなくなることもある；外分泌機能不全徴候（脂肪便，体重減少）または内分泌機能不全徴候（DM：多飲，多尿）

■診断的検査 (*Pancreas* 2014;43:1143)
- 血液検査：初期にはアミラーゼ/リパーゼ↑だが，時間が経過すると正常化する場合あり。便中脂肪⊕，便中エラスターゼとα_1-AT↓。便中エラスターゼは混合TG呼気試験で代用可。√A1c，若年または家族歴がある場合はIgG4/ANA，遺伝学的検査を検討。慢性膵炎と診断した場合は脂溶性Vit (A・D・E・K) を測定
- 画像検査：KUB/CT：膵石灰化。ERCP/MRCP/EUS：高感度；膵管狭窄/拡張を認めることがある。セクレチンIV刺激下MRIで診断力↑の可能性。膵機能検査は広く使用されてはいない

■治療 (*Gastro* 2011;141:536, *Lancet* 2016;387:1957)
- 膵酵素補充（コレシストキニン↓により疼痛↓の可能性）。定期的なVit DとCa
- 疼痛管理：禁煙/断酒，鎮痛薬，プレガバリン，内視鏡治療（膵石除去/狭窄に対するステント留置），腹腔神経叢ブロック，手術

■合併症
- 仮性嚢胞，仮性動脈瘤，膵性腹水/胸水，**膵癌リスク↑×13**

自己免疫性膵炎

■発症機序 (*Am J Gastro* 2018;113:1301)
- 1型：強い線維化を伴うlymphoplasmacytic sclerosing pancreatitis (LPSP)；IgG4↑；再発率が高い
- 2型：idiopathic duct-centric pancreatitis (IDCP)；IgG4少ない；IBDと関連；再発は比較的少ない

■臨床症状
- 腹痛，閉塞性黄疸と膵腫瘤を呈し膵癌に類似することがある
- 単独またはIgG4胆管炎，唾液腺疾患（例：Sjögren症候群），縦隔/後腹膜線維症，間質性腎炎，自己免疫性甲状腺炎，潰瘍性大腸炎/PSC，関節リウマチと関連して発症することがある

■診断
- 血液検査：胆道系LFT (ALP↑>AST/ALT)，γグロブリンとIgG4↑，ANA，RF

- HISORt基準：**H**istology（組織），**I**maging（画像："ソーセージ様"腫大，胆管狭窄），**S**erology（血清学），other **O**rgan involvement（多臓器関与），**R**esponse to therapy（治療への反応）

■治療
- 副腎皮質ステロイドが第1選択；再燃した場合は免疫調節薬（アザチオプリン，ミコフェノール酸モフェチル，シクロホスファミド，リツキシマブ）

肝機能検査値（LFT）異常

■肝細胞障害/胆汁うっ滞の検査（*J Clin Transl Hepatol* 2017;5:394）
- **トランスアミナーゼ（AST，ALT）**：壊死/炎症によって放出される細胞内酵素
  ALTはASTよりも肝特異的（ASTは心臓，骨格筋，腎，脳，赤血球/白血球にも存在）
  ほとんどの肝細胞障害で↑；骨格筋損傷，心筋梗塞ではAST＞ALT
- **アルカリホスファターゼ（ALP）**：肝毛細胆管膜に結合して存在する酵素
  胆道閉塞や肝内胆汁うっ滞で↑
  骨，腸管，腎，胎盤にも存在；γ-GTP↑（または5'-ヌクレオチダーゼ↑）の場合に肝由来と考える
- **ビリルビン（Bil）**：ヘムの代謝産物（非抱合型/"間接"Bil）で，Albにより肝臓へ輸送されて抱合を受け，水溶性の抱合型（"直接"Bil）となって胆汁へ排泄される
  直接Bil↑：胆汁うっ滞，酵素異常（例：Dubin-Johnson症候群，Rotor症候群）
  間接Bil↑：溶血，酵素異常（例：Crigler-Najjar症候群，Gilbert症候群）
  黄疸はBil＞2.5 mg/dLで出現（特に強膜や舌下）
  抱合型高Bil血症➡尿中Bil↑

■肝機能の検査
- **アルブミン（Alb）**：肝臓の蛋白質合成能のマーカーで，肝不全で徐々に↓（半減期は15～18日）
- **プロトロンビン時間（PT）**：肝臓での凝固因子（第VIII因子を除く）合成に依存；半減期の短い凝固因子（例：第V，VII因子）もあるため，PT↑は肝機能障害を数時間以内に反映

LFT上昇のパターン				
パターン	ALT	AST	ALP	Bil
肝細胞障害型	↑↑	↑↑	±↑	±↑（直接）
ウイルス性肝炎，NASH	多くはALT＞AST		±↑	±↑（直接）
アルコール性肝炎	AST：ALT≧2：1		±↑	±↑（直接）
虚血性障害	↑↑↑	↑↑↑	↑↑	↑↑（直接）
Wilson病	↑	↑	ALP/総Bil＜4	
胆汁うっ滞型	±↑	±↑	↑↑	↑↑（直接）
浸潤型	ほぼ正常	ほぼ正常	↑↑	±↑
非肝臓型				
骨格筋損傷	AST≫ALT（初期）		正常	正常
骨疾患	正常	正常	↑（γ-GTPは正常）	正常
溶血	正常	正常	正常	↑（間接）

- **R-value**＝ALTとALPをそれぞれの基準値上限に標準化した値の比率＝（ALT/基準値上限）÷（ALP/基準値上限）
  R＞5は肝細胞障害，＜2は胆汁うっ滞性障害，2～5は混合性障害を示唆

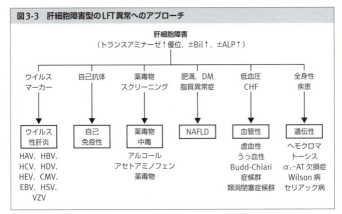

図3-3 肝細胞障害型のLFT異常へのアプローチ

- **急性の酵素上昇時の精査**（多くは有症状）

  トランスアミナーゼ↑↑↑（＞1,000）：

  薬毒物（大半はアセトアミノフェン）➡✓薬毒物スクリーニング，アルコール，アセトアミノフェン血中濃度．その他の薬毒物：イソニアジド，ジスルフィラム，ピラジナミド，市販薬/ハーブ/漢方薬，フェノフィブラート，ナイアシン，アミオダロン，MDMA

  虚血性（例：敗血症，低血圧，Budd-Chiari症候群）➡✓肝エコー（Dopplerを含む）．原因のほとんどはLDH↑，∴ALT/LDH比は通常＜1.5（薬毒物，ウイルスでは＞1.5）

  ウイルス（A～E型肝炎；HSV, CMV, VZV）➡✓ウイルス血清マーカー

  その他（自己免疫性肝炎，急性Wilson病，急性胆道閉塞）➡急性肝不全と肝硬変の項を参照

  急性の軽度～中等度の酵素上昇：上記と同様，薬毒物（下記一覧参照），ウイルス，入院患者では虚血性/血管性の要素を考慮，胆道閉塞（混合型の酵素上昇の場合），全身性疾患（下記「慢性の酵素上昇時の精査」参照）

- **慢性の酵素上昇時の精査**（多くは無症状）

  頻度の高い原因のスクリーニング：ウイルスマーカー，アルコール，肝エコー（？NAFLD，肝硬変），薬毒物

  背景に全身性疾患を疑う場合：鉄動態（ヘモクロマトーシス）；ANA，抗平滑筋抗体，γグロブリン（自己免疫性肝炎）；セルロプラスミン，尿中銅（Wilson病）；α₁-AT（肺の関与がなくても肝障害を起こしうる）；セリアック病のスクリーニング；甲状腺機能；「肝硬変」の項参照

  異常所見がなければ➡生活習慣指導（減量，DM制御）して3～6か月後に再検査

  慢性肝疾患を示唆する所見や遷延する血液検査異常がある場合は肝生検を検討

図3-4 胆汁うっ滞によるLFT異常へのアプローチ

胆汁うっ滞
(Bil↑とALP↑優位, ±トランスアミナーゼ↑)
↓
右上腹部エコー

- **肝内胆管拡張なし**
  - 肝細胞障害による胆道うっ滞
    - **±ALP↑** → **胆管上皮障害**
      - 肝炎(ALT↑)
      - 肝硬変(PT↑, Alb↓)
      - 精査:HAV, HEV, EBV, CMVを考慮。「肝炎」と「肝硬変」の項も参照
    - **ALP↑↑** → **肝内胆汁うっ滞**
      - 薬物, TPN
      - 敗血症, 術後
      - PBC
      - 精査:薬毒物の見直し(以下参照), TPN中止, ✓抗ミトコンドリア抗体
      - 異常がない場合はMRCPと肝生検を検討

- **肝内胆管拡張あり** → **胆道閉塞**
  - 総胆管結石
  - 胆管癌
  - 膵癌
  - 硬化性胆管炎
  - 精査:?ERCP 画像(MRCP, CT)

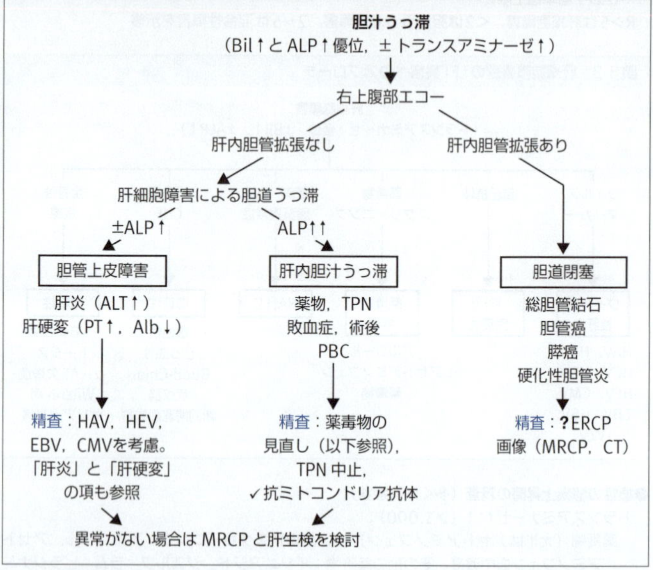

図3-5 浸潤性パターンによるLFT異常へのアプローチ

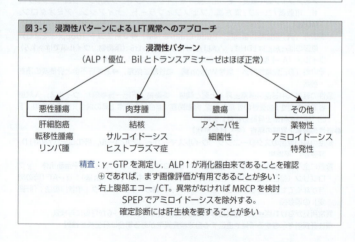

浸潤性パターン
(ALP↑優位, Bilとトランスアミナーゼはほぼ正常)

- **悪性腫瘍**
  - 肝細胞癌
  - 転移性腫瘍
  - リンパ腫
- **肉芽腫**
  - 結核
  - サルコイドーシス
  - ヒストプラズマ症
- **膿瘍**
  - アメーバ性
  - 細菌性
- **その他**
  - 薬物性
  - アミロイドーシス
  - 特発性

精査:γ-GTPを測定し, ALP↑が消化器由来であることを確認
⊕であれば, まず画像評価が有用であることが多い:
右上腹部エコー/CT。異常がなければMRCPを検討
SPEPでアミロイドーシスを除外する。
確定診断には肝生検を要することが多い

■LFT異常の原因となる一般的な薬物 (http://livertox.nlm.nih.gov)

肝細胞障害型		胆汁うっ滞型		混合型
アカルボース アセトアミノフェン アロプリノール アミオダロン アザチオプリン クリンダマイシン フィブラート ヒドララジン イソニアジド イピリムマブ（とその他の免疫チェックポイント阻害薬） ケトコナゾール MTX ミルタザピン nitrofurantoin NSAIDs（の一部） フェニトイン	プレドニゾロン プロテアーゼ阻害薬 ピラジナミド リスペリドン スタチン スルホンアミド タモキシフェン テトラサイクリン TNFα阻害薬 トラゾドン TCA バルプロ酸	ACE阻害薬 蛋白同化ステロイド アザチオプリン クロルプロマジン エストロゲン マクロライド チアマゾール	6-MP 経口避妊薬 ペニシリン プロテアーゼ阻害薬 スルホンアミド テルビナフィン TCA	アモキシシリン・クラブラン酸 アザチオプリン カルバマゼピン クリンダマイシン ミルタザピン nitrofurantoin ペニシリン フェノバルビタール フェニトイン プロテアーゼ阻害薬 スルホンアミド トラゾドン TCA バルプロ酸 ベラパミル

肝炎

ウイルス性肝炎

■A型肝炎 (ssRNA；米国では急性ウイルス性肝炎の30〜45%) (*MMWR* 2018;67:1208)
- 感染経路とリスク因子：糞口；汚染された食品，水，貝類；デイケア施設；海外渡航
- 潜伏期間：2〜6週間；慢性保因者とはならない
- 症状：食欲↓，倦怠感，発熱，悪心・嘔吐，右上腹部痛，黄疸；劇症化はまれ（慢性HCV肝炎がベースにあると↑）
- 診断：急性肝炎は抗HAV-IgM抗体⊕；過去の感染は抗HAV-IgG抗体⊕（IgM抗体⊖）
- 急性HAV感染の治療は支持療法；劇症化した場合は肝移植センターに紹介
- 曝露後予防：1〜40歳➡ワクチン接種；<1歳，>40歳，または免疫抑制患者➡IVIg

■B型肝炎 (dsDNA；米国では急性ウイルス性肝炎の約45%) (*JAMA* 2018;319:1802)
- 感染経路：血液（静注薬物，輸血），性行為，周産期
- 潜伏期間：6週間〜6か月（平均12〜14週間）
- 急性HBV感染：70%は無症状，30%は黄疸，<1%が劇症肝炎（死亡率はおよそ60%）
- 慢性HBV感染：成人感染の<5%でHBs抗原が>6か月持続⊕（免疫抑制患者ではより高率），>90%（周産期感染）；約40%は慢性保因者となる➡肝硬変（HCV，HDV，HIVの重複感染や飲酒で肝硬変のリスク↑）
- 肝細胞癌のリスク↑：肝硬変，肝細胞癌の家族歴，>20歳のアフリカ人，>40歳のアジア人男性，>50歳のアジア人女性，>40歳でALT↑±HBV DNA>2,000。AFPとエコーで6か月ごとにスクリーニング
- 肝外症候：PAN（<1%），膜性腎症，MPGN，関節炎
- 血清学的/ウイルス学的検査（スクリーニングのガイドラインは*Annals* 2017;167:794参照）

  HBs抗原：症状出現前から検出；供血者スクリーニングに使用；持続>6か月＝慢性HBV

感染

HBe抗原:ウイルス複製と感染性↑を示す

抗HBc-IgM抗体:最初に現れる抗体;急性HBV感染を示す

　ウインドウ期間=HBs抗原は⊖となり,抗HBs抗体はまだ⊕にならず,抗HBc抗体が感染の唯一の手がかり

抗HBc-IgG抗体:過去の(HBs抗原⊖)または現在の(HBs抗原⊕)HBV感染を示す

抗HBe抗体:ウイルス複製の終息と感染性↓を示す

抗HBs抗体:急性期の終息と免疫能獲得を示す(ワクチン接種後の唯一のマーカー)

HBV DNA:血清中の存在は肝臓での活発なウイルス複製を示す

診断	HBs抗原	抗HBs抗体	抗HBc抗体	HBe抗原	抗HBe抗体	HBV DNA
急性肝炎	⊕	⊖	IgM	⊕	⊖	⊕
ウインドウ期間	⊖	⊖	IgM	±	±	⊕
回復期	⊖	⊕	IgG	⊖	±	⊖
免疫能獲得	⊖	⊕	⊖	⊖	⊖	⊖
慢性肝炎 HBe抗原⊕	⊕	⊖	IgG	⊕	⊖	⊕
慢性肝炎 HBe抗原⊖	⊕	⊖	IgG	⊖	⊕	±*

*プレコア領域の変異:HBe抗原は産生されないが,HBc抗原との交差反応から抗HBe抗体が産生されうる;HBV DNA高値と関連

●急性HBV感染の治療:支持療法;意識障害やINR↑があれば入院(肝移植施設);重症の場合は抗ウイルス療法を考慮

慢性HBV感染のステージ					
ステージ	ALT(基準値上限*)	HBV DNA (IU/mL)	HBe抗原	肝臓病理(炎症/線維化)	肝硬変移行率
HBe抗原⊕ HBV感染(免疫寛容期)	正常	≥10^6	⊕	最小限	<0.5%/年
HBe抗原⊕ 肝炎(免疫応答期)	≥2倍	≥2万	⊕	中等症〜重症	2〜5.5%/年
HBe抗原⊖ HBV感染(低増殖期)	正常	≤2,000	⊖	最小限の壊死性炎症;さまざまな程度の線維化	0.05%/年
HBe抗原⊖ 肝炎(免疫再活性化;プレコア領域の変異)	≥2倍	≥2,000	⊖	中等症〜重症	8〜10%/年

*ALT基準値上限:男性は<30 U/L,女性は<19 U/L(*Hepatology* 2016;63:261より改変)
第5ステージ:慢性HBs抗原⊖HBV感染:HBe抗原⊖,抗HBs抗体±ALT正常,"不顕性"HBV感染

●慢性HBV感染の治療適応:免疫応答期または免疫再活性化,HBV DNA↑を伴う肝硬変,非代償性肝硬変。ALTが基準値上限×1〜2倍または免疫寛容期かつ>40歳では肝生検を考

慮。中等度〜重度の炎症/線維化があれば治療
- **エンテカビル/テノホビル**：核酸アナログ，忍容性が高く耐性が少ない；5年後のHBe抗原の抗体陽転率30〜40％，HBs抗原の消失率5〜10％（*Dig Dis Sci* 2015;60:1457, *Gastro Hep* 2016;1:185)。ラミブジン耐性の既往があればテノホビルが望ましい
- 治療期間：①HBe抗原⊕の免疫応答期で非肝硬変：セロコンバージョン（HBe抗原⊖，HBe抗体⊕）して，ALT正常およびHBV DNAが抑制されていれば，またはHBs抗原が陰性化した場合1年後に中止可能；②HBe抗原⊖の免疫再活性化：無期限；③肝硬変：無期限
- 肝移植を受ける場合：抗HBs Ig＋核酸アナログが再感染予防に有効
- **HIV/HBV重複感染**：HBVとHIVの両者に効果がある2剤を使用（https://aidsinfo.nih.gov）
- 免疫抑制：化学療法，抗TNF製剤，リツキシマブ，ステロイド（＞20 mg/日を＞1か月）の開始前にHBVスクリーニング；再活性化の中等度〜高リスク患者は治療（リツキシマブの場合はHBsAb⊕も含む）

■**C型肝炎（ssRNA；米国では急性ウイルス性肝炎の約10％）**（*Lancet* 2015;385:1124）
- 感染経路：血液（静注薬物，輸血はまれ）＞性行為；20〜30％は感染源不明
- 潜伏期間：1〜5か月；平均6〜7週間
- 急性HCV感染：80％は無症状，10〜20％は黄疸を伴う症候性肝炎；劇症肝炎は非常にまれ，自然寛解率は*IL28B*およびHLAクラスII遺伝型と関連（*Annals* 2013; 158: 235）
- 慢性HCV感染：約85％➡慢性C型肝炎，うち20〜30％が肝硬変に進展（約20年後）
 男性，アルコール，HIVで肝硬変のリスク↑；肝硬変患者の1〜4％（/年）が肝細胞癌を発症
- 肝外症候：混合型クリオグロブリン血症，晩発性皮膚ポルフィリン症，扁平苔癬，白血球破砕性血管炎，甲状腺炎，MPGN，IPF，NHL，単クローン性γグロブリン血症
- 血清学的/ウイルス学的/遺伝子検査
 抗HCV抗体（ELISA）：6週間後に陽性化するが，回復や免疫能獲得を意味しない；回復後に⊖となる場合あり
 HCV RNA：2週間以内に陽性化；活動性感染のマーカー
 HCVゲノタイプ（1〜6型）：治療期間や治療反応の予測；3型は肝細胞癌リスク↑
- 診断：急性＝HCV RNA⊕±抗HCV抗体；過去の感染＝HCV RNA⊖±抗HCV抗体；慢性＝HCV RNA⊕，抗HCV抗体⊕
- 治療適応（www.hcvguidelines.org）（*Hep* 2018;68:827, *Lancet* 2019;393:1453）
 急性：12〜16週間で自然寛解しなければ慢性HCVと同じレジメンで治療可能

推奨される経口直接作用型抗ウイルス薬（direct-acting antiviral：DAA）	
レジメン	適応
レジパスビル/ソホスブビル	ゲノタイプ1，4型
エルバスビル/グラゾプレビル	ゲノタイプ1，4型
ソホスブビル/ダクラタスビル	ゲノタイプ1〜4型の代替薬
ソホスブビル/ベルパタスビル	ゲノタイプ1〜6型
ソホスブビル/ベルパタスビル/voxilaprevir	DAA治療歴のあるゲノタイプ1〜6型
グレカプレビル/ピブレンタスビル	ゲノタイプ1〜6型，DAA治療歴のあるゲノタイプ1型
個別薬物：RNAポリメラーゼ阻害薬（「-ブビル」）；NS5a阻害薬（「-アスビル」）；NS3/4Aプロテアーゼ阻害薬（「-プレビル」）	

AASLD/IDSA 2018年ガイダンスに基づく（www.hcvguidelines.org；*Clin Infect Dis* 2018;67:1477）

 慢性：肝細胞癌と死亡率↓。余命が限られていない全例に推奨
- 治療中の確認：治療前に血算，INR，LFT，GFR，HCVウイルス量を測定。非代償性肝硬変（腹

水, 脳症) または Child-Pugh スコア≧7点ではプロテアーゼ阻害薬は禁忌. 4週間後に黄疸, 嘔気/嘔吐, 衰弱, ALT>10倍↑, Bil/ALP/INR↑↑の場合は中止
- 治療目標は持続性ウイルス学的著効（SVR）＝治療終了12週後にウイルス血症なし. 成功率はゲノタイプによるが, 現在のレジメンではSVR率>90%
- 特別な集団（HCV/HIV重複感染, 非代償性肝硬変, 肝移植後, 腎障害）：推奨治療の最新情報は www.hcvguidelines.com を確認
- 全慢性HCV患者にA型とB型肝炎のワクチン接種を推奨（免疫がない限り）
- 曝露後予防（針刺しによる感染リスクは約3%）：なし, ただしソホスブビル+ベルパタスビルの臨床試験が継続中；HCV RNAが陽転化したら3か月以内に治療を検討

D型肝炎（RNA）
- 感染経路：血液または性行為；アフリカ, 東欧で流行. 原則としてHBVとの同時感染/重複感染が必要；まれに（肝移植後の免疫抑制者）単独で複製する
- 自然経過：急性HBV/HDV同時感染は>80%で軽快するが, 急性HDV重複感染ではほとんどが慢性HBV-HDV肝炎に移行（肝硬変, 肝細胞癌への移行↑）

E型肝炎（ssRNA）（*World J Gastro* 2016;22:7030, *Gastro Clin N Am* 2017;46:393）
- 流行地域では急性ウイルス性肝炎の最も一般的な原因
- 感染経路：糞口；中央/東南アジア, アフリカ, メキシコへの旅行者, 特にブタとの接触. 最近は欧州の発症率↑
- 自然経過：急性肝炎, 妊娠中は死亡率↑（10〜20%）；まれに移植患者で慢性化
- 診断：抗HEV-IgM抗体（CDCを通じて）, HEV RNA
- 肝外症候：関節炎, 膵炎, 貧血, 神経症状（Guillain-Barré症候群, 髄膜脳炎）

その他のウイルス〔ヒトペギウイルス（HGV）, CMV, EBV, HSV, VZV〕

自己免疫性肝炎（AIH）

分類（*J Hep* 2015;62:S100, *World J Gastro* 2015;21:60）
- 1型：抗平滑筋抗体（ASMA）, ANA；肝可溶性抗原抗体（SLA）, 重症型や再発と関連
- 2型：抗肝腎ミクロソーム1（LKM1）抗体；肝サイトゾル抗体1型（ALC-1）
- オーバーラップ症候群：AIH+PBC（抗ミトコンドリア抗体または病理所見がある場合に疑う➡"自己免疫性胆管炎"）またはAIH+PSC（ALP↑, IBD合併, 瘙痒感, 画像/病理所見がある場合に疑う）
- 薬物性：ミノサイクリン, nitrofurantoin, インフリキシマブ, ヒドララジン, αメチルドパ, スタチン

診断と治療（*J Hepatol* 2015;63:1543, *Clin Liver Dis* 2015;19:57）
- 70%が女性；40%はALT>10×基準値上限の重症（3%は劇症化）；34〜35%は無症候性
- 肝外症候：甲状腺炎, 関節炎, 潰瘍性大腸炎, Sjögren症候群, Coombs試験⊕溶血性貧血
- 診断：血清学的検査を組み合わせたスコア, IgG↑, 肝炎ウイルス⊖, 肝生検所見（インターフェイス肝炎, リンパ形質細胞の浸潤）は特異度が高く, 感度は中等度（*Dig Dis* 2015;33[S2]:53）
- 治療適応：①ALT>10×基準値上限；②ALT>5×基準値上限かつIgG>2×基準値上限；③生検で架橋/多発腺房壊死の所見
- 寛解導入療法：①プレドニゾロン単剤, ②プレドニゾロン+アザチオプリン, ③ブデソニド（非肝硬変の場合）+アザチオプリン➡寛解率65〜80%（無症状, LFT/Bil/IgG正常, インターフェイス肝炎なし/最小限）；適宜ステロイドを漸減：再燃率は50〜80%（*J Hep* 2015;62:S100）
- 不応またはアザチオプリン不耐：シクロスポリン, タクロリムス, ミコフェノール酸モフェ

チル，リツキシマブ，インフリキシマブ
- 末期肝不全の場合は肝細胞癌スクリーニングと肝移植を検討

その他の原因による肝炎/肝障害

■アルコール性肝炎（*J Hepatol* 2016;69:154, *Am J Gastro* 2018;113:175）
- 症状：進行性の黄疸，圧痛を伴う肝腫大，発熱，腹水，GIB，脳症
- 血液検査：ALTは一般的に＜300～500でAST：ALT＞2：1，血小板↓，総Bil↑とINR↑は重症肝炎を示唆する
- 予後：Maddrey判別関数（MDF），Lilleモデル，MELDなどでスコア化

  MDF：[4.6×（PT－PT基準値）＋総Bil]≧32で無治療の場合，1か月の死亡率は30～50%（*Gastro* 1996;110:1847）

  Lilleモデル：1週間の治療後にステロイド不応性を予測；スコア＞0.45でさらなるステロイド治療の不応を予測し，6か月生存率↓と関連（*Hep* 2007;45:1348）

  Lille＋MELDの組み合わせが最も正確に死亡率を予測（*Gastro* 2015;149:398）

- 治療：MDF≧32，MELD＞18，脳症のある場合に考慮

  ステロイド（例：メチルプレドニゾロン32 mg/日またはプレドニゾロン40 mg/日×4週間）4～6週間で漸減）は30日死亡率↓，ただし6か月死亡率↓なし，感染症↑（*NEJM* 2015;372:1619, CD001511）

  禁忌：活動性GIB，膵炎，未治療のHBV，制御不能の細菌／真菌／結核感染

  N-アセチルシステイン＋ステロイド：30日死亡率↓，ただし6か月死亡率↓なし（*NEJM* 2011;365:1781）

- 慎重に選択されたごく一部の患者には早期の肝移植を考慮（*Gastro* 2018;155:422）

■アセトアミノフェン肝障害（*Clin J Transl Hepatol* 2016;4:131, *BMJ* 2016;353:i2579）
- 病態生理：アセトアミノフェン（*N*-acetyl-*p*-aminophenol：APAP）の＞90%は毒性のない代謝物となるが，約5%はCYP2E1により肝障害性がありグルタチオン抱合により解毒される活性求電子種（NAPQI）に代謝される；APAP過量投与（＞10 g）によりグルタチオンが枯渇➡肝障害
- CYP2E1は空腹，アルコール，一部の抗痙攣薬や抗結核薬で誘導され，栄養不良のアルコール依存症者では低用量（2～6 g）のアセトアミノフェンでも"偶発治療事故"を起こしうる
- 肝不全は2～6日後にならないと発症しないことあり
- 治療：胃洗浄，摂取から4時間以内であれば活性炭；肝移植施設への早期の移送を考慮

  N-アセチルシステイン：摂取時刻が不明または＞4 g/日の慢性的摂取の場合，摂取の72時間後まで；APAPの血中濃度が低値または検出限界未満であっても開始してよい

  PO（推奨）：初回 140 mg/kg ➡ 70 mg/kgを4時間ごとに17回

  IV：150 mg/kgを1時間で投与 ➡ 50 mg/kgを4時間で投与 ➡ 100 mg/kgを16時間で投与；アナフィラキシーのリスクあり（12時間投与レジメンではリスク↓；*Lancet* 2014;383:697）；PO不能，GIB，妊娠，劇症肝不全の場合に使用

■虚血性肝炎
- "ショック肝"，ASTとALT＞1,000＋LDH↑↑（ALT：LDH比は多くの場合＜1.5）；遅れて総Bil↑↑
- 血圧↓やCHFでみられる；静脈圧↑＋門脈／動脈圧↓＋低酸素症が合わさって発症することが多い

■非アルコール性脂肪性肝疾患（NAFLD）（*NEJM* 2017;377:2063）
- 定義：過度の飲酒やその他の脂肪変性の原因のない，肝臓の脂肪浸潤

  非アルコール性脂肪肝（NAFL）＝炎症を伴わない脂肪変性；**非アルコール性脂肪肝炎（NASH）**＝脂肪変性＋炎症±肝生検で線維化

- NAFLD：米国人の10〜30％，2型DMと肥満患者では＞60％
- NASH：NAFLDの2〜5％；肝生検で線維化を伴うNASHが肝硬変に進展するリスクは10年で30％
- 臨床症状：80％は無症候性，ALT↑＞AST↑，ただしトランスアミナーゼ値が正常でも肝生検でNASHと診断される可能性は否定できない
- 診断：肝生検がゴールドスタンダード。VCTエラストグラフィーが注目されている（*J Hepatol* 2017;66:1022）。NAFLD線維化スコアは高度線維化を伴うNASHを陽性的中率＞80％で予測
- 治療：減量（理想は線維化を改善させるためには≧10％；*Gastro* 2015;149:367），運動，DM管理，リラグルチド（*Lancet* 2016;387:679）またはピオグリタゾン（DMがなくても），スタチン（*Metabolism* 2017;71:17）；Vit Eは非DM患者で脂肪変性↓するが線維化は改善しない（*Hepatol* 2018;67:328）
- 肝細胞癌はNAFLDの合併症であり，NASH肝硬変がベースにあることが多いが必須ではない

急性肝不全（ALF）

■定義
- 急性肝疾患＋凝固障害＋肝性脳症；ほとんどの場合に既知の肝疾患なし
- 超急性発症：黄疸発症後＜7日で脳症出現；急性は7〜21日；亜急性は＞21日
- 慢性肝不全の急性増悪：既存の慢性肝疾患のある患者における急性肝障害

■原因（*J Hepatol* 2015;62:S112）
- **薬毒物**（米国症例の80％近く；*Gastro* 2015;148:1353, *Clin Liver Dis* 2017;21:151）
  薬物：アセトアミノフェン（最も一般的な原因；米国症例の＞40％，意図しない過量投与が多い）；抗結核薬（イソニアジド，リファンピシン，ピラジナミド）；抗痙攣薬（フェニトイン，バルプロ酸，カルバマゼピン）；NSAIDs（特異体質，投与量と相関しない）；抗菌薬（フルオロキノロン，マクロライド）；MDMA（エクスタシー）
  毒物：タマゴテングタケ（米国西海岸の茸），一部の漢方薬
- **ウイルス性**（米国症例の約12％）：HAV，HBV，HCV（まれ），HDV＋HBV，HEV（特に妊娠中）。免疫抑制患者：HSV（50％が皮膚病変あり），EBV，VZV，CMV，HHV-6
- **血管性**：Budd-Chiari症候群，虚血性肝炎，類洞閉塞症候群
- **その他**：Wilson病，妊娠関連ALF（急性妊娠脂肪肝，子癇前症，HELLP症候群），自己免疫性肝炎（初期症状）；特発性

■臨床症状
- 初期症状は通常は非特異的で，悪心・嘔吐，倦怠感；続いて黄疸と多臓器不全
- 神経系：**肝性脳症**：グレードⅠ＝注意散漫，震え；グレードⅡ＝羽ばたき振戦，倦怠感，混乱，失調；グレードⅢ＝傾眠，硬直，クローヌス，反射低下；グレードⅣ＝昏睡
  脳浮腫：↑NH₃に関連すると思われる星状膠細胞の浮腫
- 心血管系：SVR↓に伴う**低血圧**，ショック
- 呼吸器：**呼吸性アルカローシス**，末梢O₂摂取障害，肺水腫，ARDS
- 消化器：GIB（出血傾向による），膵炎（？虚血，薬物，感染による）
- 腎：ATN，**肝腎症候群**，低Na血症，低K血症，低PO₄血症
- 血液系：血小板↓，PT/APTT↑，フィブリノーゲン↓，**出血傾向**（凝固因子合成↓とプロテインC/S↓との兼ね合い；出血は主に血小板↓に起因），DIC
- 感染症（患者の約90％）：特にブドウ球菌，レンサ球菌，GNR，真菌（免疫能↓，侵襲的処置）；患者の32％で特発性細菌性腹膜炎；発熱や白血球↑がない場合もあり
- 内分泌：**低血糖**（糖合成↓），代謝性アシドーシス（乳酸↑），副腎不全

■検査 (Clin Liver Dis 2017;21:769)
- 全患者に血算, PT/APTT, LFT, 電解質, BUN/Cr, NH_3, pH, 乳酸 (動脈血), アセトアミノフェン濃度, HIV, アミラーゼ/リパーゼ, 血清学的ウイルス検査 (「ウイルス性肝炎」の項参照) 測定; 疑いがあれば下記検査も追加
- 自己免疫性肝炎の血清学的検査とIgG, セルロプラスミンと血清/尿中銅, 妊娠検査
- 画像検査 (右上腹部エコー/腹部CT, 門脈と肝静脈のDopplerエコー)
- 肝生検: 初期検査で原因が不明の場合

■管理 (J Clin Exp Hepatol 2015;5:S104)
- **肝移植施設でICU管理**とし, 循環補助と換気補助; AKIにはCVVH
- 該当患者には早期に肝移植登録 (下記参照)
- 脳浮腫: グレードIII/IV脳症では頭蓋内圧モニタリングを考慮; 頭蓋内圧↑⇒マンニトール 0.5〜1.0 mg/kg; 動脈血NH_3>150μmol/L, グレードIII/IV脳症, AKI, 昇圧薬使用中の場合⇒脳浮腫予防にNa濃度145〜155 mEq/Lを目標に3%食塩液を投与; 浸透圧薬が無効な頭蓋内圧↑にはバルビツレートと低体温療法
- 肝性脳症: グレードIII/IV脳症には挿管; ラクツロースの効果は限定的で有害の可能性もある
- 凝固障害: Vit K; 活動性出血または侵襲的処置の前にはFFP/血小板/クリオプレシピテート投与; 予防的PPI投与
- 感染症: 疑う場合は抗菌薬の敷居を低く設定 (例: バンコマイシン+第3世代セファロスポリンなどの広域抗菌薬); 高リスク患者では抗真菌薬を併用
- 特定の原因に対する治療: アセトアミノフェン中毒には*N*-アセチルシステイン; HBVには抗ウイルス薬; Wilson病には血漿交換を考慮; HSVにはアシクロビルIV; タマゴテングタケ中毒にはベンジルペニシリン; 妊娠脂肪肝には児の娩出; Budd-Chiari症候群にはTIPSと抗凝固療法; AIHに対するステロイド使用に関するデータは不十分であるが, 頻繁に使用される (Hepatology 2014;59:612)
- アセトアミノフェン以外によるALFでも*N*-アセチルシステインが有用な可能性があるが, データは不十分 (Clin Drug Investig 2017;37:473)
- 予後不良だが耐術能があれば肝移植; 体外循環型人工肝臓補助装置 (分子吸着剤再循環システム: MARS) と高容量血漿交換の研究が進行中 (J Hepatol 2016;64:69)

■予後 (Ann Intern Med 2016;164:724, World J Gastro 2016;22:1523)
- 死亡率: アセトアミノフェンによるALFでは約25〜30%, それ以外では約70%
- 予後不良の予測因子 (英国King's College Hospital):
  アセトアミノフェンによるもの: 輸液後の血液pH<7.25, INR>6.5またはPT>100, Cr>3.4, グレードIII/IV脳症
  アセトアミノフェンによらないもの: INR>6.5またはPT>100, または次のうち≥3項目: 予後不良の原因 (血清⊖または薬物毒性); <10歳または>40歳; INR>3.5またはPT>50; 総Bil>17.5; 黄疸から脳症の発症まで>7日
- 急性肝不全患者の約20〜25%が肝移植を受け, 5年生存率75%
- 移植後急性期の予後不良因子: BMI>30, Cr>2, >50歳, 昇圧薬/換気補助

肝硬変

■定義 (Dig Dis 2016;34:374, NEJM 2016;375:767, J Hep 2016;64:717)
- **定義**：肝細胞障害による**線維化と再生結節の形成**が進んだ病態
- **非代償性** = 黄疸，静脈瘤出血，肝性脳症，腹水；予後不良

■原因
- **アルコール性**（約60〜70%），その他の毒物（例：ヒ素）
- **ウイルス性肝炎**（約10%）：慢性B，C，D型肝炎
- **自己免疫性肝炎**：女性，IgG↑，ANA⊕，抗平滑筋抗体⊕，抗LKM-1抗体，抗LC1抗体
- **代謝性疾患**（約5%）：ヘモクロマトーシス，Wilson病，α_1-AT欠損症
- **胆道疾患**（約5%）：PBC，続発性胆汁性肝硬変（胆石，腫瘍，胆道狭窄/閉鎖），PSC
- **血管疾患**：Budd-Chiari症候群，右心不全，収縮性心膜炎，類洞閉塞症候群
- **NAFLD**（10〜15%）："特発性肝硬変"の大半の原因
- **薬物性**：アミオダロン，MTX，Vit A，バルプロ酸，イソニアジド

■臨床症状
- 非特異的（食思不振，疲労感）または黄疸，肝性脳症，腹水，静脈瘤出血

■身体診察
- **肝臓**：初期は腫大，触知可能（左葉優位），硬い；進行すると萎縮，結節性
- **肝不全徴候**：黄疸（Bil>2.5），くも状血管腫と手掌紅斑（エストラジオール↑），Dupuytren拘縮，爪床の白い横線（Muehrcke線）や近位爪床の白色化（Terry爪），耳下腺と涙腺の腫大，女性化乳房，精巣萎縮，羽ばたき振戦，肝性脳症，肝性口臭，ばち指，肥大性骨関節症
- **門脈圧亢進症の徴候**：脾腫，腹水，腹壁皮下静脈怒張（メデューサの頭），心窩部静脈コマ音（Cruveilhier-Baumgarten雑音）

■臨床検査
- **LFT**：Bil↑，**PT/INR↑**（出血との関連性は低い；肝臓で合成されない第VIII因子は正常），Alb↓，±トランスアミナーゼ↑（晩期にはAST>ALT），ALP↑（さまざま）
- **血算**：貧血（骨髄抑制，脾機能亢進，鉄±葉酸の欠乏），好中球↓（脾機能亢進），血小板↓（脾機能亢進，肝でのトロンボポエチン合成↓，アルコール中毒）
- **生化学**：Na↓（有効循環血液量↓→ADH↑），鉄/TIBC↑，フェリチン↑（肝細胞から放出）
- **肝硬変を予測する指標**：AST/血小板>2；Lok index；Bonaciniスコア（JAMA 2012;307:832）
- **線維化の間接マーカー**：FibroTest/FibroSURE（HBV/HCV），FIB-4 index（NAFLD，HCV），NAFLD線維化スコア

■精査 (Lancet 2014;383:1749, Am J Gastro 2017;112:18)
- **腹部Dopplerエコー**：肝臓のサイズとエコー性質，肝細胞癌と腹水の除外，門脈/脾静脈/肝静脈の開存性を確認
- **原因の特定**：肝炎の血清学的検査（HBs抗原，抗HBs抗体，抗HCV抗体），自己免疫性肝炎の検査（IgG，ANA，抗平滑筋抗体），鉄動態，銅，α_1-AT，抗ミトコンドリア抗体
- **線維化の評価**：バイオマーカー（FibroSURE＝HCV感染で妥当性が実証されている5つのマーカー；スコア↑は線維化を予測）；エラストグラフィー（エコー/MRIで肝硬度を測定）
- **肝生検**（ゴールドスタンダード）：経皮的/経頸静脈的（後者は腹水や凝固障害があれば考慮）；肝硬変の存在と原因を確定

■予後 (www.mdcalc.com/child-pugh-score-cirrhosis-mortality)
- **修正Child-Turcotte-Pugh（CPS）スコア**は腹水，肝性脳症，血液検査（Bil，Alb，INR；別表参照）に基づく。CPS A（5〜6点）：1年生存率100%，B（7〜9点）：80%，C（10

～15点）：45%
- **MELD-Na**（Model for End-stage Liver Disease; *Gastro* 2011;14:1952）：肝移植リストの層別化と，肝硬変/一部の急性肝障害の3か月予後予測に使用。Cr, INR, 総Bil, Naに基づく（計算：https://optn.transplant.hrsa.gov/resources/allocation-calculators/meld-calculator/）。MELD＜21の場合，死亡率の追加予測因子：難治性腹水，肝静脈圧較差（HVPG）↑，QOL↓など。MELD-PlusはAlb, Chol, 在院日数，年齢，白血球を含む（*PLOS One* 2017;12:e0186301）

■腹水（診断的評価の詳細は「腹水」の項参照）（*Liver Int* 2016;36:S1:109, *Dig Dis* 2017;35:402）
- 門脈圧亢進症（定義：HVPG＞5 mmHg）による
- 10年以内に60%で発症；5年死亡率は約50%
- **治療：Na摂取制限**（1～2 g/日）；Na＜125ならば水分摂取制限
    利尿薬：目標尿量約1 L/日；スピロノラクトン（100 mg qd）±フロセミド（40 mg qd）など5：2の比率で使用；尿中Na/K＞1の場合，Na摂取制限のアドヒアランスが良好であればアルドステロン阻害効果は良好
    利尿薬の効果を阻害し腎毒性があるため，NSAIDsは使用しない
    アルブミン（40 gを週2回×2週間，その後週1回×16週間）で死亡率が38%↓（*Lancet* 2018;391:2417）
    難治性腹水：患者の5～10%にみられる；2年生存率25%
    Na 2 g食でも利尿薬が無効，利尿薬最大量投与下で体重減少がわずか，利尿薬による合併症（AKI, Na＜125, 高K血症, 脳症）
    β遮断薬中止のエビデンスは一定しない（*Hep* 2016;63:1968, *J Hepatol* 2016;64:574）。特にSBP＜90またはMAP≦82 mmHg, 血清Na＜120 mEq/L, AKI, 肝腎症候群，特発性細菌性腹膜炎（SBP），敗血症，重症アルコール性肝炎，受診アドヒアランス不良の場合に考慮。低血圧で増量困難の場合はミドドリンを併用
    大量腹水穿刺排液（＞5 L）：5 Lを超える量に対する膠質液補充（Albを6～8 g/L投与）は循環障害リスク↓，死亡率↓の可能性がある（*Hep* 2012;55:1172）。SBPではAKIリスク↑のため禁忌
    経頸静脈的肝内門脈体循環シャント術（TIPS）（*Gastro* 2017;152:157）
    腹水↓（75%）, CrCl↑, 脳症↑，大量穿刺排液に対する生存率の優越性には議論あり
    禁忌：グレードII脳症，CHF, 肺高血圧症，胆道の活動性感染/閉塞
    合併症：出血，瘻孔；ステント血栓症（コーティングステントの1年開存率は約80%）；感染症（TIPS関連菌血症）；20～30%で脳症の新規発症/増悪（*Am J Gastro* 2016;111:523），溶血
    上記が無効の場合は肝移植を考慮
- **肝性胸水**：二次性の横隔膜欠損；多くは一側性で右側＞左側，±腹水
    治療：胸腔ドレーン挿入は禁忌（合併症↑）；腹水と同様に管理（難治性の場合はTIPS）；難治例には胸腔内カテーテル留置も選択肢（*Chest* 2019;155:307）
    （SBPがなくても）特発性細菌性膿胸を起こすことあり➡診断的胸腔穿刺；治療は抗菌薬

■特発性細菌性腹膜炎（SBP；詳細は「腹水」の項参照）（*Eur J Gastro Hep* 2016;28:e10）
- 約20%で発症；死亡率20%；リスク因子：腹水TP＜1 g/dL, SBPの既往，現在のGIB
- 脳症，腹痛，発熱として発症するが，しばしば（25%）無症状；腹水を伴う入院肝硬変患者は全例で腹水穿刺を考慮
- 原因菌：GNR（大腸菌，*Klebsiella*）＞GPC（腸球菌，肺炎球菌）（「腹水」の項参照）
- 治療：第3世代セファロスポリンまたはアモキシシリン・クラブラン酸×5日。単純性（脳症/AKIなし）：フルオロキノロン系も選択肢であるが，フルオロキノロン系耐性出現頻度の高い施設では避ける）。多剤耐性菌（例：ESBL, カルバペネマーゼ産生）の頻度↑
    アルブミンIV（診断時に1.5 g/kg, 3日目に1 g/kg）➡生存率↑（*NEJM* 1999;341:403）；Cr＞1 mg/dL, BUN＞30または総Bil＞4の場合のみ考慮（*Gut* 2007;56:597）
    改善がみられない場合，48時間後に再穿刺：好中球数が約25%↓＝治療成功

- 無期限の予防的投与：①SBP既往，②腹水TP<1.5と（Na≦130，Cr≧1.2，BUN≧25，[CPS≧9＋総Bil≧3]のうち≧1項目）(*Am J Gastro* 2009;4:993)➡シプロフロキサシン500 mg qdまたはST合剤DS錠qd
  短期間の予防的投与：GIBがある場合はセフォタキシム1 g IV×7日（食事再開時にシプロフロキサシン500 mg bidまたはST合剤DS錠bidへ変更）

■食道胃静脈瘤±UGIB（「消化管出血（GIB）」の項も参照）(*Hepatology* 2017;65:310)

- 静脈瘤の存在は肝疾患の重症度と相関（Child Aで40%➡Child Cで85%）
- 静脈瘤の大きさ↑, Child B/C, "ミミズ腫れ"所見がある場合は出血リスク↑
- UGIBの一次予防：肝硬変の診断時に上部消化管内視鏡スクリーニング；中型〜大型の静脈瘤を有する患者に最も有効とのデータがある

  非選択的β遮断薬：出血リスク約50%↓，中型〜大型の静脈瘤の死亡率↓。ナドロール，プロプラノロールまたはカルベジロール（後者はMAPとHVPG↓がプロプラノロールより強い；静脈瘤増大を遅延させる（*Gut* 2017;66:1838））；高血圧患者に使用可。最大許容量まで漸増；改善確認のための上部消化管内視鏡検査は不要；先述の条件を満たす場合は中止

  内視鏡的静脈瘤結紮術（EVL）：初回出血のリスクはβ遮断薬より↓，しかし死亡率に有意差なし（*Ann Hep* 2012;11:369）；重大合併症リスク（食道穿孔，潰瘍）あり
  静脈瘤消失まで1〜2週間ごとに施行➡3か月後に内視鏡フォロー➡その後は6〜12か月ごと

  β遮断薬とEVLの比較：患者/医師の判断に基づき選択；β遮断薬が第1選択とされることが多い（*Hepatology* 2017;65:310）；一次予防に両方を用いることは現在推奨されていない

- 二次予防：初回出血後のすべての患者に適応（再出血率が約50%，死亡率は約30%に達するため）

  β遮断薬＋EVL＞いずれか片方；無効な場合にはTIPS，食道静脈瘤出血での搬送から72時間以内のChild B/Cでも考慮（再出血率↓，脳症↑，死亡率に有意差なし）(*Hepatology* 2016;63:581)

■肝性脳症 (*NEJM* 2016;375:1660)

- 発症機序：肝臓でのNH₃やその他の物質（例：ADMA；*J Hep* 2013;58:38）の解毒不全による脳浮腫，O₂消費量↓，活性酸素種↑➡脳機能障害
- 誘因：出血，感染症，内服アドヒアランス不良，K↓，Na↓，脱水，低酸素症，門脈体循環シャント（例：TIPS），薬物（例：鎮静薬），急性肝障害（例：門脈血栓症）
- 重症度分類：「急性肝不全（ALF）」の項参照
- 診断：NH₃は診断や治療モニタリングには感度が低い；臨床所見に基づき診断
- 治療：誘因の特定/是正；便通2〜4回/日を目標にラクツロース（腸管の酸性化：NH₃➡NH₄⁺）（PEGのほうが有用の可能性；*JAMA IM* 2014;174:1727）；またはリファキシミン550 mg bid（腸内細菌↓➡NH₃産生↓；?ラクツロースとの併用；*Am J Gastro* 2013;108:1458）；アルブミン投与で改善速度↑，死亡率↓の可能性（*J Gastro Hep* 2017;32:1234）
- 二次予防：ラクツロースまたはリファキシミン550 mg bid（*Aliment Pharmacol Ther* 2015;41:39）

■肝腎症候群（HRS）(*Am J Kidney Dis* 2016;67:318, *Gastro* 2016;150:1525)

- 病態生理：臓器血管拡張と腎血流量↓を伴う腎血管収縮
- 診断基準：①腹水を伴う肝硬変；②AKI（48時間以内で血清Cr↑≧0.3 mg/dLまたは通常の水準から≧50%↑；*Gut* 2015;64:531）；③利尿薬中止と補液（アルブミン1 g/kg/日×2日）でもCrの改善なし；④ショック（腎前性高窒素血症/ATN）なし；⑤腎毒性薬物の投与なし；⑥器質的腎疾患なし

  AKI-HRS：<2週間で発症；通常は重症肝不全で，誘因（後述）があることが多い；生存期間中央値は2週間

  CKD-HRS：より遅発性の経過；生存期間中央値は6か月；AKI-HRSに比べ肝不全の併存

は少ない
- 誘因：GIB，過剰利尿，感染症，複数回の腹水穿刺，薬物（アミノグリコシド系，NSAIDs）
- 治療：重症の場合➡昇圧薬（ノルアドレナリン/バソプレシン）+アルブミン〔1 g/kg（最大100 g）ボーラスqd〕でMAPを10 mmHg↑；その他の場合➡オクトレオチド（100～200μgをtid, SC）+ミドリドリン（最大15 mg tid, PO）+アルブミン〔初日1 g/kg（最大100 g）ボーラス+その後20～60 g/日〕でMAP↑．serelaxin（組換えヒトリラキシン-2）の研究が進行中（PLoS Med 2017;14:e1002248）．肝移植ブリッジとして血液透析やTIPSを要することあり

■肝細胞癌（HCC：「血液/腫瘍」の項も参照）（Gastro 2016;149:1226, 150:835）
- あらゆる種類の肝硬変でリスク↑，特にウイルス性（約3～8%/年），HFE変異，PBC，?α$_1$-AT；飲酒によりさらにリスク↑（J Hepatol 2016;65:543）
- 臨床症状：無症状，または肝代償不全（例：腹水，肝性脳症），門脈腫瘍塞栓
- 診断：肝硬変患者は6か月ごとにエコー±AFPで検査；ただし多くの施設が二相性CT/MRIを利用
- 診断：「血液/腫瘍」章の「肝細胞癌（HCC）」の項参照

■その他の合併症
- 肝肺症候群（Dig Dis Sci 2015;60:1914）
  肺内血管拡張によるガス交換の異常（A-aDO$_2$≧15またはPaO$_2$<80）➡肺内動静脈シャント
  症候：platypnea-orthodeoxia（起座位で呼吸困難と低酸素血症が増悪），ばち指，チアノーゼ
  診断：造影エコーで肺内動静脈シャントの"遅延"（右房より3～6拍遅れて左房が増強）
  治療：酸素投与；CTで大血管を認める場合は塞栓治療，?TIPS．唯一の根治的治療は肝移植
- 門脈肺高血圧症（Expert Rev Gastro Hepatol 2015;9:983）
  門脈圧亢進患者に他の原因なしに生じる肺高血圧症；末期肝疾患➡エンドセリン↑➡肺血管収縮
  治療：特発性肺高血圧症と同様：プロスタサイクリン類似体，エンドセリン受容体拮抗薬，シルデナフィルなど；肝移植は根治的となることが多い
- 肝硬変心筋症：変力/変時反応↓，収縮/拡張能↓，QT延長，過動心；トロポニン↑，BNP↑（World J Gastro 2017;21:11503）
- 感染症：免疫獲得がない限り，HAV，HBV，PCV13，PPSV23ワクチン接種；毎年インフルエンザワクチン接種；入院肝硬変患者の約20%に蜂窩織炎：腹壁または下肢に多く皮下浮腫を伴う
- 内分泌：DM（15～30%）；副腎不全の頻度↑（Dig Dis Sci 2017;62:1067）
- 凝固障害：凝固因子と抗凝固因子の複雑なバランス異常：凝固因子の合成↓，線溶系亢進，血小板↓と抗凝固因子（プロテインC/S）の合成↓，線溶亢進因子の欠乏，vWF↑；DIC以外ではルーチンのFFP/血小板/クリオプレシピテート投与を支持するエビデンスはない
- 栄養：脂溶性Vitと亜鉛を測定/補充
- 薬物：アセトアミノフェンは2 g/日まで使用可；アスピリン/NSAIDsを避ける；アミノグリコシドは禁忌；代償性の場合は内服DM薬，非代償性の場合はインスリン

■肝移植
- MELD≧15で評価を開始．肝細胞癌（前述），肝肺症候群の場合は一定条件で優先度↑
- 適応：再発性/重症の肝性脳症，難治性腹水，再発性静脈瘤出血，肝腎症候群，肝肺症候群，原発性肺高血圧症，肝細胞癌（≦3 cmの病変が3つまで，または>5 cmの病変がない場合），ALF
- 禁忌：十分な社会的支援が得られない患者，薬物乱用（6か月以内の飲酒を含む），敗血症，重度心疾患の併存，肝外悪性腫瘍，胆管細胞癌，血管肉腫，持続的な服薬アドヒアランス不良，AIDS，頭蓋内圧>50 mmHgまたは脳灌流圧<40 mmHgが持続するALF
- 生存率：1年生存率は約90%，5年生存率は約80%．ただしHCVではより低い；自己免疫

性肝炎/PBC/PSCなどの自己免疫性肝疾患では同種移植患者の10~30%（またはそれ以上）で再発

肝硬変のその他の原因

■ ヘモクロマトーシスと鉄過剰症 (*Lancet* 2016;388:706)
- 鉄の感知/輸送の異常から組織への**鉄沈着**を起こす常染色体劣性疾患
- *HFE*変異（85%の症例）：通常はC282Yホモ接合体（北欧系白人の約0.5%），まれにC282Y/H63D複合ヘテロ接合体；C282Yホモ接合体：男性は28%に症状発現，女性は1%に症状発現（月経による鉄喪失 ➡ 発症の遅れ）；C282Y/H63D：1.5%のみに症状発現
- *HFE*以外の変異：ヘモジュベリン，ヘプシジン，2型トランスフェリン受容体，フェロポルチン
- 二次性の鉄過剰の原因：鉄過剰性貧血（例：サラセミアメジャー，鉄芽球性貧血，再生不良性貧血），過剰IV投与（赤血球輸血，長期血液透析），慢性肝疾患（アルコール性，HBV, HCV, NASHなど），経口摂取過剰
- 症状：疲労感，関節痛，男性で性欲↓；**進行例**（まれ）：皮膚のブロンズ色変化（メラニン+鉄），性腺機能低下（特に若年発症例），DM，関節炎（MCP），CHF，感染症（*Vibrio, Listeria, Yersinia*リスク↑），肝硬変（飲酒/脂肪性肝疾患でリスク↑；肝細胞癌のリスク15%）；ALS（H63Dホモ接合体），ポルフィリン症との関連もあり
- 診断：空腹時TSAT>45%（鉄/TIBC×100%）；フェリチン↑（急性期反応物質で特異度は低い；若年患者ではしばしば正常）；鉄飽和率↑ ➡ 確定診断のために*HFE*変異を確認；MRIで黒色肝
  *HFE*変異⊕で，かつフェリチン>1,000 ng/mLまたはLFT↑↑ ➡ 肝生検で鉄指数と線維化の進行を評価
- 治療：瀉血（250 mL＝1単位は約250 mgの鉄を含む）をTSAT<50%かつフェリチン50~100μg/Lとなるまで週1回；その後は3~4か月ごと；PPIは腸管鉄輸送↓のため瀉血の必要性↓の可能性；Vit Cと生の魚介類摂取は避ける；瀉血が禁忌の場合はデフェロキサミン；遺伝カウンセリング

■ Wilson病 (*World J Hepatol* 2015;7:2859)
- 銅輸送異常（*ATP7B*変異）から**銅過剰**をきたす常染色体劣性疾患；主に肝臓が障害されるが，その他の組織（脳，眼）にも影響あり
- 疫学：1症例/約3万人であるが，過少診断のため遺伝子変異を有する頻度はより高い可能性；大部分は3~55歳で発症
- 肝外症候：神経精神症候，Parkinson症候と運動異常症（肝レンズ核変性症），Kayser-Fleischer輪（神経精神症候のある場合は99%で認めるが，肝症候主体の場合は<50%），Coombs試験⊖の溶血性貧血，腎疾患
- 診断：24時間尿中銅↑，血清セルロプラスミン↓（感度90%），まれにペニシラミン負荷試験による尿中銅排泄↑，肝生検で肝銅含量測定。急性肝不全では，ALP/Bil<4＋AST/ALT>2.2が尿中銅やセルロプラスミンよりも感度・特異度が高い（*Hepatology* 2008;4:1167)
- 治療：ペニシラミンによる**キレート療法**（+Vit B_6 不活化のためピリドキシンで補充）；第2選択薬としてトリエンチン（同等の効果で毒性↓だが高額）。亜鉛製剤：腸管銅輸送↓により疾患の進行を遅らせる可能性があるが，キレート療法と併用（キレート薬とは4~5時間あけて投与）が望ましい。銅含有量が多い食事を回避。ALFまたは治療に不応の慢性障害には肝移植

■ α_1-アンチトリプシン（AT）欠損症 (*J Hepatol* 2016;65:413)
- 異常α_1-AT➡肝臓で重合（肝硬変），肺でもプロテアーゼ活性が抑制されない（肺気腫）。ヨーロッパ系では1症例/3,000人。初発症状は多様；幼児では新生児肝炎；小児では胆汁うっ滞性黄疸；小児/成人ではトランスアミナーゼ↑または肝硬変

- ●肝外疾患：肺気腫，壊死性脂肪織炎，ANCA関連血管炎
- ●診断：血清α₁-AT（急性期反応物質）<0.5×基準値であれば通常は診断的；ゴールドスタンダード＝α₁-ATの表現型検査。肝疾患と最も関連するアレルは Z（Z/Z成人の63%に慢性肝障害；明らかな肝疾患のないZ/Z症例の35%に肝線維化が存在する可能性）とM（malton）（*J Hepatol* 2018;69(6):1357)。肝生検：特徴的なPAS⊕細胞質封入体
- ●治療：肝移植を含む肝硬変/慢性肝疾患に対する標準治療

原発性胆汁性胆管炎（PBC）(*Lancet* 2015;386:1565)

- ●肝内胆管の自己免疫性の破壊（以前は「原発性胆汁性肝硬変」）
- ●疫学：40～60歳の女性；Sjögren症候群，Raynaud現象，強皮症，セリアック病，甲状腺疾患と関連；一部の感染症や毒物に誘発される可能性あり；X染色体モノソミー，*IL12α*や*IL12R*遺伝子の変異と関連
- ●症状（晩期）：疲労感/睡眠障害，瘙痒感，脂肪便，眼瞼黄色腫，黄疸，肝硬変
- ●鑑別診断：PSC，自己免疫性肝炎，肝サルコイドーシス，薬物性，特発性成人胆管減少症，胆管狭窄/癌
- ●診断：ALP↑，Bil↑，IgM↑，Chol↑，95%で抗ミトコンドリア抗体（AMA）⊕；AMAは感度と特異度が高いため，⊕ならば肝生検不要；AMA⊕でLFT正常なのは一般人口の0.5%➡6年で10%がPBC発症；AMA⊖ならば肝生検（患者はしばしばANA，抗平滑筋抗体⊕；AMA⊕の場合と予後は同様）
- ●治療：重症度にかかわらず**ウルソデオキシコール酸**（13～15 mg/kg/日）（約30%で未加療！）

  約25%は反応良好で生存率↑，組織学的変化↓，合併症（例：静脈瘤）↓

  生化学的反応が臨床経過を予測する（*Clin Gastro Hep* 2018;16:1342）

  ベザフィブラート（米国では入手不能だがフェノフィブラートと類似）はウルソデオキシコール酸の効果不十分の場合に併用薬として有効性がみられる（*NEJM* 2018;378:2171）

  obeticholic acid（5➡10 mg qd，Child B/Cでは5 mg/週➡10 mgを週2回）：ALP↓，しかし脂溶性Vit↓なし；骨粗鬆/線維化の評価と治療を要する（*NEJM* 2016;375:631）

  瘙痒感：コレスチラミン（ウルソデオキシコール酸の2～4時間後に投与）；難治性の場合にはnaltrexone，リファンピシン

  脂溶性Vit：骨粗鬆症のスクリーニング/治療（リスクはVit D欠乏とは無関係）

  末期肝疾患の場合は肝移植；約20%は再発するが，長期生存率には影響なし

原発性硬化性胆管炎（PSC）(*NEJM* 2016;375:1161, *Lancet* 2018;391:2547)

- ●肝内および肝外胆管のびまん性炎症による胆道系の線維化と狭窄；HLA-B8，-DR3/-DR4と関連；しばしば自己抗体⊕
- ●疫学：男性＞女性（20～50歳）；患者の約70%がIBD（通常，潰瘍性大腸炎）；PSCを発症するのは潰瘍性大腸炎患者の1～4%のみ。予後良好因子：男性，IBDなし，肝内細胆管PSC（*Gastro* 2017;152:1829）
- ●臨床症状：疲労感，瘙痒感，黄疸，発熱，右上腹部痛，IBD併発，末期肝疾患
- ●鑑別診断：肝外胆管閉塞，PBC；自己免疫性肝炎，IgG4関連自己免疫性胆管炎（ステロイドに反応）とも所見の重複あり（*J Gastro* 2016;51:295）
- ●診断：MRCP±ERCP➡ビーズ状の多源性胆管狭窄；細い肝内胆管に限局している場合は見逃すおそれあり（約2%が"肝内細胆管PSC"：？別の疾患）。ALPが生存率の予測因子

  肝生検で胆管周囲の層状（"onion-skin"）線維化を認めることがあるが，診断に必須ではない

- ●治療：支持療法，脂溶性Vit；生存率を改善する薬物はなし

  ウルソデオキシコール酸は潰瘍性大腸炎患者で結腸癌のリスク↓，非潰瘍性大腸炎患者でLFT改善する可能性

  主胆管狭窄：内視鏡的胆管拡張術，短期的ステント留置，外科的切除

  胆管癌（20%）：？MRCP/右上腹部エコー，CA19-9による年2回の経過観察

  肝移植：約30%は再発；潰瘍性大腸炎では結腸切除術で再発率↓の可能性

肝血管疾患

図3-6 肝臓の血管解剖

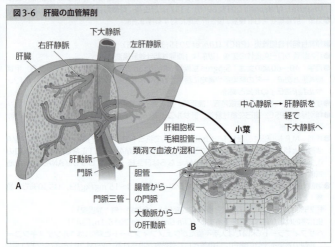

(The Nature of Disease Pathology for the Health Professions, 2007. *Hepatology* 2009;49:1729 より改変)

■門脈血栓症 (*Clin Liver Dis* 2017;10:152)
- **定義**：門脈の血栓症，狭窄，浸潤；門脈圧亢進症の原因となりうる
- **病因**：肝硬変，腫瘍（膵癌，肝細胞癌），腹腔内感染症，凝固能亢進状態（別途参照），膵炎，膠原病，Behçet病，IBD，手術，外傷，経口避妊薬，妊娠
- **臨床症状**
  急性：腹痛 / 腰痛を呈することあり；しばしば無症状でエコー /CT検査で偶発発見される；腸間膜静脈に影響が及ぶと腸管梗塞を起こすことあり；発熱があれば門脈炎を考慮
  慢性：無症状 / 偶発発見される；門脈圧亢進症の症候として発症することあり➡**静脈瘤出血**による吐血，脾腫，脳症；肝硬変がなければ腹水はまれ
- **診断**：LFTは通常は正常；Dopplerエコーで評価を開始し，MRA/造影CTで確定，血管造影；凝固機能亢進に関する評価を検討；まれに"門脈海綿状血管腫"（慢性門脈静脈血栓症でみられる求肝性側副血行路のネットワーク）が胆道閉塞を起こし，胆道系LFT↑を呈することあり＝門脈胆管症
- **治療**
  急性：肝硬変でなければLMWH➡ワルファリン×6か月，または是正不可能な原因があれば無期限に．肝硬変であれば抗凝固療法は出血↑せず再開通↑ (*Gastro* 2017;153:480)；治療前に高破裂リスクの静脈瘤のスクリーニングを施行 (*Nat Rev Gastro Hep* 2014;11:435)．DOACは現在研究中
  慢性：肝硬変でないか凝固亢進状態であれば抗凝固療法．肝硬変の場合，有症状または増大の場合に検討．全例で静脈瘤のスクリーニングを施行し，あれば抗凝固療法前に静脈瘤出血の予防を実施

■脾静脈血栓症
- 局所の炎症（例：膵炎）により生じうる．孤立性胃静脈瘤を呈することあり．脾臓摘出が根治的

■ **Budd-Chiari症候群**（*World J Hepatol* 2016;8:691）
- 肝静脈/下大静脈の閉塞による肝流出障害 ➡ 類洞のうっ血と門脈圧亢進症。一次性（例：血栓）または二次性（例：血管外から圧迫）
- 病因：約50%が*JAK2*変異に関連した骨髄増殖性疾患（特に真性多血症），その他の凝固能亢進状態（別途参照），腫瘍浸潤（肝細胞癌，腎癌，副腎腫瘍），下大静脈ウェブ，外傷；25%は特発性
- 症状：肝腫大，右上腹部痛，腹水，側副静脈路の拡張，ALF
- 診断：±トランスアミナーゼ↑とALP↑；肝静脈Doppler（感度と特異度85%）；造影CTまたはMRI/MRV ➡ 静脈閉塞/尾状葉腫大（尾状葉は独立の流出路をもつ）；肝静脈造影で"クモの巣状"パターン；肝生検でうっ血所見（右心不全を除外）
- 治療：基礎病態の治療，抗凝固療法（LMWH ➡ ワルファリン）；急性血栓症では血栓溶解療法を考慮；狭窄部が短ければステントが有用な可能性；TIPSを考慮（門脈下大静脈側側吻合術と比較して閉塞リスク↑）；ALFまたはシャント不全の場合は肝移植（*J Gastro Surg* 2012;16:286）

■ **類洞閉塞症候群**（*Bone Marrow Transplant* 2015;50:781）
- 毒性障害による肝細静脈や類洞の閉塞（以前は"肝中心静脈閉塞症"と呼ばれていた）
- 病因：造血幹細胞移植，抗癌薬（特にシクロホスファミド），放射線照射，ジャマイカブッシュティー
- 臨床症状：肝腫大，右上腹部痛，腹水，体重↑，Bil↑
- 診断：エコーによる門脈逆流の観察，ただし有用でないことが多い；臨床所見に基づき診断（Bil↑，体重↑/腹水，右上腹部痛）；必要であれば肝生検，肝静脈圧較差（>10 mmHg）
- 治療（死亡率20%）：支持療法，体液管理（利尿薬）；? デフィブロチド（アデノシン受容体作動薬；tPA↑）
- 予防：デフィブロチド；造血幹細胞移植後の高リスク患者にウルソデオキシコール酸；? 低用量ヘパリン

腹水

■ **病態生理**
- 門脈圧亢進症 ➡ 全身血管拡張（? NO放出による）➡ 有効循環血漿量↓ ➡ 腎Na貯留 ➡ 体液貯留と腹水
- 悪性/炎症性腹水では腫瘍または炎症/感染/破裂した腹腔内構造から蛋白液が漏出

■ **症状**
腹囲↑，体重↑，新規の腹壁ヘルニア，腹痛，呼吸困難，悪心，早期満腹感

■ **評価**（*World J Hepatol* 2013;5:251，*JAMA* 2016;316:340）
- 身体診察：側腹部濁音（>1,500 mLの腹水が必要），濁音界移動（感度約83%）
- 画像検査：**エコー**（>100 mL）；MRI/CT（鑑別診断にも有用）
- 腹水穿刺（*Hep* 2013;57:1651）：新たに腹水が出現したすべての患者に施行；腹水を伴うすべての入院肝硬変患者で考慮；合併症発生率<1%（血腫形成）；FFP/血小板製剤の予防投与で合併症は減らない；最も有益な検査項目：細胞数，Alb，TP，培養
- **血清-腹水Alb濃度差（SAAG）**＝血清Alb（g/dL）－腹水Alb（g/dL）
SAAG≧1.1 g/dLは約97%の精度で門脈圧亢進症を診断
門脈圧亢進症＋別の原因が併存する場合（症例の約5%）もSAAG≧1.1

原因	
門脈圧亢進症関連（SAAG≧1.1）	その他の原因（SAAG<1.1）
類洞前性： 　門脈／脾静脈血栓，住血吸虫症，サルコイドーシス 類洞性： 　肝硬変（81%），急性肝炎，悪性腫瘍（肝細胞癌または転移性腫瘍） 類洞後性： 　右心不全（例：心膜炎，三尖弁閉鎖不全症），Budd-Chiari症候群，類洞閉塞症候群	**悪性腫瘍**：腹膜播種；悪性リンパ腫による乳び腹水；Meigs症候群（卵巣腫瘍） **感染症**：結核，クラミジア／淋菌（Fitz-Hugh-Curtis症候群） 炎症：膵炎，膵管／胆管／リンパ管破裂；腸閉塞 低Alb血症：ネフローゼ症候群，蛋白漏出性胃腸症

- **腹水TP**：SAAG≧1.1の場合に肝硬変（<2.5 g/dL）と心原性腹水（≧2.5 g/dL）を区別するために有用。腹水TP低値（<1 g/dL）はSBPリスク↑（腹水TPに基づくSBPの予防的治療に関しては「肝硬変」の項参照）
- **細胞数**：腹水中のPMNは<250/mm³。血液混入（穿刺手技によることが多い）の影響補正：赤血球250個ごとにPMNを1引いて計算。腹水PMN≧250は感染を示唆（下記参照）
- **その他の検査**：アミラーゼ（膵炎，腸管穿孔）；Bil（茶褐色の腹水の場合に評価，胆汁漏出または近位腸管穿孔を示唆）；TG（乳び腹水）；BNP（心不全）；細胞診（腹膜播種，3回の検査で感度95%）；SBPでは糖↓，LDH↑

■治療（詳細は「肝硬変」の項参照）
- **門脈圧亢進症による二次性腹水**：Na摂取↓＋利尿薬；難治性➡大量腹水穿刺排液／TIPS
- **門脈圧亢進症と関連なし**：原疾患による（結核，悪性腫瘍など）

■細菌性腹膜炎（*Gut* 2012;61:297）

腹水PMN数	腹水培養⊕	腹水培養⊖
≧250/μL	**特発性細菌性腹膜炎（SBP）**：腸管内細菌による腹水へのトランスロケーション。肝硬変では腹水のオプソニン活性↓（特に腹水TP↓の場合），感染リスク↑ 培養で1病原体検出：大腸菌（37%），*Klebsiella*（17%），肺炎球菌（12%），その他GPC（14%），その他GNR（10%） **二次性細菌性腹膜炎**：腹腔内膿瘍，穿孔によるRunyonの基準：腹水TP>1 g/dL，糖<50 mg/dL，LDH>血清LDHの基準値上限。培養では複数の菌を検出。治療：第3世代セファロスポリン＋メトロニダゾール；緊急腹部画像評価±試験開腹	**培養⊖好中球性腹水（CNNA）**：細胞数は感染を示唆するが培養は⊖。最近の抗菌薬加療はなく，その他細胞数↑の原因なし。感度の高い培養方法ではまれ
<250/μL	**非好中球性細菌性腹水（NNBA）**：PMN↑を伴わない腹水培養⊕。自然経過で改善する場合とSBPに進行する場合がある 培養で1病原体のみ検出：GPC（30%），大腸菌（27%），*Klebsiella*（11%），その他GNR（14%）	（正常）
腹膜透析（PD）関連腹膜炎：混濁した腹水，腹痛，発熱，悪心 ≧100白血球/μL，PMN優位。培養⊕（通常は1病原体のみ）：50%がGPC，15%がGNR 治療：バンコマイシン＋ゲンタマイシン（IV負荷投与後，透析液に混和して投与）		

胆道疾患

胆石症

■疫学と発生機序（J Hepatol 2016;65:146, Gastro 2016;151:351）
- 西洋人口の10〜20%が胆石を有する
- 胆汁＝胆汁酸塩，リン脂質，コレステロール（Chol）；胆汁中Chol飽和＋核生成の加速＋胆嚢の低運動性➡胆石
- リスク因子：女性；中南米，アメリカ先住民；年齢↑（>40歳），肥満，TPN，急激な減量；脂質異常症；妊娠，薬物（経口避妊薬，エストロゲン，クロフィブラート，オクトレオチド，セフトリアキソン）；回腸疾患，遺伝性疾患
- スタチン使用➡胆石症のリスク↓，胆嚢摘出術↓（Hepatol Res 2015;45:942）

■胆石の種類（J Hepatol 2016;65:146）
- Chol（90%）：2つの亜型あり
  混合結石：Chol>50%；通常は小さく多発性
  純結石：Chol 100%；より大きく黄〜白色
- 色素結石（10%）
  黒色：非抱合型BilとCa；慢性溶血，肝硬変，嚢胞性線維症，Gilbert症候群でみられる
  褐色：胆管での胆汁うっ滞＆感染➡細菌によるBilの脱抱合➡Caとともに沈降；主に胆管内結石として発見される；十二指腸憩室，胆管狭窄，寄生虫感染でみられる

■臨床症状
- 約80%は無症状；年間約1〜4%で胆道疝痛；発症すると合併症の年間発生率は約1〜3%
- **胆道疝痛**（"胆石発作"）＝**一時的な右上腹部/心窩部痛**；突然発症する持続痛；30分〜3時間で徐々に寛解；±肩甲骨へ放散，**高脂肪食により誘発**；**悪心**
- 身体所見：発熱なし，±右上腹部の圧痛/心窩部痛

■診断的検査
- 血液検査はほとんどの場合正常
- 右上腹部エコー：結石>5 mmであれば感度と特異度>95%；合併症（胆嚢炎）の診断も可能；貯留した胆汁で胆嚢が膨満するよう≧8時間の絶食後に実施
- 超音波内視鏡（EUS）は，胆道疝痛があり腹部エコーで所見がない患者に対して感度94〜98%（J Hepatol 2016;65:146）

■治療（Am Fam Physician 2014;89:795, J Hepatol 2016;65:146）
- 胆嚢摘出術：症状がある場合，通常は腹腔鏡下
- 無症状の患者の胆嚢摘出術：胆嚢壁灰化（悪性腫瘍リスク↑），胆嚢ポリープ>10 mm，アメリカ先住民，結石>3 cm，肥満手術を予定する重症肥満患者，心移植候補者，溶血性貧血
- ウルソデオキシコール酸は，Chol結石で，単純な胆道疝痛または手術対象にしにくい場合に投与（まれ）；急激な減量に伴う胆石形成のリスク↓
- 胆道疝痛：NSAIDsが第1選択，オピオイドと有効性はほぼ同等で合併症が少ない

■合併症
- 胆嚢炎：胆道疝痛を有する患者の20%が2年以内に胆嚢炎を発症
- 総胆管結石症➡胆管炎/胆石性膵炎
- Mirizzi症候群：胆嚢管結石による総肝管閉塞➡黄疸，胆道閉塞
- 胆嚢腸管瘻：胆石が胆嚢壁を穿通して腸管と交通し瘻孔を形成
- 胆石イレウス：瘻孔を通過した腸管内結石による腸管閉塞（通常は終末回腸）
- 胆嚢癌：米国では約1%

胆嚢炎 (J Hepatol 2016;65:146, World J Gastro Surg 2017;9:118)

■発生機序
- 急性胆嚢炎：胆管での結石嵌頓➡閉塞の胆嚢側に炎症➡胆嚢腫脹±胆汁の二次感染(50%)
- 無石胆嚢炎：胆嚢のうっ滞と虚血（結石なし）➡炎症/壊死。主に重症患者に認める。大手術後, TPN, 敗血症, 外傷, 熱傷, オピオイド使用, 免疫抑制, 感染症（例：CMV, *Candida*, *Cryptosporidium*, *Campylobacter*, 腸チフス）と関連

■臨床症状
- 病歴：右上腹部/心窩部痛±右肩/背部へ放散, 悪心・嘔吐, 発熱
- 身体所見：**右上腹部の圧痛, Murphy徴候**＝右肋骨下領域の触診中に深呼吸させると右上腹部痛が増強するため吸気が停止, ±胆嚢触知
- 血液検査：白血球↑, ±Bil, ALP, トランスアミナーゼ, アミラーゼの軽度↑の場合あり；トランスアミナーゼ>500 U/L, Bil>4 mg/dL, またはアミラーゼ>1,000 U/L➡総胆管結石症

■診断的検査
- **右上腹部エコー**：結石に対する感度と特異度は高いが, 胆嚢炎の特異的徴候が必要：胆嚢壁肥厚>4 mm, 胆嚢周囲液体貯留, 超音波プローブによる圧迫でMurphy徴候⊕
- **HIDAスキャン**：急性胆嚢炎に対して感度の最も高い検査（80～90%）。HIDAはIV（胆道へ選択的に排泄）。急性胆嚢炎ではHIDAは胆管に流入するが, 胆嚢には入らない。10～20%が偽陽性（慢性胆嚢炎, 長期絶食, 肝疾患による胆嚢管閉塞）

■治療 (Ann Surg 2013;258:385, NEJM 2015;373:357)
- NPO, 輸液, NGT（嘔吐を繰り返す場合）, 鎮痛
- **抗菌薬**（一般的な原因微生物は大腸菌, *Klebsiella*, *Enterobacter*）
  ［第2/第3世代セファロスポリンまたはフルオロキノロン系］＋メトロニダゾール, またはピペラシリン/タゾバクタム
- **胆嚢摘出術**（通常は腹腔鏡下）；24時間以内の施行は7～45日後に待機的手術に比べ合併症↓
- 状態が悪くて手術が困難な場合, EUSガイド下, ERCPガイド下, 経皮経肝的胆道ドレナージ（腹水や凝固異常がない場合）が選択肢
- 黄疸, 胆管炎, エコーで総胆管結石を認める患者では, 術中胆管造影またはERCPで総胆管結石を除外

■合併症
- 壊疽性胆嚢炎：膿胸と穿孔のリスクを伴う壊死
- 気腫性胆嚢炎：ガス産生菌の感染（胆嚢壁内部にガス）
- 胆嚢摘出術後：胆管漏出, 胆管損傷/遺残胆石, 残存胆嚢管, Oddi括約筋機能不全

総胆管結石

■定義
- 胆石の総胆管への嵌頓

■疫学
- 胆石を有する患者の15%に起こる；総胆管で新規に結石ができることもある

■臨床症状
- 無症候性

● 胆汁の流れの閉塞による右上腹部／心窩部痛➡総胆管内圧↑，黄疸，瘙痒感，悪心

■診断的検査 (Gastro Endo 2010;71:1, J Hepatol 2016;65:146)
● 血液検査：Bil↑，ALP↑；ALT／アミラーゼの一過性の上昇は結石の通過を示す
● 右上腹部エコー：約50～80％の症例に胆管結石を認める；通常は総胆管拡張（>6 mm）から推測
● 可能性が高い場合（例：結石が可視，胆管炎，Bil>4，またはエコーで胆管拡張＋Bil 1.8～4 mg/dL）はERCPが望ましい；ERCPが行えないか不成功の場合は，胆管造影（経皮的，術中）；可能性が中等度の場合（例：結石は確認できないがエコーで胆管拡張，Bil 1.8～4 mg/dL，胆石性膵炎，>55歳，Bil以外のLFT異常）はEUS/MRCPで胆管結石を除外

■治療
● ERCPと乳頭切開術で結石除去（±砕石術）
● 禁忌でなければ通常は6週間以内に胆嚢摘出術（治療しなければ>15％の患者が摘出術の適応となる）

■合併症
● 胆管炎，胆嚢炎，膵炎，胆管狭窄

胆管炎

■定義と原因
● 胆管閉塞➡閉塞部位より近位の感染
● 病因：**胆管結石**（約85％）
  悪性腫瘍（胆道癌，膵癌）／良性狭窄
  吸虫感染（肝吸虫，タイ肝吸虫）

■臨床症状
● Charcotの三徴：右上腹部痛，黄疸，発熱／悪寒；患者の約70％に認める
● Reynoldsの五徴：Charcotの三徴＋ショック，意識障害；患者の約15％に認める

■診断的検査
● 右上腹部エコー：胆管拡張を認めることが多い
● 血液検査：白血球↑（左方移動を伴う），Bil↑，ALP↑，アミラーゼ↑；血液培養⊕のこともある
● ERCP；経皮経肝胆管造影（ERCPが不成功の場合）

■治療
● **抗菌薬**（広域）で一般的な胆道系原因微生物（上記参照）をカバー
  アンピシリン＋ゲンタマイシン（またはレボフロキサシン）±メトロニダゾール（重症の場合）；カルバペネム系；ピペラシリン／タゾバクタム
● 約80％が保存的治療と抗菌薬に反応➡待機的に胆汁ドレナージ
● 約20％はERCPによる**緊急胆管減圧術**を要する（乳頭切開，結石除去±ステント挿入）。
  乳頭切開が難しい場合（結石が大きいなど），胆管ステントや経鼻胆管カテーテルで減圧可能；あるいは経皮経肝胆汁ドレナージ，手術

第4章
腎臓

酸塩基平衡異常

概要

■定義
- 酸血症➡pH<7.36, アルカリ血症➡pH>7.44；pH=6.10+log([HCO_3]/[0.03×PCO_2])
- アシドーシス➡ [H^+] を増加させる病態, すなわちHCO_3が減少あるいはPCO_2が上昇することによりpHが低下する病態
- アルカローシス➡ [H^+] を減少させる病態, すなわちHCO_3が増加あるいはPCO_2が低下することによりpHが上昇する病態
- 一次性障害：代謝性アシドーシス/アルカローシス, 呼吸性アシドーシス/アルカローシス
- 代償

  呼吸性：過換気/低換気はPCO_2を変化させて一次性代謝障害に拮抗

  腎性：H^+/HCO_3^-の排泄/貯留により一次性呼吸性障害に拮抗

  呼吸性代償は分〜時間単位で起こる；腎性代償は日単位で起こる

  pHは通常, 代償では完全には補正されない；pHが正常であれば混合性障害を考慮

重度の酸塩基平衡異常の影響 (*NEJM* 1998;338:26&107)		
臓器系	酸血症 (pH<7.20)	アルカリ血症 (pH>7.60)
心血管系	収縮力↓, 細動脈拡張 MAP↓, 心拍出量↓；カテコールアミンへの反応性↓ 不整脈のリスク↑	細動脈収縮 冠血流量↓ 不整脈のリスク↑
呼吸器系	過換気, 呼吸筋力↓	低換気
代謝系	K↑（呼吸性＞代謝性）, インスリン抵抗性↑	K, Ca, Mg, PO_4↓
神経系	意識障害	意識障害, 痙攣, テタニー

■精査 (*NEJM* 2014;371:1434)
- 従来法あるいは生理学的アプローチ (Brønsted-Lowryの定義)

  一次性障害の特定：✓pH, $PaCO_2$, HCO_3

  代償の程度が適切かを判断

一次性障害				
一次性障害	異常	pH	HCO_3	$PaCO_2$
代謝性アシドーシス	H^+↑/HCO_3↓	↓	↓↓	↓
代謝性アルカローシス	HCO_3↑/H^+↓	↑	↑↑	↑
呼吸性アシドーシス	低換気	↓	↑	↑↑
呼吸性アルカローシス	過換気	↑	↓	↓↓

酸塩基平衡異常に対する代償 (NEJM 2014;371:1434)	
一次性障害	起こりうる代償
代謝性アシドーシス	$PaCO_2 \downarrow = 1.2 \times \Delta HCO_3$ または $PaCO_2 = (1.5 \times HCO_3) + 8 \pm 2$ (Wintersの公式) ($PaCO_2 \fallingdotseq pH$の下2桁)
代謝性アルカローシス	$PaCO_2 \uparrow = 0.7 \times \Delta HCO_3$ または $PaCO_2 = 0.7(HCO_3 - 24) + 40 \pm 2$、または $HCO_3 + 15$
急性呼吸性アシドーシス	$HCO_3 \uparrow = 0.1 \times \Delta PaCO_2$ ($pH \downarrow = 0.008 \times \Delta PaCO_2$)
慢性呼吸性アシドーシス	$HCO_3 \uparrow = 0.35 \times \Delta PaCO_2$ ($pH \downarrow = 0.003 \times \Delta PaCO_2$)
急性呼吸性アルカローシス	$HCO_3 \downarrow = 0.2 \times \Delta PaCO_2$ ($pH \uparrow = 0.008 \times \Delta PaCO_2$)
慢性呼吸性アルカローシス	$HCO_3 \downarrow = 0.4 \times \Delta PaCO_2$

● 新しいアプローチ

塩基過剰/欠乏 (NEJM 2018;378:1419)

strong ion difference (SID:強イオン差) または "Stewart理論" (NEJM 2014;371:1821)

■ 混合性障害 (複数の一次性障害が同時に起こる)

● 代償が予測よりも過小または過大な場合, 2つの障害が同時に起きている可能性あり:
$PaCO_2$ が低すぎる ➡ 一次性呼吸性アルカローシスの混在; $PaCO_2$ が高すぎる ➡ 一次性呼吸性アシドーシスの混在
HCO_3 が低すぎる ➡ 一次性代謝性アシドーシスの混在; HCO_3 が高すぎる ➡ 一次性代謝性アルカローシスの混在

● pHは正常だが…
$PaCO_2 \uparrow + HCO_3 \uparrow$ ➡ 呼吸性アシドーシス+代謝性アルカローシス
$PaCO_2 \downarrow + HCO_3 \downarrow$ ➡ 呼吸性アルカローシス+代謝性アシドーシス
$PaCO_2$, HCO_3 は正常だが AG↑ ➡ 高AG性代謝性アシドーシス+代謝性アルカローシス
$PaCO_2$, HCO_3, AG すべて正常 ➡ 異常なし, または正常AG性代謝性アシドーシス+代謝性アルカローシス

● 呼吸性アシドーシス(低換気)と呼吸性アルカローシス(過換気)が同時に起こることはない

● 動脈血ガス分析 (ABG) vs. 静脈血ガス分析 (VBG): pH (約0.04↓), HCO_3 (約2 mEq↑) は VBGで代用できるが PCO_2 (約8±17 mmHg↑) はできない
PCO_2 カットオフ値≧45 mmHgとしてVBGを高CO_2血症の検索に利用できる(感度100%)が, 高CO_2血症の程度を正確に評価することはできない (Am J Emerg Med 2012;30:896)

図4-1 酸塩基平衡のノモグラム

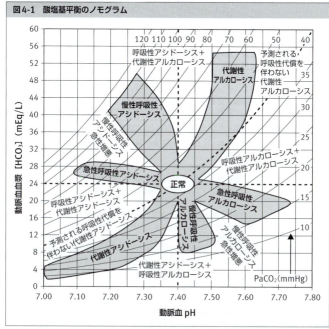

(Brenner BM, ed., *Brenner & Rector's The Kidney*, 8th ed., 2007；Ferri F, ed. *Practical Guide to the Care of the Medical Patient*, 7th ed., 2007 より)

代謝性アシドーシス

■**初期評価**（*NEJM* 2014;371:1434）
- **AGのチェック**：AG＝Na^+－(Cl^-＋HCO_3^-)＝測定されない陰イオン－測定されない陽イオン

  高血糖の場合は補正Na値ではなく実測値を使用

  AG予測値＝[Alb]×2.5（[Alb]＝4 g/dLならば10, 3 g/dLならば7.5）

  AG↑➡測定されない陰イオン↑（有機酸，PO_4，硫酸）

  AG↓➡Alb↓または測定されない陽イオン↑（Ca, Mg, K, Li, Ig），臭化物/ヨウ素中毒

- AG↑ならば**デルタ-デルタ**（Δ/Δ＝ΔAG/ΔHCO₃）をチェック➡その他の代謝性酸塩基平衡異常の有無を評価；ΔAG＝(AG計算値－AG予測値)，ΔHCO₃＝(24－HCO₃)

  Δ/Δ＝1～2➡真の高AG性代謝性アシドーシス

  Δ/Δ＜1➡高AG性代謝性アシドーシスと正常AG性アシドーシスの併存

  Δ/Δ＞2➡高AG性代謝性アシドーシスと代謝性アルカローシスの併存

  乳酸クリアランスがゆっくりであるため純粋な乳酸アシドーシスではΔ/Δ1.6

高AG性代謝性アシドーシスの原因	
ケトアシドーシス	糖尿病,アルコール依存症,飢餓(*NEJM* 2014;372:546)
乳酸アシドーシス (*NEJM* 2014; 371:2309)	**A型**:組織酸素化不良(例:ショック,腸管虚血,CO中毒,シアン化物) **B型**:組織酸素化正常,クリアランス低下(例:肝機能障害)または生成↑〔例:悪性腫瘍,アルコール依存症,チアミン欠乏,薬物(メトホルミン,NRTI,サリチル酸類,プロピレングリコール,プロポフォール,イソニアジド,リネゾリド)〕 **D-乳酸アシドーシス**:短腸症候群➡glc摂取により促進➡腸内細菌に代謝されてD-乳酸が生成;通常の乳酸測定法では検出できない
腎不全	有機陰イオン(PO_4,硫酸など)の蓄積
薬毒物摂取	**グリコール**:エチレン(不凍液)➡代謝されてグリコール酸とシュウ酸が生成 　プロピレン(医薬品の溶媒;例:ジアゼパム,ロラゼパム,フェノバルビタールなどの注射液;不凍液)➡乳酸アシドーシス 　ジエチレン(ブレーキ液)➡ジグリコール酸 **5-オキソプロリン**(ピラグルタミン酸):アセトアミノフェン➡感受性の高い患者(栄養失調,女性,腎不全)で有機酸5-オキソプロリン↑ **メタノール**(ウインドウウォッシャー,不凍液,溶剤,燃料):代謝されてギ酸が生成 **アスピリン**:早期呼吸性アルカローシス(CNS刺激による)+晩期代謝性アシドーシス(酸化的リン酸化を障害)➡無機酸(例:ケトン,乳酸)

"GOLD MARK"=グリコール,オキソプロリン,乳酸,D-乳酸,メタノール,アスピリン,腎性,ケトアシドーシス

■高AG性代謝性アシドーシスの検査

- **尿ケトン体**(尿試験紙でアセト酢酸検出)または血漿β-ヒドロキシ酪酸(βOHB)のチェック
  注意:尿中アセト酢酸はβOHBに変換されるためケトアシドーシス早期には検出されないことが多い;∴のちにアセト酢酸が陽性化しても病態の悪化とは限らない
- ケトン体が⊖の場合,**腎機能,乳酸,薬物スクリーニング,浸透圧ギャップ(OG)**をチェック
- 意識障害あるいはAG↑↑では,**OG**をチェック;OG=浸透圧実測値−浸透圧計算値
  浸透圧計算値=(2×Na)+(血糖値/18)+(BUN/2.8)〔+アルコール/4.6:血中アルコール濃度が既知で,その他の薬物摂取の有無を確認したいとき〕
  OG>10➡薬物摂取を示唆(下記参照),しかし特異性に欠ける(乳酸アシドーシス,DKA,アルコール性ケトアシドーシスで上昇しうる)
  高用量ロラゼパム(>10 mg/時)はプロピレングリコール中毒をきたす
  OGとAGは時期に応じて異なる;早期にはOG↑,その後代謝とともにAG↑し,OG↓

薬毒物摂取 (*NEJM* 2018;378:270)			
AG	OG	摂取物	その他の症状
↑	正常	アセトアミノフェン	肝炎
		サリチル酸塩	発熱,頻脈,耳鳴;代謝性アシドーシス+呼吸性アルカローシス
↑	↑	メタノール	意識障害,霧視,散瞳,乳頭浮腫
		エチレングリコール	意識障害,心肺不全,低Ca血症;**シュウ酸Ca結晶**➡AKI;UV照射で尿が蛍光を発する

(次頁につづく)

		プロピレングリコール	AKI，肝傷害
		ジエチレングリコール	AKI，悪心/嘔吐，膵炎，神経障害，乳酸アシドーシス
正常/↑	↑	イソプロピルアルコール	意識障害，呼気の果実臭（アセトン），膵炎，乳酸アシドーシス
		エタノール	呼気のアルコール臭，意識障害，肝炎；ケトアシドーシス+乳酸アシドーシス ±代謝性アルカローシス（嘔吐）

正常AG性代謝性アシドーシスの原因	
消化管からのHCO₃喪失	下痢，腸瘻/膵瘻からのドレナージ
RTA	「尿細管性アシドーシス（RTA）」の項参照（下記）
早期腎不全	アンモニア産生障害
薬毒物摂取	アセタゾラミド，セベラマー，コレスチラミン，トルエン
希釈性	HCO_3を含まない輸液の急速投与による
低CO_2血症後	呼吸性アルカローシス➡腎からのHCO_3喪失；呼吸性アルカローシスの急速な補正➡HCO_3が産生されるまでの一過性アシドーシス
尿路変更	結腸でのCl^-/HCO_3^-交換，NH_4^+再吸収

■正常AG性代謝性アシドーシスの検査
- 病歴聴取と原因の推定（上記参照）
- 尿$AG=(U_{Na}+U_K)-U_{Cl}$のチェック
  尿AG=測定されない陰イオン−測定されない陽イオン；NH_4^+は主要な測定されない陽イオンのため（U_{Cl}によって表される），尿AGは腎H^+排泄量の間接的測定法となる
- 尿AG⊖➡NH_4^+排泄量↑➡酸血症への腎臓の反応は正常
  鑑別診断：消化管に原因（下痢，瘻孔，尿路変更），希釈性，近位RTA，薬毒物摂取
- 尿AG⊕➡腎からのNH_4^+排泄不全
  鑑別診断：遠位RTA（1型，通常K↓）/低アルドステロン性RTA（4型，通常K↑），早期腎不全
- 尿AGは，多尿，Na不足（$U_{Na}<20$），尿pH>6.5，高AG性代謝性アシドーシス（有機陰イオン排泄により尿AG⊕となる）では信頼できない；尿浸透圧ギャップを利用する
  尿浸透圧ギャップ=実測尿浸透圧−[2×(Na^++K^+)+BUN+glc(mmol/L)]
  尿浸透圧ギャップ<40 mmol/LはNH_4^+排泄障害を示唆

■尿細管性アシドーシス（RTA）(Int J Clin Pract 2011;65:350)
- **近位（2型）**：近位尿細管でのHCO_3再吸収↓
  一次性（Fanconi症候群）=近位尿細管でのHCO_3，PO_4，glc，アミノ酸の再吸収↓
  後天性：パラプロテイン（多発性骨髄腫，アミロイドーシス），重金属（Pb，Cd，Hg，Cu），Vit D↓，PNH，腎移植
  薬物（アセタゾラミド，アミノグリコシド，イホスファミド，シスプラチン，トピラマート，テノホビル）
- **遠位（1型）**：遠位尿細管でのH^+分泌不全
  一次性，自己免疫（Sjögren症候群，RA，SLE），高Ca尿症，薬物（アムホテリシン，リチウム，イホスファミド）；通常はK↓；K↑の場合➡鎌状赤血球症，閉塞，腎移植
- **低アルドステロン性（4型）**：低アルドステロン➡K↑➡NH_3合成↓➡尿の酸運搬能↓
  レニン↓：DM性腎症，NSAIDs，慢性間質性腎炎，カルシニューリン阻害薬，HIV
  アルドステロン合成↓：原発性副腎機能不全，ACEI/ARB，ヘパリン，重症疾患，遺伝性（21-

ヒドロキシラーゼ↓）
アルドステロンへの反応性↓
　薬物：K保持性利尿薬，ST合剤，ペンタミジン，カルシニューリン阻害薬
　尿細管間質性疾患：鎌状赤血球症，SLE，アミロイドーシス，DM
●複合型（3型）：臨床上問題となることはまれ；若年性RTAとも呼ばれる；遠位と近位の両者の特徴をもつ；炭酸脱水酵素IIの欠損による可能性

尿細管性アシドーシス（RTA）

部位	型	アシドーシス	尿 AG	HCO_3^-	尿 pH	FE_{HCO_3}[b]	K	合併症
近位	2	中等度	±	12〜20	<5.3[a]	>15%	↓	骨軟化症
遠位	1	重度	⊕	<10	>5.3	<3%	↓[c]	腎結石
低アルドステロン性	4	軽度	⊕	>17	<5.3	<3%	↓	高K血症

[a] HCO_3負荷状態では尿pHは5.3以上に上昇
[b] FE_{HCO_3}はHCO_3負荷後に測定
[c] 高K血症を伴う遠位RTA（1型）の原因については上記参照

図4-2　代謝性アシドーシスへのアプローチ

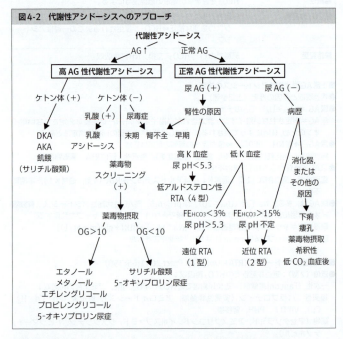

■**重度代謝性アシドーシス（pH<7.2）の治療**（*Nat Rev Nephrol* 2012;8:589）
●DKA：インスリン，輸液，K補充（*NEJM* 2015;372:546）；AKA：glc，輸液，必要に応じてK，Mg，PO_4補充
●乳酸アシドーシス：基礎にある病態の治療；血管収縮薬は避ける；B型乳酸アシドーシスをきたす薬物を避ける
●腎不全：血液透析

- メタノール，エチレングリコール：早期にホメピゾール（20 mg/dL），Vit B_1/Vit B_6（エチレングリコール），葉酸（メタノール），透析（AKI，バイタルサイン不安定，視力障害，血中濃度＞50 mg/dLの場合）(*NEJM* 2018;378:270)
- アルカリ療法：pH＜7.1または＜7.2でAKI併存の場合 (*Lancet* 2018;392:21)
- $NaHCO_3$：緊急性が低い場合は静注あるいは50 mmolのアンプル3筒を1Lの5%ブドウ糖液で希釈し点滴

  HCO_3の必要量は［（目標血清HCO_3値－現在の血清HCO_3値）(mmol)×体重(kg)×0.4］で推定できる

  副作用：容量負荷，Na↑，iCa↓，$PaCO_2$↑（∴細胞内アシドーシス；CO_2を排出するため十分な換気を確保）

代謝性アルカローシス

■**病態生理** (*Clin Physio Acid-Base* 2001, *CJASN* 2008;3:1861)
- 生理食塩液に反応する原因は開始イベントと維持因子が必要
- 開始イベント：HCO_3^-貯留（体液，Cl^-，K^+の減少による）またはH^+喪失

  H^+喪失（±Cl^-）：消化管/腎からのH^+喪失，低K血症の際の細胞内シフト

  濃縮性アルカローシス：HCO_3^-を含まない液体の排泄→一定量のHCO_3^-が細胞外液中に"濃縮"→HCO_3^-濃度↑

  外因性アルカリ負荷：医原性HCO_3^-投与（腎機能障害を伴う），ミルクアルカリ症候群

  高CO_2血症後：呼吸性アシドーシス→H^+排泄とHCO_3^-貯留を伴う腎性代償；呼吸障害の急速な補正（例：挿管）→一過性のHCO_3^-過剰

- 維持因子

  体液量↓→アンジオテンシンII↑→近位尿細管でのHCO_3^-再吸収↑とアルドステロン↑（下記参照）

  Cl^-欠乏→緻密斑（マクラデンサ）でのCl^-取り込み↓→RAS↑および皮質集合管Cl^-/HCO_3^-交換輸送体↑

  低K血症→細胞間K^+/H^+交換；細胞内アシドーシス→HCO_3^-再吸収とNH_3生成とK^+/H^+-ATPase活性↑→HCO_3^-貯留

  高アルドステロン症（原発性/続発性）→皮質集合管のα介在細胞でH^+分泌，HCO_3^-貯留，主細胞でのNa再吸収↑→H^+分泌（電気的中性のため）

代謝性アルカローシスの原因	
生理食塩液反応性 U_{Cl}＜25	**消化管からのH^+喪失**：嘔吐，NGTドレナージ，絨毛腺腫，クロール下痢症 **腎性喪失**：ループ/チアジド，Cl^-摂取↓，ミルクアルカリ症候群，Pendred症候群 高CO_2血症後，嚢胞性線維症の発汗による喪失
生理食塩液不応性 U_{Cl}＞40	**高血圧性**（ミネラルコルチコイド過剰） 　原発性高アルドステロン症（例：Conn症候群） 　続発性高アルドステロン症（例：腎血管疾患，レニン分泌腫瘍） 　非アルドステロン性（Cushing症候群，Liddle症候群，外因性ミネラルコルチコイド，甘草） **正常血圧性** 　重度の低K血症（K＜2）；外因性アルカリ負荷（AKI，水分↓） 　Bartter症候群（フロセミド様効果）；Gitelman症候群（チアジド様効果）

■精査
●体液分布状態とU_{Cl}をチェック
U_{Cl}＜25 mEq/L ➡ 生理食塩液に反応性
U_{Cl}＞40 mEq/L ➡ 生理食塩液に不応性（利尿薬使用中を除く）
（アルカリ血症の場合，U_{Na}では体液分布状態を決定できない ➡ HCO_3^-排泄↑ ➡ Na排泄↑；
負に荷電したHCO_3^-がNa^+を"道連れ"にする）
U_{Cl}＞40で体液量↓がなければU_Kをチェック；U_K＜20は下剤乱用；U_K＞30は**血圧チェック**

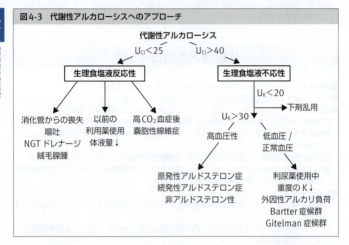

図4-3　代謝性アルカローシスへのアプローチ

■重度代謝性アルカローシス（pH＞7.6）の治療（*JASN* 2012;23:204）
●生理食塩液反応性：Cl豊富な輸液（生理食塩液）で補正，K補充，利尿薬を中止
心肺疾患のために補液できない場合：KCl，アセタゾラミド，HCl
●NGTドレナージを中止できない場合：PPIまたはH_2ブロッカー（*Clin Nephro* 2006;66:391）
●高アルドステロン症：基礎にある病態の治療，K保持性利尿薬，原発性ならば副腎腺腫切除

呼吸性アシドーシス（*NEJM* 1989;321:1223, *Crit Care* 2010;14:220）

■原因（「高CO_2血症」の項も参照；$PaCO_2 = VCO_2/V_E (1-V_D/V_T)$；$V_E = RR \times V_T$）
●CO_2産生↑（VCO_2↑）：発熱，甲状腺中毒症，敗血症，ステロイド，摂取過多（炭水化物）
●CNS抑制（RR↓/V_T↓）：鎮静薬（麻薬，ベンゾジアゼピンなど），CNS外傷，中枢性睡眠時無呼吸，肥満による低換気，甲状腺機能低下症
●神経筋疾患（V_T↓）：Guillain-Barré症候群，急性灰白髄炎，ALS，MS，麻痺，重症筋無力症筋，筋ジストロフィー，重度の低PO_4血症，重度の低K血症，高位脊髄損傷
●胸郭の異常（V_T↓）：気胸，血胸，動揺胸郭（フレイルチェスト），脊椎側弯症，強直性脊椎炎
●上気道の異常（V_T↓）：気道異物，喉頭痙攣，OSA，食道挿管
●下気道の異常（ガス交換）（V_D↑/V_T↓）：喘息，COPD，肺水腫，特発性肺線維症
しばしば低酸素症 ➡ RR↑ ➡ 呼吸性アルカローシス；最終的には呼吸筋疲労 ➡ 呼吸性アシドーシス
●V_E改善能の低下した酸血症患者へのHCO_3^-静注後

呼吸性アルカローシス

■**原因**（*NEJM* 2002;347:43, *Crit Care* 2010;14:220）
● **低酸素症→過換気**：肺炎，CHF，PE，拘束性肺疾患，貧血
● **一次性過換気**
  CNS刺激，疼痛，不安，外傷，脳卒中，CNS感染，橋腫瘍
  薬物：サリチル酸類毒性（早期），β刺激薬，プロゲステロン，メチルキサンチン類，ニコチン
  妊娠，敗血症，肝不全，甲状腺機能亢進症，発熱
● **偽性呼吸性アルカローシス**：換気を保持したまま灌流↓（例：CPR，重症低血圧）→CO_2の肺への運搬と排泄↓；$PaCO_2$は低いが組織CO_2↑

ナトリウム（Na）と水の恒常性

概要

■**一般原則**（*NEJM* 2015;372:55&373:1350）
● 血清Na濃度の異常は通常，体内総水分量（TBW）の異常であり，Na量の異常ではない
● 高/低浸透圧→急速な水移動→脳細胞容量の変化→意識障害，痙攣発作

■**重要なホルモン**
● **抗利尿ホルモン（ADH）**：Na濃度を調節する主要なホルモン
  分泌刺激：高浸透圧（290〜295 mOsm），有効循環血漿量↓↓，アンジオテンシンII
  作用：主細胞でのアクアポリン2チャネル発現→受動的な水再吸収
  尿浸透圧（U_{osm}）はADH-腎臓間の機能の間接的な指標となる
  U_{osm}の範囲：50 mOsm/L（ADH分泌なし）〜1,200 mOsm/L（ADH分泌最大）
● **アルドステロン**：全身Na量（∴TBW）を調節する主要なホルモン
  分泌刺激：循環血液量↓（レニンとアンジオテンシンIIを介して），高K血症
  作用：上皮型Naチャネル（ENaC）でのK^+，H^+の交換を介した主細胞におけるNa等張性再吸収

低Na血症

■**病態生理**（*JASN* 2008;19:1076, *NEJM* 2015;372:1349）
● **自由水のクリアランス**（C_{H2O}）=溶質排泄/U_{osm}
  通常の食事の溶質量は約750 mOsm/日，最小U_{osm}=50 mOsm/L→排泄は約15 L
● **Naと比較して水が過剰**：ほとんどが**ADH↑**による
● **ADH↑が適切な場合**：有効循環血漿量↓を伴う循環血液量↓/↑など
● **ADH↑が不適切な場合**：抗利尿ホルモン不適切分泌症候群（SIADH）
● まれに，ADH↓（適切な抑制）にもかかわらず腎臓が正常な血清Na濃度を維持できないことあり
  水分摂取過剰（原発性多飲症）：大量の飲水（通常>15 L/日）
  腎臓の希釈能を超過→水貯留
  溶質摂取低下（"紅茶とトースト"，"ビール多飲"）：1日溶質摂取量↓↓→摂取した水を排泄するための溶質が不十分な状態（例：溶質摂取量=250 mOsm/日，最小U_{osm}=50 mOsm/L→約5 Lまで排泄；水分摂取量がこれを超過すると水貯留）

■**精査**（*JASN* 2012;23:1140, 2017;28:1340, *Crit Care* 2013;17:206, *NEJM* 2015; 372:55）
●**病歴**：(1) 急性 vs. 慢性（>48時間）；(2) 症状の重症度；(3) 神経合併症のリスク（アルコール依存症者，栄養不良，肝硬変，チアジド系服用中の高齢女性，低酸素症，低K）
●**血漿浸透圧**を測定
  低張性（P_{osm}<280）：最も一般的；Naと比較して自由水の真の過剰
  等張性（P_{osm} 280〜295）：高脂血症／高蛋白症による検査上のまれなアーチファクト
  高張性（P_{osm}>295）：血管内に水を引き込むその他の溶質（例：glc，マンニトール）の過剰；血糖値>100 mg/dLでは100 mg/dLごとにNa濃度は約2 mEq/L↓
●**低張性低Na血症**では，✓体液分布状態（頸静脈圧，皮膚ツルゴール，腋窩乾燥，粘膜，浮腫，腹水），滲出液，バイタルサイン，起立試験，BUN/Cr，尿酸排泄率（$FE_{UricAcid}$），U_{Na}
●U_{osm}**測定**：限定された状態で診断に有用（たいていの場合>300）
  U_{osm}<100：水分摂取過剰（原発性多飲症）や溶質摂取↓（"紅茶とトースト"，"ビール多飲"）
  U_{osm}>300≠SIADH；ADH↑が適切なものか不適切なものかを鑑別
  ただし**治療の決定**にはU_{osm}が重要（下記参照）
●**循環血液量正常**でU_{osm}↑の場合，グルココルチコイド不全と甲状腺機能低下症を評価
●**尿酸排泄率**（$FE_{UricAcid}$）が>12%の場合はSIADHを考慮（*J Clinc Endo* 2008;93:2991）

図4-4 低Na血症へのアプローチ

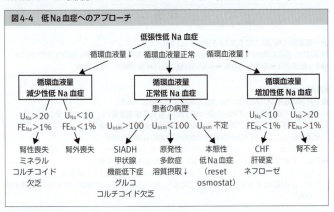

■**循環血液量減少性低張性低Na血症**（全身Na量↓↓，TBW↓）
●**腎性喪失**（U_{Na}>20 mEq/L，FE_{Na}>1%）：利尿薬（特にチアジド系；ループ利尿薬は腎髄質間質の張度を下げて水の吸収および尿濃縮能を障害するため），塩類喪失性腎症，中枢性塩類喪失症候群，ミネラルコルチコイド欠乏
●**腎外喪失**（U_{Na}<10 mEq/L，アルカリ血症の場合U_{Cl}<10 mEq/L，FE_{Na}<1%）：出血，消化管からの喪失（例：下痢，嘔吐），サードスペース（例：膵炎），摂取不足，不感蒸泄

■**等容量性低張性低Na血症**（全身Na量に関連しTBW↑）
●**SIADH**（循環血液量正常〜軽度増加，典型的には**不適切な**U_{osm}>100，U_{Na}>20 mEq/L）
  悪性腫瘍：肺癌（小細胞癌），脳腫瘍，消化管腫瘍，腎尿路生殖器腫瘍，リンパ腫，白血病，胸腺腫，中皮腫
  呼吸器：肺炎，結核，アスペルギルス症，喘息，COPD，気胸，人工呼吸
  頭蓋内：外傷，脳卒中，くも膜下出血，痙攣，感染，水頭症，Guillain-Barré症候群
  薬物：抗精神病薬，抗うつ薬（SSRI，TCA，MAO阻害薬），ハロペリドール，化学療法（ビンクリスチン，シスプラチン），DDAVP，MDMA，NSAIDs，麻薬，アミオダロン（*Am J Kidney Dis* 2008;52:144）
  その他：痛み，悪心，術後

- **内分泌疾患**：グルココルチコイド欠乏（ADHとCRHの共分泌）および重症甲状腺機能低下症/粘液水腫性昏睡（心拍出量↓，末梢静脈抵抗↓➡ADH分泌，GFR↓）でADH活性↑がみられる
- **心因性多飲症**（U_{osm}＜100，$FE_{UricAcid}$↓）：通常は＞15 L/日の摂取
- **溶質摂取量↓**（U_{Na}↓，U_{osm}↓）："紅茶とトースト"，"ビール多飲"
- **本態性低Na血症**（reset osmostat）：慢性栄養不良（細胞内浸透圧↓）または妊娠（ホルモンの影響）➡生理的ADH量のリセットによる血清Na↓の調節

■循環血液量増加性低張性低Na血症（全身Na量↑，TBW↑↑）

- **有効循環血漿量↓**➡レニン-アンジオテンシン-アルドステロン系↑➡アルドステロン↑およびアドレナリン作動性↑➡ADH↑↑（Am J Med 2013;126:S1）
- **CHF**（心拍出量↓および腎静脈うっ血➡有効循環血漿量↓；U_{Na}＜10 mEq/L，FE_{Na}＜1%）
- **肝硬変**（内臓動脈拡張＋腹水➡有効循環血漿量↓；U_{Na}＜10 mEq/L，FE_{Na}＜1%）
- **ネフローゼ症候群**（低Alb血症➡浮腫➡有効循環血漿量↓；U_{Na}＜10 mEq/L，FE_{Na}＜1%）
- **進行腎不全**（自由水排泄能↓；U_{Na}＞20 mEq/L）

■治療（NEJM 2015;372:55, JASN 2017;28:1340, CJASN 2018;13:641&984）

- **アプローチ**：体液分布状態，低Na血症の進行速度，症状による
  急性症候性低Na血症：症状緩和までは急速に（最初の2～3時間は2 mEq/L/時で）血清Na濃度を補正
  無症候性/慢性症候性低Na血症：≤0.5 mEq/L/時で血清Na濃度を補正
  補正速度は最大で6（慢性）～8（急性）mEq/L/日；橋中心髄鞘崩壊症/浸透圧性脱髄症候群（対麻痺，構音障害，嚥下障害）を避けるため
  重症（＜120）または神経症状がある場合：3%のNaClを考慮；腎臓内科と相談し（過度な急速補正を避けるため）DDAVP 1～2μg 8時間ごと開始（AJKD 2013;61:571, CJASN 2018;13:641）
- **こまめなNa濃度測定と輸液速度の調節**が治療の要諦
- **急速な補正**は橋中心髄鞘崩壊症/浸透圧性脱髄症候群を引き起こす（特に慢性またはNa＜120 mEq/Lの場合）；ただちにDDAVP±D5Wで治療；部分的な神経学的回復は可能（CJASN 2014;9:229）
- **輸液の効果**（http://www.medcalc.com/sodium.html）

$$\frac{\text{輸液1Lあたりの}}{\text{血清Na濃度の初期変化}} = \frac{(\text{輸液Na濃度} - \text{血清Na濃度})}{(\text{TBW}+1)}$$

TBW＝体重（kg）×0.6（男性）または×0.5（女性）；高齢者では×0.5（男性）または×0.45（女性）

70 kg男性で血清Na＝110 mEq/Lの場合			
輸液	Na濃度	1Lあたりの血清Na↑	0.5 mEq/L/時の血清Na↑に要する輸液速度
5%食塩液	856 mEq/L	17.3 mEq/L	約25 mL/時
3%食塩液	513 mEq/L	9.4 mEq/L	約50 mL/時
0.9%食塩液	154 mEq/L	1 mEq/L	約500 mL/時
乳酸リンゲル液	130 mEq/L	0.5 mEq/L	約1,000 mL/時

ただし，上記はNaや水の排泄がなく輸液の全量が体内に保持されると仮定した場合：尿量で調節

循環血液量正常の場合（例：SIADH），補充したNaの一部は排泄される：生理食塩液は1L中にNa 154 mEqまたは308 mOsmの溶質を含有；U_{osm}＝616 mOsm/LのSIADHでは➡0.5 Lの水とともに308 mOsmの溶質が排泄➡正味の自由水増加0.5 L➡血清Na↓；∴U_{osm}＞輸液の浸透圧の場合，生理食塩液はSIADHによる低Na血症を増悪させることあり

- **循環血液量減少性低Na血症**：0.9%の生理食塩液で緩徐に補液
  体液量補充➡ADH分泌刺激が消失（ADH半減期は非常に短い）➡腎からの自由水排泄➡血清Na濃度は急速に正常化（過剰補正の場合はD5W±DDAVP）
- **SIADH**（*NEJM* 2007;356:2064, *AJKD* 2015;65:435）：**水分摂取制限＋基礎にある原因の治療**
  水分摂取制限をしても症状が消失しないかNa濃度が上昇しない場合，**高張食塩液**（±ループ利尿薬）
    高張（3％）食塩液1Lあたりの血清Na↑は約10 mEq/L（上記参照）
    約50 mL/時で投与すると約0.5 mEq/L/時でNa↑；100～200 mL/時では約1～2 mEq/L/時でNa↑
    計算式で得られるのはあくまで推定値；∴こまめに（少なくとも2時間おきに）血清Na濃度を測定
  食塩錠：特にCHFでない慢性低Na血症に対して；尿素0.25～0.5 g/kg/日も考慮（*Nephrol Dial Trans* 2014;29:ii1）
  水利尿：難治性SIADHにバプタン系薬物（バソプレシン受容体拮抗薬）（*NEJM* 2015;372:23）
  デメクロサイクリン：腎性DIを引き起こし，U_{osm}↓（使用はまれ）
- **循環血液量増加性低Na血症**：自由水摂取制限（初期治療）；ループ利尿薬（チアジドは避ける）による利尿と有効循環血漿量↑（CHFでの心拍出量↑には血管拡張薬，肝硬変には膠質液輸液）
  時にバプタン系薬物の使用：ただし死亡率↓は証明されていない；投与中止後は低Na血症が再発，過剰補正のリスクが高く，肝硬変には禁忌（*NEJM* 2015;372:2207）

高Na血症

■病態生理（*Crit Care* 2013;17:206, *NEJM* 2015;372:55）
- Naと比較して水が欠乏；定義により高Na血症はすべて高張性
- 通常は**低張液の喪失**（"脱水"）による；時に高張液輸液による場合，ATN後の利尿（低電解質または電解質フリーの水分喪失）（*Am J Neph* 2012;36:97）
- それに加えて水分摂取困難（例：挿管，意識障害，高齢者）：高Na血症は強力な口渇刺激；∴通常は水分摂取不能な患者のみに起こる

■検査
- U_{osm}, U_{Na}, 体液分布の状態（バイタルサイン，起立試験，頸静脈圧，皮膚ツルゴール，BUN/Cr）のチェック

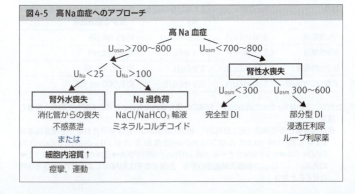

図4-5 高Na血症へのアプローチ

■腎外水喪失（U_{osm}>700～800）
- **消化管からの喪失**：嘔吐，NGTドレナージ，浸透圧性下痢，瘻孔，ラクツロース，吸収不良
- **不感蒸泄**：発熱，運動，換気，熱傷

■腎性水利尿（U_{osm}<700～800）
- **利尿**：浸透圧性（glc，マンニトール，尿素），ループ利尿薬
- **尿崩症（DI）**（J Clin Endocrinol Metab 2012;97:3426）
  ADH欠損症（中枢性）または抵抗性（腎性）
  中枢性：視床下部/下垂体後葉疾患（先天性，外傷/手術，浸潤/IgG4）；あるいは特発性，低酸素性/虚血性脳症（ショック，Sheehan症候群），食欲不振，サルコイドーシス，組織球症，薬物性：アルコール/フェニトイン，蛇毒
  腫瘍：頭蓋咽頭腫，胚細胞腫，リンパ腫，白血病，髄膜腫，下垂体腫瘍
  腎性（Annals 2006;144:186）
  先天性（ADH V2受容体変異，アクアポリン2変異；Pediatr Nephrol 2012;27:2183）
  薬物：**リチウム**，アムホテリシン，デメクロサイクリン，ホスカルネット，cidofovir，イホスファミド
  代謝性疾患：**高Ca血症**，**重度の低K血症**，蛋白栄養不良症，先天性
  尿細管間質性疾患：**閉塞後**，**ATNの回復期**，多発性嚢胞腎，鎌状赤血球症，Sjögren症候群，アミロイドーシス，妊娠（胎盤由来のバソプレシナーゼ）
  DIは通常，重度の多尿症と軽度の高Na血症として発症

■その他（U_{osm}>700～800）
- **Na過負荷**：高張食塩液（例：$NaHCO_3$投与による蘇生），ミネラルコルチコイド過剰
- **痙攣発作**，運動↑：細胞内溶質↑➡水移動➡一過性の血清Na↑

■治療（NEJM 2015;372:55）
- **水分摂取回復または必要量（≧1L/日）を補給**
- **自由水欠乏量の補充**（併発している体液量喪失も適切であれば補充）：

$$自由水欠乏量（L）=\frac{（血清Na濃度-140）}{140}×TWB$$

TBW＝体重（kg）×0.6（男性）または ×0.5（女性）；高齢者では×0.5（男性）または×0.45（女性）

典型的な体重70kgの男性では，自由水欠乏量（L）≒（血清Na濃度-140）/3

$$輸液1Lあたりの血清Na↓=\frac{（血清Na濃度-輸液Na濃度）}{（TBW+1）}$$

例：血清Na濃度＝160 mEq/Lの体重70 kgの男性にD_5W 1Lを輸液➡血清Na↓は3.7 mEq
注意：高血糖が存在する場合はNaの補正を忘れてはいけない

- **補正速度は症状進行速度とリスクによる**
  慢性（>48時間）：約12 mEq/日の補正は脳浮腫のリスクなく安全（CJASN 2019;14:656）
  急性（<48時間）：Na 145 mEq/Lまで2 mEq/L/時の速度でNa↓
  超急性（分～時間）あるいは致死的（脳出血，痙攣）：D_5W急速点滴±緊急透析
- **概算**：体重70 kgの男性では，125 mL/時の自由水補充で血清Na↓は約0.5 mEq/L/時
- **1/2生理食塩液（77 mEq/L）または1/4生理食塩液（38 mEq/L）で血管内容量と自由水の両者を補充できる（1Lあたりそれぞれ500 mL，750 mLの自由水）；自由水はNGT/OGTから投与できる**
- **計算式で得られるのはあくまで推定値；∴こまめに血清Na濃度を測定**
- **DIと浸透圧利尿**「多尿症」の項参照）
- **Na負荷**：D_5W＋利尿薬；致死的（脳出血，高張，痙攣）の場合は透析を検討

多尿症

■定義と病態生理
- 多尿症は尿量＞3 L/日と定義される
- 浸透圧利尿または水利尿による；入院患者ではほとんどが浸透圧利尿による

■精査
- 蓄尿して（6時間で十分）U_{osm} を測定
- 24時間溶質排泄率＝24時間尿量（実測値または推定値）×U_{osm}
  ＞1,000 mOsm/日 ➡ 浸透圧利尿；＜800 mOsm/日 ➡ 水利尿

■浸透圧利尿
- **病因**

  高血糖（＞180で近位尿細管再吸収を超える），マンニトール，プロピレングリコール

  Na：NaCl点滴，AKIの回復期（例：閉塞後）

  尿素：蛋白摂取↑，異化亢進状態（熱傷，ステロイド），消化管出血，高窒素血症の改善

■水利尿
- **病因**：尿崩症（DI）（血清Na＞143）または原発性多飲症（血清Na＜136）

  （中枢性/腎性DIの原因については「高Na血症」の項参照）

- **DIの検査**：U_{osm}＜300（完全型）または300〜600（部分型）

  水制限試験（午前中に開始し，1〜2時間ごとに血清Na，P_{osm}，U_{osm}，尿量をチェック）

  P_{osm}＞295となるまで水制限し，U_{osm} をチェック；U_{osm}＜300ならばバソプレシン（5 U SC）またはDDAVP（10 mg経鼻）を投与し，1〜2時間後に U_{osm} をチェック：

  U_{osm}↑＞50％＝中枢性DI

  U_{osm}不変＝腎性DI

  適切な反応の有無を評価するため水制限の前後でADHをチェック

  高食塩水で刺激された血漿コペプチン＞4.9 pmoL/Lは，原発性多飲症を示す（水制限77％に対して97％の精度；*NEJM* 2018;379:428）

図4-6 多尿症へのアプローチ

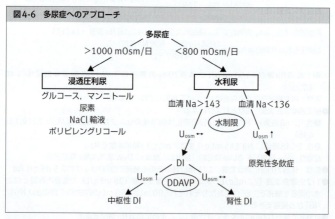

■治療
- **原発性多飲症**：精神疾患の治療，薬歴チェック，水分摂取制限
- **浸透圧利尿**：基礎にある原因の同定，自由水欠乏量（計算式は「高Na血症」の項参照）と進行中の喪失量の補充

- **DI**:
  中枢性DI：デスモプレシン（DDAVP，第1選択），Na/蛋白制限＋ヒドロクロロチアジド，クロルプロパミド
  腎性DI：可能ならば基礎にある原因の治療；Na制限＋ヒドロクロロチアジド（軽度の体液量↓→自由水吸収の濾過量↓），リチウム誘発性DIには amiloride を考慮（*Kidney Int* 2009;76:44），インドメタシン（*NEJM* 1991;324:850），DDAVP試用
  妊娠性DI：胎盤由来のバソプレシナーゼによる；∴DDAVPで治療

カリウム（K）の恒常性

■概要（*NEJM* 2015;373:60）
- 腎：K排泄は**遠位ネフロン**（集合管）の主細胞，α介在細胞で調節される
  遠位へのNa輸送と尿流量：Na吸収→管腔側が陰性に荷電→K分泌
  代謝性アルカリ血症とアルドステロン：Na吸収↑，K分泌↑
  注意：尿中K排泄（日中＞夜間），∴評価にはスポット尿より24時間蓄尿推奨
- 細胞間シフト：血清K濃度の急速な変化の最も一般的な原因（Kの98%は細胞内に存在）
  酸塩基平衡異常：細胞膜内外のK^+/H^+交換
  インスリン→Na^+/K^+-ATPaseを刺激→低K血症（食後のK↑を緩和）
  カテコールアミン→Na^+/K^+-ATPaseを刺激→低K血症；β遮断薬で治療
  広範な細胞壊死（例：腫瘍溶解，横紋筋融解，腸管虚血）→細胞内Kの放出
  低/高K血症性周期性四肢麻痺：チャネル蛋白変異によるまれな疾患
- 食事：単独で低/高K血症の原因となることはまれ（体内貯蔵量は約3,500 mEq，1日摂取量は約100 mEq）

低K血症

■細胞間シフト（$U_{K:Cr} < 13\ mEq/g$）
- アルカリ血症，インスリン，カテコールアミン，β_2刺激薬，低体温，低K血症性/甲状腺中毒性周期性四肢麻痺，急激な造血亢進（Vit B_{12}による巨赤芽球性貧血治療，AML急性転化），クロロキン，バリウム/セシウム中毒，抗精神病薬（リスペリドン，クエチアピン），テオフィリン過量投与

■消化管からのK喪失（$U_{K:Cr} < 13\ mEq/g$）
- 消化管からの喪失＋代謝性アシドーシス：下痢，緩下薬乱用，絨毛腺腫
- 嘔吐やNGTドレナージによるK喪失は通常，続発性高アルドステロン症と代謝性アルカローシスを原因とする腎性喪失として発症

■腎性K喪失（$U_{K:Cr} > 13\ mEq/g$）
- 低血圧性/正常血圧性
  アシドーシス：DKA，RTA〔近位RTA（2型），一部の遠位RTA（1型）〕
  アルカローシス：利尿薬（チアジド＞ループ），嘔吐/NGTドレナージ（続発性高アルドステロン症を介して）
    Bartter症候群（Henle係蹄の機能障害→フロセミド様効果；*JASN* 2017;28:2540）
    Gitelman症候群（遠位曲尿細管の機能障害→チアジド様効果；*KI* 2017;91:24）
  薬物：アセトアミノフェン過量投与，ペニシリン，ゲンタマイシン，アムホテリシン，ホスカルネット，シスプラチン，イホスファミド
  Mg欠乏：Mg欠乏は主細胞のROMKチャネルを阻害；∴K分泌↑（*JASN* 2010;21:2109）
- 高血圧性：ミネラルコルチコイド過剰

原発性高アルドステロン症（例：Conn症候群，グルココルチコイド反応性アルドステロン症）
続発性高アルドステロン症（例：腎血管疾患，レニン分泌腫瘍）
非アルドステロン性ミネラルコルチコイド〔例：Cushing症候群，Liddle症候群（上皮Naチャネル亢進），外因性ミネラルコルチコイド，甘草〕

■臨床症状
- 悪心，嘔吐，イレウス，筋力低下，筋痙攣，横紋筋融解，インスリン分泌低下
- 腎：アンモニア産生，リン酸塩尿，低クエン酸尿，NaClおよびHCO_3貯留，多尿
- ECG：U波，QT延長，T波低下，ST低下，心室期外収縮（PVC，VT，VF）

■精査 (*Nat Rev Nephrol* 2011;7:75)
- 細胞間シフトと治療法の特定；尿細管内外K濃度勾配（TTKG）の有効性は疑問視（*Curr Op Nephro* 2011;20:547）
- $U_{K:Cr}$をチェック：>13 mEq/g ➡ 腎性喪失；<13 mEq/g ➡ 腎外喪失（*Archives* 2004; 164:1561）
- 腎性喪失ならば，**血圧**，**酸塩基平衡**，U_{Cl}（U_{Na}は信頼性低い），$U_{Ca/Cr}$，レニン，アルドステロン，コルチゾールをチェック

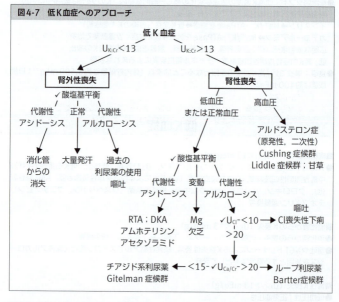

図4-7 低K血症へのアプローチ

■治療 (*JAMA* 2000;160:2429)
- 真のK欠乏：**K補充**（1 mEq/L↓≒全身で200 mEqの喪失）
  用量：KCl 40 mEq経口4時間ごと，10 mEq/時（末梢静脈），20 mEq/時（中心静脈），1 L輸液製剤に40 mEqまで
- 高リスク（高血圧，CHF，不整脈，心筋梗塞，ジゴキシン，肝硬変）の場合，K^+を>3または>4 mEq/Lに補充
- 細胞間シフトによる低K血症では過剰補正に注意
- 基礎にある原因の治療（補液を要する場合はglc含有液は避ける；glc➡インスリン↑➡細胞内K移動）

- K喪失を低下させる治療を考慮：ACEI/ARB，K保持性利尿薬，β遮断薬
- Mg＜2 mEq/Lの場合はMg補充：$MgSO_4$ 1～2 g静注2時間ごと（経口の酸化Mgは下痢のため忍容性が低い）

  Mg↓の原因：消化管からの喪失（下痢，胃バイパス術，膵炎，栄養不良，PPI）；腎性喪失（利尿薬，腎毒性薬物，アルコール，Ca↑，原発性消耗症候群，補液）

高K血症

■細胞間シフト（BMJ 2009;339:1019）
- 酸症，インスリン分泌低下（DM），細胞崩壊（腫瘍，横紋筋融解，腸管虚血，溶血，輸血，血腫吸収，高体温，再加温），高K性周期性四肢麻痺，高浸透圧，薬物：サクシニルコリン，アミノカプロン酸，ジゴキシン，β遮断薬

■GFR低下
- 乏尿性/無尿性AKIのあらゆる原因，またはESRDのあらゆる原因

■正常GFRだが腎K排泄低下
- アルドステロン機能正常

  有効循環血漿量↓（遠位へのNa輸送↓と尿流量↓によるK排泄制限）：CHF，肝硬変

  K過剰摂取：Kの排泄障害または細胞間シフトとの合併

  尿細管空腸吻合（尿中Kの空腸での吸収）
- 低アルドステロン症：低アルドステロン性RTA（4型）の病因と同様

  レニン↓：DM，NSAIDs，慢性間質性腎炎，HIV，多発性骨髄腫，Gordon症候群

  レニン正常，アルドステロン合成↓：原発性副腎疾患，ACEI，ARB，ヘパリン，ケトコナゾール，アルドステロンへの反応性↓

  薬物：K保持性利尿薬，ST合剤，ペンタミジン，カルシニューリン阻害薬

  尿細管間質性疾患：鎌状赤血球症，SLE，アミロイドーシス，DM

■臨床症状
- 筋力低下，嘔気，異常感覚，動悸；腎：NH_4^+分泌↓→アシドーシス
- ECG：ST低下，テント状T波，QT↓，PR間隔↑，QRS幅↑，P波消失，サイン波パターン，PEA/VF（ECG：低感度，心停止が最初の電気的徴候となることがある！）

■検査（Crit Care Med 2008;36:3246）
- 偽性高K血症（K含有輸液製剤，駆血，溶血，血小板増加，白血球増加）および細胞間シフトを除外
- GFRを評価し，正常であればU_K，U_{Na}をチェック（U_{Na}＜25 mEq/日は遠位へのNa輸送↓）；$U_{K:Cr}$をチェック（＜13 mEq/gはK腎排泄の低下）

高K血症の治療			
治療	投与量	効果発現	備考
グルコン酸Ca 塩化Ca[a]	1～2筒IV	＜3分	効果は一過性（30～60分）細胞膜を安定化
インスリン	レギュラーインスリン5～10 U IV ＋1～2筒50%ブドウ糖	15～30分	ピーク30～60分，4～6時間持続 K 0.5～1.2 mEq/L↓

（次頁につづく）

HCO₃(特に酸血症)	1〜2筒IV 5%ブドウ糖1Lに150 mEq	15〜30分	H⁺との交換でKを細胞内へ取り込ませる 5〜6時間持続；K 0.7 mEq/L↓
β₂刺激剤	サルブタモール10〜20 mg吸入または0.5 mg IV	30〜90分	ピーク90分，2〜6時間持続 K 0.5〜1.4 mEq/L↓（IV>吸入）
陽イオン交換樹脂性剤	ポリスチレンスルホン酸ナトリウム（SPS）[b] 15〜60 g 経口/経腸	4〜24時間	腸管で陽イオン(Na, Ca, H)をKと交換；K 0.8〜1 mEq/L/日↓；Naジルコニウムで浮腫と高血圧
	patiromer 8.4〜25.2 g/日 を経口	数時間〜1日	
	Naジルコニウム5〜10 g 経口	数時間	
利尿薬	フロセミド≧40 mg IV	30分	全身K量↓
血液透析	最初の1時間が最も効果大（1 mEq/L）		全身K量↓（*JASN* 2017;28:3441）

[a] 塩化CaのほうがCa含量が高く，通常は蘇生目的に限って使われ，中心静脈から投与される（組織壊死のリスク↑）

[b] 特に術後イレウス，小腸閉塞/大腸閉塞，腸疾患（潰瘍性大腸炎），腎移植後の場合，約0.4%で腸管壊死の原因となる（*Clin Nephro* 2016;85:38）

- 治療計画の立案時は効果発現までの時間に注意
- **安定化**（初期）：10%塩化Ca（中心静脈）またはグルコン酸Ca（IV）；膜電位↑ ➡ 興奮性↓
- **再分布**：インスリン＋グルコース（NPOの場合は持続点滴），HCO₃（*KI* 1991;41:369），β₂刺激薬
- **排泄**：ポリスチレンスルホン酸ナトリウム（カリメート；*NEJM* 2015;372:211），patiromer（高価），利尿薬（腎機能障害が保たれている場合は生食輸液とともに），致死的な状況では緊急透析を考慮
- 患者のための食事教育：http://www.kidney.org/atoz/content/potassium

腎不全

急性腎障害（AKI）

■**定義**（*KDIGO* 2012;2:1)
- ICUでのステージが院内死亡率↑と在院日数に関連する（*Crit Care Med* 2009;37:2552)
  ステージ1：ΔsCr≧0.3 mg/dL（48時間以内）またはsCrが≧1.5倍上昇，または尿量＜0.5 mL/kg/時が6時間以上
  ステージ2：sCr 2〜3倍上昇（7日以内），または尿量＜0.5 mL/kg/時が12時間以上
  ステージ3：sCr 3倍以上上昇（7日以内)，尿量＜0.3 mL/kg/時が24時間以上，無尿12時間以上，またはsCr＞4 mg/dL
- AKIまたはCrが変化しつつある状況では，CrでGFRを評価できない（Crが一定である必要性）

■**精査**（*NEJM* 2014;371:55)
- **病歴聴取と身体診察**：薬歴，造影剤，その他の腎毒性薬物；経口摂取↓，低血圧，感染症/

敗血症；外傷，筋痛，前立腺肥大症／尿閉；Cr上昇の24〜48時間前の有害事象の検索；バイタルサイン，循環血液量，発疹
- **尿の評価**：尿量，尿検査，**尿沈渣**，電解質，浸透圧
- **ナトリウム排泄分画 (FE_{Na})** = $(U_{Na}/P_{Na})/(U_{Cr}/P_{Cr})$；利尿薬使用時は $FE_{UN} = (U_{UN}/P_{UN})/(U_{Cr}/P_{Cr})$ もチェック
- 腎エコー/CT：閉塞の除外と慢性腎疾患の皮質萎縮を評価
- 血清学的検査（適応があれば）：「糸球体疾患」の項参照
- 腎生検（光顕，免疫染色，電顕）：原因が確定できない場合（特に血尿や蛋白尿を呈する場合）
  相対的禁忌：SBP>150，アスピリン/NSAIDs，抗凝固薬，肝硬変；GFR<45の場合 DDAVP（訳注：日本では一般的でない）

AKIの原因と診断 (Lancet 2012;380:756)	
原因	尿検査，沈渣，指標
腎前性	**有効循環血漿量↓**(*NEJM* 2007;357:797) 　循環血液量↓，心拍出量↓(CHF)，膠質浸透圧↓(肝硬変，ネフローゼ)，血管拡張(敗血症) **腎血流変化**：NSAIDs，ACEI/ARB，造影剤，カルシニューリン阻害薬，肝腎症候群，高Ca血症 **大血管**：腎動脈狭窄(両側性+ACEI)，VTE，動脈解離，腹部コンパートメント症候群(腎vs. 圧迫)，血管炎	所見なし 透明な硝子円柱 $FE_{Na}<1\%$，BUN/Cr>20 $FE_{UN}≦35\%$
内因性	**急性尿細管壊死 (ATN)** 　重症虚血，敗血症，造影剤腎症(腎血流量↓+腎毒性) 　毒物 　　薬物：バンコマイシン，AG，シスプラチン，ホスカルネット，ヘスパンダー，IVIg，ペンタミジン，アムホテリシン，テノホビル 　　色素：Hb，ミオグロビン (*NEJM* 2009;361:62) 　　モノクローナル蛋白：Ig軽鎖 (*Blood* 2010;116:1397) 　　結晶：尿酸，アシクロビル，メトトレキサート，インジナビル，経口NaPO$_4$	濃褐色の色素性顆粒円柱が約75% ±赤血球&尿細管障害による蛋白 $FE_{Na}>2\%$，BUN/Cr<20 (色素性と造影剤腎症を除く) $FE_{UN}>50\%$
	急性間質性腎炎 (AIN) アレルギー性：βラクタム，サルファ薬，NSAIDs，PPI 感染症：腎盂腎炎，ウイルス性，レジオネラ，結核，レプトスピラ症 浸潤性：サルコイドーシス，リンパ腫，白血病 自己免疫性：Sjögren症候群，ぶどう膜炎を伴う尿細管間質性腎炎 (TINU) 症候群，IgG4，SLE	白血球，白血球円柱，±赤血球かつ尿培養⊖ 抗菌薬で尿好酸球⊕ NSAIDsでリンパ球⊕
	小〜中血管：コレステロール塞栓，PAN，血栓性微小血管症 [TTP, HUS, 非典型HUS, DIC, 妊娠高血圧（子癇前症），抗リン脂質抗体症候群，悪性高血圧，強皮症腎クリーゼ]	±赤血球 コレステロール塞栓症では尿中好酸球⊕
	糸球体腎炎（「糸球体疾患」の項参照）	変形赤血球，赤血球円柱
腎後性	**膀胱頸部**：前立腺肥大症，前立腺癌，神経因性膀胱，抗コリン薬 **尿管**（両側性または片腎片側性）：悪性腫瘍，リンパ節腫脹，後腹膜線維症，腎結石	所見なし±非変形赤血球，白血球，結晶

■一般的治療（*CJASN* 2008;3:962）
- ●腎前性：等張輸液≒Alb（*NEJM* 2004;350:22）；ICUではリンゲル液が有効の可能性あり（*NEJM* 2018;378:829）．
- ●腎毒性を回避（薬物，造影剤）；腎機能に応じた薬物投与
- ●血行動態の最適化（MAPおよび心拍出量）と正常循環血液量の維持（*NEJM* 2007;357:797）
- ●ドパミン（*Annals* 2005;142:510），利尿薬（*JAMA* 2002;288:2547），マンニトールは利益なし

■合併症の管理
- ●ATNからの回復には1〜3週間かかる；循環血液量過多，電解質（K↑，PO_4↑），アシドーシスを予想
- ●AKIの既往は回復後もCKD進行のリスク↑（*NEJM* 2014;371:58）
- ●緊急透析の適応（通常の治療が無効なとき）

  Acid-base disturbance（酸塩基平衡異常）：難治性の酸血症
  Electrolyte disorder（電解質異常）：高K血症，高Ca血症，高P血症，腫瘍溶解
  Intoxiction（中毒）（http://www.extrip-workgroup.org/）
    適応：メタノール，エチレングリコール，メトホルミン，リチウム，バルプロ酸，サリチル酸類，バルビツレート，テオフィリン，タリウム
    検討：カルバマゼピン，アセトアミノフェン，ジギタリス（digibind投与），ダビガトラン（イダルシズマブ投与）
  Overload of volume（循環血液量過多）：難治性循環血液量過多➡低酸素血症（例：CHF）
  Uremia（尿毒症）：心膜炎，脳症，出血
- ●腎代替療法の早期導入は死亡率の改善なし（*NEJM* 2016;375:122, *JAMA* 2018;379:1431）

疾患別管理

■急性間質性腎炎（AIN）（*CJASN* 2017;12:2046）
- ●一般的には薬物誘発性：βラクタム，サルファ薬，NSAIDs，PPI，キノロン系，アロプリノール
- ●薬物性が疑われる場合にはすみやかに中止；？7日以内の初期ステロイド治療

■心腎症候群（CRS）（*CJASN* 2017;12:1624）
- ●多因子が病態に関与：1）心拍出量↓，2）腎静脈うっ血↑，3）RAAS↑
- ●双方向性：CHF急性増悪➡AKI，乏尿性AKIはCHFを悪化させる可能性あり（*JACC* 2008;52:1527）
- ●治療：**ループ利尿薬IV**（腸管浮腫をバイパスして投与が可能）；用量（高用量vs. 低用量），用法（ボーラスvs. 点滴）で効果に違いはない（*NEJM* 2011;364:797）。臨床的効果なし：ドパミン，nesiritide，限外濾過
- ●予後：急性非代償性心不全ではeGFRが10 mL/分低下するごとに死亡率7%↑（*JACC* 2006;47:1987）

■造影剤起因性急性腎障害（CIAKI）（*NEJM* 2019;380:2146）
- ●リスク因子：CKD，DM，CHF，年齢，低血圧，造影剤投与量↑（*JACC* 2004;44:1393）
- ●24〜48時間以内にAKI，3〜5日でピーク，7〜10日で寛解（改善のない場合コレステロール塞栓症を考慮）
- ●予防：eGFR<60（特に蛋白尿⊕），DM，心筋梗塞，低血圧で検討（*CJASN* 2013;8:1618）

  等張輸液：データは混在しているが，リスクが高い場合には有効（*Int Med* 2014;53:2265, *Lancet* 2017;389:1312）；$NaHCO_3$は食塩液を上回る効果なし（*NEJM* 2018;378:603）

外来患者：造影前に3 mL/kg/時×1時間，造影後に1〜1.5 mL/kg/時×6時間（*JAMA* 2004;291:2328）
入院患者：造影前と後に1 mL/kg/時×6〜12時間（*Lancet* 2014;383:1814）
ACEI/ARB（*AJKD* 2012;60:576），NSAIDs，利尿薬は保留；造影剤投与量を最小限とし，等張性造影剤使用
N-アセチルシステイン（*NEJM* 2018;378:603）や予防的腎代替療法には利点なし（*Am J Med* 2012;125:66）
- 腎性全身線維症：ステージ4〜5のCKD患者にガドリニウム造影剤曝露後約2〜4週間で生じる皮膚，関節，内臓の線維化（*JACC* 2009;53:1621）；造影後透析の有効性のデータは限られているが推奨されている

■ 糖尿病性腎症（*NEJM* 2016;375:2096）

■ 肝腎症候群（HRS；「肝硬変」の項参照）（*AJKD* 2013;62:1198）
- Albに加え，昇圧剤点滴（ノルアドレナリン，terlipressin）またはオクトレオチド＆ミドドリンのどちらか

■ 閉塞性疾患
- 診断：腎臓超音波，尿路結石を疑う場合には腹部/骨盤単純CT
- 治療：尿道の問題ならFoley留置，尿管より中枢側の場合は経皮的腎瘻増設（例：結石），タムスロシン/フィナステリド
- 閉塞解除後の利尿に注意し，尿量の1/2を1/2生食で置換
  出血性膀胱炎（膀胱血管径の急速な変化）；緩徐に除圧して回避

■ 多発性嚢胞腎（*NEJM* 2004;350:151, 2008;359:1477, 2017;377:1988）
- 多くは常染色体優性の*PKD1/PKD2*遺伝子異常 ➡ 腎嚢胞；PKD1（85％），若年発症ESRD
- 治療：水分補給，塩分制限；トルバプタンはGFR低下を抑制；家族の遺伝学的スクリーニング

■ 横紋筋融解症（*NEJM* 2009;361:62）
- 病態：ミオグロビン誘発性酸化傷害，血管収縮，ミオグロビン沈殿＆腎前性（血管外漏出）；Ca↓，K↑，PO_4↑をきたしうる
- 診断：尿検査で潜血定性⊕だが定量赤血球⊖（ミオグロビン尿）
- CK>2万のときAKIのリスク；横紋筋融解症の死亡リスクスコア：*JAMA Int Med* 2013;173:1821
- 積極的輸液（輸液量を尿量約3 mL/kg/時に調整）；尿pH<6.5の場合は$NaHCO_3$を考慮 K，Caを頻繁にチェック，CK推移チェック；コンパートメント症候群のモニター

■ 強皮症腎クリーゼ（*Nature Neph* 2016;12:678）
- びまん皮膚硬化型全身性強皮症の5〜20％，糸球体毛細血管の狭小化を伴う；症状：腎不全，重症高血圧，脳症；治療：血圧コントロールに最大量のACEI

■ 血栓性微小血管症（TMA）：「血小板疾患」の項参照

慢性腎臓病（CKD）

■ 定義と原因（*Lancet* 2012;379:165, *JAMA* 2015;313:837）
- GFR<60が3か月以上かつ/または腎障害（微量Alb尿，構造異常）
- 米国では有病率15％
- Alb尿はすべての有疾患，心血管死亡率，CKD進行を予測する因子（*NEJM* 2004;351:1296）

- ●CrはGFRの推進には不適切, 予測式を使用 (www.kidney.org/professionals/KDOQI/gfr_calculator.cfm)
  CKD-EPIは正常GFRを過小評価する可能性が低いためMDRDより優先される
  シスタチンC推定式はCr推定式より優れている (*NEJM* 2012;367:20)
- ●病因:DM (45%), 高血圧/腎動脈狭窄 (27%), 糸球体疾患 (10%), 間質性疾患 (5%), 多発性嚢胞腎 (2%) (*NEJM* 2008;359:1477, *AJKD* 2019;73:A7), 先天性, 薬物性, 多発性骨髄腫 (*JAMA* 2009;302:1179), 反復障害による腎疾患 (例:メソアメリカ腎症; *AJKD* 2018;72:469)
- ●ESRDへの進行:腎不全リスク評価式 (*JAMA* 2016;315:164)

CKDステージ (*Kid Int* 2013;3[Suppl]:5)		
GFRステージ	GFR mL/分/1.73 m^2	治療目標
1 (GFR正常/↑)	>90	基礎疾患と併存症の診断/治療, 進行の遅延;心血管リスクの↓
2 (軽度低下)	60〜89	進行度の評価
3a (軽度から中等度低下)	45〜59	合併症の評価と治療
3b (中等度から高度低下)	30〜44	合併症の評価と治療
4 (高度低下)	15〜29	腎代替療法 (RRT) の準備
5 (腎不全)	<15または透析	尿毒症または容量負荷があれば透析;治療

尿中Albステージは尿中Alb (mg/日) またはスポット尿のAlb (mg)/Cr (g) 比に基づく分類:ステージA1=<30 (正常/軽度);A2=30〜300 (中等度);A3=>300 (高度)

尿毒症の徴候と症状 (*NEJM* 2018;379:669)	
全身	悪心, 食欲不振, 倦怠感, 尿毒性口臭, 金属味, 体温↓
皮膚	uremic frost (皮膚の内部と表面に尿素の白色結晶析出), 瘙痒, カルシフィラキシー
神経系	脳症 (精神状態の変化, 記憶力↓, 注意力↓), 痙攣発作, ニューロパチー, 睡眠障害, むずむず脚症候群
心血管	心膜炎, アテローム性動脈硬化, 高血圧, CHF, 心筋症 (LVH)
血液	貧血, 出血 (血小板機能低下, エリスロポエチン欠乏)
代謝	K↑, PO$_4$↑, アシドーシス, Ca↓, 続発性副甲状腺機能亢進症, 腎性骨異栄養症

■合併症と治療 (*KDIGO* 2013)
- ●全身:腎臓専門医紹介 (GFR<30または蛋白尿), バスキュラーアクセスの準備 (鎖骨下静脈は避ける;採血, 点滴, 血圧測定を避けて上肢の血管を温存する)
- ●心血管リスクの低減:スタチン, β遮断薬などの一般的な予防的治療を考慮
- ●食事制限:Na (高血圧の場合), K (乏尿または高K血症の場合), PO$_4$, 中等度の蛋白制限
- ●DM:厳格な血糖コントロール;SGLT2阻害薬はCKD進行を緩やかにする (*NEJM* 2017;377:1765, 2019;380:2295)
- ●血圧コントロール:<130/80目標, 死亡率↓ (*NEJM* 2015;373:2103, *JASN* 2017;28:2812)
  ACEIまたはARB (*NEJM* 2004;351:1952), ACEI+ARBは効果なし (*NEJM* 2013;369:1892);外来患者では1〜2週間後にCrとKをチェック, Cr 30%↑またはK>5.4ならば中止 (食事指導とループ利尿薬の投与後に)
- ●代謝性アシドーシス:HCO$_3$が低値ならば炭酸水素Naまたはクエン酸Na (*JASN* 2015;26:515)

- **高K血症**：2gのK制限食，「カリウム（K）の恒常性」の項参照
- **貧血**：Hb 10～11.5 g/dL目標，これを超えると予後不良（NEJM 2009;361:2019）
  エポエチン（80～120 U/kg SCで開始，週3回に分割）またはダルベポエチン（0.75 mg/kg 2週ごと）
  鉄補充でトランスフェリン飽和度＞20％を維持（透析患者ではしばしばIV投与）
- **尿毒症性出血**：DDAVP 0.3μg/kg IVまたは3μg/kg経鼻投与
- **続発性副甲状腺機能亢進症**：$PO_4\uparrow$，$Ca\downarrow$，カルシトリオール↓，FGF-23↑ ➡ PTH↑ ➡ 腎性骨異栄養症

CKDステージ	3	4	5
目標PTH (pg/mL)	35～70	70～110	150～600

  リン吸着薬（**食事と一緒に服用！**）（NEJM 2010;362:1312）
    第1選択はセベラマー，他には酢酸Caやランタン；他Ca非含有リン吸着薬はCa含有リン吸着薬に比べ死亡率を低下させる（Lancet 2013;382:1268）
  PTHが目標値より高い場合，Vit D（25-(OH)D＜30の場合）または1,25-(OH)Dアナログ（カルシトリオール）を開始；Ca↑で中止（AJKD 2009;53:408）
  リン吸着薬±Vit DアナログでもPTH↑ ➡ シナカルセト（Ca感受性受容体作動薬）（CJASN 2016;11:161）；副甲状腺摘出術の検討
- **カルシフィラキシー**（尿毒症性細小動脈石灰化症；NEJM 2018;378:1704）
  病態：真皮の小～中動脈および皮下脂肪の石灰化 ➡ 有痛性の虚血皮膚壊死（NEJM 2007;356:1049）
  リスク因子：ESRD，女性＞男性，DM，Vit K欠乏，肥満，ワルファリン，局所外傷，血栓形成傾向
  診断：皮膚生検，ただし制限あり（Kidney Int 2018;94:390）；骨シンチは補助診断で使用される
  治療：リスク因子↓，創傷ケア/外科的デブリードマン，チオ硫酸Na（CJASN 2013;8:1162），副甲状腺機能亢進症の管理，VitDおよびCa製剤の中止，NOAC＞ワルファリン，疼痛管理，緩和ケア
  予後：ESRD患者の1年死亡率60％（AJKD 2015;66:133）
- **抗凝固**：ESRD患者は出血リスクが↑；DOACを使用する場合は，蛋白結合/腎クリアランスによりアピキサバン＞リバーロキサバン＞ダビガトラン（JASN 2017;28:2241）
- **移植の評価**

利尿

■概要
- 高血圧や，心不全，腎不全，肝硬変の浮腫の治療を目的としたNa排泄と水分排泄↑
- 利尿の記録には毎日の体重測定が最も有用

■ループ利尿薬（NEJM 2017;377:1964）
- **薬物**：フロセミド，トラセミド，ブメタニド，ethacrynic acid（訳注：日本では販売中止）
- **作用機序**：太い上行脚（ThAL：Naの25％が再吸収される部位）の$Na^+/K^+/2Cl^-$共輸送体を阻害 ➡ 髄質浸透圧勾配の低下とADHによる自由水の再吸収低下
  一過性の静脈拡張が肺うっ血に有効（NEJM 1973;288:1087）
  反応は排泄された薬物の総量に依存；∴腎不全，CHFでは要増量
  S字型の用量-反応曲線；∴利尿誘発まで増量，それ以上の量を投与しても効果の増大は望めない（投与頻度を増やした方が効果的）
- **投与法**：フロセミド経口投与時のバイオアベイラビリティは約50％；トラセミドおよびブメタニド経口のバイオアベイラビリティは約90％
  フロセミド40 mg IV ≒ フロセミド80 mg PO ≒ トラセミド20 mg PO/IV ≒ ブメタニド

1 mg PO/IV

フロセミドは2〜4回/日で投与；1日1回での投与は初期利尿を認めることあり➡抗Na利尿

持続IV vs. ボーラスIV：急性CHFに対しては同等の効果（*NEJM* 2011;364:797）；サルファ薬アレルギーの場合はethacrynic acidを使用

? 血清Alb↓の場合，Albの同時投与で利尿効果↑（*Crit Care Med* 2005;33:1681）
- ●**副作用**：Na↓，K↓，Mg↓，Ca↓，高尿酸血症，耳毒性，過敏症（サルファ薬）

■ **チアジド系利尿薬**（*JASN* 2017;28:3414）
- ●**薬物**：ヒドロクロロチアジド，chlorothiazide，metolazone
- ●**作用機序**：遠位曲尿細管（DCT）のNa⁺/Cl⁻共輸送体を阻害：Na再吸収は5%
  ループ利尿薬との相乗効果あり（特にループ利尿薬の長期使用中）
  GFR＜30の場合は効果↓；ただしmetolazoneはこの限りでなく，腎不全でも有効
- ●**投与法**：ループ利尿薬に先立って投与（通常は約30分前）
- ●**副作用**：Na↓，K↓，Mg↓，Ca↑，脂質代謝異常，膵炎，血糖↑，過敏症

■ **K保持性利尿薬**（*NEJM* 2017;377:1964）
- ●**薬物**：スピロノラクトン（アルダクトン），amiloride，トリアムテレン，エプレレノン
- ●**作用機序**：集合管でのNa再吸収↓（約1%）〔amiloride，トリアムテレンは主細胞のNaチャネルを阻害（ENaC）；スピロノラクトン，エプレレノンはミネラルコルチコイド受容体を阻害〕
  Na利尿活性は比較的弱く，チアジド系との併用や肝硬変患者で有用
- ●**副作用**：K↑（特にACEI併用），代謝性アシドーシス，女性化乳房（スピロノラクトン）

利尿へのアプローチ（利尿が不十分なら次のステップに進む）	
ステップ	方法
1	**ループ利尿薬PO**：1〜3時間後に反応をチェック，必要であれば前回の倍量を投与
2	**チアジド系利尿薬PO追加**（ループ利尿薬の反応を促進）
3	**ループ利尿薬IV**：静注2〜4回/日±チアジド系（入院患者はこのステップから開始） Cr↑では増量；フロセミドIVの初回有効投与量≒30×Cr（例：Cr=4➡フロセミド120 mg IV）
4	**ループ利尿薬持続注入**：ボーラス＋持続点滴±チアジド系（POまたはIV）
5	**腎代替療法（RRT）**：限外濾過，CVVH，透析を検討

■ **病態別の治療法**
- ●**腎不全**：ループ利尿薬（ThALまで効果的に送達するために増量）±チアジド系
- ●**CHF**：ループ利尿薬（増量よりむしろ投与回数↑），腸管浮腫には静注＋チアジド系（KとMgに注意）
- ●**ネフローゼ症候群**：尿中Albが分泌されたループ利尿薬と結合；∴通常量の2〜3倍を投与
- ●**肝硬変**：スピロノラクトン（続発性高アルドステロン症を予防）＋フロセミド（2.5：1の割合で）
- ●**重度代謝性アルカローシス**：アセタゾラミド＋基礎にある原因の治療

腎代替療法（RRT）と透析

■ **概要**
- ●**急性期の適応**：「急性腎障害（AKI）」の項参照；CVVH vs. 血液透析

- ●慢性期の適応：RRT導入の時期は，患者のQOL，尿毒症症状，緊急/急性導入への進展リスクによる；腹膜透析 vs. 血液透析（結果に明確な差はない）
- ●ESRDの予後：死亡原因は心血管疾患（50%），感染症（30%），透析中止（20%）

治療法			
	血液透析	CVVH	腹膜透析
生理	拡散	濾過に伴う溶質移動	拡散
アクセス	動静脈シャント/動静脈グラフトカテーテル	中心静脈カテーテル	腹膜カテーテル
処方	時間，目標除水量；透析液のK，Na，Ca，HCO_3濃度，抗凝固	目標除水量；置換液のK，Ca濃度（HCO_3 vs. クエン酸）	腹膜透析液（デキストロース，イコデキストリン），貯留時間，交換回数
合併症	低血圧，不整脈，透析不均衡症候群*（BUN↑↑の場合），高拍出性HF	低血圧，PO_4↓，iCa↓（肝機能不全患者ではクエン酸毒性のため）	腹膜炎，血糖↑，Alb↓，右側胸水

*透析不均衡症候群：透析中の尿素除去に伴う水移動による脳浮腫の症状

■**血液透析（HD）**（NEJM 2010;363:1833）
- ●血液と透析液が対流し，溶質は半透膜を介して除去される
  膜内外圧力勾配（TMP）による体液（Na/水）の除去
  溶質：Cr，尿素，Kは血液から拡散➡透析液；透析液からのHCO_3➡血液
  溶質除去は分子サイズに反比例（∴K，尿素，Crは効果的に除去されるが，PO_4はそうではない）
- ●6回/週は3回/週と比較して，高血圧，左室容積，QOLの点で優位性あり；ただし血管のトラブル↑（NEJM 2010;363:2287）；3回/週では2日間のインターバル中の有害事象↑（土曜日➡火曜日，金曜日➡日曜日；NEJM 2011;365:1099）
- ●カテーテル関連の発熱：経験的抗菌薬投与（透析施行ごとにバンコマイシン＋GNRカバー抗菌薬）；GPC>GNR>混合/真菌；カテーテル抜去/交換（原因微生物による），または抗菌薬ロック（JASN 2014;25:2927）
- ●中心静脈狭窄：長期間の血液透析，トンネルカテーテルと関連；HeROグラフト®は鎖骨下静脈狭窄をバイパスし中心静脈へ流入する（J Vasc Access 2016;17:138）

血管アクセス		
	長所	短所
動静脈シャント	開存性が最大 菌血症リスクが最小 死亡率が最小（JASN 2013;24:465）	安定するまでに時間がかかる（2～6か月） シャント機能不全（20%）
動静脈グラフト	動静脈シャントより増設が容易 安定が早い（2～3週）	開存性が低く，しばしば血栓除去術・血管形成術を要する
カテーテル	ただちに使用できる 動静脈シャント/グラフト使用までの一時的使用	菌血症リスクが最大 血流量↓➡透析効率↓

■**持続的静静脈血液濾過（CVVH）**（NEJM 2012;367:26）
- ●血液の透析ではなく濾過；圧をかけた血液が透過性の高い膜の片側を流れる際，水と溶質がTMPによって膜を透過（対流除去）；濾液は廃棄；置換液が輸液される（尿素，Cr，PO_4を含まないことを除き，溶質濃度は血漿に類似）；濾液/置換液の量比の調節により体液平衡が制御される
- ●置換液の量がクリアランスを決定する；置換液バッファーの選択：

HCO₃（凝固予防のため＋ヘパリン，ヘパリンフリーでも使用できる）
クエン酸：肝臓でHCO₃に代謝，∴肝硬変，肝不全では使用しない
　Caをキレート化して回路内の凝固を予防する；クエン酸毒性：iCa↓だが血清Caは正常または↑，高AG性代謝性アシドーシス
　量は溶質と体液除去によって調節（*AJKD* 2016;68:645）
- 他の持続的腎代替療法：持続的静静脈血液透析（CVVHD：透析），持続的静静脈血液濾過透析（CVVHDF：濾過＆透析）（*AJKD* 2016;68:645）
- 血液透析と比較した利点：総体液シフト↓（低血圧で望ましい），しかし溶質／毒物のクリアランスは緩やか

腹膜透析（PD）（*JAMA* 2017;317:1864）
- 膠質浸透圧を使った（例：デキストロース）対流を利用して水分を除去する；濃度↑と貯留時間により，より多くの水分を除去（glc濃度が平衡化するほど少なくなる）
- PD液：デキストロース（1.5％，2.5％，4.25％），緩衝液（乳酸），Na⁺，Ca²⁺，Mg²⁺
- 10分で注入，90分〜5.5時間貯留，20分で排液；交換は手動または夜間にサイクラーを使用〔自動腹膜透析（APD）または持続携行式腹膜透析（CAPD）〕
- PD腹膜炎：腹痛と排液混濁（白血球＞100，多形核白血球＞50％）；60〜70％がGPC，15〜20％がGNR；治療：抗菌薬IVまたは腹膜内注入，特定の原因微生物（酵母菌，緑膿菌）ではカテーテル抜去
- 硬化性腹膜炎，まれな長期施行の合併症（*NEJM* 2002;347:737）
- 高血糖：炎症，長い貯留時間，高いglc濃度で増悪
- 利点：低コスト，患者の自立性，残腎機能の維持；血液透析と比較して死亡率の増加なし（*AJKD* 2018;71:344）

腎移植（*Med Clin N Am* 2016;100:435）
- GFR＜20で推奨；禁忌：悪性腫瘍，感染症，虚血，服薬不履行，薬物乱用
- 5年生存率：生体腎91％；死体腎70〜84％（*AJKD* 2016;23:281）；ドナーはESRDのリスクわずかに上昇（*Am J Transplant* 2014;14:2434）
- 免疫抑制：カルシニューリン阻害薬（タクロリムス＞シクロスポリン），CTLA4阻害薬（belatacept）（*NEJM* 2016;374:333），代謝拮抗薬（ミコフェノール酸モフェチル＞アザチオプリン），プレドニゾロン，他剤が禁忌の場合はmTOR阻害薬（シロリムス）
- 拒絶反応：抗体媒介性拒絶反応（ABMR）またはT細胞関連型拒絶（TCMR），移植腎生着率を下げる；Banff分類（*Am J Transplant* 2018;18:293）；治療オプション：免疫抑制薬↑，ステロイドパルス療法，IVIg，リツキシマブ
- ESRD：AKIの一般的な原因＋カルシニューリン毒性，拒絶（*NEJM* 2010;363:1451），BKウイルス，原発疾患の再発；一般的な検査＋免疫抑制レベル，ドナー特異抗体（DSA），BKウイルス量，エコー；その他の原因がなければ生検（*CJASN* 2008;3:S56, 2011;6:1774）
- 感染リスク↑（例：CMV，JCウイルス，BKウイルスなどの日和見病原体；*CJASN* 2012;7:2058），悪性腫瘍（移植後リンパ増殖性疾患を含む）
- 高血圧による脳血管疾患リスク↑（カルシニューリン阻害薬，腎動脈狭窄），DMと脂質異常症（免疫抑制薬）

糸球体疾患

糸球体腎炎

定義（*Lancet* 2016;387:2036, *JASN* 2016;27:1278）
- 糸球体内の炎症➡内皮細胞障害，上皮細胞（podocyte）障害

- 病理：増殖（細胞↑），硬化（瘢痕），壊死（領域細胞死）；巣状（観察糸球体数の<50%）からびまん性の半月体形成；分節性（1つの糸球体の<50%）から全節性（100%）病変
- 臨床所見：変形赤血球/赤血球円柱を伴う血尿，±前ネフローゼ域蛋白尿，しばしばAKI，高血圧，浮腫を伴う
- 進行速度：急性≒日単位，急速進行性（RPGN）≒約6週，慢性（CGN）≒月単位；無症候性の場合もあり
- 半月体形成性腎炎（病理学的診断名）≒RPGN（臨床学的診断名）

ANCA陽性血管炎（pauci-immune型，微量免疫沈着型）：全体の約40～45%						
病因：感染症，薬物（ヒドララジン，アロプリノール，不純なコカイン）(CJASN 2017;12:1680)						
疾患	肉芽腫	腎病変	肺病変	喘息	ANCA型[a]	ANCA陽性率
多発血管炎性肉芽腫症（GPA）[b]	⊕	80%	90%（+耳鼻咽喉病変）	−	抗PR3（c-ANCA）	90%
顕微鏡的多発血管炎（MPA）	−	90%	50%	−	抗MPO（p-ANCA）	70%
好酸球性多発血管炎性肉芽腫症（EGPA）	⊕	45%	70%	⊕	抗MPO（p-ANCA）	50%

[a] 主要なANCA型；3疾患はすべてp-ANCAまたはc-ANCAのいずれかが陽性 (NEJM 2012;367:214)；
[b] GPA（Wegener肉芽腫症），EGPA（Churg-Strauss症候群）(JASN 2011;22:587, BMJ 2012;344:e26)

抗基底膜病（線状の染色パターン）：全体の15%以下 (CJASN 2017;12:1162)			
疾患	糸球体腎炎	肺出血	抗GBM抗体
Goodpasture症候群	⊕	⊕	⊕
抗GBM病	⊕	−	⊕

免疫複合体（IC）病（顆粒状の染色パターン）：全体の約40～45% (CJASN 2018;13:128)	
腎限局性疾患	全身性疾患
感染関連腎炎（ブドウ球菌&レンサ球菌；C3↓，±ASLO）	SLE (CJASN 2017;12:825)（ANA⊕，抗dsDNA⊕，抗Sm抗体⊕，C3↓，C4↓）
膜性増殖性糸球体腎炎（MPGN）（C3↓）	クリオグロブリン血症（クリオクリット⊕，RF⊕，HCV⊕，血清蛋白電気泳動，C3↓，C4↓）
細線維性糸球体腎炎（fibrillary GN）およびイムノタクトイド腎症（C3/C4正常）	心内膜炎（発熱，血液培養⊕，弁膜症，C3↓）
IgA腎症（C3正常，±IgA↑）(NEJM 2013;368:2402, CJASN 2017;12:677)	Henoch-Schönlein紫斑病（HSP）（IgA腎症+全身性血管炎，IgA沈着，C3正常，±IgA↑）

■腫瘍関連腎症 (CJASN 2016;11:1681)
- 悪性疾患（固形腫瘍，血液）やその治療（造血幹細胞移植&化学療法）と，糸球体腎炎，ネフローゼ症候群，血栓性微小血管症（TMA）が関連
- よくみられる関連：膜性（固形腫瘍，造血幹細胞移植），微小変化群（Hodgkinリンパ腫，固形腫瘍），MPGN（CLL，多発性骨髄腫），TMA（造血幹細胞移植，VEGF，抗EGFR，CNI，TKI，mTOR）

- **単クローン性免疫グロブリン関連腎症（MGRS）**：非悪性B細胞または形質細胞による免疫グロブリン関連疾患；検査：血清蛋白電気泳動，血清遊離軽鎖，フローサイトメトリー，免疫固定法，骨髄生検

■**検査**（*JAMA* 2017;318:1276）
- AGN/RPGN±肺胞出血は救急病態 ➔ 早期の診断と治療を要する
- 尿検査＋沈渣（変形赤血球）➔ ANCA，抗GBM抗体，C3/C4，血清蛋白電気泳動，血清遊離軽鎖をチェック
- 病歴に応じて：ANA，抗dsDNA抗体/Sm抗体，RF，HBV，HCV，HIV，ASLO，血液培養，クリオクリット，皮膚生検
- 糸球体腎炎と間違えやすい疾患の除外：血栓性微小血管症（関連項目参照），骨髄腫，急性間質性腎炎，コレステロール塞栓
- 腎生検と免疫蛍光染色±電子顕微鏡検査

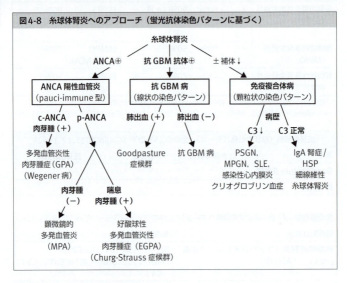

図4-8　糸球体腎炎へのアプローチ（蛍光抗体染色パターンに基づく）

■**治療**（*CJASN* 2017;12:1680）
- AGN/RPGNの疑いがある場合には，生検の結果を待たずできるだけ早くメチルプレドニゾロン500〜1,000 mg IV×3日投与；血漿交換やさらなる治療は基礎疾患に基づき検討
- ループス腎炎：寛解導入療法：ステロイド＋シクロホスファミドまたはミコフェノール酸モフェチル（*CJASN* 2017;12:825）
- ANCA陽性血管炎または抗GBM病：ステロイドパルス療法＋シクロホスファミド（またはリツキシマブ）；血漿交換（重症AKIまたは肺出血）（*JASN* 2007;18:2180, *NEJM* 2010; 363:221, *AJKD* 2011;57:566）
- 疾患別治療の詳細は「血管炎」の項参照

無症候性糸球体性血尿

■**定義と原因**
- 糸球体由来の血尿±蛋白尿がみられ，腎不全や全身性疾患を伴わないもの（非糸球体性血尿

のほうが多い;「血尿」の項参照）
- 鑑別診断:すべての糸球体腎炎（特にIgA腎症）;Alport症候群（X染色体性, 難聴, 腎不全）, 菲薄基底膜症候群（常染色体優性, 良性;*JASN* 2013;23:364）も考慮

■IgA腎症 (*NEJM* 2013;368:2, *CJASN* 2017;12:677)
- 糸球体腎炎の最も一般的な原因;男性に多く, 好発は20～30歳代;感染後の発症もあり
- 臨床症状は多様:無症候性血尿（30～40%）, 上気道感染1～3日後の肉眼的血尿（10～15%）, CGN（10%）, ネフローゼ症候群（5%）, RPGN（<5%）
- 臨床症状から診断をつけやすいが, 確定診断は生検によってのみ可能
- 予後:Cr↑, 高血圧, 蛋白尿は予後不良（*AJKD* 2012;59:865）;20～40%は20年以内にESRDまで進展
- 治療:ACEI/ARB（*JASN* 1999;10:1772）;持続的蛋白尿症例はステロイド（>1 g/日;*NEJM* 2015;373:2225）;半月体形成性腎炎, 高血圧合併, Cr↑には±免疫抑制薬（*JASN* 2012;23:1108）;?魚油

ネフローゼ症候群

■定義 (*JASN* 2014;25:2393)
- 糸球体上皮細胞障害（消失）➡蛋白の喪失（Alb, アンチトロンビンIII, グロブリン）
- 臨床的定義:蛋白尿>3.5 g/日, Alb<3 g/dL, 浮腫, Chol↑, 静脈血栓塞栓症（25%）, 感染症

■一次性糸球体疾患（病理学的分類）
- 巣状分節性糸球体硬化（FSGS）（40%;*CJASN* 2017;12:502）:一次性（サイトカイン介在）, 適応性（過剰濾過, 鎌状赤血球症, 肥満, 蛋白同化ステロイド, OSAS, 蛋白↑, 膀胱尿管逆流）, 遺伝性（アフリカ系での*ApoL1*変異;*JASN* 2015;26:1443）;ウイルス性（HIVが最も強い関連）;薬物/毒素（IFN, ビスホスホネート, NSAIDs, ヘロイン）
- 膜性腎症（30%;*Lancet* 2015;385:1983, *CJASN* 2017;12:938）:一次性（抗PLA2R抗体（70%）または抗THSD7A抗体（5%）;*NEJM* 2014;371:2277）;感染症（HBV, HCV, HIV, 梅毒）;自己免疫性（例:SLE）;上皮性腫瘍;薬物（NSAIDs, ペニシラミン）
- 微小変化群（20%, 小児ではより高頻度;*CJASN* 2017;12:332）
 アレルギー, NSAIDs, アンピシリン, Hodgkinリンパ腫, SLE, DM, 重症筋無力症, セリアック病
- 膜性増殖性糸球体腎炎（MPGN）（5%, ネフローゼと腎炎の特徴が混在;*CJASN* 2014;9:600）
 免疫複合体介在性:感染症（特にHCV±クリオグロブリン血症, 感染性心内膜炎, HBV, "シャント"腎炎, その他の慢性感染症）, SLE, クリオグロブリン血症, Sjögren症候群, リンパ腫, 異常蛋白血症, 特発性
 補体介在性（まれ）:デンスデポジット病（DDD）, C3腎症
- 細線維性-イムノタクトイド腎症（1%;*JASN* 2008;19:34）
- メサンギウム増殖性糸球体腎炎（?微小変化群/FSGSの非典型的な型;5%）:IgM, C1q腎症

■二次性糸球体病変を伴う全身性疾患
- DM（*CJASN* 2017;12:2032）:結節性糸球体硬化症（Kimmelstiel-Wilson病変）;過剰濾過⇒微量Alb尿⇒尿試験紙法⊕➡ネフローゼ域（10～15年）;1型DMの90%, 2型DMの60%に増殖性網膜症が併存
- アミロイドーシス:AL（軽鎖）アミロイドーシス/炎症に続発するAAアミロイドーシス
- SLE（*CJASN* 2017;12:825）:通常は膜性腎症（WHO分類クラスV）
- クリオグロブリン血症（*AJKD* 2016;67）:HCV, 単クローン性免疫グロブリン血症;通常はMPGN

■**精査**(*BMJ* 2008;336:1185)
- 尿検査＋沈渣：通常は良性；±卵円形脂肪体（"マルタ十字"；*NEJM* 2007;357:806）
- 尿蛋白測定：24時間尿または随時尿の尿蛋白/クレアチニン比（AKIでは正確ではない），腎生検
- 二次性の原因：HbA$_{1c}$↑＋網膜症➡DM；√ANA，抗dsDNA抗体，薬物スクリーニング，C3/C4，血清蛋白電気泳動/血清遊離軽鎖，脂肪生検，クリオクリット，HBV/HCV，HIV，RPR，抗PLA2R抗体，年齢に応じた腫瘍精査

■**治療**(*NEJM* 2013;368:10)
- 全身管理：蛋白補充；浮腫には利尿薬；高脂血症の治療，Na制限（＜2 g/日）
- **ACEI/ARB**：尿蛋白↓➡腎疾患の非免疫学的進行を遅らせる
- 一次性糸球体疾患：ステロイド±免疫抑制薬（*KI* 2012;2:139, *CJASN* 2014;9:1386）
- 二次性の原因：基礎疾患の治療
- 栄養不良（蛋白喪失）に注意，膜性腎症ではAlb＜2.5で抗凝固療法を検討（*KI* 2014;85:1412），感染症（特に莢膜を有する細菌；グロブリン喪失による）に注意

尿検査

尿試験紙法	
測定項目	意義と用途
尿比重	尿浸透圧（U$_{osm}$）の推定：1から0.001増加するごとに≒30 mOsm（尿比重＝1.010➡U$_{osm}$≒300 mOsm） 尿比重とU$_{osm}$はAKI，低/高Na血症，多尿の評価に有用 尿比重はU$_{osm}$よりも高比重の溶質（glc，造影剤）の影響を大きく受ける
pH	範囲：4.5〜8.5；結石，RTA，感染症（ウレアーゼ産生菌による尿路感染症）の評価に有用
蛋白	Alb尿症の検出（＞300 mg/日）；「蛋白尿」の項参照；希釈尿で偽陰性
潜血反応	「血尿」の項参照；⊕：赤血球，ヘモグロビン尿，ミオグロビン尿（例：横紋筋融解症） 偽陽性：精液，希釈尿（➡浸透圧性溶血），pH↑，膣出血 偽陰性：Vit C
白血球	炎症（尿路感染症，間質性腎炎，糸球体腎炎）を示唆
ケトン体	アセト酢酸（ケトアシドーシス）を検出，ただしβ-ヒドロキシ酪酸は検出できない
白血球エステラーゼ	顆粒球を検出；尿路感染症の感度80％；偽陰性：蛋白尿，糖尿；偽陽性：pH↓あるいは尿比重↓
亜硝酸	硝酸還元能を持つ細菌（腸内GNRの多く）の存在を示唆
ビリルビン（Bil）	胆道/肝臓疾患で↑
グルコース（glc）	⊕：高血糖（＞180 mg/dL），妊娠，Fanconi症候群，SGLT2阻害薬内服

尿沈渣（顕微鏡検査）(*Am J Kidney Dis* 2008;51:1052)	
方法：新鮮尿を1,500～3,000 rpmで3～5分遠心；上清を一気に廃棄；チューブ底をタッピングしてペレットを再浮遊させる；スライドガラスに滴下してカバーガラスを被せ，強拡大で観察；赤血球の形態は位相差顕微鏡で鏡検（訳注：日本では一般的に10 mLの尿を500 Gで5分遠心後，上清を破棄，0.2 mLの沈渣をスライドガラスに滴下し，カバーガラスをかけ鏡検）	
細胞	赤血球：数と形態を評価（多数の変形赤血球➡糸球体疾患） 白血球：好中球（尿路感染症）vs. 好酸球（急性間質性腎炎；特殊染色を要することあり） 上皮細胞：尿細管上皮細胞（ATN），移行上皮細胞（膀胱，尿管），扁平上皮細胞
円柱（巻末の「画像」参照）	尿細管の管腔に包埋された蛋白±捕捉された細胞成分 赤血球円柱➡糸球体腎炎 白血球円柱➡急性間質性腎炎，腎盂腎炎，糸球体腎炎 顆粒円柱〔"泥茶色（muddy brown）"〕：変性した細胞円柱➡ATN 尿細管円柱➡ATN 硝子円柱：Tamm-Horsfall蛋白（非特異的） 蝋様円柱➡進行したCKD
結晶（巻末の「画像」参照）	シュウ酸Ca一水和物：紡錘形，卵円形，ダンベル状 シュウ酸Ca二水和物：封筒形，八面体形 尿酸：形態は多様；偏光顕微鏡で明瞭に見える シスチン：六角形 "ストルバイト"：棺の蓋形；尿素を分解できる微生物による慢性尿路感染症 薬物：サルファ薬，プロテアーゼ阻害薬："麦束"；アシクロビル：微細な針状

蛋白尿

蛋白尿の原因		
分類	説明	原因
糸球体性（>3.5 g/日となりうる）	濾過関門の破綻➡Alb喪失	糸球体腎炎 ネフローゼ症候群
尿細管間質性（通常は<1～2 g/日）	濾過された蛋白の再吸収↓➡グロブリンの喪失	ATN，急性間質性腎炎 Fanconi症候群
過流量性	濾過された蛋白の産生↑	多発性骨髄腫 ミオグロビン尿
孤立性	定義：無症候性，腎機能/尿沈渣/画像所見は正常，腎疾患の既往なし	機能性（発熱，運動，CHF） 起立性（起立時のみ） 特発性（一過性/持続性）

- **尿試験紙法**
  1+≒30 mg/dL，2+≒100 mg/dL，3+≒300 mg/dL，4+>2 g/dL；結果の解釈は尿比重にも依存；例：非常に濃縮した尿での3+は重度の蛋白尿を示していないことあり微量Alb尿，骨髄腫の軽鎖（Bence-Jones蛋白）は検出できない
- **スポット尿**：蛋白（mg/dL）/Cr（mg/dL）≒1日尿蛋白（g/日）(*NEJM* 1983;309:1543)試験紙法と異なり，骨髄腫の軽鎖を正確に測定可能

特に早朝第1尿は24時間尿の代用として信頼できる（*JASN* 2009;20:436）；AKIでは不正確

Cr産生に依存；∴筋肉質の場合は低め，消耗性疾患の場合は高めの推定となる
- ●微量Alb尿（30〜300 mg/24時間，またはmg/L，またはmg/g Cr）：糸球体血管疾患の初期徴候；心血管リスク↑のマーカー（*KI* 2013;3:19）
- ●起立性蛋白尿：通常は思春期に認められる；若年男性の孤立性蛋白尿の約90%は起立性蛋白尿；通常は自然寛解

血尿

血尿の原因	
腎外性（はるかに頻度が高い）	**腎内性**
腎結石 腫瘍：尿路上皮癌，前立腺癌 感染症：膀胱炎，尿道炎，前立腺炎 尿道カテーテルによる外傷 前立腺肥大症 Bilharz住血吸虫	腎結石/結晶尿 腫瘍 外傷/運動（？腎外性含む） 血管性：腎梗塞，腎静脈血栓症，鎌状赤血球症，血管腫破裂 糸球体：IgA腎症，菲薄基底膜腎症，その他 多発性嚢胞腎（*NEJM* 2008;359:1477）

- ●発症年齢は幅広く原因も重複するが，一般的傾向として：
  <20歳：糸球体腎炎，尿路感染症，先天性；20〜60歳：尿路感染症，腎結石，癌
  >60歳男性：前立腺炎，癌，尿路感染症；>60歳女性：尿路感染症，癌

■**精査**（*JAMA* 2017;177:800）
- ●試験紙法：赤血球≧3であれば⊕；試験紙法⊕で尿沈渣⊖➡ミオグロビン尿症/Hb尿症
- ●尿沈渣：変形赤血球または赤血球円柱の存在➡糸球体腎炎➡腎生検を考慮
- ●診断：CT尿路造影：尿路結石，腫瘍の除外（感度96%，特異度98%）；尿細胞診（感度70%，特異度95%）；膀胱鏡：膀胱腫瘍の除外，特に≧35歳
- ●治療：閉塞時：膀胱洗浄，3-wayカテーテルによる持続膀胱洗浄

尿路結石

■結石の種類とリスク因子（*Nat Rev* 2016;2:16008）
- **Ca**（シュウ酸Ca＞リン酸Ca）：**腎結石の70〜90%**（*NEJM* 2010;363:954）
  尿所見：Ca↑，シュウ酸↑（シュウ酸Caのみ），pH↑（リン酸Caのみ），クエン酸↓，尿量↓
  二次性高Ca尿症：原発性副甲状腺機能亢進症，遠位RTA，サルコイドーシス，リチウム製剤使用
  二次性高シュウ酸尿症：Crohn病，結腸に異常のない回腸疾患，胃バイパス術後，膵外分泌機能低下
  食事：動物性蛋白↑，ショ糖↑，Na↑，K↓，水分摂取量↓，果物/野菜↓，Vit C↑，Ca↓
- **尿酸**：腎結石の5〜10%，放射線透過性
  尿所見：尿酸↑，pH↓（例：慢性下痢症）
- **リン酸Mgアンモニウム**（"ストルバイト"，"三重リン酸塩"）
  尿素を分解できる微生物（例：*Proteus*，*Klebsiella*）による慢性尿路感染症➡尿中NH₃↑，尿pH＞7
- **シスチン**：尿細管でのアミノ酸再吸収の遺伝的欠損

■臨床症状
- **血尿**（⊖でも結石は除外できない），側腹部痛，悪心/嘔吐，排尿困難，頻尿
- **尿管閉塞**（＞5 mmの結石は自然排出されない）➡単腎の場合はAKI
- **尿路感染症**：結石より近位の感染リスク↑；遠位尿の検査は正常なこともあり

■精査（*Urology* 2014;84:533）
- **単純CT**は感度97%，特異度96%（結石を伴わない尿管拡張は最近通過したことを示唆）；腹部エコー（感度57%，特異度98%）は安定している患者の初期評価として役立つ可能性あり（*NEJM* 2014;371:1100）
- 尿を濾過して分析のための結石を採集；尿検査，尿培養，電解質，BUN/Cr，Ca，PO₄，PTH
- 24時間尿×2（急性期から＞6週間後に）；Ca，PO₄，シュウ酸，クエン酸，Na，Cr，pH，K，尿量

■急性期治療（*CJASN* 2016;11:1305）
- 鎮痛（麻薬±NSAIDs，併用が望ましい；*Ann Emerg Med* 2006;48:173），十分な補液，尿路感染症ならば抗菌薬
- 10 mm以下の結石排泄促進にはα遮断薬＞CCB（*Cochrane* 2014:CD008509, *Lancet* 2006;368:1171）
- **早期の泌尿器科的評価，入院の適応**：尿管閉塞（特に単腎/移植腎），尿路性敗血症，難治性の痛み/嘔吐，明らかなAKI
- 泌尿器科的治療：砕石術（*NEJM* 2012;367:50），経尿道的尿路結石破砕術，腹腔鏡下/経皮的結石除去術

■慢性期治療（*CJASN* 2016;11:1305, 2017;12:1699）
- 水分摂取↑（＞2 L/日）：目標尿量は2 L/日（*J Nephrol* 2016;29:211）
- Ca結石：24時間尿で**是正すべきリスク因子**を同定
  食事：Naの摂取↓，肉の摂取↓（*NEJM* 2002;346:77），シュウ酸摂取↓，ショ糖摂取↓，果糖摂取↓
  薬物：チアジド系利尿薬（尿中Ca↓），クエン酸K（低クエン酸尿の場合），アロプリノール（高尿酸尿の場合）
  Ca制限食はシュウ酸の腸管吸収を増加させるため避ける（*NEJM* 2002;346:77），Caサプリメントの効果は不明確
- 尿酸：水分負荷，pH 6.5〜7目標の尿アルカリ化（クエン酸K），アロプリノール

- リン酸Mgアンモニウム(ストルバイト):尿路感染症の抗菌薬治療;泌尿器科的治療;アセトヒドロキサム酸;ウレアーゼ阻害薬(忍容性の低さから経験豊富な医師のみが使用)
- シスチン:水分負荷,pH 7〜8目標の尿アルカリ化(クエン酸K),D-ペニシラミン,チオプロニン(KI 2006;69:1041)

第5章
血液・腫瘍

貧血

赤血球量↓：Hct＜41%またはHb＜13.5 g/dL（男性）；
Hct＜36%またはHb＜12 g/dL（女性）

■臨床症状
- 症状：O_2供給↓➡疲労感，労作時呼吸困難，狭心痛（CADがある場合）
- 徴候：蒼白（粘膜，手掌の皮線），頻脈，起立性低血圧
- その他の所見：黄疸（溶血），**脾腫**（サラセミア，腫瘍，慢性の溶血），点状出血/紫斑（出血性疾患），舌炎（鉄，葉酸，Vit B_{12}欠乏），**匙状爪**（鉄欠乏），**神経学的異常**（Vit B_{12}欠乏）

■診断的検査
- 病歴：出血，全身性疾患，薬物，薬毒物曝露，アルコール，食事（異食症含む），家族歴
- 全血算と白血球分画；網状赤血球数，MCV（注意：混合性障害ではMCV正常の場合あり），RDWを含む赤血球指数
- **網状赤血球指数（RI）**＝[網状赤血球数×（患者のHct/正常Hct）]/成熟因子
  成熟因子はHct：45%＝1，35%＝1.5，25%＝2，20%＝2.5
  RI＞2%➡骨髄の造血能亢進；RI＜2%➡造血能低下
- 末梢血塗抹所見：赤血球どうしの重なりが約1/3の部分を観察；✓赤血球の大きさ，形状，封入体（巻末の「公式と早見表」の「末梢血塗抹所見」と「画像」の「末梢血塗抹標本」の項参照），白血球の形態，血小板数
- 必要時は追加検査：溶血の検査（RI＞2%の場合，下記参照），鉄/TIBC，フェリチン，葉酸，Vit B_{12}，LFT，BUN/Cr，TFT，Hb電気泳動，赤血球酵素/遺伝子変異スクリーニング
- 骨髄穿刺と骨髄生検，必要時は染色体検査

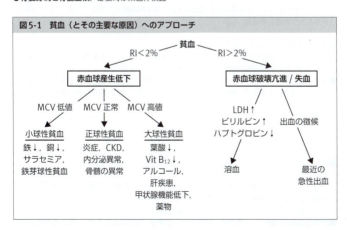

図5-1 貧血（とその主要な原因）へのアプローチ

小球性貧血

図5-2 小球性貧血へのアプローチ (NEJM 2014;371:1324)

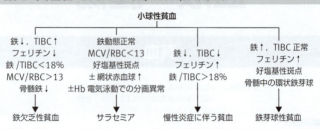

■**鉄欠乏性貧血**（NEJM 2015;372:1832, Lancet 2016;387:907）
- 骨髄鉄↓＆体内貯蔵鉄欠乏➡ヘム合成↓➡小赤血球症➡貧血
- 特徴的な臨床症状：口角炎，萎縮性舌炎，異食症（氷，土など栄養のない物質の摂取），匙状爪
  Plummer-Vinson症候群（鉄欠乏性貧血，食道ウェブ，萎縮性舌炎）
- 原因：**慢性出血**（消化管出血（悪性腫瘍を含む），月経，寄生虫，NSAIDsなど），**鉄摂取↓**（栄養不良；セリアック病やCrohn病，胃内pH↑，胃亜全摘などによる吸収↓），需要↑（妊娠；Blood 2017;129:940）；鉄剤不応性鉄欠乏性貧血（IRIDA；ヘプシジン調節異常によるまれな遺伝性疾患；Nat Genet 2008;40:569）
- 診断（理想的には治療開始前に評価）：**鉄↓，TIBC↑，フェリチン↓**（特に<15），**トランスフェリン飽和度↓**（鉄/TIBC；特に<15%），可溶性トランスフェリン受容体↑；血小板↑；病歴上別の原因がなければ消化管出血の精査（H. pyloriの血清学的検査含む）；？セリアック病の検査（**抗組織トランスグルタミナーゼ抗体**，抗グリアジン抗体，抗筋内膜抗体）；必要時は染色体/遺伝子検査
- 治療：経口鉄剤1日3回（貧血の回復約6週；貯蔵鉄の回復約6か月），経口鉄剤ではHemoccult（訳注➡グアヤック法をベースにした化学的便潜血検査）は陽性にならないことに注意；消化管からの喪失量が多いまたは継続している場合や，透析，悪性腫瘍，慢性心不全，エリスロポエチン製剤の使用開始前では，静注用鉄剤（スクロース鉄，グルコン酸鉄，デキストラン鉄）を考慮

■**サラセミア**（Lancet 2018;391:155）
- Hbのαグロビン鎖またはβグロビン鎖の合成↓➡各サブユニット間の合成量不均衡➡赤血球と赤血球系の前駆細胞の破壊；∴溶血と無効造血による貧血
- **αサラセミア**（NEJM 2014;371:1908）：αグロビンの遺伝子複合体（正常ではα鎖遺伝子は4座存在）の欠失で，東南アジア，地中海沿岸，アフリカ，中東に祖先をもつ人に多くみられる
  3α➡αサラセミア2＝無症候性キャリア；2α➡αサラセミア1または軽症型αサラセミア＝軽度の貧血
  1α➡ヘモグロビンH（HbH；$β_4$）症＝重度の貧血，溶血，脾腫
  0α➡Hb Barts（$γ_4$）＝子宮内低酸素症と胎児水腫
- **βサラセミア**：βグロビン鎖の遺伝子異常➡遺伝子産物の消失または減少
  地中海沿岸（特にギリシャやイタリア），アフリカ，アジアに祖先をもつ人に多くみられる
  β遺伝子1座の変異➡軽症サラセミア（またはサラセミア形質）＝軽度の貧血（輸血は不要）
  β遺伝子2座の変異➡遺伝子変異の重症度により，中間型サラセミア（必要に応じ輸血）または重症型サラセミア（＝Cooley貧血；輸血依存）
- 特徴的な臨床症状：リス様顔貌，病的骨折，肝脾腫（髄外造血による），高心拍出性慢性心不全，ビリルビン胆石，鉄過剰症

- ●診断：MCV<70，**鉄・フェリチン正常**，**MCV/RBC<13**（Mentzer Index，感度60%，特異度98%；*Ann Hem* 2007;86:486），±網状赤血球数↑，好塩基性斑点；**Hb電気泳動**：βサラセミアではHbA₂（$\alpha_2\delta_2$）↑；αサラセミア形質では正常パターン，∴診断にはPCRまたは超生体染色が必要
- ●治療：葉酸；輸血＋鉄キレート剤〔デフェロキサミン（静注）またはデフェラシロクス（経口）〕；? 輸血量↑が≧50%であれば脾摘；重症βサラセミアの小児では同種HSCTを考慮；遺伝子治療が開発中（*NEJM* 2018;378:1479）

■慢性炎症に伴う貧血（下記参照）

■鉄芽球性貧血
- ●赤芽球系前駆細胞内でのヘム生合成不全
- ●原因：**遺伝性／X連鎖**（*ALAS2*変異），**特発性**，**MDS-RARS**，**可逆性**（アルコール，鉛，イソニアジド，クロラムフェニコール，銅欠乏，低体温）
- ●特徴的な臨床症状：肝脾腫，鉄過剰症
- ●診断：社会歴，職業，結核の既往歴，小球性・正球性・大球性いずれもあり；低色素性赤血球の割合はさまざま；鉄↑，TIBC正常，フェリチン↑，好塩基性斑点，赤血球内の**Pappenheimer小体**（鉄含有の封入体），骨髄内の**環状鉄芽球**（鉄が異常蓄積したミトコンドリア）
- ●治療：可逆的な原因の治療；ピリドキシンの試験的投与，重症貧血には鉄キレート療法併用での輸血；一部の遺伝性症例に対しては大量ピリドキシン

正球性貧血

■汎血球減少（下記参照）

■慢性炎症による貧血（*NEJM* 2012;366:4）
- ●ヘプシジン↑による鉄利用障害と機能的な鉄欠乏による赤血球産生↓；サイトカイン（IL-6，TNF-α）によるエリスロポエチン応答性／産生↓
- ●原因：自己免疫疾患，慢性感染症，炎症，HIV，悪性腫瘍
- ●診断：**鉄↓**，**TIBC↓**（通常トランスフェリン飽和度正常もしくは低値），±フェリチン↑；通常は正球性正色素性貧血（症例の約70%）だが，遷延した場合は小球性もあり
- ●鉄欠乏の合併は一般的；血清フェリチン低値が診断の手がかり，骨髄生検で鉄染色⊖，鉄剤の試験的投与で貧血改善，可溶性トランスフェリン受容体／フェリチン↑（*Am J Clin Pathol* 2012;138:642）
- ●治療：原因疾患の治療±鉄剤投与，赤血球造血刺激因子製剤〔ESA；エリスロポエチンなど（訳注：日本では保険適用外）〕；フェリチン<100または鉄/TIBC<20%の場合は鉄剤；エリスロポエチン値<500でESAを考慮；悪性腫瘍の治療目標が治癒である場合，ESAの使用は避ける（*Lancet* 2009;373:1532）；赤血球輸血は，症状がありESAに対する反応や原因疾患の治療に時間がかかる場合に限る

■他の慢性疾患による貧血
- ●CKDに伴う貧血：エリスロポエチン↓；エリスロポエチンによる治療（「慢性腎臓病（CKD）」の項参照）
- ●ホルモン欠乏：甲状腺／下垂体／副腎／副甲状腺疾患に伴う代謝↓とO₂需要↓➡エリスロポエチン↓；正球性もしくは大球性

■鉄芽球性貧血（上記参照）

■赤芽球癆
- ●抗体やリンパ球による赤血球の破壊➡無効造血

- 胸腺腫，慢性リンパ性白血病（CLL），パルボウイルスB19感染，自己免疫，薬物と関連
- 診断的検査：**骨髄生検で赤芽球系前駆細胞を認めない**，他系統は正常
- 治療：胸腺腫大があれば胸腺摘出；免疫抑制患者でパルボウイルス感染の場合IVIg（*Clin Infect Dis* 2013;56:968）；CLLまたは特発性の場合では免疫抑制療法／化学療法；赤血球輸血による支持療法；？抗エリスロポエチン抗体による場合ではエリスロポエチン受容体作動薬（*NEJM* 2009;361:1848）；HSCTを考慮

大球性貧血

巨赤芽球性，非巨赤芽球性あり

■巨赤芽球性貧血
- **DNA合成障害→細胞質が核よりも早く成熟する→無効造血と大赤血球症**；葉酸欠乏またはVit B₁₂欠乏が原因；MDSでも起こる
- ✓**葉酸とVit B₁₂**；LDH↑，間接Bil↑（無効造血による）
- 末梢血塗抹標本：**過分葉好中球**，**大楕円赤血球**，赤血球大小不同，奇形赤血球

■葉酸欠乏
- 葉酸は薬物の緑色野菜や果物に含まれる；体内の総貯蔵量は **2〜3か月分**
- 原因：**栄養不良**（アルコール依存症，摂食障害，高齢），吸収↓（スプルー），代謝障害（メトトレキサート，pyrimethamine，トリメトプリム；*NEJM* 2015;373:1649），需要↑（慢性の溶血性貧血，妊娠，悪性腫瘍，透析）
- 診断：葉酸↓；赤血球中葉酸↓，ホモシステイン↑，メチルマロン酸正常（Vit B₁₂欠乏との違い）
- 治療：葉酸1〜5 mg PO qdを1〜4か月，または完全な血液学的改善まで；Vit B₁₂欠乏を先に除外しておくことが重要（下記参照）

■Vit B₁₂欠乏 (*NEJM* 2013;368:149)
- Vit B₁₂は動物性食品にのみ含まれる；体内の総貯蔵量は **2〜3年分**
- 胃壁細胞から分泌される**内因子**と結合；回腸末端で吸収
- 原因：栄養不良（アルコール依存症，完全菜食主義者），**悪性貧血**（胃壁細胞に対する自己免疫疾患，多腺性内分泌不全や胃癌のリスク↑と関連，吸収低下の他の原因（胃切除後，スプルー，Crohn病），Vit B₁₂に対する競合↑（腸内細菌叢の異常増加，裂頭条虫）
- 臨床症状：末梢神経，脊髄後索／側索，大脳皮質の**神経学的異常（亜急性連合性脊髄変性症）→しびれ**，異常感覚，振動覚↓と位置覚↓，運動失調，認知症
- 診断：Vit B₁₂↓；ホモシステイン↑，メチルマロン酸↑；抗因子抗体；Schilling試験；悪性貧血ではガストリン↑
- 治療：Vit B₁₂ 1 mg筋注qd×7日間→週1回×4〜8週→その後は月1回を終生
  神経学的異常は6か月以内に治療すれば可逆的
  Vit B₁₂欠乏による血液学的異常は葉酸補充により改善するが，神経学的異常は改善しない（むしろ貯蔵Vit B₁₂を消費→神経学的合併症の増悪）
  Vit B₁₂の経口投与（2 mgをqd）は内因子欠乏が原因であっても有効（*Cochrane Rev* CD004655）

■非巨赤芽球性大球性貧血
- **肝疾患**：しばしば大球性，標的赤血球を認めることあり，または溶血と有棘赤血球を伴う貧血
- **アルコール依存症**：葉酸／Vit B₁₂欠乏または肝硬変とは関連のない骨髄抑制と大赤血球症
- **網状赤血球増加**
- **他の原因**：甲状腺機能低下症；MDS；DNA合成を障害する薬物（ジドブジン，5-フルオロウラシル，ヒドロキシカルバミド，シタラビン）；遺伝性オロト酸尿症；Lesch-Nyhan症候群

汎血球減少

■原因
- 骨髄低形成(正常な細胞密度はおよそ100-年齢):**再生不良性貧血**,低形成性MDS
- 骨髄過形成:**MDS**,PNH,非白血病性白血病,重度の巨赤芽球性貧血
- 骨髄の置換(骨髄癆):**骨髄線維症**,転移性固形腫瘍,肉芽腫
- 全身性疾患:脾機能亢進症,敗血症,アルコール,毒物

■臨床症状
- 貧血➡倦怠感
- 好中球減少症➡繰り返す感染症
- 血小板減少症➡粘膜出血と皮下の易出血性

■再生不良性貧血=造血幹細胞不全(NEJM 2015;373:35)
- 疫学:年間2〜5症例/100万人;二峰性(思春期に最多,第2のピークは高齢者)
- 診断:網状赤血球↓を伴う汎血球減少,骨髄生検・細胞遺伝学的検査では低形成髄
- 原因:**特発性**(症例の1/2〜2/3)
  幹細胞の破壊:**放射線,化学療法,化学物質**(例:ベンゼン)
  特異的な薬物に対する反応(例:クロラムフェニコール,NSAIDs,サルファ薬,金,カルバマゼピン,抗甲状腺薬)
  ウイルス(HHV-6, HIV, EBV, パルボウイルスB19);**肝炎後**(非A非B非C型)
  免疫異常(SLE, HSCT後のGVHD, 胸腺腫)
  PNH(下記参照);Fanconi貧血(汎血球減少,大球性貧血,MDSとAMLのリスク↑,頭頸部の扁平上皮癌のリスク↑,多発する身体奇形を伴う先天性疾患)
  テロメアの短縮:テロメラーゼ遺伝子(*TERT*, *TERC*)変異(再生不良性貧血の10%),先天性角化異常症/*DKC1*変異;IPF, 肝硬変と関連(*NEJM* 2009;361:2353)
  体細胞変異:再生不良性貧血の約50%にPNHクローンあり(*Haematologica* 2010;95:1075)
- 治療と予後
  同種HSCT:若年者を対象➡約80%の長期生存と悪性疾患への進展リスク↓,ただし移植関連の合併症や治療関連死のリスクあり;移植前は可能ならば輸血(と同種免疫)を避ける
  免疫抑制療法(シクロスポリン/タクロリムス,抗胸腺細胞グロブリン):70〜80%の症例で反応,奏効した場合の5年生存率は80〜90%(ウマ抗胸腺細胞グロブリン96% vs. ウサギ抗胸腺細胞グロブリン76%;*NEJM* 2011;365:430);クローン性疾患(多くはMDS, AML, PNH)の発生率は10年間で15〜20%
  トロンボポエチン受容体作動薬(エルトロンボパグなど):免疫抑制療法と併用で初回治療に用いる(*NEJM* 2017;376:1540)
  支持療法:輸血,抗菌薬,G-CSFとエリスロポエチン(エリスロポエチン<500の場合)が有用な症例あり

■骨髄異形成症候群(MDS)(当該項目参照)

■発作性夜間ヘモグロビン尿症(PNH)(*Blood* 2009;113:6522)
- 後天性クローン性幹細胞疾患=*PIG-A*遺伝子の不活性化を起こす体細胞変異➡CD55とCD59(補体活性化の抑制)を細胞膜に繋留するGPIアンカーの不足➡補体介在性の溶血,血小板凝集,凝固能亢進
- 臨床症状:**血管内溶血,凝固能亢進**(静脈性>動脈性;特に腹腔内,大脳),平滑筋のジストニア,**造血機能不全**(血球減少);再生不良性貧血・MDSや,AMLへの進展と関連
- 診断:赤血球と顆粒球の**フローサイトメトリー**(CD55↓とCD59↓);ヘモジデリン尿
- 治療:支持療法(鉄,葉酸,輸血);抗凝固療法を考慮
  骨髄低形成または重症血栓症に対して同種HSCT

エクリズマブ（補体C5開裂を阻害し，終末補体複合体生成を抑制する抗体）：溶血↓，QOL改善とHb値の安定化（*NEJM* 2004;350:552, 2006;355:1233, *Lancet* 2009;373:759）；妊娠中も有効（*NEJM* 2015;373:1032）；髄膜炎菌ワクチン接種が必須

■**骨髄瘻性の貧血**（「原発性骨髄線維症」の項も参照）
●骨髄内への癌，白血病，感染症，線維化（原発性骨髄線維症），肉芽腫，リソソーム蓄積症の浸潤

溶血性貧血

機序別にみた溶血性貧血の原因（*Lancet* 2000;355:1169&1260）			
部位	機序	例	様式
血管内	酵素欠損	G6PD欠損症	遺伝性
	Hb異常	鎌状赤血球症，サラセミア	
	細胞膜異常	遺伝性球状赤血球症	
		PNH，肝疾患による有棘赤血球を伴う貧血	後天性
血管外	免疫介在性	自己免疫性；薬物誘発性，中毒反応	
	機械的な破壊	MAHA；人工物（弁，TIPS）	
	直接的な感染，毒素	マラリア，バベシア症；ヘビ毒，クモ毒；Wilson病；低張液輸液	
	脾臓での捕捉	脾機能亢進症	

■**診断的評価**
●網状赤血球数↑（RI＞2%），LDH↑，ハプトグロビン↓（感度83%，特異度96%），間接Bil↑
●自己免疫性溶血：直接Coombs試験＝直接抗グロブリン試験➡患者赤血球にIgまたはC3に対する抗血清を添加した際に凝集が起これば陽性
●血管内：LDH↑↑，ハプトグロビン↓↓；Hb血症，Hb尿症，ヘモジデリン尿症
●血管外：脾腫
●貧血の家族歴：胆石症の既往/家族歴

■**グルコース-6-リン酸デヒドロゲナーゼ（G6PD）欠損症**（*Lancet* 2008;371:64）
●X連鎖性遺伝の代謝異常症（*G6PD*変異），酸化傷害に対する感受性↑
●アフリカ/地中海（マラリア流行地域）出身の祖先をもつ男性に最も多い
●薬物（スルホンアミド系薬，ジアフェニルスルホン，nitrofurantoin，ラスブリカーゼ，プリマキン，ドキソルビシン，メチレンブルー），**感染症，DKA，食物**（ソラマメ；*NEJM* 2018;378:60）による溶血の誘発
●診断：塗抹標本で赤血球中にHeinz小体（Hbの酸化変性物）を認める；Heinz小体が脾臓で取り除かれ**バイト細胞**（咬傷赤血球）が生成，G6PD活性↓（急性の溶血では正常なこともある；古い赤血球が先に溶血し，G6PD活性が正常に近い新しい赤血球が残るため）

■**鎌状赤血球貧血**（*NEJM* 2017;376:1561, *Lancet* 2017;390:311）
●劣性遺伝のβグロビン変異➡Hbの構造異常（HbS）；アフリカ系米国人では約8%がヘテロ接合体（"鎌状赤血球形質"；通常は無症候性）；ホモ接合体（鎌状赤血球症）は約1/400
●O₂↓➡HbS重合➡赤血球の鎌状化，赤血球の変形性↓➡**溶血**，血管内皮細胞の活性化と多形核白血球の接着による**微小血管閉塞**（*Blood* 2013;122:3892）
●**貧血**：慢性の溶血±急性の骨髄無形成クリーゼ（パルボウイルスB19）または脾臓の急速な血液貯留

- ●**血管閉塞と梗塞**：急性胸部症候群，脳血管障害（高い致死率），肺高血圧，疼痛発作，脾臓の血液貯留，腎乳頭壊死，無菌性骨壊死，指炎（手足症候群），持続勃起症
- ●**感染症**：脾梗塞➡**被包性細菌**による劇症感染症；骨の梗塞➡**骨髄炎**（*Salmonella*，黄色ブドウ球菌），時に致死的となる
- ●**診断**：末梢血塗抹標本で鎌状赤血球とHowell-Jolly小体；Hb電気泳動
- ●**治療**：ヒドロキシカルバミド，葉酸，**?** 疼痛発作のためのL-グルタミン（*NEJM* 2018; 379:226）
- ●**ワクチン**：肺炎球菌，髄膜炎菌，インフルエンザ菌，HBV
- ●**Voxelotor**（HbSの重合阻害）：溶血↓によりHb↑（*NEJM* 2019;381:509）
- ●**疼痛，微小血管閉塞発作**：鎮痛（自己調節鎮痛法を考慮），輸液，Hbがベースラインより低く有症状の場合は輸血；crizanlizumab（抗P-セレクチン；*NEJM* 2017;376:429）
- ●**急性胸部症候群**：O₂，抗菌薬，輸液，交換輸血
- ●**TIA/脳梗塞**：交換輸血（目標 Hb 10 g/dL）±血栓溶解療法
- ●**遺伝子治療**は研究開発中（*NEJM* 2017;376:848）

■遺伝性球状赤血球症（*Lancet* 2008;372:1411）
- ●赤血球膜の細胞骨格蛋白の異常➡膜喪失
  アンキリン，α/βスペクトリン，バンド3蛋白，パリジンの変異が同定済み
- ●北欧由来の人種に最も多い（1/5,000出生）；家族歴あり（患者の75%）
- ●貧血，黄疸（多くは新生児期），脾腫，色素胆石
- ●**診断**：末梢血塗抹標本で球状赤血球，浸透圧脆弱性試験陽性（感度約80%），エオシン-5-マレイミド結合能↓（感度93%，特異度99%；*Haemat* 2012;97:516），酸グリセロール溶血試験（感度95%）
- ●**治療**：葉酸，輸血，中等症～重症患者では脾摘（将来的な血栓症と感染のリスク↑と比較して考慮；*J Thromb Haemost* 2008;6:1289）

■発作性夜間ヘモグロビン尿症（PNH）（上記参照）

■自己免疫性溶血性貧血（AIHA）
- ●後天性の抗体介在性の赤血球破壊
- ●**温式AIHA**：体温下で**IgG**が赤血球をオプソニン化➡脾臓による除去
  病因：特発性，リンパ増殖性疾患（CLL，非Hodgkinリンパ腫），自己免疫疾患（SLE），薬物，HIV，バベシア症（*NEJM* 2017;376:939）
- ●**冷式AIHA**：体温（37℃）より低い温度下で**IgM**が赤血球に結合➡**補体結合**➡寒冷曝露により血管内溶血と肢端チアノーゼ
  病因：特発性，リンパ増殖性疾患（例：Waldenströmマクログロブリン血症；単クローン性），*Mycoplasma pneumoniae*感染，伝染性単核球症（多クローン性）
- ●**診断**：末梢血塗抹標本で球状赤血球，**Coombs試験**⊕；✓寒冷凝集素価，脾腫
- ●**治療**（*Blood* 2017;129:2971）：基礎疾患の治療
  温式AIHA：副腎皮質ステロイド±脾摘，IVIg，細胞傷害性薬物，リツキシマブ
  冷式AIHA：寒冷曝露を避ける；ステロイドは無効；リツキシマブ（*Blood* 2004;103:2925）

■薬物誘発性溶血性貧血
- ●薬物により誘発される，抗体を介した後天性の赤血球破壊；抗菌薬：セファロスポリン系，サルファ薬，リファンピシン，リバビリン；循環器薬：メチルドパ，プロカインアミド，キニジン，チアジド系；三環系抗うつ薬，フェノチアジン系，NSAIDs，スルホニルウレア，メトトレキサート，5-フルオロウラシル，ラスブリカーゼ（G6PD欠損症）
- ●**診断**：Coombs試験は通常は⊖，LDH↑；**治療**：原因薬物の中止

■微小血管障害性溶血性貧血（MAHA）（*NEJM* 2014;371:654）
- ●細動脈内フィブリン血栓による赤血球損傷➡後天性血管内溶血
- ●**病因**：**溶血性尿毒症症候群（HUS）**，**血栓性血小板減少性紫斑病（TTP）**，**播種性血管内凝**

固（DIC），悪性腫瘍，悪性高血圧，子癇/HELLP症候群，人工弁，感染した人工血管
- 診断：**破砕赤血球**±血小板減少症±病態特異的な異常（例：DICのPT↑，HUSのCr↑，HELLP症候群のLFT↑）
- 治療：基礎疾患の治療；**TTPでは緊急血漿交換**（ADAMTS13低値に対する補充）

■脾機能亢進
- 脾内での赤血球停留/捕捉➡マクロファージによる攻撃と赤血球膜リモデリング➡球状赤血球症➡溶血

脾腫の原因	
病因	疾患*
網内系過形成	溶血性貧血，鎌状赤血球症，**重症型サラセミア**
免疫亢進	感染症〔HIV，EBV，CMV，結核，**マラリア，カラアザール**（内臓リーシュマニア症，"黒熱病"），**MAC**〕，自己免疫疾患（SLE，Felty症候群に伴うRA），サルコイドーシス，血清病
うっ血	肝硬変，CHF，門脈/脾静脈血栓症，**住血吸虫症**
浸潤（非悪性）	リソソーム蓄積症（**Gaucher病**，Niemann-Pick病），糖原病，ヒスチオサイトーシスX，脾嚢胞
腫瘍性	**MPN（CML，原発性骨髄線維症，真性多血症，本態性血小板血症），CMML，白血病，リンパ腫（非Hodgkinリンパ腫，Hodgkinリンパ腫，有毛細胞白血病，CLL，PLL，Waldenströmマクログロブリン血症），T-LGL**，骨髄腫，アミロイドーシス

*太字は巨大脾腫の原因

止血障害

出血性疾患の臨床的特徴		
特徴	血小板/血管の障害	凝固障害
部位	皮膚，粘膜	軟部組織の深部（筋肉，関節）
病変	点状出血，斑状出血	関節血腫，血腫
出血	軽微な外傷後：あり 術後：直後，軽度	軽微な外傷後：まれ 術後：遅延性，重度

■紫斑（圧迫によって消退しない紫色/赤色の病変で，赤血球の真皮への溢出による）
- **触知できない紫斑**（斑；径≤3 mm＝点状出血；>3 mm＝斑状出血）
  血小板疾患：血小板減少症，血小板機能障害
  血栓塞栓：DIC，TTP，コレステロール/脂肪塞栓
  外傷または血管脆弱性：アミロイドーシス，Ehlers-Danlos症候群，壊血病
- **触知可能な紫斑**（丘疹性）；**血管炎**：白血球破砕性，HSP，PAN，ロッキー山紅斑熱
  感染性塞栓：髄膜炎菌血症，感染性心内膜炎
- **電撃性紫斑病**（網状紫斑ともいう）：**紫斑＋低血圧＋DIC**；通常は感染症/敗血症，プロテインC/S欠損症，抗リン脂質抗体症候群（「凝固障害」の項参照）

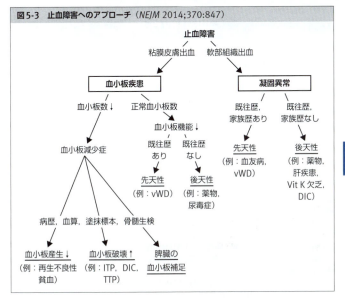

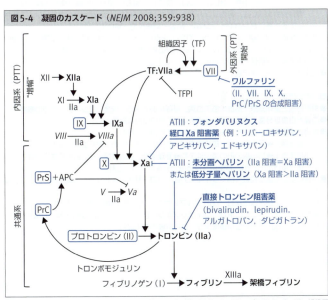

APC：活性化プロテインC，AT：アンチトロンビン，PrC：プロテインC，PrS：プロテインS，TF：組織因子，TFPI：組織因子経路インヒビター

血小板疾患

血小板減少症（血小板数＜15万/μL）

血小板減少症と出血リスク

血小板数（/μL）	リスク
5〜10万	重症外傷で出血リスクあり；一般的な外科手術は実施可
2〜5万	軽症の外傷や外科手術により出血のリスクあり
＜2万	自然出血のリスクあり（ITPではややリスクが低い）
＜1万	重篤で致死的な出血のリスクあり

■病因
- **血小板産生↓**
  - 骨髄低形成：再生不良性貧血（当該項目参照），MDS（まれ），薬物（例：チアジド系，抗菌薬，化学療法），アルコール，肝硬変
  - 骨髄過形成：MDS，白血病，重度の巨赤芽球性貧血
  - 骨髄置換：骨髄線維症，造血器腫瘍，悪性固形腫瘍，肉芽腫
- **血小板破壊↑**
  - 免疫学的（一次性と二次性を鑑別；*Blood* 2009;113:2386）
    - 一次性（特発性）：**ITP**（下記参照）
    - 二次性：感染症（**HIV**，**HCV**，HSV），膠原病（**SLE**），抗リン脂質抗体症候群，リンパ増殖性疾患（**CLL**，悪性リンパ腫），薬物（**ヘパリン**，abciximab，キニジン，スルホンアミド系，バンコマイシンなど多数），同種免疫（輸血後）
  - 非免疫学的：**MAHA**（DIC，HUS，TTP），チクロピジン/クロピドグレル，血管炎，子癇/HELLP症候群，心肺バイパス，CVVH，IABP，海綿状血管腫，ウイルス感染症
- **分布異常または貯留**：脾臓の捕捉，希釈，低体温
- **機序不明**：エーリキア症/アナプラズマ症，バベシア症，ロッキー山紅斑熱

■診断的検査
- 病歴聴取と身体診察：薬歴，感染徴候，基礎にある病態，脾腫，リンパ節，**出血の既往**
- 血算と白血球分画：血小板減少症のみ vs. 多系統の血球異常
- 末梢血塗抹所見（血小板凝集による偽性血小板減少を除外）
  - 血小板破壊↑➡巨大血小板，**破砕赤血球**（巻末の「画像」の「末梢血塗抹標本」を参照）
  - 血小板産生↓➡血小板のみの減少はまれ➡**芽球増加**，過分葉好中球，白赤芽球症を確認；封入体（*Anaplasma*），寄生虫（*Babesia*）を認めることあり
- 必要に応じて追加検査（例：ウイルス力価，フローサイトメトリー，抗核抗体，抗リン脂質抗体）
  - 貧血あり：✓網状赤血球数，LDH，ハプトグロビン，Bil（溶血の有無を確認）
  - 溶血性貧血あり：✓PT，PTT，フィブリノゲン，Dダイマー，Coombs試験，抗核抗体
  - 骨髄生検：原因不明の血小板減少症，特に脾腫のある場合

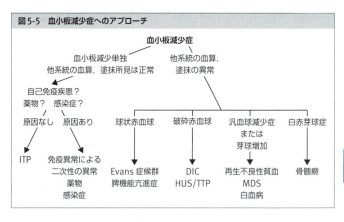

図 5-5 血小板減少症へのアプローチ

■特発性血小板減少性紫斑病（免疫性血小板減少症，ITP）(*Blood* 2010;115:168)
- 免疫学的機序による血小板の破壊（血小板に対する自己抗体）と産生↓（巨核球に対する自己抗体）を原因とする，血小板単独の減少
- 除外診断（二次性のITPを除外）；臨床 / 検査上の明確な基準はないが，通常は下記のとおり：
  血算：血小板単独↓（<10万/μL）；10%はITP＋AIHA＝Evans 症候群
  末梢血塗抹所見：巨大血小板（非特異的），偽性血小板減少を除外
  骨髄生検：巨核球↑，正形成髄；他系統の血球異常，末梢血塗抹所見の異常がある場合や，診断困難な場合に検討（*Blood* 2011;117:4910）
  ✓リツキシマブ投与前にHBs抗原やHBc抗体（真の検査結果が不明になるのでIVIg前も）
  臨床症状：皮膚粘膜出血が緩徐に発症；女性：男性＝3：1
- 治療：血小板数＞5万/μLであれば，出血，外傷 / 手術，抗凝固療法がないかぎり治療は通常不要

成人の一次性ITPの治療		
アプローチ	治療	注意点
一次治療または先行治療	**ステロイド**：プレドニゾロン経口0.5〜1 mg/kg/日 4週までに漸減開始，またはデキサメタゾン経口40 mg/日×4日間（訳注：40 mg/日は保険適用外）	マクロファージのFcR↓&抗血小板抗体↓ 70〜90%が初期治療に反応 約20%が寛解維持
	24〜48時間以内の急速な血小板数の回復が必要な場合 **IVIg**（1 g/kg/日×2〜3日）（訳注：日本では400 mg/kg/日×5日間）を考慮；効果は2〜6週間継続	マクロファージのFcRを阻害，抗血小板抗体↓ マクロファージによる抗体が結合した血小板の取り込みに干渉；80%が初期治療に反応
	抗Rh（D）抗体：赤血球のRh（D）陽性の場合，IVIgの代替として使用可能；50〜75μg/kg/日	抗体に被覆された赤血球がマクロファージ FcRを占有 溶血の既往があるときは避ける；通常は使用されない

（次頁につづく）

二次治療または維持療法	ロミプロスチムまたはエルトロンボパグ	TPO受容体作動薬➡血小板産生↑
	リツキシマブ（抗CD20抗体）±デキサメタゾン	抗Bリンパ球抗体
	脾摘（実施する頻度は低い）	約65%が長期寛解
	アザチオプリン，シクロホスファミド，ミコフェノール酸モフェチル（訳注：いずれも保険適用外）	免疫抑制薬
	ダナゾール：600 mg/日（訳注：保険適用外）	アンドロゲン（多毛症），血小板クリアランス↓
慢性/難治性	ロミプロスチムまたはエルトロンボパグ	脾摘を延期できる
	fostamatinib：1回75～150 mg bid	spleen tyrosine kinase (SYK) 阻害薬
出血	アミノカプロン酸	プラスミン活性化の阻害
	メチルプレドニゾロン1 g/日 IV×3日間	上記参照
	IVIg	上記参照
	血小板輸血	IVIgまたは抗Rh（D）抗体と併用

(*Blood* 2017;129:2829 & 130:3624, *Lancet Haem* 2016;3:e489, *Eur J Haem* 2018;100:304, *Immunother* 2018;10:9)

■二次性ITP
- 診断：血清学的ウイルス検査（HIV，HCV，HBV，EBV），抗*H. pylori*抗体，抗核抗体，妊娠反応，抗リン脂質抗体，TSH，パルボウイルスとCMVのPCR；抗血小板抗体の検査は意義なし
- 基礎疾患および原因の治療

ヘパリン起因性血小板減少症（HIT）(*Chest* 2012;141:e495S, *NEJM* 2015;373:252)		
特徴	I型（臨床的意義に乏しい）	II型（臨床的に病的意義のあるHIT）
機序	ヘパリンの直接的作用（非免疫学的）	免疫（抗体）介在性 血小板第4因子（PF4）とヘパリンの複合体に対するIgG
発生率	10～20%	UFHで1～3%，LMWHで0～0.8%
発症時期	ヘパリン投与後1～4日	4～10日後；過去の曝露から100日以内の場合は<24時間のこともあり（抗体が残存）；術後が最もリスク；ヘパリン中止後にも発症しうる
血小板最低値	>10万/μL	約6万/μL，>50%↓
続発症	なし	30～50%に血栓性イベント（**HITT症候群**）まれに出血性合併症
管理	ヘパリンの継続可能，経過観察	**ヘパリン中止** 抗凝固薬変更

- 病態生理（II型）：抗体がPF4-ヘパリン複合体に結合➡免疫複合体が血小板に結合➡**血小板活性化**，さらにPF4を放出➡血小板凝集，血流からの除去➡**血小板減少症**；血小板から凝固促進因子放出，HIT抗体に傷害された血管内皮細胞から組織因子放出➡**血栓形成傾向**
- 診断（臨床基準＋病理学的基準を要する）

臨床基準：血小板＜10万または病前値よりも＞50%↓；または**静脈血栓症**（DVT/PE）か**動脈血栓症**（四肢虚血，脳血管障害，心筋梗塞）（静脈：動脈＝4：1）；皮膚壊死；**？**ヘパリン耐性↑

病理学的基準：ELISAでPF4-ヘパリンに対するHIT抗体陽性（感度≧90%，IgG特異的ELISAの特異度は94%），機能的血小板凝集（セロトニン放出）試験（感度/特異度＞95%）で確認可能

臨床経過が重要：HIT抗体（特にIgM ELISA）は，UFH/LMWH使用中の10〜20%（*Am J Hem* 1996;52:90），冠バイパス術の最大50%（*Circ* 1997;95:1242）で陽性

"4つのT"基準によるHITの検査前確率（*Blood* 2012;120:4160）：≦3点➡99% NPV，その他の原因を検索；4〜5点 22% PPV & 6〜8点 64% PPV，✓臨床検査，UFHを代替薬に変更

HIT疑い例の評価（"4つのT"）			
項目	2点	1点	0点
Thrombocytopenia (血小板減少)	＞50%↓ かつ最低値≧2万	30〜50%↓ または最低値1万〜19,000	＜30%↓ または最低値＜1万
Timing (発症時期)	ヘパリン投与後5〜10日または過去のヘパリン曝露から30日以内で≦1日	？ヘパリン投与後5〜10日（不明確）またはヘパリン投与後＞10日または過去のヘパリン曝露から30〜100日で≦1日	最近の曝露歴がなく≦4日
Thrombosis (血栓症)	新規の血栓症，皮膚壊死，UFH静注後の急性反応	進行性/再発性の血栓症，血栓症の疑いまたは壊死ではない皮膚病変	なし
Other cause (他の原因)	明確な原因なし	疑わしい原因あり	明確な原因あり

●**HIT（II型）の治療**（*Chest* 2012;141:e495S, *Blood* 2012;119:2209, *NEJM* 2013;368:737）

ヘパリン中止（ヘパリンフラッシュ，LMWHの予防投与，ヘパリン含浸ラインの使用も含む）；血小板輸血は避ける（血栓症との関連を示唆する報告あり）；ワルファリン投与中の場合，ワルファリンによる皮膚壊死を防ぐためVit Kで拮抗

血栓症の有無に関係なく**非ヘパリン抗凝固薬**（アルガトロバン，bivalirudin；*NEJM* 2013;368:737）；血小板＞15万となったら最低5日間の非ヘパリン抗凝固薬併用のうえでワルファリンを開始（✓抗第Xa因子発色アッセイで調整）

血栓症あり（HITT症候群）：抗凝固療法≧3〜6か月

血栓症なし（HIT）：DVTの検索；その後の抗凝固療法の期間については一致した見解なし（少なくとも血小板数改善まで，血栓がなければ多くは約2〜3か月）；30日以内の血栓症発生率は25〜50%

●**HITの既往**：抗PF4抗体⊖またはセロトニン放出試験⊖（通常は診断後＞100日）➡手術などでのUFH再投与も検討可能；HITの再発率は低いが再発の報告もあり（*Blood* 2014;123:2485）

■血栓性微小血管障害症（TMA）（*NEJM* 2014;371:654, *Lancet* 2017;390:681）
●内皮障害➡血小板凝集＆微小血管内の血栓➡血小板↓と溶血（MAHA）

●**血栓性血小板減少性紫斑病（TTP）**

病態生理：ADAMTS13プロテアーゼ活性↓↓（遺伝性または自己抗体）➡巨大vWFマルチマーが切断されずに内皮表面に存在➡血小板の接着と凝集➡血栓症

臨床症状：**五徴**（5つとも揃うのはおよそ5%）＝血小板↓＋MAHA（100%）±意識障害（65%）±腎不全（50%, 遅れて発症）±発熱（25%）
- **溶血性尿毒症症候群（HUS）**
  病態生理：(1) 志賀毒素が腎血管内皮細胞を障害➡腎内血栓；または (2) 補体制御の異常（遺伝性または後天性）、いわゆる"非典型HUS"
  臨床症状：三徴＝血小板減少＋MAHA＋腎不全；（志賀毒素による場合は血性下痢）
- **薬物誘発性TMA**（*Blood* 2017;129:2857）
  免疫介在性（血小板と内皮細胞への抗体反応）：例，キニーネ，？ゲムシタビン
  直接的な毒性：ゲムシタビン，マイトマイシン，タクロリムス，シクロスポリン，ベバシズマブなど
  臨床的にTTPに類似
- 診断：原因不明の**血小板↓**（通常は＜2万）＋**MAHA**➡診断に十分
  破砕赤血球陽性（＞2〜3/hpf），Coombs試験⊖，PT/PTTとフィブリノゲンは正常
  LDH↑↑（組織の虚血と溶血），間接Bil↑，ハプトグロビン↓↓，Cr↑（特にHUS）
  生検：血小板からなる硝子様血栓で満たされた細動脈
  鑑別診断：DIC，血管炎，悪性高血圧，子癇/HELLP症候群
- 治療：TTPに対しては**緊急血漿交換**±グルココルチコイド；血漿交換が遅れる場合はFFP
  ?TTPに対してはリツキシマブまたはcaplacizumab（抗vWF抗体）（*NEJM* 2019;380:335）
  非典型HUSにはエクリズマブ（*J Nephrol* 2017;30:127）
  血小板輸血は禁忌➡微小血管内血栓↑（*NEJM* 2006;354:1927）

■播種性血管内凝固（DIC）（「凝固障害」の項参照）

血小板機能異常

血小板機能異常の機序と病因		
機能	遺伝性	後天性
接着	Bernard-Soulier症候群；vWD	尿毒症；後天性vWD
凝集	無フィブリノゲン血症 Glanzmann血小板無力症	チクロピジン，クロピドグレル，GPIIb/IIIa異常蛋白症（骨髄腫）
顆粒放出	Chédiak-Higashi症候群 Hermansky-Pudlak症候群	薬物（アスピリン，NSAIDs）；肝疾患；MPN；心肺バイパス

■血小板機能の検査
- 血小板凝集試験：凝集惹起物質（例：ADP）による凝集を測定

■von Willebrand病（vWD）（*NEJM* 2016;375:2067）
- von Willebrand因子（vWF）の機能＝血小板接着と第VIII因子の血漿中輸送
- vWDは最も一般的な遺伝性出血性疾患（通常は常染色体優性）；約85%（1型）はvWFの量的異常；約15%（2型）はvWFの質的異常
- 後天性vWD：さまざまな疾患（悪性腫瘍，血小板↑を伴うMPN；自己免疫疾患；甲状腺機能低下症；薬物）に続発し，機序も単一ではない（抗vWF抗体，クリアランス↑，合成↓）；Heyde症候群＝重症大動脈弁狭窄症に伴うvWFの破壊により，消化管の血管形成/出血を呈する
- 診断：**vWF抗原量↓，vWF活性↓**（リストセチンコファクターアッセイで測定），**第VIII因子↓**，±PTT↑，±血小板↓；**vWFマルチマー解析**で確認
- 臨床所見，第VIII因子活性レベル，リストセチンコファクターアッセイは治療方針決定に有用

- 治療：**デスモプレシン**（DDAVP，静注／経鼻）➡血管内皮細胞からのvWF放出↑；有効性は病型による（2型では避ける），∴観血的な処置や出血に備えて反応を確認しておく；**vWF補充**：クリオプレシピテート，vWF濃度の高い第Ⅷ因子濃縮製剤，組換え型vWF

■尿毒症性出血
- 尿毒症➡血小板機能障害（凝集能↓，接着能異常を含む）
- 治療：DDAVP，クリオプレシピテート，貧血の改善（血小板と内皮の相互作用を促し，血小板の凝集と接着を改善），抗血小板薬の中止を考慮

凝固障害

遺伝性／後天性凝固障害のスクリーニング検査の異常

PT	PTT	凝固因子	遺伝性	後天性
↑	↔	Ⅶ	Ⅶ欠乏	**Vit K欠乏；肝疾患**；凝固因子インヒビター
↔	↑	Ⅷ，Ⅸ	血友病，vWD	**抗リン脂質抗体**；凝固因子インヒビター
↑	↑	Ⅰ，Ⅱ，Ⅴ，Ⅹ	フィブリノゲン，Ⅱ，Ⅴ欠乏	**DIC；肝疾患**；凝固因子インヒビター

■追加の凝固能検査（JAMA 2016;316:2146）
- **クロスミキシング試験**：PT/PTT↑の場合に有用；患者血漿と健常人血漿を1:1で混合してPT/PTTの正常化を確認
  PT/PTT正常化➡**凝固因子欠乏**；PT/PTTのまま➡**凝固因子インヒビター**
- **凝固因子活性**：クロスミキシング試験で凝固因子欠乏が示唆された場合に有用
  DIC➡すべての凝固因子が消費される；∴第Ⅴ，Ⅷ因子↓
  肝疾患➡第Ⅷ因子以外のすべての凝固因子↓；∴第Ⅴ因子↓，第Ⅷ因子正常
  Vit K欠乏➡第Ⅱ，Ⅶ，Ⅸ，Ⅹ因子（およびプロテインC，S）↓；∴第Ⅴ，Ⅷ因子は正常
- **DICスクリーニング**：フィブリノゲン（消費），フィブリン分解物（線溶系の亢進により陽性となる），Dダイマー（架橋形成したフィブリンの分解物を検出する特異的検査）

■血友病（Lancet 2016;388:187）
- X連鎖劣性遺伝の**第Ⅷ因子欠乏**（血友病A）または**第Ⅸ因子欠乏**（血友病B）
- 分類：軽症（凝固因子活性が正常の5〜25%），中等症（1〜5%），重症（<1%）
- 臨床症状：血腫，関節内出血，紫斑，出血（粘膜，消化管，腎尿路生殖器）
- 診断：PTT↑（クロスミキシング試験で正常化），PTとvWFは正常，第Ⅷまたは第Ⅸ因子↓
- 第Ⅷまたは第Ⅸ因子活性<1%のときは予防の適応
- 治療：精製／組換え型の第Ⅷ因子（NEJM 2016;374:2054）または第Ⅸ因子製剤；デスモプレシン（中等症）；アミノカプロン酸；クリオプレシピテート（第Ⅷ因子）；エミシズマブ（第Ⅸ因子と第Ⅹ因子を架橋），インヒビターの有無にかかわらず血友病Aに有効（NEJM 2017;377:809, 2018;379:811）

■凝固因子インヒビター（第Ⅷ因子インヒビターが最も多い）
- 病因：血友病；分娩後；リンパ増殖性疾患と自己免疫異常；悪性腫瘍
- 診断：PTT↑（クロスミキシング試験で**正常化せず**）；Bethesda法で力価を定量
- 治療：高力価➡**遺伝子組換え活性型第Ⅶ因子製剤**，ブタ凝固因子濃縮製剤，活性型プロトロンビン複合体製剤；高力価以外➡高純度ヒト凝固因子製剤，血漿交換，ステロイド／シクロホスファミド／リツキシマブによる免疫抑制療法（Curr Opin Hematol 2008;15:451）

■播種性血管内凝固(DIC)(NEJM 2014;370:847)
- ●病因:外傷,ショック,感染症,悪性腫瘍(特に急性前骨髄球性白血病),妊娠合併症
- ●病理学的機序:過剰な凝固系の活性化による凝固系制御機構の破綻
  微小血管内血栓➡虚血+微小血管障害性溶血性貧血(MAHA)
  凝固因子や血小板の急激な消費➡**出血**
  慢性DIC➡血小板や凝固因子産生による代償が可能➡**血栓症**
- ●診断:PT↑,PTT↑,**フィブリノゲン↓**(急性期には正常なこともあり),**フィブリン分解物/Dダイマー陽性**,血小板↓,破砕赤血球あり,LDH↑,ハプトグロビン↓;慢性DIC:フィブリン分解物/Dダイマー陽性,血小板数は多様,その他の検査結果は正常
- ●治療:背景にある病態の治療;支持療法として**FFP**,**クリオプレシピテート**(目標フィブリノゲン>100 mg/dL),**血小板輸血**

■ビタミンK欠乏
- ●病因:低栄養,吸収↓(抗菌薬によるVit K産生腸内細菌叢の抑制または吸収不良),肝疾患(貯蔵↓),ワルファリン

抗凝固薬および血栓溶解薬の特徴と拮抗薬(Circ 2016;134:248)			
抗凝固薬	半減期	検査値	重篤な出血を伴う過量投与に対する治療(抗凝固薬中止に加え)
UFH	60~90分,網内系	PTT↑	UFH 100 Uに対し**プロタミン1 mg IV**(最大50 mg);持続投与の場合,UFHの時間当たりの投与量の2倍を拮抗できる量を投与
LMWH	2~7時間,腎	抗Xa活性*	プロタミンによる拮抗は約60%
bivalirudin	25分,腎	PTT↑	透析
アルガトロバン	45分,肝	PTT↑	?透析
ワルファリン	36時間,肝	PT↑	出血なし:INR>9の場合はVit K 2.5 mg POを考慮,それ以外では補充の臨床的意義は乏しい(Blood Adv 2019;3:789) 出血あり:**Vit K 10 mg IV+FFP 2~4 U IV** 6~8時間ごと;4F-PCC(ケイセントラ)は効果が迅速で容量は少ない,輸血↓
血栓溶解薬	20分,肝・腎	フィブリノゲン↓	**クリオプレシピテート,FFP**,±アミノカプロン酸
ダビガトラン	約12時間,腎	PTT↑*	イダルシズマブ:ダビガトランに結合するモノクローナル抗体(NEJM 2017;377:431)
リバーロキサバン アピキサバン エドキサバン	8~12時間,腎>肝	PT↑* 抗Xa活性*	Andexanet alfa(第Xa因子のデコイ受容体)(NEJM 2019;380:1326);Andexanet alfaが使用できない場合は4F-PCCを考慮(Circ 2017;135:e604, JACC 2017;70:3042)

*ルーチンのモニタリングは不要

4F-PCC:prothrombin complex concentrate(第Ⅱ,Ⅶ,Ⅸ,Ⅹ因子:プロテインC&S);抗線溶薬:トラネキサム酸,アミノカプロン酸

血栓性素因

若年者や頻度が低い部位の静脈/動脈血栓症，反復性の血栓症や不育症，血栓症の家族歴のある患者で疑う

先天性血栓性素因			
リスク因子	有病率	VTEリスク	備考
第V因子Leiden変異	3～7%	×4.3	活性化プロテインC（APC）抵抗性
プロトロンビン変異	2%	×2.8	G20210A変異➡プロトロンビンレベル↑
高ホモシステイン血症	5～10%	×2.5	先天性または後天性
プロテインC欠乏	0.02～0.05%	×11	ワルファリン誘発性皮膚壊死のリスク
プロテインS欠乏	0.01～1%	×32	
アンチトロンビン欠乏	0.04%	×17.5	ヘパリン抵抗性の可能性

（訳注：有病率には人種の差あり。例えば第V因子Leiden変異，プロトロンビンG20210A変異は日本人からは検出されていないが，プロテインS欠乏は日本人に比較的多い）

先天性/後天性血栓性素因の影響を受ける血管		
	静脈	静脈と動脈
遺伝性	**第V因子Leiden変異** プロトロンビン変異 プロテインC/S，アンチトロンビン↓	高ホモシステイン血症（遺伝性または後天性） フィブリノゲン異常
後天性	血流の停滞：不動，外科手術，うっ血性心不全 悪性腫瘍 ホルモン：OCP，ホルモン補充療法，タモキシフェン，妊娠 ネフローゼ症候群	血小板の異常：骨髄増殖性腫瘍，HIT, PNH（静脈＞動脈） 過粘稠：真性多血症，Waldenströmマクログロブリン血症，鎌状赤血球症，急性白血病 血管壁の異常：血管炎，外傷，異物 その他：**抗リン脂質抗体症候群**，IBD

■診断的検査（初回VTEではルーチンに行う必要なし）（NEJM 2017;377:1177）
- APC抵抗性スクリーニング；プロトロンビンPCR；プロテインC/Sの機能アッセイ，アンチトロンビン；ホモシステイン；第VIII因子活性；抗カルジオリピン抗体，ループスアンチコアグラント；ネフローゼ症候群，PNH（特に腸間膜血栓症）も考慮
- 骨髄増殖性腫瘍（MPN）疑いや内臓静脈血栓症の場合はJAK2変異の検査を考慮
- プロテインC/Sとアンチトロンビンは急性の血栓症や抗凝固療法の影響を受ける
  ∴可能であれば抗凝固療法終了2週間以上空けて測定
- 年齢に応じた悪性腫瘍のスクリーニング（原因のない初回のVTE患者の約4%で臨床的に見つかっていない悪性腫瘍がある；ルーチンの腹部/骨盤部CTはメリットなし；NEJM 2015; 373:697）

■治療
- 遺伝的血栓性素因はあるが無症状：後天的なリスク因子を獲得した場合，予防的な抗凝固療法を考慮
- 遺伝的血栓性素因があり発症した血栓症：「静脈血栓塞栓症（VTE）」の項参照

■抗リン脂質抗体症候群（APS）(NEJM 2018;398:2010)

- **定義**：診断には臨床基準≧1項目と検査基準≧1項目を満たす必要がある
  - 臨床基準：血栓症（種類は問わない）または妊娠合併症（3回以上の10週以内の自然流産または1回以上の10週以降の胎児死亡または34週以前の早産）
  - 検査基準：中等度以上の力価の抗カルジオリピン抗体，またはループスアンチコアグラント，または抗β_2グリコプロテイン-I（β_2-GP-I）抗体が，12週間以上の間隔をおいて2回以上陽性
- **臨床症状**：DVT/PE/脳血管障害，**習慣性流産**，**血小板↓**，溶血性貧血，網状皮斑；"**激症型APS**"：1週間以内に3つ以上の臓器に血栓症が発生し，抗リン脂質抗体陽性，組織内の微小血栓を認める；死亡率44%（Arth Rheum 2006;54:2568）；治療は血漿交換，リツキシマブを追加
- **抗リン脂質抗体（APLA）**
  - SLE，40歳未満の動脈血栓症，反復性静脈血栓症，自然流産の場合に検査
  - 抗カルジオリピン抗体：ミトコンドリアのリン脂質であるカルジオリピンに対する抗体；IgG型がIgM型より特異的
  - ループスアンチコアグラント：リン脂質依存性に凝固反応にかかる時間を延長する抗体；∴ **PTT↑はクロスミキシング試験では正常化しないが**，過剰のリン脂質または血小板で正常化；PTは試薬に大量のリン脂質を含有するため影響を受けない
  - 抗β_2-GP-I抗体：β_2グリコプロテイン-Iに対するIgGまたはIgM（病態における役割は不明）
  - 梅毒血清反応疑陽性：脂質抗原法では抗原複合体の一部にカルジオリピンを使用
  - 抗リン脂質抗体の抗体価が高いほど血栓塞栓イベントのリスクが高まる可能性あり
- **病因**：一次性（特発性），または二次性〔**自己免疫疾患**（例：SLE），**悪性腫瘍**，**感染症**，薬物反応〕
- **治療**：UFH/LMWH➡ワルファリン（大部分では終生投与）
  - 抗カルジオリピン抗体，ループスアンチコアグラント，β_2-GPのいずれも陽性の場合，リバーロキサバンはワルファリンに劣る（Blood 2018;132:1365）
  - 初回の**静脈血栓症**：PT-INR 2～3（NEJM 2003;349:1133, J Thromb Haemost 2005; 3:848）
  - 初回の**動脈血栓症**：通常はPT-INR 2～3＋アスピリン81 mg/日
  - ワルファリン投与中の**血栓の再発**：PT-INR 3～4 vs. LMWHまたはフォンダパリヌクス（ArthRheum 2007;57:1487）（訳注：LMWHによる血栓症の治療は保険適用外）

白血球の異常

好中球増加（>7,500～1万/μL）	
感染症	通常は細菌；±中毒性顆粒，Döhle小体
炎症	熱傷，組織壊死，MI，PE，膠原病
薬物・毒物	副腎皮質ステロイド，β刺激薬，リチウム，G-CSF；喫煙
ストレス	内因性のグルココルチコイドやカテコラミンの放出
骨髄への刺激	溶血性貧血，免疫性血小板減少
無脾症	脾摘，後天性（鎌状赤血球症），先天性（右胸心）
腫瘍	原発性（MPN）または腫瘍随伴性（例：肺癌，消化器癌）
類白血病反応	>5万/μL＋左方移動，白血病が原因ではない；CMLと異なりNAP↑

好中球減少（<1,000/μL）	
先天性	骨髄の白血球停留，Shwachman-Diamond症候群，Chédiak-Higashi症候群，細網異形成症，WHIM症候群，周期性好中球減少症，MonoMAC症候群（単球↓，NK細胞↓）
感染症	ウイルス（CMV，EBV，HIV）；細菌（*Brucella*，*Rickettsia*，結核）；マラリア
栄養	Vit B_{12}欠乏，銅欠乏
薬物・毒物	抗腫瘍薬，クロザピン，チアマゾール，ST合剤，NSAIDs，サラゾスルファピリジン，フェニトイン（*Am J Hem* 2009;84:428），アルコール
腫瘍	MDS，白血病（AML，ALL，有毛細胞白血病，大顆粒リンパ球性白血病，その他）

リンパ球増加（>4,000～5,000/μL）	
感染症	通常はウイルス；伝染性単核球症では"異型リンパ球" その他：百日咳，トキソプラズマ症
過敏性	薬物誘発性，血清病
ストレス	心疾患による緊急時，外傷，てんかん重積，脾摘後
自己免疫性	関節リウマチ（大顆粒リンパ球性白血病），悪性胸腺腫
腫瘍	白血病（例：CLL，有毛細胞白血病，大顆粒リンパ球性白血病），悪性リンパ腫（例：マントル細胞リンパ腫，濾胞性リンパ腫）

単球増加（>500/μL）	
感染症	通常は結核，亜急性感染性心内膜炎，*Listeria*，*Brucella*，*Rickettsia*，真菌，寄生虫
炎症	IBD，サルコイドーシス，膠原病
腫瘍	Hodgkinリンパ腫，白血病，骨髄増殖性腫瘍，癌

好酸球増加（>500/μL）	
感染症	通常は寄生虫（蠕虫）
アレルギー	薬物；喘息，枯草熱，湿疹；ABPA
膠原病	関節リウマチ，EGPA，好酸球性筋膜炎，PAN
内分泌	副腎不全
腫瘍	Hodgkinリンパ腫，CML，菌状息肉症，癌，全身性肥満細胞症
アテローム塞栓	コレステロール塞栓
好酸球増加症候群	心臓や中枢神経系を含む多臓器に浸潤，FIP1L1-PDGFRA融合蛋白と関連（*NEJM* 2003;348:1201）

好塩基球増加（>150/μL）	
腫瘍	骨髄増殖性腫瘍，Hodgkinリンパ腫
骨髄/網内系の異常	溶血性貧血，脾摘
炎症またはアレルギー	IBD，慢性の気道炎症

リンパ節腫大	
ウイルス性	HIV, EBV, CMV, HSV, VZV, 肝炎ウイルス, 麻疹, 風疹
細菌性	全身性（ブルセラ症, レプトスピラ症, 結核, 非結核性抗酸菌症, 梅毒）限局性（レンサ球菌, ブドウ球菌, ネコひっかき病, 野兎病）
真菌, 寄生虫	ヒストプラズマ症, コクシジオイデス症, パラコクシジオイデス症, トキソプラズマ症
免疫性	膠原病, 薬物過敏（例：フェニトイン）, 血清病, Langerhans細胞組織球症, Castleman病, 川崎病
腫瘍	悪性リンパ腫, 白血病, アミロイドーシス, 転移性癌
その他	サルコイドーシス；脂質蓄積病
生検の推奨	年齢（＞40歳）, 大きさ（＞2 cm）, 部位（鎖骨上窩リンパ節は常に異常）, 持続期間（＞1か月） 硬さ（硬/ゴム様/軟）や圧痛の有無は指標とならない

輸血療法

訳注：米国と日本の輸血製剤の単位の表記や含有量の違いに注意。米国の赤血球液は1 Uが450 mLまたは500 mLの全血由来でHb 50〜80/dLを含有, 血小板液は複数ドナーの全血由来の場合1 U≧$5.5×10^{10}$, 単ドナーのアフェレーシスの場合1 U≧$3×10^{11}$の血小板を含有, 新鮮凍結血漿は全血由来の製剤は1 U 200〜250 mL, アフェレーシスによる製剤は1 U 400〜600 mL。日本は赤血球1 Uおよび新鮮凍結血漿120 mLは200 mLの全血由来, 血小板液は単ドナーのアフェレーシス由来で$3×10^{11}$＞10 U≧$2×10^{11}$の血小板を含有。本文は原書のままの表記とした。参照：AABB編：Circular of Information for the Use of Human Blood and Blood Components ＜http://www.aabb.org/tm/coi/Documents/coi1017.pdf＞, 日本の血液製剤の添付文書

血液製剤と適応（Lancet 2013;381:1845）	
赤血球液（JAMA 2016;316:2025）	急性の失血または臓器虚血時にO_2運搬化↑のため；1 U赤血球液➡Hb約1 g/dL↑；上部消化管出血や重傷患者の適切な目標Hbは＞7 g/dL（NEJM 2013;368:11, 2014;371:1381）；担癌患者の敗血症性ショックではHb＞9でもよい可能性（Crit Care 2017;45:766）；冠虚血に対しては議論あり, 心臓手術の周術期含めおそらく目標Hb 7〜8が適正（AHJ 2018;200:96, NEJM 2018;379:1224）
血小板液（Annals 2014;162:205）	通常の適応は血小板数＜1万/μL（NEJM 2010;362:600）, 感染症/出血リスク↑では血小板数＜2万/μL, 活動性出血/観血的処置前は血小板数＜5万/μL；複数ドナー由来6 U≒単ドナーのアフェレーシスによる1 U（同種免疫反応↓）➡血小板数およそ3〜6万/μL↑ 禁忌：TTP/HUS, HELLP症候群, HIT 輸血後30〜60分後の血小板↑＜5,000/μLは不応性；ITP, DIC, 同種免疫反応など消費亢進を示唆➡ABO型適合血小板輸血；それでも不応性の場合はHLA適合血小板の適応の評価のため抗体のパネル検査

（次頁につづく）

新鮮凍結血漿（FFP）	全凝固子を含む；複数の凝固因子欠乏（例：DIC，TTP/HUS，肝疾患，ワルファリン過剰，希釈）や観血的処置前のPT-INR＞2（*Transfusion* 2006;46:1279）
クリオプレシピテート	フィブリノゲン，vWF，第VIII因子，第XIII因子を多く含む；vWD，第XIII因子欠乏，フィブリノゲン＜100 mg/dLによる出血に使用
放射線照射製剤	ドナー由来T細胞の増殖を抑制；輸血後GVHDのリスクがある場合に使用（HSCT，造血器腫瘍，原発性免疫不全症）
CMV⊖製剤	CMV⊖ドナー由来；血清CMV検査⊖の妊婦，移植候補者/レシピエント，SCID，AIDS患者に使用
白血球除去製剤	白血球がHLAを介した同種免疫反応や発熱（サイトカイン）を惹起し，CMV伝播に関与 慢性的な輸血依存患者，移植のレシピエント候補，発熱性非溶血性副作用の既往のある患者，CMV⊖製剤の適応があるが使用できない場合に使用
免疫グロブリン静注製剤（IVIg）	1,000人以上のドナー由来の多価IgG；曝露後予防（例：HAV），特定の自己免疫疾患（例：ITP，Guillain-Barré症候群，重症筋無力症，慢性炎症性脱髄性多発ニューロパチー），先天性/後天性低ガンマグロブリン血症（分類不能型免疫不全症，CLL）
アフェレーシス（治療目的）	大分子量の物質（例：クリオグロブリン血症，Goodpasture症候群，Guillain-Barré症候群，過粘稠度症候群，TTP）や細胞（例：白血球の著増を伴う白血病，有症状の血小板増加症，鎌状赤血球）を血漿から除去
大量輸血	大容量の赤血球輸血➡Ca↓，K↑，血小板↓，凝固能↑；初期対応としての赤血球：血小板：FFP＝1:1:1（U）の輸血は一般的に行われているが議論あり，検査をフォロー（*JAMA* 2015;313:471，*JAMA Surg* 2017;152:574）

輸血合併症（*NEJM* 2017;377:1261）			
非感染性	リスク（1単位あたり）	**感染性**	リスク（1単位あたり）
発熱	1:100	CMV	しばしば
アレルギー反応	1:100	B型肝炎	1:22万
遅発性溶血反応	1:1,000	C型肝炎	1:160万
急性溶血反応	＜1:25万	HIV	1:180万
致死性溶血反応	＜1:10万	細菌（赤血球）	1:50万
TRALI	1:5,000	細菌（血小板）	1:12,000

■輸血時の反応
- 副作用（軽微なアレルギー反応は除く）が認められたら**輸血を中止**；血液製剤の残りと患者の血液検体を血液バンクに提供（訳注：日本では赤十字血液センターに連絡・相談）
- **急性溶血反応**：輸血後24時間以内の発熱，血圧↓，側腹部痛，AKI；ABO型不適合による➡輸血前から存在するドナー赤血球に対する抗体が作用
  治療：輸液，利尿薬/マンニトール/ドパミンで尿量維持
- **遅発性溶血反応**：急性反応よりも通常は軽症；輸血後5～7日；赤血球のマイナー抗原に対する不規則抗体（同種抗体）による➡二次免疫応答により増加し反応
  治療：通常は不要；今後の輸血のために確定診断が重要
- **発熱性非溶血反応**：輸血後0～6時間の発熱，悪寒；ドナー白血球と抗体の反応，血液製剤内のサイトカインによる
  治療：アセトアミノフェン±ペチジン；感染と溶血を除外

- **アレルギー反応**：蕁麻疹，まれに**アナフィラキシー**：気管支痙攣，喉頭浮腫，低血圧；輸注されたタンパク質への反応；抗IgA抗体を有するIgA欠損症患者でアナフィラキシーがみられる

  治療：蕁麻疹➡ジフェンヒドラミン；アナフィラキシー➡アドレナリン±グルココルチコイド
- **輸血関連循環過負荷（TACO）**：循環血液容量↑➡肺水腫，血圧↑；治療：輸血速度の減速，利尿薬，O_2，±硝酸薬，±陽圧換気
- **輸血関連急性肺障害（TRALI）**：非心原性肺水腫

  ドナーの同種抗体がレシピエントの白血球に結合，肺血管で凝集してメディエーターを放出し，毛細血管透過性↑；治療は「急性呼吸促迫症候群（ARDS）」の項参照

骨髄異形成症候群（MDS）

■骨髄系腫瘍の概要（*Blood* 2016;127:2391）
- 臨床所見，形態，免疫表現型，遺伝学的特徴に基づき分類

骨髄系腫瘍と急性白血病の WHO 2016 分類	
急性骨髄性白血病（AML）	骨髄幹細胞のクローン性疾患で芽球割合≧20%
骨髄異形成症候群（MDS）	異形成を伴う骨髄幹細胞のクローン性疾患➡血球減少；芽球割合＜20%，白血病への進展のリスクあり
骨髄増殖性腫瘍（MPN）	異形成のない多能性骨髄系幹細胞のクローン性増殖
MDS/MPN	MDSとMPNの特徴を併せもつ（例：CMML，非定型CML）
好酸球増加と遺伝子再構成（*PDGFR/FGFR1/PCM1-JAK2*）を伴う骨髄系/リンパ系腫瘍	*PDGFR*の再構成を伴う場合TKIによる治療（例：イマチニブ）に反応
脂肪細胞症	*KIT*変異を伴う全身性疾患
生殖細胞系列素因を伴う骨髄系腫瘍	生殖細胞系列における遺伝子変異を背景としてMDS，MDS/MPN，急性白血病を発症

■骨髄異形成症候群（MDS）の概要（*Lancet* 2014;383:2239）
- 後天性のクローン性幹細胞疾患➡無効造血➡**血球減少，血球とその前駆細胞の形態異常，白血病への進展リスクはさまざま**
- **疫学**：米国で年間2〜3万例；年齢中央値約70歳；男性に多い（1.8倍）
- **特発性**または**アルキル化薬使用**に伴う二次性；放射線，ベンゼン曝露でリスク↑
- **臨床症状：貧血**（85%），好中球減少（50%），血小板減少（40〜65%）
- **診断**：末梢血塗抹（大楕円赤血球，**偽Pelger-Huët核異常**）や骨髄（異形成≧10%で芽球±環状鉄芽球を伴う）で異形成あり（通常は多系統）
- **染色体異常**（例：5q欠失，7モノソミー，7q欠失，8トリソミー，20q欠失）と**遺伝子異常**（*TP53*，*EZH2*，*ETV6*，*RUNX1*，*ASXL1*，*SF3B1*，*DNMT3A*）のいずれも重要な予後因子
- MDSと診断する前に以下を除外：AML（芽球比率≧20%），CMML（単球＞1,000/μL）；Vit B_{12}，葉酸，銅欠乏による二次性の骨髄異常；ウイルス感染症（例：HIV）；化学療法；アルコール乱用；鉛，ヒ素曝露

MDSのWHO 2016分類 (*Blood* 2016;127:2391)		
分類	WHO 2008	特徴
単一系統に異形成を有するMDS (MDS-SLD)	RCUD (RA/RN/RT)	1系統の異形成，1〜2系統の血球減少，環状鉄芽球<15%*，芽球比率：骨髄<5%/末梢血<1%，Auer小体なし
多系統に異形成を有するMDS (MDS-MLD)	RCMD	2〜3系統の異形成，1〜3系統の血球減少，環状鉄芽球<15%*，芽球比率：骨髄<5%/末梢血<1%，Auer小体なし
環状鉄芽球を伴うMDS (MDS-RS)	RARS	環状鉄芽球≧15%または*SF3B1*変異陽性の場合≧5%，芽球比率：骨髄<5%/末梢血<1%，Auer小体なし
単独5番染色体長腕欠失を伴うMDS	Del (5q)	5q欠失単独または付加的染色体異常が1つ，ただし−7と7q欠失は除く
芽球増加を伴うMDS (MDS-EB)	RAEB-1 RAEB-2	EB-1：芽球比率は骨髄5〜9%/末梢血2〜4%，Auer小体なし EB-2：芽球比率は骨髄10〜19%/末梢血5〜19%またはAuer小体
分類不能型MDS (MDS-U)	MDS-U	末梢血芽球1%，または1系統の異形成と汎血球減少症，またはMDSに特徴的な染色体異常を伴う

特定の染色体異常〔例：t (15;17)，t (8;21)，16逆位，t (16;16)，MLL再構成〕を伴う場合，骨髄の芽球割合によらずAMLと診断；* *SF3B1*変異陽性例では環状鉄芽球<5%

- **治療** (*Am J Hematol* 2012;87:692)：治療強度はIPSS-R（下表参照），年齢，パフォーマンス・ステータス（PS）に基づき決定
  PS不良，どのリスク群でも➡**支持療法**（輸血，G-CSF，エリスロポエチン，TPO受容体刺激薬〔訳注：日本では保険適応外〕，必要時抗菌薬）
  低/中間リスク➡**エリスロポエチン**（エリスロポエチン値<500の場合）；**レナリドミド**（特に5q欠失症候群の場合；*Blood* 2011;118:3765）；**DNA脱メチル化薬**（アザシチジンまたはdecitabine）
  中間/高リスク（IPSS-R>3.5）➡合併症なくもともと健康な場合は**同種HSCT**，もしくは**DNA脱メチル化薬**（アザシチジンまたはdecitabine；*Lancet Oncol* 2009;10: 223)
  低形成性MDS（まれ）➡**免疫抑制療法**（シクロスポリン，抗胸腺細胞グロブリン，プレドニゾロン）やHSCTを考慮
- **予後**：*TP53*, *RAS*, *JAK2*変異 (*NEJM* 2017;376:536) とIPSS-Rが生存率と関連

改訂版国際予後予測スコアリングシステム（IPSS-R）(*Blood* 2012;120:2454)							
予後因子	0	0.5	1	1.5	2	3	4
核型	Very good	—	Good	—	Intermed	Poor	Very poor
骨髄芽球比率 (%)	≦2	—	>2〜<5	—	5〜10	>10	
Hb (g/dL)	≧10	—	8〜10	<8	—	—	—
血小板 (×$10^3/\mu L$)	≧100	50〜<100	<50				
好中球 (×$10^3/\mu L$)	≧0.8	<0.8					

（次頁につづく）

合計スコア	≦1.5	>1.5〜3	>3〜4.5	>4.5〜6	>6
リスク分類	Very low	Low	Intermed	High	Very high
生存中央値（年）	8.8	5.3	3.0	1.6	0.8

骨髄増殖性腫瘍（MPN）

■概要（*NEJM* 2017;376:2168）
- 多能性造血幹細胞のクローン性増殖による
- 異形成がない点で骨髄異形成症候群（MDS）と異なる（正常に分化成熟）
- MPNの分類：真性多血症（PV）；本態性血小板血症（ET）；原発性骨髄線維症（PMF）；慢性骨髄性白血病（CML），BCR-ABL1 ⊕；非定型慢性骨髄性白血病（aCML）；慢性好中球性白血病；全身性肥満細胞症；慢性好酸球性白血病，非特定型；骨髄増殖性腫瘍，分類不能型
- クローン増殖のマーカーおよび診断ツールとしての遺伝子変異：
  ヤヌスキナーゼ*JAK2*のV617F変異（機能獲得型）がしばしばみられる（PV約95%，ET約50%，PMF約50%；*NEJM* 2005;352:1779）
  *BCR-ABL*融合遺伝子はCMLの全症例；*SETBP1*変異はaCML
  *CALR*エクソン9変異（*JAK2*か*MPL*の変異がない多くのMPN，ETの約25%，PMFの約35%；*NEJM* 2013;369:2379&2391）
  MPL，*TET2*，*ASXL1*変異は低頻度だが存在
  *CSF3R*変異は慢性好中球性白血病の約60%；*KIT*変異は全身性肥満細胞症の約90%

真性多血症（PV）

■定義
- RBC量↑±顆粒球↑と血小板↑（血球増加を促す生理的な刺激なし）

■赤血球増加の原因
- 相対的RBC↑（血清量↓）：脱水，"ストレス"多血症（Gaisböck症候群）
- 絶対的RBC↑：一次性（PV，その他のMPN）または二次性〔**低酸素，COHb血症，不適切なエリスロポエチンの分泌**（腎，肝，脳腫瘍），Cushing症候群〕

■臨床症状（PVとETで共通）
- 症状➡しばしば"血管運動"症状と呼ばれる
  過粘稠度（赤血球増加）：頭痛，ふらつき，耳鳴，霧視
  血栓症（過粘稠度，血小板増加）：一過性視覚障害（黒内障，眼性片頭痛）；Budd-Chiari症候群；肢端紅痛症＝微小血管の虚血による四肢の強い灼熱感，痛み，紅斑；**深部静脈血栓症，心筋梗塞，脳梗塞**のリスク↑；PVとETでの血栓症リスクは白血球↑と強い相関あり（下記参照）
  出血（血小板機能異常）：易出血性，鼻出血，消化管出血
  好塩基球からのヒスタミン放出↑➡**瘙痒**，消化性潰瘍；尿酸↑（細胞増殖・破壊の亢進）➡痛風
  微候：**赤血球増加，脾腫**，高血圧，網膜静脈怒張
- *JAK2*以外の遺伝子発現プロファイルにより表現型を分けることができる（*NEJM* 2014;371:808）

■診断的検査
- 男性：Hb≧16.5 g/dLまたはHct＞49%，女性：Hb≧16 g/dLまたはHct＞48%，もしくは赤血球量↑
- 骨髄生検➡過形成，3系統の成熟増加，多型性の成熟巨核球
- *JAK2* V617F変異がPVの約95%で陽性；その他の患者では通常*JAK2*エクソン12変異あり
- ✓エリスロポエチン，二次性赤血球増加を除外；**エリスロポエチン↓ならPVの可能性**
  エリスロポエチン↑なら，✓SaO_2またはPaO_2，COHb，骨髄検査
- ±白血球↑，血小板↑，好塩基球↑；尿酸↑，NAP↑，Vit B_{12}↑
- 末梢血塗抹➡形態学的異常なし

■治療
- 瀉血，目標Hct＜45%（*NEJM* 2013;368:22），女性ではHct＜42%を考慮
- 全例に低用量アスピリン（*NEJM* 2004;350:114）
- **ヒドロキシカルバミド**は血栓症の高リスク（年齢≧60歳，血栓症の既往），または症候性血小板増加（血小板＞150万/μL），または瀉血のみでは十分なHct低下が得られない場合
- ペグインターフェロンα（訳注：日本では保険適応外）は若年または妊婦に推奨（*Lancet Haematol* 2017;4:e165）
- ルキソリチニブ（JAK1/2阻害薬）：ヒドロキシカルバミドで難治もしくは不耐容の場合（*NEJM* 2015;372:426）
- 支持療法：アロプリノール（痛風），H_2遮断薬/抗ヒスタミン薬（瘙痒）

■予後
- 治療した場合の生存期間中央値約13.5年（*Blood* 2014;124:2507）；年齢↑，白血球↑，付加的な遺伝子体細胞変異➡予後不良（*Haematol* 2013;160:251）
- PV後骨髄線維症（消耗期）は症例の10～20%，通常は診断の10年以降に
- 急性白血病への転化リスク（＜2～5%）

本態性血小板血症（ET）

■定義
- 持続的な血小板↑（＞45万/μL）±顆粒球/赤血球↑

■血小板増加の原因
- 一次性＝ETまたはその他のMPN；MDS（5q－症候群）；RARS-T
- 二次性＝**反応性**血小板増加症：炎症（関節リウマチ，IBD，血管炎），感染，急性出血，鉄欠乏，脾摘後，腫瘍（例：Hodgkinリンパ腫）
- 血小板数＞100万/μLの患者のうち，ETは＜1/6

■臨床症状（「真性多血症（PV）」の項も参照）
- 肢端紅痛症を伴う血栓症（白血球数高値の場合に血栓症リスクが最も高い），出血，瘙痒；軽度脾腫，片頭痛，TIA；早期胎児死亡

■診断的検査
- 末梢血塗抹：低顆粒の巨大血小板
- 骨髄生検：巨核球過形成，フィラデルフィア染色体⊖；まれに軽度の骨髄細網線維化，鉄貯蔵正常；非定型的な巨核球がみられる場合，前線維化期のPMFを考慮
- 遺伝子変異：*JAK2* V617F変異は60～65%；*CALR*変異は20～25%；*MPL*変異は5%；3つとも⊖は10～15%
- WHO基準のET診断にはCML，PV，PMF，MDSの基準を満たさない必要あり

ETの治療			
リスク	特徴	アスピリン81 mg qd	細胞減少療法
低	年齢<60歳,かつ血栓症の既往なし,かつ血小板<150万/μL,かつ心血管系リスク因子なし	血管運動症状がある場合に考慮	行わない
中間	低にも高にも該当しない	±	血小板>150万/μLの場合に考慮
高	年齢≥60歳,または血栓症の既往,または血小板>150万/μL	行う(血小板>100万/μLで後天性vWDを示唆する検査結果があれば保留を考慮)	**ヒドロキシカルバミド**:目標血小板<40万/μLまたは症状消失まで若年/妊婦はIFN α(訳注:日本では保険適応外)

■予後
- 低リスク患者の全生存率は一般人口とほぼ同等
- 急性白血病への転化は<2%;骨髄線維症への進展も同程度

原発性骨髄線維症(PMF)

■定義
- 反応性の骨髄線維化と髄外造血を伴うクローン性骨髄増殖
- 前線維化期:巨核球の増殖あり,グレード1の細網線維化,骨髄は過形成髄;ETとの鑑別が重要:血栓症↑,進行↑,生存率↓(Blood 2012;120:569)

■骨髄線維症の原因
- 骨髄増殖性腫瘍=原発性骨髄線維症;PV/ET後骨髄線維症
- その他の造血器腫瘍(CML,AML,ALL,MDS)と固形腫瘍(乳癌,前立腺癌)
- 自己免疫疾患(SLEやその他の膠原病)
- 毒物(ベンゼン);放射線;肉芽腫(結核,真菌,サルコイドーシス);蓄積病(Gaucher病)

■臨床症状 (BJH 2012;158:453)
- 無効造血➡貧血;髄外造血➡**巨大脾腫**(腹痛,早期満腹感)±肝腫大
- 腫瘍増大と細胞周期亢進➡倦怠感,体重減少,発熱,発汗

■診断的検査 (JAMA 2010;303:2513, Blood 2016;127:2391)
- 貧血;白血球/血小板はさまざま
- 末梢血塗抹➡**"白赤芽球症"**(涙滴赤血球,有核赤血球,未熟な白血球);巨大異常血小板
- 骨髄穿刺➡**"ドライタップ"**;骨髄生検➡**高度な線維化**,膠原線維・細網線維による置換
- *JAK2* V617F変異は45~50%;*CALR*変異は45~50%;*MPL*変異は7~10%;トリプルネガティブは1~2%
- BCR-ABL転座なし;PVやMDSの診断基準を満たさない

■治療 (Blood 2011;117:3494)
- 予後不良の予測因子(例:貧血や症状)なし➡無治療
- 同種HSCTが唯一の根治療法➡若年の予後不良患者で検討
- 支持療法:**輸血**;エリスロポエチン<500ではESAを検討するが,脾腫の悪化の可能性あり;アンドロゲン,免疫調整薬(例:レナリドミド)(訳注:日本では保険適応外)+プレドニゾロンを考慮;?化学療法抵抗性の有痛性脾腫で輸血が無効の場合は脾摘を考慮

- 著明な白血球増加・血小板増加に対してヒドロキシカルバミド
- ルキソリチニブ（JAK1/JAK2阻害薬）：症状↓，脾腫↓，生存率↑（*NEJM* 2012;366: 787&799）
- JAK2阻害薬：pacritinib, momelotinib, fedratinibが第Ⅲ相試験中（*JAMA Oncology* 2018;4:652）
- 生存中央値約6年（*JCO* 2012;30:2981）；AMLへの転化は年間約8%

白血病

急性白血病

■定義
- 成熟細胞への分化障害を伴う造血前駆細胞のクローン性増殖➡骨髄と末梢血の芽球↑➡赤血球↓，血小板↓，好中球↓

■疫学とリスク因子
- 急性骨髄性白血病（AML）：米国で年間約2万例；年齢中央値68歳
- 急性リンパ性白血病（ALL）：米国で年間約6,000例；年齢中央値15歳だが，第2のピークは高齢者
- リスク因子：**放射線，抗腫瘍薬**（アルキル化薬，トポイソメラーゼⅡ阻害薬），ベンゼン，喫煙
- ? 後天的な体細胞変異とクローン性造血から発症（*NEJM* 2014;371:2477）
- 後天性の造血器疾患からの二次的な発症：MDS，MPN（特にCML），再生不良性貧血，PNH
- 先天性：Down症候群，Klinefelter症候群，Fanconi症候群，Bloom症候群，毛細血管拡張性運動失調症，Li-Fraumeni症候群，生殖細胞系列における*RUNX1*, *CEBPa*, *GATA2*の変異

■臨床症状
- 血球減少➡**倦怠感**（貧血），**感染症**（好中球減少），**出血**（血小板減少）
- **AMLで頻度が高いもの**
  白血球停滞（芽球＞5万/μLで起こりやすい）：呼吸困難，低酸素血症，頭痛，霧視，錯乱，TIA/脳血管障害，間質への浸潤
  DIC（特にAPL）；皮膚，歯肉への白血病細胞の浸潤（特に単球系の白血病）；緑色腫：白血病細胞による髄外腫瘤，あらゆる部位にみられる
- **ALLで頻度が高いもの**
  骨痛/腰痛，リンパ節腫脹，肝脾腫（単球性AMLでもみられる），上大静脈（SVC）症候群
  CNS浸潤（最大10%）：脳神経障害，悪心・嘔吐，頭痛
  前縦隔腫瘤（特にT細胞性）；腫瘍崩壊症候群（当該項目参照）

■診断的検査（*Blood* 2009;114:937）
- 末梢血塗抹所見：貧血，血小板↓，白血球数はさまざま＋末梢血芽球（＞95%にみられる；Auer小体陽性はAML），末梢血のフローサイトメトリーで芽球の由来を確認（ALL vs. AML）
- 骨髄：芽球＞20%；多くが過形成髄，染色体分析とフローサイトメトリーを行う
- **細胞遺伝学的異常**：t(15;17), t(8;21), inv(16)またはt(16;16)など；存在すれば芽球割合に関係なくAMLの診断
- ✓腫瘍崩壊症候群（急速な細胞の破壊と産生）：尿酸↑，LDH↑，K↑，PO_4↑，Ca↓
- 凝固能検査でDICを除外：PT，PTT，フィブリノゲン，Dダイマー，ハプトグロビン，ビリ

ルビン
- 腰椎穿刺（末梢血芽球のCSFへの播種を避けるため抗腫瘍薬の髄腔内投与を併用）はALL（CNSはALLにとって"聖域"）とCNS症状があるAMLに施行
- TTE：心疾患の既往，アントラサイクリン系使用前の確認
- HLAタイピング；同種HSCTを行う可能性がある患者本人，同胞＞親子

急性骨髄性白血病（AML） (Lancet 2018;392:593)

■分類（WHO, Blood 2016;127:2391）
- 骨髄系腫瘍であることを確定し，AMLを細分類して治療方針を決定するための特徴
  形態：**芽球，顆粒球**あり，±**Auer小体**（好酸性の針状封入体）
- 免疫学的表現型：前駆細胞：CD34, CD45, HLA-DR；骨髄球系：CD13, CD33, CD117；単球系：CD11b, CD64, CD14, CD15
- 予後：年齢，先行するMPN/MDS，遺伝学的所見（染色体異常＋遺伝子変異の状態）が重要な独立したリスク因子

ENL 2017遺伝的リスク分類 (Blood 2017;129:424)	
リスクカテゴリー	遺伝学的異常
予後良好群	APL：t(15;17)；t(8;21)：RUNX1-RUNX1T1；inv(16)：CBFB-MYH1；NPM1変異かつ，FLT3-ITD⊖またはFLT3-ITD^{low}；CEBPA両アリル変異
予後中間群	FLT3-ITD^{low}；NPM1変異かつFLT3-ITD^{high}；t(9;11)：MLL-MLLT3；予後良好群にも不良群にも分類されない染色体異常，正常核型でFLT3-ITDとNPM1変異がないなど
予後不良群	5モノソミーまたは5q欠失；7モノソミー；17モノソミー/17p異常；複雑核型, monosomal karyotype（訳注：2つ以上の常染色体モノソミーがあるか，あるいは1つの常染色体モノソミーに加えて少なくとも1つの構造異常を伴う）；t(6;9)：DEK-NUP214；t(9;22) BCR-ABL1；inv(3)：GATA2-MECOM；NPM1変異なしかつFLT-TD^{high}；TP53変異，RUNX1変異，ASXL1変異

■初回治療
- 寛解導入療法"7+3"：シタラビン（Ara-C）の7日間持続投与＋アントラサイクリン系のボーラス投与3日間
- 7+3レジメンへの耐容能がその後の治療を決める重要な因子（下記参照）
- 健康で全身状態良好（一般に＜75歳）の場合の新規レジメン
  FLT3-ITD/TKD変異：7+3+midostaurin（古い世代のFLT3阻害薬；NEJM 2017;377:454）
  コア結合因子（CBF）陽性➡t(8;21)またはinv(16)：7+3±ゲムツズマブ オゾガマイシン（訳注：日本では初回治療では保険適応外）（モノクローナル抗体＋細胞毒）
  二次性AMLまたはMDS関連変化を伴うAML：CPX-351（シタラビン＆ダウノルビシン内包リポソーム）
  その他：年齢＜60歳：7+3〔ダウノルビシン90 mg/m^2（高用量）〕；＞60歳：ダウノルビシンの量は60 mg/m^2
- 高齢（≧75歳）や合併症がある場合の新規レジメン（Leukemia 2013;27:997）

ベネトクラクス（Bcl2阻害薬）＋以下のどちらか：脱メチル化薬（アザシチジンまたはdecitabine）または低用量シタラビン（*Blood* 2019;133:7）（訳注：ベネトクラクス，脱メチル化薬は日本では保険適応外）

■地固め療法
- 完全寛解（CR）到達後，地固め療法開始＝好中球数＞1,000，血小板数＞10万，赤血球輸血から離脱，骨髄中芽球割合＜5%
- CRは治癒と同義ではない
- 予後良好群：大量シタラビン（HiDAC）；予後中間／不良群：同種HSCT

■再発／難治性
- クローン進化がしばしば生じ，その結果が治療方針へ及ぼす影響が大きいため，遺伝子変異解析を繰り返す
- FLT3-ITD/TKD変異：ギルテリチニブまたはキザルチニブ（いずれも強力なFLT3阻害薬）
- *IDH1*変異：ivosidenib；*IDH2*変異：enasidenib（IDH1，IDH2を阻害する小分子化合物）
- 化学療法：MEC（ミトキサントロン，エトポシド，シタラビン）；FLAG-Ida〔フルダラビン（訳注：日本では保険適応外），シタラビン，G-CSF，イダルビシン〕；CLAM〔クロファラビン（訳注：日本では保険適応外），シタラビン，ミトキサントロン〕

■予後
- CR率は＜60歳で70〜80%，＞60歳で40〜50%
- 全生存率はさまざま，予後因子に依存：予後不良群の高齢者＜10%から予後良好群の若年者＞65%まで，幅広い

■急性前骨髄球性白血病（APL）（*Blood* 2009;113:1875）
- 米国ではAML全体の約8%を占める比較的まれなタイプ；＞90%の治癒率
- 末梢血と骨髄中に非典型的な前骨髄球（大型の顆粒球系細胞で2分葉の核）
- レチノイン酸受容体を含む転座あり：**t(15;17)**；***PML-RARA***（＞95%の症例）
- **DICと出血による医学的緊急事態**をしばしば招く
- **オールトランスレチノイン酸（ATRA）と亜ヒ酸（ATO）**が著効し，白血病細胞の分化を誘導；∴APLを疑ったら可及的すみやかに開始
- 非高リスクAPL：ATRA＋ATO（寛解導入＋4サイクルの地固め）➡CR約100%；2年無イベント生存率97%，全生存率99%（*NEJM* 2013;362:111）
- 高リスクAPL：診断時WBC＞1万；明確なコンセンサスはなし；一般的には化学療法〔アントラサイクリン系またはゲムツズマブ オゾガマイシン（訳注：日本では保険適応外）〕をATRA＋ATOによる寛解導入と地固めに追加
- 分化（ATRA）症候群：約25%の症例に発生；発熱，肺浸潤影，呼吸困難，浮腫，低血圧，AKI；治療はデキサメタゾン10 mg bidと支持療法（例：利尿薬）（*Blood* 2008;113:775）

急性リンパ性白血病（ALL）

■分類
- リンパ芽球の腫瘍で，ALL（骨髄中芽球＞20%）またはリンパ芽球性リンパ腫（LBL）（腫瘍性病変で骨髄中芽球＜20%）として発症
- 形態：**顆粒なし**（顆粒は骨髄系細胞にみられる）
- 細胞化学：ターミナルデオキシヌクレオチド転移酵素（TdT）がALLの95%で陽性
- 免疫学的表現型
  前駆細胞：CD34，TdT
  B：CD19；CD10，CD22，CD79aはさまざま

T：CD1a，CD2，細胞質内CD3，CD5，CD7

■治療
●寛解導入療法
　フィラデルフィア（Ph）染色体陽性t(9;22)（B-ALLの約25%）：チロシンキナーゼ阻害薬（TKI）+化学療法/副腎皮質ステロイド
　思春期～若年成人（<40歳）：典型的にはPEG-asparaginaseなどを含む小児型レジメン
　成人（40～75歳）：アントラサイクリン系やビンクリスチン，副腎皮質ステロイド，シクロホスファミドなどを含む多剤併用化学療法
　高齢者（>75歳）：強度を減弱した化学療法
●CNS予防：メトトレキサート/シタラビンの髄腔内投与±頭蓋照射またはメトトレキサートの全身投与
●寛解後の治療（再発リスクに基づき選択）
　1）標準リスク：地固め/強化療法（約7か月）➡維持療法（約2～3年）
　2）高リスク：高用量化学療法，CR1での同種HSCTを考慮；高リスク群は以下を含む：Ph陽性；Ph-like（遺伝子発現に基づく）；MLL転座t(4;11)；複雑核型；低二倍体（染色体数<44）；初期前駆T細胞の表現型（ETP；CD1a，CD8陰性，CD5弱陽性，骨髄系マーカーが一部陽性）；微小残存病変（MRD）＝血液学的には寛解だが，フローサイトメトリーや分子学的方法では腫瘍が検出可能
●再発/難治性：救援化学療法（下記），その後可能なら同種HSCT
　B細胞性：ブリナツモマブ（CD19 BiTE-二重特異性T細胞誘導抗体；NEJM 2017;376: 836），イノツズマブ オゾガマイシン（抗CD22抗体と薬物の複合体；NEJM 2016; 375:740）；チサゲンレクルユーセル（CD19 CAR-T細胞；NEJM 2018;378:449)，TKI+化学療法/副腎皮質ステロイド〔Ph+t(9;22)のみ〕
　T細胞性：ネララビン
　B・T細胞性のいずれも：大量シタラビンを含む化学療法；クロファラビン

慢性骨髄性白血病（CML）

■定義（Blood 2009;114:937）
●分化能を維持している骨髄系造血幹細胞のクローン性増殖を伴うMPN
●フィラデルフィア（Ph）染色体＝t(9;22)➡BCR-ABL融合➡Ablキナーゼ活性↑
　診断にはBCR-ABLの証明が必要（染色体分析もしくはFISH，PCRを用いる）

■疫学とリスク因子
●米国では年間約6,600例の新規発症；発症時の年齢中央値約64歳；成人白血病の約15%
●放射線照射によりリスク↑；殺細胞薬との明確な関連は認められていない

■分類と臨床症状
●慢性期（CP）：芽球<10%（末梢血または骨髄）
●移行期（AP）：芽球10～19%，好塩基球≧20%，血小板<10万，診断時のクローン進化（核型の変化）はなし，巨核球の増殖と線維化
●急性転化期（BP）：芽球≧20%（2/3が骨髄性，1/3がリンパ性），髄外病変もありうる
●85%が慢性期，TKI時代において古典的な3相の臨床経過をみることは少ない
●多くは無症状，または軽度の脾腫に関連した症状
●全身症状の増悪，骨痛，急速な脾臓のサイズ↑は進行の前兆

■診断的検査
●末梢血塗抹：白血球↑，すべての成熟段階の骨髄系細胞を伴う左方移動；貧血，血小板増加，好塩基球増加
●骨髄検査，染色体分析を含む：過形成髄，M/E比↑

■治療（Lancet 2015;385:1447, Hematol Oncol Clin North Am 2017;31:577）
- **チロシンキナーゼ阻害薬（TKI）**がAblキナーゼ活性を阻害

  初回治療：イマチニブ（BCR-ABLに対する最初のTKI）はいまだに標準治療（NEJM 2017; 376:917）

  第2世代TKI：ニロチニブ，ダサチニブ，ボスチニブ；Abl阻害効果↑だが毒性↑

  治療抵抗性：TKI治療中にBCR-ABLの転写量↑，多くは*BCR-ABL*の遺伝子変異や増幅による；治療抵抗例にはニロチニブ，ダサチニブ，ボスチニブ，ポナチニブが使用可能，T315I変異ではポナチニブのみ有効（NEJM 2012;367:2075）

  副作用：嘔気，下痢，筋痙攣，血球減少，PO_4↓，QT↑，まれに心不全；ダサチニブ：心嚢水・胸水，肺高血圧；ニロチニブ：ビリルビン↑，リパーゼ↑，心血管毒性；ポナチニブ：膵炎，動脈閉塞性イベント（脳，心臓，末梢動脈疾患）

- TKI中止：分子学的完全寛解（CMR：Bcr-Ablの転写量が>4.5 logの低下）が>2年の際に考慮；最大50%の症例で2年後もTKI中止を継続可能（つまり分子学的再発なし）；中止の成功率はCMR継続期間と初診時のリスクスコアによる
- APやBPでは初期治療後の早い段階での同種HSCTを考慮
- 妊娠時のCML：ヒドロキシカルバミドとすべてのTKIは禁忌；治療が必要な場合インターフェロンが選択肢

治療の指標	
定義	最適な時間
BCR-ABL比（IS）<10%＝定量PCRで1 logの減少	3か月
BCR-ABL比（IS）<1%または染色体分析でPh<35%	6か月
染色体分析でPh染色体なし	12か月
BCR-ABL比（IS）<0.1%＝定量PCRで3 logの減少	12か月
BCR-ABL比はRT-PCRを用い，未治療の患者の転写量平均と比較する；結果は施設間の差を標準化したInternational Scale（IS）で示す	

■予後（NEJM 2017;376:917）
- 慢性期CML，イマチニブ：5年間で全生存率89%，CML関連の死亡がなかった患者は95%，BPへの移行が7%（NEJM 2006;355:2408）；bcr-ablの転写量が4 log以上減少している患者の平均余命は一般人口と同様

慢性リンパ性白血病（CLL）

「小リンパ球性リンパ腫（SLL）または慢性リンパ性白血病（CLL）」の項参照

悪性リンパ腫

■定義
- 主にリンパ組織に存在するリンパ系細胞の悪性疾患
- 一般的に**Hodgkinリンパ腫（HL）**または**非Hodgkinリンパ腫（NHL）**に分類される

■臨床症状
- リンパ節腫脹（無痛性）

  HL：Reed-Sternberg（RS）細胞；表在リンパ節（通常は頸部/鎖骨上窩）±縦隔リンパ

節の腫脹；**節性病変**が隣接リンパ節へ解剖学的に連続的に進展
NHL：びまん性；**節性病変/節外性病変**が非連続的に進展；症状は病変部位による（腹満，骨痛）
- 全身（"B"）症状：**発熱**（>38℃），**盗汗**，**体重↓**（6か月で>10%）
  HL：周期的に繰り返す"Pel-Ebstein"熱；10～15%に瘙痒感；約35%に"B"症状
  NHL："B"症状の有無は病型によりさまざまで，約15～50%

■診断的検査と病期分類
- 身体診察：リンパ節，肝/脾，Waldeyer輪，精巣（NHLの約1%），皮膚
- 病理：**リンパ節生検（摘出）**（周囲の構造も必要なのでFNAは不可），免疫学的表現型や染色体検査を含む；**骨髄生検またはPET**（HLの臨床病期IA/IIAの予後良好群や，フローサイトメトリーでCLLの診断をした場合を除く）；CNS浸潤を臨床的に疑った場合は腰椎穿刺
- 臨床検査：血算，BUN/Cr，肝機能，ESR，LDH，尿酸，Ca，Alb；✓HBV&HCV（リツキシマブを使用する場合HBV再活性化のリスクがあり，HBs抗原と抗HBc抗体を必ず検査）；HIV，HTLV，EBVや膠原病の自己抗体も考慮
- 画像検査：CTのみでは肝/脾浸潤を十分に診断できないため，PET-CTを用いる（特にHL，DLBCL）；治療に対するPETの反応性は予後予測に用いられ，治療方針にかかわる可能性がある（*NEJM* 2015;372:1598, 2016;374:2419）；頭部CT/MRIは神経学的異常がある場合のみ

Ann Arbor病期分類（Cotswolds改訂）	
病期	特徴
I	単独のリンパ節（LN）領域
II	横隔膜の同側にある2つ以上のLN領域
III	横隔膜の両側にあるLN領域
IV	1つ以上のリンパ外臓器のびまん性病変
付加事項：A＝無症状；B＝発熱，寝汗，体重減少；X＝bulky病変＝CXR上で縦隔病変の最大径が縦隔の>1/3，または腹部の10cm以上の病変；E＝隣接する1つの節外臓器に限局した病変；H＝肝臓；S＝脾臓	

Hodgkinリンパ腫（HL） (*Am J Hematol* 2018;93:704)

■疫学とリスク因子
- 米国で年間約9,000例；二峰性分布（15～35歳&>50歳）；男性に多い；HLの一部にEBVの関与あり，特に免疫不全患者（例：HIV）

■病理
- 病変リンパ節では非腫瘍性炎症細胞の背景中にRS細胞（<1%）を認める
- 古典的RS細胞：明るい領域に囲まれた核小体の明瞭な2核細胞（"フクロウの目"）；RS細胞は**クローン性B細胞**：CD15+，CD30+，CD20-（まれに+）

WHOによる古典的HLの組織学的分類		
結節硬化型	60～80%	コラーゲン線維のバンド；しばしば縦隔リンパ節腫脹；若年成人；女性に多い；診断時は通常I/II期
混合細胞型	15～30%	多形性；高齢者；男性に多い；診断時は≧50%がIII/IV期；予後中間

（次頁につづく）

リンパ球優位型	5%	正常形態のリンパ球が豊富；縦隔リンパ節腫脹は少ない；男性に多い；予後良好
リンパ球減少型	<1%	びまん性線維化と多数のRS細胞；高齢者，男性に多い；診断時に播種；HIV感染でみられる；予後不良

●**非古典的**（5%）：結節性リンパ球優位型（NLP）；末梢のリンパ節腫脹
 80%は I/II 期で，放射線照射単独，または化学療法＋放射線照射で治療；4年無増悪生存率88%，全生存率96%（*JCO* 2008;26:434）
 多くのNLPでRS細胞はCD20陽性であり，リツキシマブを考慮
 III～IV期は多剤併用化学療法で治療（下記参照）

■**治療**（*Lancet* 2012;380:836）
●**I/II期**：**ABVD**（ドキソルビシン，ブレオマイシン，ビンブラスチン，ダカルバジン）
●**Stages III～IV**：**ABVD**×6サイクル〔2サイクル後の中間PET⊖でBを省略できる可能性（*NEJM* 2016;374:2419）；ブレオマイシンをブレンツキシマブ ベドチン（抗CD30抗体）に置き換えることができるがより毒性が強い（*NEJM* 2018;378:331）〕；または**増量BEACOPP**（ブレオマイシン，エトポシド，ドキソルビシン，シクロホスファミド，ビンクリスチン，プロカルバジン，プレドニゾロン）：一部の患者では地固めとして放射線療法を考慮
●**再発 / 難治性**：救援化学療法＋自家HSCT±放射線治療
 自家HSCT後のブレンツキシマブ ベドチンは長期寛解をもたらす（*Blood* 2016;128:1562）
 PD1/PDL1阻害薬（例：ペムブロリズマブまたはニボルマブ）（*NEJM* 2015;372:311）
●**晩期障害**として下記のリスク↑：
 二次発癌：最長40年間にわたり4.6倍のリスク（*NEJM* 2015;373:2499）
  乳癌（放射線治療），∴40歳または放射線照射後8～10年の時点から年1回スクリーニング
  肺癌，胸部CTによるスクリーニングの効果は研究中
  急性白血病 / MDS；NHL
 心疾患（放射線治療またはアントラサイクリン系），**?**治療後10年の時点で心エコー / 負荷心エコー（議論あり）
 肺毒性（ブレオマイシン）
 甲状腺機能低下（放射線治療），∴年1回のTSH（頸部放射線治療の場合）

国際予後スコア（IPS）（*JCO* 2012;30:3383）		
予後不良因子	予測因子数	5年無増悪生存率（%）
Alb<4 g/dL；Hb<10.5 g/dL	0	88
男性；>45歳	1	84
IV期	2	80
WBC≧15,000/μL	3	74
リンパ球数<600/μLまたは白血球分画で<8%	4	67
	≧5	62

非Hodgkinリンパ腫（NHL）

■**疫学とリスク因子**
●米国で年間約7万例の新規発症；診断時年齢中央値約65歳；男性に多い；85%がB細胞由来
●関連病態：免疫不全（例：HIV，移植後）；自己免疫疾患（例：Sjögren症候群，関節リウ

マチ，SLE）；感染症（例：EBV，HTLV-I，*H. pylori*）
- Burkittリンパ腫：(1) 風土性/アフリカ（下顎腫瘤，80〜90%がEBV関連）；(2) 散発性/米国（20%がEBV関連）；(3) HIV関連

リンパ系腫瘍のWHO分類（*Blood* 2016;127:2375）		
タイプ	例	関連する遺伝子異常
成熟B細胞（進行速度）	Burkittリンパ腫	*8q24*, *c-MYC*
	びまん性大細胞型B細胞リンパ腫（DLBCL）	*BCL2*, *MYC*, *MLL2*, *CREBBP*など
	マントル細胞リンパ腫	t(11;14) *BCL1-IgH*➡cyclin D1
	辺縁帯リンパ腫〔節性，節外性（MALT，✓*H. pylori*），脾〕	*AP12-MALT1*, *BCL-10-Ig*エンハンサー
	有毛細胞白血病（TRAP陽性）	*BRAF* V600E
	濾胞性リンパ腫	*IGH-BCL2*, *MLL2*
	CLL/小リンパ球性リンパ腫	*IgVH*, *ZAP70*, *TP53*, *SF3B1*など
成熟T/NK細胞	末梢性T細胞性リンパ腫	*TET2*, *DNMT3A*
	菌状息肉症（皮膚リンパ腫）/Sézary症候群（+リンパ節腫脹）	
	未分化大細胞型リンパ腫	一部で*ALK1*陽性
	血管免疫芽球性T細胞性リンパ腫	

■治療（*Lancet* 2017;390:298）
- 治療と予後は病期よりも病理組織学的分類によって決定
- CD20陽性でリツキシマブ（抗CD20抗体）（*NEJM* 2012;366:2008）
- **低悪性度**：通常は治癒困難（同種HSCTを除く），治療目標は症状の管理（巨大病変，血球減少，"B"症状）
  初回治療：限局期では放射線治療，リツキシマブ+化学療法（ベンダムスチン，CVP，フルダラビン），イブルチニブ
  オビヌツズマブ（抗CD20抗体）+化学療法，その後オビヌツズマブによる維持療法は無増悪生存率↑だが毒性↑（*NEJM* 2017;377:1331）
  維持療法：低悪性度，中悪性度，再発病変にリツキシマブ（*Lancet* 2011;377:42）
  有毛細胞白血病：クラドリビン；再発/難治では経口BRAF阻害薬（*NEJM* 2015;373:1733）
  胃MALTリンパ腫：*H. pylori*陽性例は除菌で治療の可能性，再発/難治では放射線治療
- **中悪性度**：治療目標は治癒（*Am J Hematol* 2019;94:604），治療はサブタイプによる
  R-CHOP〔リツキシマブ，シクロホスファミド，ドキソルビシン（=hydroxydaunorubicin），ビンクリスチン（=Oncovin），プレドニゾロン〕（*NEJM* 2002;346:235, 2008;z359:613）
  DLBCL 10年無増悪生存率=45%；全生存率=55%（*Blood* 2010;116:2040）
  限局期もしくはbulky病変に対しては+放射線治療
  副鼻腔，精巣，乳房，眼窩周囲，傍脊椎，骨髄への浸潤例では髄腔内投与または大量メトトレキサートによるCNSの予防を考慮；2か所以上の節外病変+LDH↑では注意が必要
  再発/難治：救援化学療法；大量化学療法+自家HSCT（*JCO* 2001;19:406）；2回目以降の再発時は同種HSCTを考慮（*JCO* 2011;29:1342）
  CAR-T（当該項目参照）：チサゲンレクルユーセルまたはaxicabtagene（*NEJM* 2017;377:2531&2545）
  マントル細胞リンパ腫：再発/難治にイブルチニブ（*Lancet* 2016;387:770）
- **高悪性度**
  Burkittリンパ腫：用量調節EPOCH-R（*NEJM* 2013;369:1915）またはCODOX-M/IVAC（シクロホスファミド，ビンクリスチン，ドキソルビシン，大量メトトレキサート，イホスファミド，エトポシド，大量シタラビン，リツキシマブ）（*Blood* 2008;112:2248）

全例でCNS予防と腫瘍崩壊症候群の予防が必要
リツキシマブの追加は無イベント生存率を上げる (*Lancet* 2016;387:2402)
リンパ芽球性リンパ腫 (BまたはT細胞性)：ALLに準じて治療 (「急性白血病」の項参照)
MYCおよびBCL2とBCL6の両方か一方の再構成を伴う高悪性度B細胞リンパ腫："ダブル / トリプルヒット" リンパ腫と呼ばれていたもので予後不良

■予後
- 低悪性度：通常は治癒困難だが，生存期間は長期
- 中悪性度：治癒の可能性↑だが，全般的には予後不良

濾胞性リンパ腫国際予後指標（FLIPI）(*Blood* 2004;104:1258)		
項目：年齢>60歳，病期III/IV，Hb<12 g/dL，リンパ節領域>4，LDH↑		
項目数	5年全生存率（%）	10年全生存率（%）
0〜1	90	71
2	78	51
≧3	52	35

中悪性度NHLの国際予後指標（IPI）(*Blood* 2007;109:1857)		
項目数：年齢≧60歳，病期III/IV，節外病変数≧2，パフォーマンス・ステータス（PS）≧2，LDH↑		
項目数	完全寛解（%）	5年全生存率（%）
0〜1	87	73
2	67	51
3	55	43
4〜5	44	26
CHOP-R療法を受けた患者の改訂IPIによる予後		
項目	診断時の割合（%）	4年全生存率（%）
0	10	94
1〜2	45	79
3〜5	45	55

■HIV関連NHL (*Blood* 2006;107:13)
- HIV陽性だと相対リスク60〜100倍
- NHLはKaposi肉腫，子宮頸癌，肛門癌とともにAIDSに特徴的な悪性腫瘍
- HAARTと化学療法の併用で生存率↑の可能性
- DLBCLと免疫芽球性リンパ腫（67%）：CD4<100，EBV関連
  免疫正常者に準じて治療（CHOP-R），CD4<100ではリツキシマブを避ける
  他の治療選択肢としてR-EPOCH（エトポシド，プレドニゾロン，ビンクリスチン，シクロホスファミド，ドキソルビシン）
- Burkittリンパ腫（20%）：CD4>200でも起こる
  免疫正常者と同様に治療；予後は比較的良好
- 原発性CNSリンパ腫（16%）：CD4<50，EBV関連（HIV感染者以外にもみられる）
  大量メトトレキサートを含むレジメン+副腎皮質ステロイド±テモゾロミド±放射線治療，自家HSCTを考慮
- 原発性体腔液リンパ腫（<5%）：HHV-8関連；他の免疫不全者にもみられる；固形臓器移植後や，慢性B型肝炎でも発症；通常のCHOP療法（しばしばCD20⊖）もしくはEPOCHを考慮，予後不良

小リンパ球性リンパ腫(SLL)または慢性リンパ性白血病(CLL)

■定義 (NEJM 2005;352:804, Blood 2008;111:5446)
- 機能不全を起こした成熟Bリンパ球の単クローン性増殖
- CLL(腫瘍細胞>5,000/μL)とSLL(腫瘍細胞<5,000/μLとリンパ節腫大±脾腫)は現在は同一疾患として分類
- 単クローン性Bリンパ球増加症:CLLに類似する病態だが診断基準は満たさない,経過観察

■疫学とリスク因子
- 全米で年間約15,000例の新規発症;診断時年齢中央値71歳;最も一般的な成人の白血病(訳注:日本では比較的まれな疾患)
- 患者の第一度近親者では発生率↑;放射線,化学物質,薬物との関連は知られていない

■臨床症状
- 症状:**しばしば無症状**で,血算のリンパ球↑で発見される;診断時に疲労感,倦怠感,寝汗,体重↓(リンパ腫の"B"症状)があるのは10~20%
- 徴候:**リンパ節腫脹**(80%)と**肝脾腫**(50%)
- **自己免疫性溶血性貧血(AIHA)**(約10%)または**血小板減少症(ITP)**(約1~2%)
- 低ガンマグロブリン血症±好中球減少症➡**易感染性↑**
- 約13%に骨髄不全;約5%に単クローン性ガンマグロブリン血症
- 形質転換:約5%に発生する(**Richter症候群**)=より悪性度が高いリンパ腫(通常DLBCL)への転換と急速な臨床症状悪化

■診断的検査(一般的なアプローチは「悪性リンパ腫」の項参照)
- 末梢血塗抹所見:**リンパ球↑**(>5,000/μL,成熟した形態の小リンパ球)
塗抹標本作製時のずり応力で破損した異常リンパ球 "smudge cell"
- **フローサイトメトリー**:細胞表面の免疫グロブリン(弱+)で**単クローン性**の確認:CD5+,CD19+,CD20(弱+),CD23+;CD38+またはZAP70+は免疫グロブリン重鎖可変部(*IgVH*)変異⊖と関連しており,予後不良
- 骨髄:正または過形成;小型Bリンパ球の浸潤(≧30%)
- リンパ節:小リンパ球や核に切れ込みがある小型の細胞のびまん性の浸潤=SLL
- 細胞遺伝学的所見:11q22-23欠失や17p13欠失は予後不良;12トリソミーは予後中間;13q14欠失と*IgVH*変異⊕は予後良好;9つの重要な遺伝子変異(*TP53, NOTCH1, MYD88, SF3B1*など);スプライソソーム変異は重要な役割(*NEJM* 2011;365:2497, *JCI* 2012;122:3432)

CLLの病期分類

Rai分類		生存期間中央値(年)	Binet分類	
病期	説明		説明	病期
0	リンパ球↑のみ	>10	リンパ節腫脹領域<3	A
I	リンパ節腫脹	7~10	リンパ節腫脹領域>3	B
II	肝脾腫			
III	貧血(非AIHA)	1~2	貧血または血小板↓	C
IV	血小板↓(非ITP)			

●治療(*Lancet* 2018;391:1524)
- 下記の治療適応がなければ不要:Rai分類III/IV期,Binet分類C期,腫瘍関連の症状,病状の進行,副腎皮質ステロイド抵抗性のAIHAまたはITP,繰り返す感染症
- **初回治療:イブルチニブ**〔B細胞内にあるBruton型チロシンキナーゼ(BTK)の阻害薬;

NEJM 2015;375:25, 2018;379:2517),心房細動,高血圧,出血(ワルファリンとの併用は避ける),肺炎,間質性肺疾患のリスク
- 他の選択肢:プリンアナログ:フルダラビン(F),ペントスタチン(P);アルキル化薬:シクロホスファミド(C),ベンダムスチン(B);±抗CD20抗体〔**リツキシマブ**(R);オファツムマブ;オビヌツズマブ(訳注:日本では保険適応外)〕または抗CD52抗体〔アレムツズマブ(訳注:初回治療時は保険適応外)〕
  イブルチニブ+オビヌツズマブはchlorambucil+オビヌツズマブと比較し無増悪生存率↑(*Lancet Oncol* 2019;20:43)
  ベネトクラクス(訳注:初回治療時は保険適応外)+オビヌツズマブはchlorambucil+オビヌツズマブと比較し無増悪生存率↑(*NEJM* 2019;380:2225)
  初回治療におけるイブルチニブ+ベネトクラクスは研究中:CR率88%(*NEJM* 2019;380:2095)
- **難治性**:ベネトクラクス(BCL2阻害薬;*NEJM* 2018;378:1107),acalabrutinib(BTK阻害薬;*NEJM* 2016;374:323),idelalisib(PI3K阻害薬;*NEJM* 2014;370:997)
- 17p欠失または*TP53*変異:ベネトクラクス,idelalisib,またはイブルチニブ±リツキシマブ(*Lancet Oncol* 2014;10:1090),強度減弱前処置による同種HSCTを考慮
- 支持療法と合併症管理:PCP,HSV,VZV予防;抗CD52抗体使用時CMVのモニター;AIHA/ITP➡副腎皮質ステロイド;繰り返す感染症➡IVIg

■**予後**(*NEJM* 2004;351:893, *JCO* 2006;24:4634)
- 生存率には大きな幅がある;全生存期間中央値は約10年(*Am J Hematol* 2011;12:985)
- 予後良好:13q14欠失(CLLの約50%)
- 予後不良:
  予後不良の染色体異常,遺伝子変異,例:17p欠失または*TP53*変異(*JCO* 2010;28:4473),IgH転座
  *IgVH*変異⊖(生殖細胞系列と比較し<2%)〔<8~10年 vs. >20~25年(変異陽性)〕
  Zap-70高発現(>20~30%)(T細胞受容体の一部;*IgVH*変異⊖と相関)
  CD38>30%またはCD49d<30%;*IgVH*変異⊖と相関(*Blood* 2008;111:865)
  $β_2$MG高値(病期および腫瘍量と相関)

形質細胞異常

多発性骨髄腫(MM)

■**定義と疫学**(*NEJM* 2011;364:1046)
- 単クローン性の免疫グロブリン(Ig)="M蛋白"を産生する形質細胞の悪性腫瘍
- 年間約27,000例の新規発症;診断時年齢の中央値は69歳;アフリカ系米国人での頻度が高い

■**臨床症状(CRAB症状およびその他の徴候)**
- 破骨細胞の活動性↑による**高Ca血症**(hyper**C**alcemia)
- **腎障害**(**R**enal disease):濾過された軽鎖の毒性を含む複数の機序➡腎不全〔円柱腎症(cast nephropathy)〕またはⅡ型RTA;アミロイドーシス/軽鎖沈着症➡ネフローゼ症候群;高Ca血症,尿酸腎症,Ⅰ型クリオグロブリン血症
- 骨髄浸潤による**貧血**(**A**nemia,正球性);まれに自己免疫性溶血性貧血
- 破骨細胞の活動性↑による溶骨病変(lytic **B**one)➡病的骨折
- 低ガンマグロブリン血症による反復性感染(形質細胞のクローン性増殖により正常Igの産生↓)
- 神経症状:脊髄圧迫;POEMS(多発神経炎,臓器腫大,内分泌障害,M蛋白,皮膚病変)

症候群
- 過粘稠度症候群：通常はIgM>4 g/dL，IgG>5 g/dL，IgA>7 g/dLいずれかの場合に発症
- 凝固異常：アミロイドの凝固第X因子への結合により凝固因子が欠乏
- ALアミロイドーシス（「アミロイドーシス」の項参照）

■ **診断と病期分類**（Lancet Onc 2014;15:e538）
- **MMの診断基準**：骨髄内のクローナルな形質細胞増殖（≧10%）または生検で証明された形質細胞腫のいずれかと，1つ以上の骨髄腫診断事象：
  (a) 骨髄腫関連臓器障害（**ROTI**）=溶骨病変，Ca>11 mg/dL，Cr>2 mg/dL，またはHb<10 g/dL
  (b) 下記のバイオマーカーのいずれか：骨髄中の形質細胞≧60%，血清遊離軽鎖（FLC）比≧100：1，MRIで巣状骨病変≧2か所
- **亜型**
  くすぶり型MM：M蛋白>3 g/dLまたは形質細胞増殖>10%があるが，骨髄腫診断事象やアミロイドーシスを認めない；診断アプローチは下記MGUSを参照
  孤立性形質細胞腫：溶骨病変が1つだけあり，骨髄中の形質細胞増加やその他のROTIはない
  髄外性（非骨性）形質細胞腫：通常は上気道
  形質細胞白血病：末梢血で形質細胞数>2,000/μL
  非分泌型MM（MMの約2%）：M蛋白がないが骨髄中の形質細胞増殖とROTIあり
- **M蛋白血症の鑑別診断**：MM，MGUS（下記参照），CLL，悪性リンパ腫，サルコイドーシス，関節リウマチ；多クローン性の免疫グロブリンの増加は炎症でみられる：HIV，膠原病，肝硬変
- **末梢血塗抹所見**→連銭形成（巻末の「画像」参照）；✓Ca，Alb，Cr；アニオンギャップ↓，グロブリン↑，赤沈↑
- **蛋白電気泳動と免疫固定法**
  血清蛋白電気泳動（SPEP）：M蛋白を定量；80%以上の症例で陽性
  尿蛋白電気泳動（UPEP）：軽鎖（=Bence Jones蛋白）のみを分泌する症例を検出（軽鎖は血中から速やかに除去）
  免疫固定法：M蛋白の単クローン性を確認し，Igクラスを同定→IgG（50%），IgA（20%），IgD（2%），IgM（0.5%），軽鎖のみ（20%），非分泌型（<5%）
  血清FLC分析：診断（特に軽鎖のみの症例）と治療反応の評価に重要な検査
- β_2MGとLDHが腫瘍量を反映
- **骨髄の染色体分析**：正常核型は核型異常がある症例より予後良好；**標準リスク**=高二倍体またはt(11;14)；**高リスク**=低二倍体，17p13欠失（症例の約10%），t(4;14)，t(4;16)
- **全身骨X線検査**で溶骨性病変，病的骨折のリスク部位の同定；溶骨性病変の検索に骨シンチは有用でない；全身のPET-CT（頭頂部から足趾まで）またはMRIが骨病変の検出に使用されるようになっている

多発性骨髄腫（MM）の病期分類（下記の全生存期間は染色体異常を考慮していない）			
病期	国際病期分類システム（ISS）*	Durie-Salmon（DS）分類	ISSの全生存期間中央値
I	β_2MG<3.5 mg/Lかつ Alb>3.5 g/dL	以下のすべて：Hb>10 g/dL；Ca≦12 mg/dL；溶骨性病変0〜1か所；IgG<5 g/dLまたはIgA<3 g/dLまたは尿中軽鎖<4 g/24時間	62か月
II	IにもIIIにも該当せず		44か月

（次頁につづく）

III	β₂MG>5.5 mg/L	以下のいずれか： Hb<8.5 g/dL；Ca>12 mg/dL；溶骨性病変>5ヶ所；IgG>7 g/dLまたはIgA>5 g/dLまたは尿中軽鎖>12 g/24時間	29か月(Cr<2 mg/dLの場合30か月；Cr≥2 mg/dLの場合15か月)

*R-ISS（染色体異常とLDHを含む）を考慮 (JCO 2005;23:3412, 2015;61:2267)

■**治療** (NEJM 2016;375:754&1319, 2018;378:518&379:1811)
- 通常，リスク層別化と移植適応の有無に基づき治療を決定
- プロテアソーム阻害薬：ボルテゾミブ（V），カルフィルゾミブ（K），イキサゾミブ（I）；**免疫調整薬**：レナリドミド（R），サリドマイド（T），ポマリドミド（P）；**免疫療法**：ダラツムマブ（抗CD38抗体，Dara），エロツズマブ（Elo）
  その他：デキサメタゾン（D），メルファラン（M），パノビノスタット，シクロホスファミド（CYC）；
  CAR-T細胞（抗BCMA）が有望視されている (NEJM 2015;373:621&1207; 380:1726, Lancet 2016;387:1551)
- 寛解導入療法：プロテアソーム阻害薬（VまたはK）+免疫調整薬（例：R）の奏効率が高い；3剤レジメンは2剤レジメンと比較し全生存率↑ (Lancet 2017;389:519)；RVDが米では最もよく用いられる；高リスクではKRD（訳注：日本では保険適応外） (NEJM 2014;371:906, 2016;374:1621)；Dara-RDも選択肢の1つ (NEJM 2019;380:2104)
- **非移植適応：寛解導入療法**で生存率↑だが根治的な治療ではない；維持療法を考慮
- **移植適応**：寛解導入療法の後，**大量メルファラン＋自家HSCT**
  根治的治療ではないが化学療法単独と比較し無増悪生存期間↑ (NEJM 2014;371:895, Lancet Onc 2015;16:1617)；全身状態がよく，禁忌となる併存疾患がなければ適応；Rによる維持療法は無増悪生存期間/OSを延長 (NEJM 2014;371:10)；HSCTの時期（寛解導入後 vs. 再発時）については検討されている
- **再発/難治性**：前回治療の奏効と移植適応を考慮し判断；HSCT（前回のHSCTで高い奏効が得られたまたはHSCTをしていない），Elo-PD，Dara-PD；同種HSCTはまれ
- 孤立性骨形質細胞腫/髄外性形質細胞腫には局所放射線照射
- **補助療法：骨：ビスホスホネート** (JCO 2007;25:2464)，有症状の骨病変には放射線照射
  腎：NSAIDsとIV造影剤は避ける；AKIには血漿交換を考慮
  過粘稠度症候群：血漿交換；感染症：反復性感染症には免疫グロブリン療法を考慮
- 一般的な治療毒性：メルファラン➡骨髄抑制；レナリドミド➡血小板↓，血栓塞栓症；ボルテゾミブ➡末梢神経障害；副腎皮質ステロイド➡高血糖，感染症

意義不明の単クローン性免疫グロブリン血症（MGUS）

■**定義と疫学** (NEJM 2006;354:1362&355:2765)
- M蛋白<3 g/dL，骨髄中形質細胞<10%，骨腫瘍のROTIもアミロイドーシスもなし
- 有病率は>50歳で約3%，>70歳で約5%，>85歳で7.5%

■**管理**
- ✓血算，Ca，Cr，SPEP，血清遊離軽鎖，UPEPと免疫固定法（MMの除外）
- 注意深い経過観察：6か月後にSPEP再検，病状が安定していればその後は年1回

■**予後** (NEJM 2018;378:241)
- 進展リスクは年間約1%または生涯リスク約25%➡MM，Waldenströmマクログロブリン血症，アミロイドーシス，悪性のリンパ増殖性疾患
- 血清遊離軽鎖比の異常とM蛋白≥1.5 g/dL：MMへの進展リスク↑

- ■くすぶり型多発性骨髄腫（MGUSではないが，治療が不要なMMのサブタイプ）
- ●潜在性の骨病変を除外するため，全身のMRIまたはPET-CTが必要
- ●進展リスク年間10%だが，M蛋白のクラス，FLC比によりリスクが変わる；治療する意義は現時点では不明

Waldenströmマクログロブリン血症

- ■**定義**（*Blood* 2009;114:2375, *NEJM* 2012;367:826）
- ●単クローン性のIgMを分泌するB細胞性腫瘍（リンパ形質細胞性リンパ腫）
- ●91%に*MYD88*（NF-κB経路）のL265P変異あり，骨髄腫との鑑別に有用な可能性
- ●骨病変なし（IgM M蛋白＋溶骨病変＝"IgM骨髄腫"）

■臨床症状
- ●最も一般的な症状は貧血による**倦怠感**
- ●腫瘍浸潤：骨髄（血球↓），肝腫大，脾腫，リンパ節腫脹
- ●**循環血液中の単クローン性IgM**
  過粘稠度症候群（約15%）：神経学的異常：霧視（網膜静脈の"ソーセージ"様変化），頭痛，めまい，意識障害；心肺：CHF，肺浸潤
  I型クリオグロブリン血症➡**Raynaud現象**
  血小板機能障害➡粘膜出血
- ●**IgM沈着**（皮膚，腸管，腎）：アミロイドーシス，糸球体異常
- ●**IgMの自己抗体活性**：慢性AIHA（顕著な**連銭形成**；10%がCoombs試験陽性＝AIHA）；末梢神経障害：ミエリン関連糖蛋白に対するIgM抗体による可能性

■診断的検査
- ●SPEP＋免疫固定法でIgM＞3 g/dL；24時間尿のUPEP（20%のみ⊕）
- ●骨髄生検：形質細胞様リンパ球↑；予後予測にβ_2MG
- ●**血清相対粘稠度**：血清粘稠度／水の粘稠度（正常値1.8）；過粘稠症候群では＞5〜6

■治療
- ●過粘稠度症候群：**血漿交換**
- ●症状（例：進行性の貧血）：リツキシマブ±化学療法（例：ベンダムスチン，シクロホスファミドなど）；リツキシマブ＋イブルチニブ（訳注：日本では保険適応外）（*NEJM* 2018; 378:2399）；エベロリムス（訳注：日本では保険適応外）やHSCTは救援療法

造血幹細胞移植（HSCT）

ドナーから多能性幹細胞を移植することにより，レシピエントのすべての系統の血球産生を再構築する

幹細胞移植の分類		
特徴	同種（Allo）	自家（Auto）
ドナーとレシピエントの関係	免疫学的に異質	ドナー＝レシピエント
移植片対宿主病（GVHD）	あり	なし
移植片対腫瘍（GVT）効果	あり	なし
移植片に腫瘍細胞が混入するリスク	なし	あり

（次頁につづく）

再発リスク（白血病）	低	高
移植関連死亡率	**高**	**低**

- **同種HSCTの種類**：6番染色体上にある主なヒト白血球抗原（HLA）（4つの血清型を決める遺伝子：*HLA-A, -B, -C, -DR*；それぞれ2座ずつアリルが存在，∴8座の抗原）の，ドナー / レシピエント間の一致度に基づく

  HLA適合血縁ドナー（MRD，8/8抗原適合同胞）：GVHD最少；**ドナーとして望ましい**

  HLA適合非血縁ドナー（MUD）：GVHDリスク↑；∴10座（*-DQ*も含め）のHLAアリルを合わせることでリスク↓；一致の確率は人種と関連（*NEJM* 2014;371:339）

  HLA不適合血縁ドナー（例：1/8座不適合）：ドナー候補が拡大だが，GVHD↑，拒絶↑；∴より強力な免疫抑制が必要

  HLA半合致移植：典型的には親子間（"半分"HLAが適合している）；移植後早期のシクロホスファミド投与により同種反応性ドナー T 細胞を除去，GVHDが減少

  臍帯血：出生時に造血幹細胞を採取，保存。細胞数が少なく，成人では2ユニット必要（訳注：日本では単一ユニットによる臍帯血が一般的）；新生児由来の免疫細胞：HLA不適合でも許容されやすくGVHD↓，免疫の再構築が遅い➡移植後時間が経過した後のウイルス感染症↑（*Blood* 2010;116:4693）

- **移植片対宿主病（GVHD）**：同種HSCTの好ましくない副作用

  ドナー由来のT細胞がレシピエントの細胞を異物とみなす；HLA不適合または非血縁ドナーでリスク↑

- **移植片対腫瘍（GVT）**：同種HSCTによる望ましい効果：ドナー由来のT細胞が腫瘍細胞を攻撃

■**適応**（*BBMT* 2015;21:1863, *BMT* 2015;50:1037）

- **悪性腫瘍**

  自家HSCT：骨髄破壊的な大量化学療法後，自家造血幹細胞を用いることで致死的となりうる血球減少から回復させる；通常は化学療法感受性の腫瘍に用いる（例：再発 / 難治性DLBCL，MM，精巣腫瘍，胚細胞腫瘍）

  同種HSCT：造血機能の回復に加え，**移植片対腫瘍（GVT）効果**をもたらす（AML，ALL，MDS，CML急性転化，CLL，リンパ腫に用いる）

- **良性疾患**：同種HSCTにより，異常なリンパ造血系を正常なドナーのものと置換（例：免疫不全症，再生不良性貧血，ヘモグロビン異常症）

■**移植の手順（同種HSCT）**

- **前処置のレジメンの目標**：ドナー由来の細胞生着のための免疫抑制，再発率↓のための抗腫瘍効果；薬物の種類 / 量はこのバランスにより決定

  骨髄破壊的前処置：大量化学療法および / または全身放射線照射；再発率は低いが，免疫抑制が高度で，移植関連合併症の発生率も高い

  強度減弱前処置（RIC）：低用量の化学療法➡移植関連合併症 / 死亡↓だが，よりGVT効果に依存するため再発率↑（*Blood* 2015;126:23）；高齢者（>60）や合併症がある場合でも同種HSCTが可能

- **幹細胞源**（*NEJM* 2012;367:1487）

  骨髄（BM）：HSCT開発当初から使用されていたが，現在ではPBSCより少ない

  末梢血幹細胞（PBSC）：採取が骨髄より容易なため一般的になっている；BMとPBSCで生存率はほぼ同等；BMは慢性GVHD↓，PBSCは生着不全↓で生着が早い

  臍帯血（UCB）：上記の「同種HSCTの種類」を参照

- **生着**：好中球数（ANC）が500/μLに回復，PBSCでは約2週，BMでは約2.5週，UCBでは約4週；G-CSFにより3〜5日早まる

  生着症候群：発熱，皮疹，非心原性肺水腫，肝機能障害，AKI，体重増加

  除外診断：感染症，GVHDを除外；治療は1 mg/kgのステロイド，3〜4日で急速に漸減

■合併症
- 前処置関連の化学療法と放射線の毒性の直接的作用や，ドナー・レシピエント間の同種免疫反応により発生する
- **類洞閉塞症候群（SOS）**：発生率約10%，死亡率約30%
  以前は**肝中心静脈閉塞症（VOD）**と呼ばれていた（*BBMT* 2016;22:400）；機序：肝細胞静脈への直接的な細胞毒性による傷害➡局所の血栓症
  症状：圧痛を伴う肝腫大，腹水，黄疸，重症例では体液貯留➡肝不全，脳症，肝腎症候群
  診断：ALT/AST↑，ビリルビン↑；重症例ではPT↑；Dopplerエコーで門脈血流の逆流を認める場合あり；肝楔入圧↑；肝生検異常
  治療：支持療法；**ウルソデオキシコール酸**で予防；デフィブロチドで治療（*Blood* 2016;127:1656）
- **特発性肺炎症候群（IPS）**：5～25%の患者で発生，死亡率>50%（*Blood* 2003;102:2777）
  直接毒性による肺胞の傷害➡発熱，低酸素，びまん性の肺浸潤；感染症に気づかないこともしばしば
- **びまん性肺胞出血（DAH）**：診断：気管支鏡検査で感染症を除外；DAHでは血性の肺胞洗浄液；治療はステロイドパルス療法：メチルプレドニゾロン静注500～1,000 mg/日×3日間±エタネルセプト（*BBMT* 2015;1:67）
- **急性GVHD**（通常は移植から6か月以内；*NEJM* 2017;377:2167）
  皮膚（斑状丘疹状皮疹の範囲），**肝**（ビリルビン値），**消化管**（下痢の量）のステージに基づいてグレードをⅠ～Ⅳに分類；生検は診断の補助
  予防：**免疫抑制**（メトトレキサート＋シクロスポリンまたはタクロリムス）または移植片からのT細胞除去
  治療：グレードⅠ➡局所療法；グレードⅡ～Ⅳ➡生存率↓，∴免疫抑制薬で治療〔ステロイド，シクロスポリン，タクロリムス，シロリムス（訳注：保険適応外），ミコフェノール酸モフェチル〕
- **慢性GVHD**（移植3か月以降に発症または遷延；*NEJM* 2017;377:2565）
  臨床所見：蝶形紅斑，乾燥症候群，関節炎，閉塞性細気管支炎，胆管変性，胆汁うっ滞，その他多彩な所見；BMよりPBSCでより発生しやすい
  治療：免疫抑制；リツキシマブ*；体外循環光療法*；イブルチニブ*（*Blood* 2017;130:21）（*訳注：いずれも保険適応外）
- **生着不全**
  一次性＝生着が認められず好中球減少症が継続
  二次性＝いったん生着した後に発症する遅発性の汎血球減少症；レシピエント由来の免疫細胞による免疫反応（**移植片拒絶反応**），または非免疫介在性（例：CMV）
- **感染性合併症**
  前処置関連の汎血球減少と免疫抑制療法が原因
  自家HSCTレシピエント：免疫抑制療法が不要∴生着前，直後のみリスク↑，初感染/再活性化（例：CMV，HSV，VZV）いずれもあり

同種HSCT後の合併症の発症時期			
移植後日数と関連リスク因子			
	0～30日 粘膜炎 臓器不全 好中球減少症	30～90日 急性GVHD 細胞性免疫不全	>90日 慢性GVHD 細胞性/液性免疫不全
ウイルス感染症	呼吸器ウイルス，腸管ウイルス，BKウイルス		
	HSV*	CMV*，HHV-6/7	
		EBV-関連リンパ腫	
			VZV*，JCウイルス

（次頁につづく）

細菌感染症	GPC（コアグラーゼ陰性ブドウ球菌，黄色ブドウ球菌，緑色レンサ球菌） GNR（腸内細菌科，緑膿菌，*Legionella*, *S. maltophilia*）		被包性細菌
真菌感染症	*Candida* 属		
	Aspergillus 属		
寄生虫感染症		*T. gondii* *P. carinii* *S. stercoralis*	*T. gondii* *P. carinii*
前処置関連	汎血球減少		成長障害
	粘膜炎，皮疹，脱毛		性腺機能低下 / 不妊
	悪心，嘔吐，下痢		甲状腺機能低下症
	末梢神経障害		白内障
	出血性膀胱炎		無血管性骨壊死
	類洞閉塞症候群		二次性発癌
	特発性肺炎症候群 / 間質性肺炎		慢性 GVHD
免疫介在性	急性 GVHD		
	一次性生着不全	二次性生着不全	

* 主に移植前の血清の抗体⊕患者で発症

HSCTで使用される予防薬 / 支持療法		
薬物	予防の対象	投与期間
フルコナゾールまたはポサコナゾール	*Candida*	75日
アシクロビル	HSV/VZV	365日
CMV⊕の際のバルガンシクロビルまたはガンシクロビル	CMV	100日または免疫抑制薬中止まで
抗菌薬（例：フルオロキノロン系）	細菌感染症	好中球減少期間中
ST合剤	PCP	365日または免疫抑制薬中止まで
アロプリノール	高尿酸血症	1日前まで
ウルソデオキシコール酸	類洞閉塞症候群 /VOD	60日

肺癌

病理と遺伝学				
	病理	%	典型的部位	変異遺伝子
非小細胞肺癌 （NSCLC）	腺癌	40	末梢	*KRAS*（20〜30%），*EGFR*（15〜20%，特に女性，アジア人，喫煙未経験者），*HER2*（6%）；*ALK*（約4%），*ROS1*（約2%），*RET*（約1%）の再構成

（次頁につづく）

	扁平上皮癌	20	中枢	*FGFR1, SOX, PIK3CA, PTEN, TP53, SOX2, DDR2, BRAF*
	大細胞癌	5	末梢	
	その他/分類不能	20		
小細胞肺癌（SCLC）		15	中枢	複雑；*TP53*, *RB1*の不活性化を認めることが多い

(*NEJM* 2008;359:1367, *JCO* 2012;30:863, *J Thorac Oncol* 2012;7:924, *Nature* 2011;489:519, *Cell* 2012;150:1107)

■疫学とリスク因子
- 米国では男女ともに癌関連死の最も多い原因
- **喫煙**：肺癌の85%は喫煙者に発生；リスクは喫煙量×喫煙年数に比例；禁煙や減煙でリスク↓、ただし喫煙未経験者のレベルには戻らない (*Int J Cancer* 2012;131:1210)
  扁平上皮癌とSCLCは喫煙者にほぼ限られる
  非喫煙者では腺癌が最多
- **アスベスト**：喫煙との相乗効果で肺癌のリスク↑
- **その他**：放射線治療（他癌に対して）；HIV、環境有害物質（ラドン、受動喫煙）；肺線維症

■臨床症状
- 約10%は診断時には無症状で、偶然発見される（16%だけが診断時に局所病変）
- 原発腫瘍の**気管支内増殖**：**咳嗽、喀血、呼吸困難**、疼痛、喘鳴、閉塞後肺炎；扁平上皮癌、SCLCに多い（中枢病変）
- **病変の進展**
  胸水、心嚢水、嗄声（反回神経麻痺）、嚥下障害（食道圧迫）、吸気性喘鳴（気管閉塞）
  Pancoast症候群：肺尖部腫瘍→腕神経叢への浸潤（C8, T1, T2）→Horner症候群、肩痛、肋骨破壊、手掌筋萎縮
  上大静脈症候群 (*NEJM* 2007;356:1862)：中枢病変→上大静脈圧迫→顔や腕の腫脹（>80%）、頸部と胸壁の静脈怒張（約60%）、呼吸困難/咳嗽（約50%）、頭痛（約10%）
  治療＝ステロイドと利尿薬、放射線照射±化学療法、重症例では上大静脈ステント、血栓があれば抗凝固薬
- **胸腔外転移**：脳、骨、肝、副腎、体重減少
- **腫瘍随伴症候群**
  内分泌：
  ACTH（SCLC）→**Cushing症候群**；ADH（SCLC）→**SIADH**
  PTHrP（扁平上皮癌）→**高Ca血症**
  骨格：ばち指（NSCLC）、**肥性肥厚性骨関節症**（腺癌）＝対称性の多発性関節炎と長管骨の増殖性骨膜炎
  神経（SCLC）：**Lambert-Eaton症候群**（抗P/Q型電位依存性Caチャネル抗体）、末梢性ニューロパチー（抗Hu、抗PCA-2、抗CRMP5）、小脳変性症（抗Hu、抗Yo、抗Ri、抗Tr）、脳脊髄炎（抗Hu、抗Ma1/2、抗CRMP5）
  皮膚：黒色表皮腫、皮膚筋炎
  血液：凝固能亢進状態（腺癌）、DIC、衰弱性心内膜炎

■スクリーニング (*Lancet* 2014;382:732)
- 胸部X線および喀痰細胞診は高リスク群でも利益なし
- 55～74歳の≧30 pack-yearの喫煙者/元喫煙者（禁煙から15年以内）に対する**年1回の低線量胸部CT**→胸部X線と比較して肺癌関連死亡率20%↓(*NEJM* 2011;365:395, 2013;368:1980, USPSTF)
  number needed to screen＝320；偽陽性率が高い
  スクリーニング対象を絞るためにリスクスコアを考慮 (*NEJM* 2013;369:245&910, *JAMA* 2016;315:2300)

■**診断的検査と病期分類**(*NCCN Guidelines* v.1.2019)
●**初期画像**:造影胸部CT(肝,副腎を含む)
●**病理**:**経気管支鏡検査**(中枢病変)または**CTガイド下針生検**(末梢病変,転移が疑われる生検可能部位);縦隔鏡検査(リンパ節生検),VATS(胸膜末梢病変の評価),胸腔穿刺(セルブロック細胞診)
●**TNM病期分類**:腫瘍径と深達度(T),領域リンパ節転移〔N:N0(なし),N1(同側肺門),N2(同側縦隔),N3(対側,鎖骨上)〕と遠隔転移(M)に基づく(*Chest* 2017;151:193);5年生存率:Stage I=約70〜90%,Stage II=50〜60%,Stage III=15〜35%,Stage IV=0〜10%(*J Thorac Oncol* 2016;11:39)
●**治療前評価**
 胸腔内:縦隔鏡検査(±先行してエコーガイド下の経食道/経気管支吸引針生検;*JAMA* 2010;304:2245)あるいはVATS;胸水があれば胸腔穿刺
 胸腔外:縦隔転移,遠隔転移,骨転移の発見に**PET-CT**はCT単独よりも高感度(*NEJM* 2009;361:32);すべての患者(Stage IA期を除く)に脳MRI
●**遺伝学的**:進行/転移非扁平上皮癌NSCLCには*EGFR*変異,*ALK, ROS1, RET, BRAF, NTRK*融合をチェック(注:扁平上皮癌での頻度は低い;非喫煙者,混合組織型でのみ検査する)
●外科的切除を含む治療を計画している場合は,肺換気・血流シンチを含む肺機能検査;切除後の予測肺機能が正常の30%は必要

■**非小細胞肺癌(NSCLC)の治療**(*Lancet* 2017;389:299, *NEJM* 2017;377:849, *NCCN Guidelines* v.1.2019)

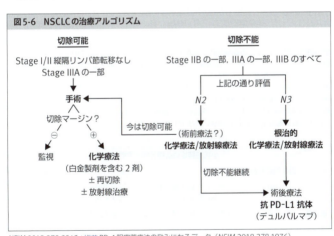

NEJM 2018;379:2342;術前PD-1阻害薬療法の励みになるデータ(*NEJM* 2018;378:1976)

Stage IV治療			
タイプ	遺伝型	%	治療
腺癌もしくはその他	EGFR	約15	EGFRチロシンキナーゼ阻害薬("第3世代"オシメルチニブ推奨;*NEJM* 2018;378:113)
	ALK	約4	ALKチロシンキナーゼ阻害薬(アレクチニブ推奨:中枢神経系活性;*NEJM* 2017;377:829)

(次頁につづく)

	ROS1	1〜2	ROS1チロシンキナーゼ阻害薬（クリゾチニブ推奨；*JCO* 2017;35:2613）
	BRAF V600E	1〜3	B-Raf阻害薬（ダブラフェニブ）+MEK阻害薬（トラメチニブ）（*Lancet Onc* 2016;17:984）
	NTRK融合	<1	化学療法と免疫療法でも増悪後にlarotrectinib（*NEJM* 2018;378:731）
	PD-L1≧50%	30	抗PD-1抗体ペムブロリズマブ（*NEJM* 2016;375:1823）
	標的なし		化学療法（カルボプラチン/ペメトレキセド）+ペムブロリズマブ（*NEJM* 2018;378:2078）または 化学療法（カルボプラチン/パクリタキセル）+抗VEGF抗体（ベバシズマブ）+抗PD-L1抗体アテゾリズマブ（*NEJM* 2018;378:2288）
扁平上皮癌	PD-L1≧50%		ペムブロリズマブ（*NEJM* 2016;375:1823）
	PD-L1<50%		化学療法〔カルボプラチン+パクリタキセル（アルブミン懸濁型）〕+ペムブロリズマブ（*NEJM* 2018;379:2040）
緩和的放射線療法：腫瘍や転移巣によって引き起こされる症状コントロール目的			
単発脳転移：外科的切除+脳放射線にて生存改善の可能性			
緩和ケアは生存を改善（*NEJM* 2010;363:733）			

チロシンキナーゼ阻害薬副作用：皮疹と下痢（高頻度）；肺と肝障害（まれだが重篤化する可能性）

■**小細胞肺癌（SCLC）の病期分類と治療**（*NCCN Guidelines* v.1.2019）
- 小細胞肺癌の多くは診断時には播種しているが，化学放射線療法に対する反応性は良好
- **化学療法**（白金製剤+エトポシド）が治療法の主流
- 抗PD-L1抗体（例：アテゾリズマブ）の追加で生存率↑（*NEJM* 2018;379:2220）
- 限局型では化学療法に**縦隔照射**を追加すると生存率改善
- 完全寛解が得られた限局型では**予防的全頭蓋照射（PCI）**で生存率↑（*NEJM* 1999;341:476）し，進展型の症候性脳転移↓（*NEJM* 2007;357:664）

小細胞肺癌の病期分類と治療				
病期	診断時の割合（%）	定義	治療	生存期間中央値
限局型	30〜40	単一の照射区域におさまる片側胸郭内に限局	放射線照射+化学療法±PCI	1〜2年
進展型	60〜70	単一の照射区域におさまらない	化学療法±PCI	約1年

乳癌

■疫学
- 米国の女性で最も多い癌；女性の癌死亡の原因第2位
- **遺伝的リスク**：15〜20%に家族歴あり➡リスク2倍；家族性症例の約45%が生殖細胞系列変異による

- *BRCA1/2*変異：乳癌の生涯リスク35〜85%，卵巣癌と前立腺癌のリスク↑；結腸癌リスク↑の可能性；*BRCA2*：男性乳癌，前立腺癌，膵癌のリスク↑；生殖細胞系列機能喪失*PALB2*遺伝子変異では，70歳までの乳癌リスク35%↑（*NEJM* 2014;371:497）
- エストロゲン：早い初経，遅い閉経，高齢出産，未経産で乳癌のリスク↑（*NEJM* 2006;354:270）；長期ホルモン補充療法で乳癌リスク↑（5.6年使用後の相対リスク=1.24；*JAMA* 2003;289:3243）；経口避妊薬服用による乳癌リスクは非常に低い/ない（*NEJM* 2017;317:2228, *JAMA Oncol* 2018;4:516）
- 良性乳腺病変：異型病変（異型乳管過形成，異型小葉過形成；*NEJM* 2015;372:78）や増殖性病変（乳管過形成，乳頭腫，放射状瘢痕，硬化性腺症）で乳癌リスク↑；囊胞，線維腺腫，円柱細胞変化によるリスク↑はなし
- 胸部放射線照射によるHodgkinリンパ腫治療歴で乳癌リスク↑

■ 予防（高リスクならば：例としては家族歴あり，LCIS，異型過形成）
- タモキシフェン（妊娠中禁忌）：術後治療で対側乳癌のリスク↓；高リスク群では一次予防に承認；浸潤性乳癌は減少するがDVTと子宮体癌は増加
- ラロキシフェン（閉経後のみ）：浸潤性乳癌と椎体骨折リスク↓，VTE/肺塞栓症と脳梗塞リスク↑（*NEJM* 2006;355:125）；乳癌予防ではタモキシフェンよりも効果低いが，VTE，白内障と子宮体癌リスクは低い（*Ann Int Med* 2013;158:604）
- アロマターゼ阻害薬（閉経後）：乳癌リスク>50%↓（*Lancet* 2014;383:1041），骨粗鬆症↑
- *BRCA1/2*変異㊉：強化したサーベイランスvs.予防的両側乳房摘除術（乳癌リスク約90%↓）；両側卵管卵巣摘除により卵巣癌と乳癌のリスク↓（*NEJM* 2016;374:454）

■ 臨床症状
- 乳房腫瘤（硬，不整，可動性不良，無痛性），乳頭分泌（次のような場合は高リスク：片側性，1つの乳管に限局，血性，腫瘤に随伴）
- 特殊なタイプ：Paget病➡片側乳頭の湿疹＋乳頭分泌；炎症性乳癌➡皮膚紅斑と浮腫（peau d'orange）
- 転移：リンパ節，骨，肝，肺，脳

■ スクリーニング（*JAMA* 2015;314:1599, *Annals* 2019;170:547）
- マンモグラフィー：乳癌による死亡率は約20〜30%↓，50歳未満では絶対的メリットは小さい（*JAMA* 2018;319:1814）；3Dデジタル乳房トモシンセシスで特異度↑（*JAMA Oncol* 2019;5:635）；疑わしい所見：集簇する微小石灰化，スピキュラを伴う，増大傾向
- 米国がん協会は45歳から年次マンモグラフィーを推奨（55歳以降は隔年を考慮）
- USPSTFは50歳から隔年を推奨（一部は40歳開始の希望も可）
- 高リスク群：マンモグラフィー＋乳房検診によるスクリーニングを早期から開始（*BRCA1/2*変異㊉者では25歳から；家系内で最も若い発症年齢の5〜10年前から；胸部放射線照射の8〜10年後から；高リスクの良性病変の発見時から）
- MRI：高リスク群，若年層ではマンモグラフィーより優れる；生涯リスク>20%（例：家族歴あり，*BRCA1/2*変異㊉，胸部放射線照射の既往）であれば年1回の実施を考慮（*Lancet* 2011;378:1804）
- 遺伝学的検査：濃厚な家族歴を有する女性で考慮（*NCCN* v.2.2019）

■ 診断的検査
- 乳房腫瘤の触知：<30歳➡自然消退することがないか1〜2回の月経周期は経過観察
  <30歳，消退しない腫瘤➡エコー➡単純性囊胞でなければ吸引
  >30歳またはエコー上の充実性腫瘤または血性吸引液または吸引後の再発➡マンモグラフィー（他病変の有無を検索）に加え，**吸引針生検またはコア針生検**
  明らかな乳癌，または生検所見が非確定的/異型の場合➡**切除生検**
- 乳房検診では異常がなくマンモグラフィー上の疑わしい所見➡定位生検
- MRI：最近乳癌と診断されたかの対側乳房のマンモグラフィーでは所見㊀の女性の3%で，対側にも乳癌を検出（ただしPPVは21%と低い）（*NEJM* 2007;356:1295）；有用性未確定

■**病期分類**
- ●**解剖学的**：腫瘍サイズ，胸壁浸潤，腋窩リンパ節転移（最も強力な予後予測因子）
- ●**組織病理学的**：タイプ（予後との関連性は低い）とグレード（悪性度）；リンパ管/血管への浸潤

  非浸潤性乳癌：周囲組織（間質）への浸潤がないもの
  非浸潤性乳管癌（DCIS）：同側乳房内の浸潤癌のリスク↑（約30%/10年）
  上皮内小葉癌（LCIS）：同側/対側乳房の浸潤癌のリスク↑（約1%/年）
  浸潤性乳癌：浸潤性乳管癌（70～80%）；浸潤性小葉癌（5～10%）；管状癌，髄様癌，粘液癌（10%，予後良好）；乳頭癌（1～2%）；その他（1～2%）
  炎症性乳癌（上記参照）：組織学的な分類ではなく，腫瘍の皮膚リンパ管浸潤による臨床像；きわめて予後不良
  Paget病（上記参照）：乳管癌の乳頭表皮への浸潤で，腫瘤を伴う場合もあり
- ●**バイオマーカー**：エストロゲン/プロゲステロン受容体（ER/PR）とHER2/neu増幅
- ●**Oncotype DX®**：21遺伝子の検査でRecurrence Score®（再発スコア）を算出；ER⊕，HER2⊖，リンパ節転移⊖の患者で，発症と予後の予測に有用（*NEJM* 2018;379: 111）；70遺伝子プロファイル（マンマプリント）も（*NEJM* 2016;375:717）

簡略化した病期分類&乳癌特異的5年生存率		
(*CA Cancer J Clin* 2017;67:290, *SEER* 2017)		
病期	特徴	説明	乳癌特異的5年生存率（%）
---	---	---	---
I	腫瘍径≦2 cm	局所限局性で切除可能	99
IIA	腫瘍径＞2 cmまたは可動性の腋窩リンパ節転移	局所限局性で切除可能	98
IIB	腫瘍径＞5 cm		96
IIIA	胸骨傍リンパ節または固定した腋窩リンパ節転移	局所進行性	95
IIIB/C	胸壁，皮膚，鎖骨下または鎖骨上窩リンパ節転移	切除不能	80～85
IV	遠隔転移	転移性	27

治療への一般的アプローチ（*JAMA* 2019;321:288&1716）	
LCIS	注意深く経過観察±予防的化学療法（しばしばタモキシフェンにて）（*JCO* 2015; 33:3945）
DCIS	乳房切除術もしくは腫瘍摘出術＋放射線照射±予防的化学療法（*Lancet* 2016; 387:849&866）
I	手術＋放射線照射
II	腫瘍＞2 cmまたはリンパ節転移⊕またはER/PR⊖またはOncotype DX≧31ならば，＋術後化学療法 ER/PR⊕ならば，＋ホルモン療法：高リスクならば卵巣抑制追加（*NEJM* 2018; 379:122） HER2⊕，かつ腫瘍≧1 cmまたはリンパ節転移⊕ならば，＋抗HER2療法
III	術前化学療法➡手術＋放射線照射±術後化学療法 ER/PR⊕ならば，＋ホルモン療法：閉経前なら卵巣機能抑制を追加 HER2⊕ならば，抗HER2療法：通常はトラスツズマブ＋ペルツズマブ
IV	ER/PR⊕：アロマターゼ阻害薬&CDK4/6阻害薬併用（*NEJM* 2016;375:1925） ER/PR⊖：HER2⊕➡化学療法＋抗HER2療法；HER2⊖➡化学療法 骨転移：ビスホスホネート&デノスマブにより骨折↓（*Cochrane* 2017; CD003474）

局所制御目的の手術と放射線照射	
介入	**適応**
乳房温存	Stage I〜II，腫瘍摘出術＋センチネルリンパ節生検*＋乳房放射線照射
非定型的乳房切除術	乳房に比して大きい腫瘍，多中心性病変，放射線照射の既往，びまん性微小石灰化，腫瘍摘出術後断端⊕
乳房全切除術後放射線療法	リンパ節転移≧4か所，腫瘍＞5 cm，断端⊕または胸壁もしくは皮膚浸潤あり（*Lancet* 2014;384:1848）

*触知する腋窩リンパ節に対しては腋下郭清の適応

全身療法		
適応	**クラス**	**例**
ER/PR⊕（*Lancet* 2017;389:2403）	内分泌療法（*NEJM* 2019;380:1226）	**タモキシフェン**：閉経前低リスクの術後療法；再発率↓＆死亡率↓；治療期間10年は5年より優れる（*Lancet* 2011; 378:771, 2013;381:805） **アロマターゼ阻害薬（アナストロゾール，レトロゾール，エキセメスタン）**：閉経後患者の術後療法：タモキシフェンと比較して全生存期間↑（*Lancet* 2015; 386:1341）；治療期間10年は5年と比較して無病生存期間↑（*NEJM* 2016; 375:209） 転移がある場合には選択的エストロゲン受容体抑制薬（フルベストラント）をアロマターゼ阻害薬に追加することで全生存期間↑
	卵巣機能抑制	**LHRHアゴニスト**（例：リュープロレリン）もしくは卵巣摘除：高リスク閉経前の患者ではタモキシフェンかアロマターゼ阻害薬と併用した術後療法（*NEJM* 2018; 379:122）
	細胞増殖（*NEJM* 2012;366:520）	**CDK4/6阻害薬**（例：パルボシクリブ，アベマシクリブ，ribociclib）：＋アロマターゼ阻害薬（転移に対して推奨される一次治療）もしくはフルベストラントはStage IVではアロマターゼ阻害薬単独と比較して無増悪生存期間↑（*NEJM* 2018; 379:1926, *JCO* 2017;35: 3638） **mTOR阻害薬（エベロリムス）**：＋アロマターゼ阻害薬（エキセメスタン）はStage IVで全生存期間↑
PIK3CA⊕	PI3K阻害薬	ER/PR⊕転移乳癌ではフルベストラントに**alpelisib**追加で無増悪生存期間↑（*NEJM* 2019;380:1929）
HER2⊕（*Lancet* 2017;389:2415）	HER2標的療法	**トラスツズマブ**（抗HER2）：化学療法と併用して一次治療 **ペルツズマブ**（HER2二量体化を阻害）：＋トラスツズマブで術後補助療法＆転移

（次頁につづく）

		治療で無増悪生存期間↑（*NEJM* 2017; 377:122） **トラスツズマブ エムタンシン**（化学療法剤が抗体薬と結合）：術前治療後に残存病変が残っている場合に使用することで再発／死亡↓（*NEJM* 2019;380:617）；転移乳癌に対し二次治療として推奨
Stage I～IV（上記参照）	化学療法	**術前化学療法**：乳房温存＆治療効果判定，術後化学療法と全生存期間は同等（*JCO* 2008;26:778） **術後**：ER/PR⊕乳癌では術後Oncotype DXスコア計測（*NEJM* 2018;379:111）；アントラサイクリン系±タキサン系を使用
PD-L1⊕ トリプルネガティブ乳癌	免疫	**PD-L1抗体**（アテゾリズマブ）をアルブミン懸濁型パクリタキセル（nab-パクリタキセル；微小管阻害薬）に追加：Stage IVの無増悪生存期間＆全生存期間↑（*NEJM* 2018;379:2108）
BRCA⊕	PARP阻害剤	**オラパリブ**＆talazoparib（*NEJM* 2017;377:523, 2018;379:753）
トリプルネガティブ乳癌	抗体-薬物複合体	sacituzumab govitecan：化学療法と抗Trop2抗体の結合体で，既治療の転移乳癌において無増悪生存期間＆全生存期間↑（*NEJM* 2019;380:741）

前立腺癌

■**疫学とリスク因子**（*NEJM* 2003;349:366）
- 米国の男性で最も多い癌；男性の癌死亡の原因の第2位
- 前立腺癌と診断される生涯リスク約16%；前立腺癌による死亡の生涯リスク約3%
- リスク因子：年齢↑（＜45歳ではまれ），アフリカ系，家族歴あり，*BRCA1/2*変異⊕

■**臨床症状**
- 多く（78%）は診断時無症状で局在性
- 転移性病変の症状は主に骨転移：骨痛，脊髄圧迫，血球減少

■**スクリーニング**（*JAMA* 2014;311:1143, *Lancet* 2014;384:2027）
- PSA：4 ng/mLがカットオフ値とされるが，感度も特異度も高くない；前立腺肥大症，前立腺炎，急性尿閉，前立腺生検，TURP，射精でも上昇（直腸指診，膀胱鏡検査では有意な上昇なし）；PSA＜4 ng/mLで直腸指診で異常所見のない＞62歳男性のうち，15%で生検によりT1前立腺癌を発見（*NEJM* 2004;350:2239）
- 直腸指診は限定的で死亡率の改善がないため推奨されない
- 米国がん協会の推奨では，50歳以降（アフリカ系または家族歴があれば45歳以降）の男性はPSAによるスクリーニングを検討すべき
- USPSTFは無症状の男性に対するスクリーニングを推奨していない（前立腺癌関連死亡率↓は認められない）（*JAMA* 2018;319:1901）

■診断的検査，病期分類と治療 (NCCN Guidelines v4.2018)
- **経直腸エコーガイド下生検**で6～12の検体を採取
- **マルチパラメトリックMRI**（±直腸内コイル）：検出率改善（NEJM 2018;378:1767）
- **Gleasonグレードと組織病理学的分類**：Gleasonスコア＝最も優勢な病変と2番目に優勢な病変の得点（1＝最も良性，5＝最も悪性）の合計；予後との関連あり

局在性前立腺癌のリスク分類＆治療 (JAMA 2017;317:2532)				
リスク	Tステージ	Gleasonスコア＆病理	画像	治療
very low （超低）*	T1c	Gleason≦6，コア生検陽性＜3本，すべてのコア生検での腫瘍＜50%，かつPSA＜10 ng/mL＆PSA密度＜0.15 ng/mL/g	適応なし	very lowリスクでは経過観察（アクティブサーベイランス）を強く考慮，または 外照射，または 根治的前立腺摘除術 根治的前立腺摘除術か外照射は，患者，腫瘍，長期合併症に基づいて決定
low（低）*	T1～T2a	Gleasonスコア≦6，かつPSA＜10 ng/mL		
intermediate （中間）*	T2b～T2c	Gleasonスコア7，またはPSA 10～20 ng/mL	骨シンチ＆腹部骨盤CT	根治的前立腺摘除術 または 外照射＋アンドロゲン除去療法（4～6か月）
high（高） very high （超高）	T3a～T4	Gleasonスコア8～10，またはPSA＞20 ng/mL		外照射＋アンドロゲン除去療法（18～36か月）または根治的前立腺摘除術

*無症状で，期待される予後≦5年でvery lowからintermediateリスクの場合には，有症状になるまで精査や治療は適応なし（NEJM 2016;375:1415, 2017;376:417, 2018;378:2465, 2018;379:2319, JCO 2016;34:2182）

転移前立腺癌治療 (NEJM 2018;378:645)	
アンドロゲン除去療法（ADT）	前立腺癌は増殖にアンドロゲン信号が必要；ADTが治療の基礎 治療薬：1. 性腺刺激ホルモン放出ホルモン（LHRH）アゴニスト（例：ゴセレリン）±第1世代抗アンドロゲン（nilutamide，ビカルタミド）または 　　　　2. LHRHアンタゴニスト（デガレリクス） 手術：両側除睾術
ホルモン感受性前立腺癌（HSPC）	定義：ADT感受性（治療にてPSA低下）：すべての前立腺癌は最初は感受性あり 精査/検査：身体所見＆PSAを3～6か月ごと；症状次第で画像検査を行う 治療：1. ADTまたは 　　　2. ドセタキセル＋ADT（担癌量が多い患者では特にADTのみと比較してOS改善）または 　　　3. ADT＋アビラテロン/プレドニゾロン（ADTのみと比較してOS改善）

（次頁につづく）

| 去勢抵抗性前立腺癌（CRPC）常にADT継続 | **定義**：すべての転移性HSPCは最終的にはアンドロゲン信号が他のメカニズムを介して再構築されCRPCになる（ADTで去勢レベルにアンドロゲンを抑えても病勢増悪する）；より高力価の抗アンドロゲンが効果的な治療
治療：**新世代抗アンドロゲン剤**：アビラテロン（生合成阻害薬），エンザルタミド（受容体阻害薬），＆アパルタミド（受容体阻害薬）は無増悪生存期間とOS改善
化学療法：ドセタキセル＆カバジタキセル＋プレドニゾロン・デキサメタゾン
骨修飾薬：1. デノスマブまたはゾレドロン酸は骨関連事象（SREs）↓；2. ラジウム223は骨転移のみの場合に使用しSREs↓，OS↑
その他：相同組み換え欠損腫瘍（*BRCA1/2*, *ATM*）：オラパリブ；MSI-H/Lynch症候群：ペムブロリズマブ；癌ワクチン：Sipuleucel-T |

NEJM 2010;363:411, 2013;368:138, 2013;369:213, 2014;371:424, 2015;373:737, 2015;373:1697, 2017;377:338&352, 2018;378:1408, 2019;381:13, *Lancet* 2016;387:1163, *JCO* 2017;35:2189

■**予後**
- PSAレベル，Gleasonグレードと年齢は転移前立腺癌の予後因子
- 術後5年無再発生存率は，前立腺内局在であれば＞90％，前立腺被膜外浸潤があると約75％，精嚢浸潤があると約40％
- 転移前立腺癌；生存期間中央値約44〜57か月（*NEJM* 2015;373:737）

大腸癌

■**疫学とリスク因子**（*CA Cancer J Clin* 2018;68:7）
- 米国の男女で4番目に多い癌；癌死亡の原因の第2位
- 症例の90％は50歳以降に発症；約75％は散発性

遺伝的リスク因子			
疾患	大腸癌リスク	病態生理学	関連癌
遺伝性非ポリポーシス大腸癌（HNPCCもしくはLynch症候群）	生涯リスクは約80％	最も多い遺伝性大腸癌（約3％）DNAミスマッチ修復遺伝子変異（例：*MSH2*, *MLH1*）；診断：家系内で3人以上にHNPCC関連腫瘍の既往，うち少なくとも1人は50歳未満で診断され，少なくとも2世代にわたって発症；典型的には**右側原発**	**子宮内膜癌**，卵巣癌，胃癌，尿路上皮癌，小腸癌，膵癌
家族性腺腫性ポリポーシス（FAP）	生涯リスク100％	*APC*遺伝子変異➡若年のうちに何千ものポリープ	甲状腺癌，胃癌，小腸癌
炎症性腸疾患	0.3％/年	病変の範囲と期間↑でリスク↑	小腸癌，リンパ腫，胆道癌
MYH関連ポリポーシス（MAP）	40〜100％	常染色体劣性遺伝；複数のポリープがあるがFAP変異⊖の場合に考慮	十二指腸癌，卵巣癌，膀胱癌，皮膚癌

- **COX-2**が関連；50〜59歳で10年間の推定大腸癌リスク≧10%であれば一次予防としてアスピリンを推奨

■スクリーニング（NEJM 2017;376:149）
- **大腸内視鏡**：推奨；病変>1 cmであれば感度90%；ポリープが発見されたら3〜5年後に再検，腺腫様ポリープ切除で大腸癌による死亡率↓（NEJM 2012;366:687）
  平均的リスク群：50歳以降は10年ごとに受けることを推奨
  高リスク群：家族歴あり：40歳から，または家系内で最も若い発症年齢の10年前から，以降5年ごとに；炎症性腸疾患：診断の8〜10年後から1〜2年ごとに；家族性もしくはその疑い：遺伝カウンセリング，20〜25歳から1〜2年ごとに
- **S状結腸内視鏡**：1回の軟性S状結腸内視鏡検査でも利益あり（Lancet 2017;389:1299）；大腸内視鏡やCTコロノグラフィーよりも感度が劣る
- **CTコロノグラフィー**：病変≧1 cmであれば感度は約90%，ただし小さな病変に対しては感度が劣る（NEJM 2008;359:1207）；高リスク群では≧6 mmの進行した腫瘍に対する感度は85%しかない（JAMA 2009;301:2453）
- **便潜血検査（FOBT）**：家庭用3カード便潜血検査を使用（感度24%）
- **便DNA検査**：高感度で特異度は便潜血試験と同等，ただし感度は大腸内視鏡より劣る（NEJM 2004;351:2704）
- **便DNA検査＋Hb免疫組織化学的検査**併用で，感度・特異度ともに約90%（NEJM 2014;370:1287）

■病理と遺伝学（Cell 1990;61:759, Nature 2014;513:382）
- **腺腫**：大きさ（>2.5 cm），絨毛状，無茎性の腺腫様ポリープは悪性化のリスク↑；典型的には悪性腫瘍の発生（散発性，家族性）の約10年前には腺腫が観察される
- **マイクロサテライト安定（MSS）**と比較して**高度不安定（MSI-H）**はミスマッチ修復遺伝子不良を意味し，大腸癌の15%でみられる；早期大腸癌での頻度が高く，遠隔転移がある場合の頻度は約5%
- **遺伝子変異**：APC（約80%），KRAS（約40%），TP53（50〜70%），DCC/SMAD4，BRAF（約15%）

■臨床症状
- 遠位結腸：**排便習慣の変化，腸管閉塞**，腹部痙攣痛，**血便**
- 近位結腸：**鉄欠乏性貧血**，不明瞭な鈍い腹痛，液状の便
- *Streptococcus bovis*菌血症，*Clostridium septicum*敗血症との関連あり

■病期分類と治療（NCCN Clin Pract Guidelines v.1.2019）
- **TNM病期分類**：**大腸内視鏡＋生検/ポリープ切除＋術中所見＋病理所見**
- 遠隔転移検索に胸部，腹部/骨盤部CT
- **ベースラインのCEA**：切除後に確認または治療への反応をフォロー；スクリーニングのためではない
- **化学療法のオプション**（Lancet 2014;383:1490）：フルオロウラシル＆ロイコボリン；フルオロウラシル/ロイコボリン＋オキサリプラチンもしくはイリノテカン（FOLFOX，FOLFIRI，FOLFOXIRI）；経口フルオロウラシル・プロドラッグのカペシタビン；進行癌にTAS102（トリフルリジン＋チピラシル）（NEJM 2015;372:1909）
- **生物製剤**：**抗VEGF**（ベバシズマブ）を抗癌剤に追加することで，すべてのサブタイプの転移大腸癌での全生存期間↑；**抗EGFR抗体**（セツキシマブ，パニツムマブ）はKRAS/NRAS/BRAF変異のないタイプのみ（NEJM 2013;369:1023）；マルチキナーゼ阻害薬（レゴラフェニブ）は通常，抗癌剤（＋生物製剤）治療抵抗性の場合において（Lancet 2013;381:303）；抗PD-1，PD-1＋CTLA4はMSI-H転移大腸癌

TNM	病理診断	5年生存率(%)	治療
I	粘膜下層/固有筋層へ浸潤	94〜97	手術のみ（≧12個のリンパ節を切除して評価）
IIA	漿膜内へ浸潤	83	手術，高リスクStage II（腸管閉塞，腸穿孔，癒着，12個未満の不十分なリンパ節郭清）では術後補助化学療法を考慮
IIB	腹膜内へ浸潤	74	
IIC	直接浸潤	56	
IIIA	所属リンパ節転移≦6	86	手術＋FOLFOX（6か月）もしくはCAPOX（3〜6か月）（NEJM 2018;378:13）直腸癌では術前放射線療法±化学療法（NEJM 2006;355:1114）
IIIB	所属リンパ節転移の数は多様，局所浸潤を伴う	51〜77	
IIIC		15〜47	
IV	遠隔転移（NEJM 2014; 371: z1609）	5	化学療法（高リスクではFOLFOXIRI）±抗PD-1（MSI-Hのみ）±孤発転移は切除

膵癌

■**遺伝学と病理**（*Nat Rev Dis Primers* 2016;2:16022）
- 組織学的分類：**腺癌**（約85%），腺房細胞癌，内分泌腫瘍，囊胞性腫瘍（<10%）；まれに転移性膵腫瘍（例：肺癌，乳癌，腎細胞癌）
- 部位：膵頭部約60%，膵体部15%，膵尾部5%；膵全体のびまん性浸潤20%
- 膵腺癌の遺伝学的異常：*KRAS*（>90%），*p16*（80〜95%），*p53*（50〜75%），*SMAD4*（約55%）

■**疫学とリスク因子**（*Lancet* 2016;388:73）
- 米国の癌死亡の原因の第4位；膵腺癌の80%は60〜80歳；男＞女（1.3：1）
- 後天性リスク因子：**喫煙**（相対リスク約1.5倍；患者の25%），肥満，慢性膵炎，2型DM
- 遺伝性（5〜10%）：遺伝性乳癌卵巣癌症候群（*BRCA2*），遺伝性慢性膵炎（カチオニックトリプシノーゲン遺伝子（*PRSS1*，*SPINK1*））変異，家族性腫瘍症候群：家族性異型多発母斑黒色腫症候群（*CDKN2A/p16*），Peutz-Jeghers症候群（*LKB1*），毛細血管拡張性運動失調症

■**臨床症状**
- 無痛性黄疸（膵頭部腫瘍），背部への**放散痛**，食欲↓，**体重↓**
- 新規発症の非典型的DM（25%）；遊走性血栓性静脈炎（Trousseau徴候）
- 診察所見：右上腹部/心窩部無痛性腫瘤，触知可能な胆囊（Courvoisier徴候）；肝腫大；腹水；左鎖骨上窩リンパ節（Virchow結節）と触知可能な直腸棚（いずれも癌腫症の非特異的所見）
- 臨床検査：Bil↑，ALP↑，貧血

■**診断的検査と病期分類**（*NCCN Guidelines* v.1.2019）
- 膵造影プロトコルCT（動脈相と静脈相を描出）/造影MRI
- 病変が検出されない➡EUS，ERCP，MRCP
- 膵病変の生検：EUSガイド下FNA（手術の対象となりうる患者に好ましい），CTガイド下生検（播種の潜在的リスクあり），転移巣の生検
- ✓CA19-9↑（注意：良性肝/胆道疾患でも↑）：術後の経過観察に有用

非転移膵腺癌の臨床的（放射線学的）病期（約40%の症例）	
切除可能	膵外病変/巨大リンパ節腫瘤なし；**動脈**〔腹腔動脈（CA），上腸間膜動脈（SMA），総肝動脈（CHA）と非接触；**静脈**〔上腸間膜静脈（SMV），門脈（PV）と非接触もしくは180°以下の接触＋静脈の開存（腫瘍塞栓なし）
切除可能ボーダーライン	膵外病変/巨大リンパ節腫瘤なし；**膵頭部/膵臓鉤状突起**：CHAと接触あり（CAや肝動脈分岐部への浸潤なし），SMAとの接触≦180°，解剖学的バリアント；**膵体尾部**：CAとの接触≦180°もしくは＞180°だが胃十二指腸動脈や大動脈との接触なし；**静脈系**：SMV，PVとの接触≦180°で輪郭不整あり；下大静脈との接触あり
切除不能	遠隔転移あり；または**膵頭部/膵臓鉤状突起**：SMAやCAとの接触＞180°；または**膵体尾部**：SMAやCAとの接触＞180°；CA＆大動脈浸潤あり；または**静脈系**：SMV/PV浸潤で再建不能

■膵臓腺癌の治療（*Lancet* 2016;388:73）
● 切除可能：膵十二指腸切除術（**Whipple法**）＋術後補助化学療法：
ECOGのパフォーマンス・ステータス（PS）が0〜1ならばmFOLFIRINOX（フルオロウラシル＋ロイコボリン，イリノテカン，オキシプラチン）（*NEJM* 2018;379:2395），またはゲムシタビン＋カペシタビン（*Lancet* 2017;389:1011）；ゲムシタビン単剤治療は近年まで標準療法であったが，最近は役割が減っている；放射線治療の役割は議論あり
● 切除可能ボーダーライン：目標は腫瘍を縮小し完全切除を可能にする（R0，病理所見での断端⊖）
術前治療を使用する（様々な手法が試みられてきた）；一般的な概要：**化学療法±放射線治療➡病期再評価＆治療反応性に応じて切除可能性を判断**；術中に血管再建を要する可能性；FOLFIRINOX，ゲムシタビン＋Nab-パクリタキセルが治療レジメンに含まれる
● 局所進行性（切除不能）：治療は通常緩和的であるが，最近のトレンドとして非常に選ばれた患者のみではあるものの，FOLFIRINOX＋放射線後の開腹手術を行って治療反応性評価（画像評価は不正確な可能性がある）と可能であれば切除を行う
● 転移：臨床試験が望ましい；治療はPSに応じて行う
PS良好：**FOLFIRINOX**（±オラパリブ）；**ゲムシタビン**＋Nab-パクリタキセル（*NEJM* 2013;369:1691）
PS不良：ゲムシタビン；カペシタビン；フルオロウラシル持続静注
● 緩和支持療法
閉塞性黄疸，胃流出路狭窄：内視鏡的ステント留置または外科的バイパス術
痛み：オピオイド，腹腔神経叢剥離術，放射線照射；体重↓：膵酵素補充，栄養管理

■予後
● 切除可能：術後FOLFIRINOX使用であれば生存期間中央値50＋か月，使用なければ約30か月
● 切除不能：局所進行であれば約1〜2年；転移では約1年

■膵嚢胞性病変（*NEJM* 2004;351:1218, *Oncologist* 2009;14:125）
● 膵漿液性嚢胞腺腫：通常は良性；画像検査で中心性瘢痕または蜂窩状
● 膵粘液産生嚢胞性腫瘍（**MCN**）：大部分は若年女性；膵体部/膵尾部の多房性腫瘍で，卵巣様間質とムチンに富む粘液を伴う；CEA↑；前癌性病変
● 膵管内乳頭粘液性腫瘍：主膵管またはその分枝に発生➡膵管拡張；悪性腫瘍への進行の可能性は不明（5〜20年）；年齢，腫瘍径，部位，異形成の有無から切除を判断

肝細胞癌（HCC）

■リスク因子（世界的には癌死亡原因第3位で，特にアフリカとアジアに多い）
- **肝硬変**：70〜90%のHCC症例で認められる
- **感染症**：HCV，HBV（約75%），HBV/HDV合併感染；HBVは肝硬変なしでHCCを起こしうる
- **中毒**：アルコール（米国の症例の1/3），喫煙，*Aspergillus*からのアフラトキシン
- **代謝疾患**：非アルコール性脂肪肝炎（NASH），糖尿病，自己免疫性肝炎，ヘモクロマトーシス

■スクリーニング（肝硬変，慢性HBV/HCV感染患者をスクリーニングする）
- 腹部超音波（U/S）＋AFPを6か月ごと；高リスクの場合には超音波とMRIを交互に行う
- 病変が認められたりAFP上昇が認められた場合には**3相造影CTもしくはMRI**

■診断
- 少なくとも**3相造影CTもしくはMRI**；生検やPETはHCC診断に必須ではない
- 肝腫瘍の15%のみがHCCであることに注意；より一般的にみられる他癌からの転移病変

■臨床症状
- **身体所見**：非特異的，肝機能異常に合致する（例：肝腫大，腹水，黄疸，脳症）
- **検査所見**：上記の通り肝機能異常に合致する（例：凝固異常，低アルブミン，LFT上昇）

■治療 (*NEJM* 2019;380:1450)
- 局在していれば治療目標は根治
  - **切除**：典型的にはHCCのアブレーション；外科的手術は通常，孤発病変で肝機能と術後肝臓容量が十分保たれている患者でのみ考慮する
  - **肝移植**：単発≦5 cmもしくは3病変≦3 cm，血管浸潤や遠隔転移なし
- 緩和的
  - **経動脈塞栓術（TAE）**，±化学療法（TACE）もしくは放射線塞栓療法
  - **全身治療**：キナーゼ阻害薬（レンバチニブ，ソラフェニブ），PD-1阻害薬（ニボルマブ）
    進行HCCで全生存期間の改善 (*Lancet* 2017;389:2492, 2018;391:1163)

オンコロジック・エマージェンシー

発熱性好中球減少症（FN）(*NCCN Guidelines* v.1.2019)

■定義
- **発熱**：1回計測で口腔温≧38.3℃，または≧38℃が1時間以上続く
- **好中球↓**：好中球＜500，または＜1,000で予測最低値＜500

■病態生理と原因微生物
- **素因**：カテーテル，皮膚損傷，消化管粘膜炎，閉塞（リンパ管，胆道，消化管，尿路），悪性腫瘍に伴う免疫不全状態
- 多くは消化管常在菌の血流感染によると考えられている
- 好中球減少性腸炎（盲腸炎）：右下腹部痛，水様性/血性下痢，盲腸壁肥厚
- かつての最も一般的な原因菌はGNR（特に緑膿菌）
- 最近はグラム陽性菌がより一般的（同定された微生物の60〜70%）

●好中球↓の遷延と抗菌薬の長期使用に伴い，しばしば真菌が重複感染

■予防（中間もしくは高リスクのみ）
●細菌性：好中球減少ではキノロンを考慮；死亡率に差はなし（*NEJM* 2005;353:977&988）
●真菌性：血液腫瘍では好中球減少期間中に考慮（ポサコナゾール，フルコナゾール，ミカファンギン）
●ウイルス性：血液腫瘍の積極的治療中に考慮（アシクロビル，ファムシクロビル，バラシクロビル）

■診断的検査
●診察：皮膚，口腔咽頭，肺，肛門周辺部，術創とカテーテル挿入部位；直腸指診は控える
●検査：全血算と白血球分画，電解質，BUN/Cr，LFT，尿検査
●原因菌同定：血液培養（末梢静脈路，留置カテーテルポートから採血），尿培養，喀痰培養；局所症候➡便チェック（*C. difficile*，培養），腹水，CSF（感染源としてはまれ）
●画像検査：胸部X線；局所症候➡中枢神経系，副鼻腔，胸部，腹部／骨盤部
●注意：好中球↓➡炎症反応の減弱➡身体所見や画像所見は目立たないことも；グラム染色で好中球⊖でも感染は除外できない

■リスク層別化（低リスクを予測させる要因）
●病歴：外来患者，ECOGパフォーマンスステータス0か1，<60歳，固形腫瘍，症状なし，深刻な併存症なし，真菌感染症の既往なし，MASCC Risk Index≧21（*Support Care Cancer* 2013;21:1487）
●診察：体温<39℃，頻呼吸なし，低血圧なし，意識障害なし，脱水なし
●検査：好中球>100，予測好中球≦100の期間<7日

■初期抗菌薬治療（*NCCN Guidelines* v.1.2019）
●**抗緑膿菌活性**のある薬物を含む経験的治療；定着がみられる場合はVREのカバーを考慮
●**低リスク患者**：経口抗菌薬もしくは在宅でのIV抗菌薬は限定的に考慮；
経口薬の選択肢：シプロフロキサシン＋アモキシシリン-クラブラン酸；レボフロキサシン；モキシフロキサシン（もし予防的キノロンが投与されている場合には使用回避する）
●**高リスク患者**：入院＆IV抗菌薬；単剤が望ましい
選択肢：セフェピム，イミペネム，メロペネム，ピペラシリン-タゾバクタム，セフタジジム
●低血圧，肺炎，明らかなカテーテル関連もしくは軟部組織感染，血培グラム陽性菌（＋），キノロン系予防投与歴のある粘膜炎や *Streptococcus viridans* にセフタジジムが使用されていれば，**バンコマイシン**を使用；培養⊖が48時間続けば中止

■部位別評価に基づく初期抗菌薬の変更
●**口腔／食道**（潰瘍，カンジダ症）：嫌気性菌カバー，抗単純ヘルペスウイルス，真菌治療を考慮
●**副鼻腔／鼻腔**：眼窩周囲蜂窩織炎ではバンコマイシン追加，アスペルギルス症／ムコール症の懸念がある場合にはアムホテリシン
●**腹痛／下痢**：*C. difficile* の懸念がある場合には経口バンコマイシン，適切な嫌気性菌カバーを行う
●**肺浸潤影**：非典型カバーを考慮；MRSA感染の懸念がある場合にはバンコマイシン／リネゾリド；PCPの懸念がある場合にはST合剤
●**中枢神経系**：感染症科コンサルト；経験的髄膜炎治療（*Listeria*を含む），脳炎に対して高用量アシクロビル
●抗菌薬治療でも好中球減少性発熱が5日間以上継続した場合，抗真菌薬を追加；アムホテリシンBリポソーム製剤，カスポファンギン，ミカファンギン，anidulafungin，ボリコナゾール，ポサコナゾールいずれも可

■治療期間
- 感染源既知：標準的な治療期間（例：菌血症では14日間）
- 感染源不明：解熱かつ好中球＞500となるまで
- 解熱したが好中球↓は遷延している場合の治療期間は不明確

■造血因子の役割（NCCN Guidelines 2.2018）
- G-CSFとGM-CSF：発熱性好中球減少症の発生率＞20％と予測される場合の一次予防、または前抗癌治療の前サイクルで発熱性好中球減少症を起こした場合の二次予防（根治可能な腫瘍に対して治療強度を維持するため）；発熱性好中球減少症の発生率↓、ただし死亡率に対する効果は示されていない（Cochrane 2014:CD003039）
- 高リスクの発熱性好中球減少症患者に対する補助療法として考慮可

脊髄圧迫

■臨床症状（Lancet Neurol 2008;7:459）
- 椎体の転移巣が増大して硬膜外から脊髄を圧迫
- 最も多い原発腫瘍は、**前立腺癌、乳癌、肺癌**、次いで腎細胞癌、NHL、骨髄腫
- 障害部位：**胸椎**（60％）、腰椎（25％）、頸椎（15％）
- 徴候と症状：**痛み**（＞95％、神経学的変化に先行）、**筋力↓、自律神経機能障害**（尿閉、肛門括約筋緊張↓）、**感覚消失**

■診断的検査
- 固形腫瘍患者の背部痛は常に重大に扱う
- 治療開始までの神経機能障害持続期間と重症度が神経学的転帰の正確な予測因子となるため、**神経徴候の出現を待たずに評価を開始する**
- 緊急**全脊椎MRI**（感度93％、特異度97％）；MRIが使えなければCT脊髄造影

■治療（NEJM 2017;376:1358）
- **デキサメタゾン**：10 mg即IVし、6時間ごとに4 mg IV/PO；背部痛＋神経脱落症候があれば画像検査の結果を待たずに開始
- 脊髄圧迫/神経脱落症候が確定すれば、緊急放射線照射もしくは外科的除圧術
- 固形腫瘍に対しては手術＋放射線照射が放射線照射単独より神経学的回復に優れる（Lancet 2005;366:643）
- 病的骨折による脊髄圧迫➡手術；手術の対象でなければ放射線照射

腫瘍崩壊症候群

■臨床症状（NEJM 2011;364:1844）
- 腫瘍量が多い場合や急速に増殖する腫瘍➡自然経過または化学療法により細胞内の電解質や核酸を放出
- 高悪性度リンパ腫（Burkittリンパ腫）、白血病（**ALL、AML、CML急性転化**）の治療時に最も多い；固形腫瘍ではまれ；自然経過での壊死によるものはまれ
- 電解質異常：K↑、尿酸↑、PO_4↑➡Ca↓；**腎不全**（尿酸腎症）

■予防
- アロプリノール300 mg PO qdもしくはbid、または200～400 mg/m^2 IV（腎機能で調節）、＋化学療法/放射線照射開始前に大量補液
- ラスブリカーゼ（組換え型尿酸オキシダーゼ）0.15 mg/kgまたは6 mg（肥満患者を除く）、＋化学療法/放射線照射開始前に大量補液（下記参照）

■治療
- IV造影剤, NSAIDsは避ける；高K血症, 高PO_4血症, 症候性の低Ca血症は治療
- アロプリノール＋大量補液±利尿薬により目標尿量80〜100 mL/時に↑
- 尿酸の溶解度↑と尿酸腎症のリスク↓のため, 等張$NaHCO_3$による尿アルカリ化を考慮（議論あり：ラスブリカーゼとの併用は避ける；代謝性アルカローシスやリン酸Ca沈着のおそれあり）
- 尿酸↑↑, 特に進行の速い悪性腫瘍による場合はラスブリカーゼ（0.1〜0.2 mg/kg）（*JCO* 2003;21:4402, *Acta Haematol* 2006;115:35）；**G6PD欠損症**では溶血性貧血を起こすので**避ける**；エホバの証人の信者, 特にアフリカ系米国人ではG6PD欠損症の頻度12%のため検査を考慮
- 透析が必要な場合もあり；腎不全/AKIの患者は早期に腎臓内科へコンサルト

化学療法と免疫療法の副作用

吐気と嘔吐は多い（*NEJM* 2016;374:1356, 375:134&177）

化学療法の代表的な副作用		
毒性	一般的な薬物	説明
心毒性（*NEJM* 2016; 375;1457）	**アントラサイクリン系**	用量依存性の心筋症；治療前にEFチェック
	フルオロウラシル	血管攣縮➡虚血；CCBに予防効果の可能性
	トラスツズマブ	心筋症（アントラサイクリン系との併用で特に）；治療前にEFチェック
	チロシンキナーゼ阻害薬（TKI）	QTc延長, 心筋症, 狭心症
	シクロホスファミド	心筋心膜炎（特に骨髄移植で）
	シスプラチン	低Mg➡不整脈, 虚血
呼吸器毒性（*Sem Oncol* 2006;33:98）	ブスルファン	約8%に肺線維症/びまん性肺胞出血；重症の場合➡ステロイド
	ブレオマイシン	約10%にIPF；投与中止しステロイド治療
	チロシンキナーゼ阻害薬（特にダサチニブ）	胸水
	シクロホスファミド	肺臓炎, 進行性の肺線維症；投与中止
	ベバシズマブ	肺出血（特にNSCLCで）
腎/尿路毒性	白金製剤（**シスプラチン**）	特に近位尿細管；前投薬として生理食塩液IV
	メトトレキサート	結晶沈着；治療：尿アルカリ化, 補液
	シクロホスファミド	出血性膀胱炎；治療：メスナ投与
神経毒性（*Sem Oncol* 2006;33:324）	白金製剤（**シスプラチン**）	"手袋靴下型"感覚障害；Vit Eによる予防（*JCO* 2003;21:927）
	シタラビン	小脳毒性（5〜10%は不可逆性）

（次頁につづく）

	メトトレキサート（特に髄腔内投与）	晩発性の白質脳症, 髄膜炎；glucarpidase, ロイコボリンの髄腔内投与で解毒
	イホスファミド	脳症；治療：メチレンブルー, チアミン
	タキサン系, ビンクリスチン	感覚運動ニューロパチー
肝毒性 (*Semin Oncol* 2006;33:50)	チロシンキナーゼ阻害薬（例：イマチニブ, ニロチニブ）	LFT↑, まれに壊死；治療：投与中止±ステロイド
	ゲムシタビン	しばしばALT/AST↑; Bil↑ならば減量
	メトトレキサート	ALT/AST↑, まれに線維化
皮膚毒性	チロシンキナーゼ阻害薬（例：イマチニブ）	皮膚炎は重篤になりうる（例：Stevens-Johnson症候群）

■**免疫チェックポイント阻害薬（ICI）**（*Science* 2018;359:1350）
- 抗腫瘍の免疫作用を癌が回避するために使用する共抑制性シグナル分子に対する抗体
- 標的＆薬物：
  programmed cell death protein 1 (PD-1；T細胞&proB細胞)：ニボルマブ, ペムブロリズマブ
  programmed cell death ligand 1 (PD-L1；腫瘍細胞&免疫細胞)：アテゾリズマブ, アベルマブ, デュルバルマブ
  cytotoxic T-lymphocyte-associated protein 4 (CTLA-4；T細胞)：イピリムマブ
- **毒性**（*NEJM* 2018;378:158）：CTLA-4とPD-1/PD-L1併用で増加
  最も多いのが腸炎（CTLA-4）, 肺臓炎（PD-1/PD-L1）, 肝炎（CTLA-4）, **皮膚炎, 甲状腺機能低下症**（PD-1）/**下垂体炎**（CTLA-4）
  まれ：心筋炎（劇症型になることも）, 筋炎, 脊髄炎, ぶどう膜炎, 糖尿病
- **治療**：集学的ケア；免疫チェックポイント阻害薬を休止；ステロイドを開始, 感染を除外；重篤であれば腸炎に対してTNF-α阻害薬, 肝炎に対してミコフェノール酸, 内分泌障害に対してホルモンを考慮

■**キメラ抗原受容体（chimeric antigen receptor：CAR）-T細胞**（*Science* 2018;359:1350）
- 抗原認識のための改変キメラ受容体をもち, MHCや二次共刺激シグナルなく活性化が可能な自家T細胞
- B細胞悪性腫瘍を標的とするCD19 CAR-T細胞が最もよく開発されている：チサゲンレクルユーセル, axicabtagene ciloleucel

CAR-T毒性		
症候	機序＆症状	治療
サイトカイン放出症候群（CRS）	増殖したCAR-Tによる発熱からショックへ	重篤ならば抗-IL6（トシリズマブ, siltuximab）＋ステロイド
CAR-T細胞療法関連脳症症候群（CRES）	中枢神経におけるCAR-Tによる脳浮腫；せん妄, 失語, 痙攣, 死	ステロイド, 痙攣にロラゼパム/レベチラセタム
血球貪食性リンパ組織球症（HLH）	まれな過剰炎症 フェリチン>1万, 肝・腎・肺障害	CRSと同様の治療を行い, もし改善なければエトポシド（±シタラビン髄腔内投与）（*Nat Rev Clin Onc* 2018;15:47）

第6章
感染症

肺炎

肺炎の原因微生物	
臨床状況	原因微生物
市中肺炎(*NEJM* 2014; 371:1619&373:415, *Lancet* 2015; 386: 1097)	起因菌不明50〜60%,ウイルス性約25%,細菌性約10%,ウイルス/細菌共感染<5% ウイルス性:インフルエンザウイルス,RSウイルス,ヒトメタニューモウイルス,ライノウイルス(重要度不明),パラインフルエンザウイルス,コロナウイルス 肺炎球菌(細菌性の中で最も多い) 黄色ブドウ球菌(特にインフルエンザ罹患後) *Mycoplasma*,*Chlamydophila*(特に健康な若年者) インフルエンザ菌,*M. catarrhalis*(特にCOPD患者) *Legionella*(特に高齢者,喫煙者,免疫抑制患者,TNF阻害薬) *Klebsiella*とその他のGNR(特にアルコール依存症者,誤嚥)
院内肺炎/人工呼吸器関連肺炎(HAP/VAP)	黄色ブドウ球菌,緑膿菌,*Klebsiella*,大腸菌,*Enterobacter*,*Acinetobacter*,*Stenotrophomonas*;90日以内の抗菌薬静注は多剤耐性のリスク因子 ウイルス性約20%(*Chest* 2017;154:1)
免疫抑制者	上記+*Pneumocystis*,真菌,*Nocardia*,非結核性抗酸菌(NTM),CMV
誤嚥性肺炎(*NEJM* 2019; 380:651)	化学性肺臓炎:胃内容誤嚥による 細菌性肺炎:≧誤嚥の24〜72時間後 外来患者:典型的な口腔内細菌叢(レンサ球菌,黄色ブドウ球菌,嫌気性菌) 入院/慢性疾患患者:GNR(緑膿菌),黄色ブドウ球菌

■臨床症状
- 症状の特徴は宿主因子による(特に年齢)
- 古典的:発熱,膿性痰を伴う咳嗽,CXR上の浸潤影
- 非定型肺炎の起因菌(*Legionella*,*Mycoplasma*,*Chlamydophila*,ウイルス):ルーチンの培養で生えないために歴史的には"非定型"と分類される。症状は緩徐から急速発症までさまざまで,画像の特徴も間質影からtree-in-budの石灰化,浸潤影まで多様である
- 臨床症状や画像所見で"定型"と"非定型"を区別することは難しい
- 誤嚥性肺炎:感染性または非感染性;急性炎症性症候群(発熱,白血球増加など)または緩徐経過
- 院内肺炎/人工呼吸器関連肺炎:入院後あるいは気管挿管後48時間後に生じる

■診断的検査
- **喀痰グラム染色/培養**:良好な検体(唾液の混入なし;扁平上皮細胞<10個/lpf;肺炎では膿性痰は好中球>25個/lpf)では信頼性あり;抗菌薬投与>10時間後では診断能低下(*CID* 2014;58:1782)

- 血液培養（抗菌薬投与前に！）：原因微生物にもよるが入院患者の約10％で⊕
- **プロカルシトニン**：急性細菌感染（ウイルス性ではない）で上昇；<0.25 ng/mL（ICU患者では<0.5 ng/mL）あるいはピークから≧80％減少した際には抗菌薬中止を検討；抗菌薬使用後2〜3日で減少（*Lancet ID* 2016;16:819, 2018;18:95）；免疫抑制剤での妥当性は未確立；CKDでは解釈がより困難；心停止，ショック，手術で偽陽性
- **CXR**（PA像と側面像；巻末の「画像」参照）➡胸水>5 cmまたは重症肺炎ならば胸腔穿刺
- その他：SaO_2またはPaO_2，動脈血pH（重症の場合），全血算と白血球分画，Chem-20；HIV検査（不明の場合）
- 臨床的疑いに応じてその他の微生物学的検査（たいていの非定型病原体でペア血清検査が利用可能）：

  Mycoplasma：抗菌薬開始前に，咽頭ぬぐい液／喀痰／BALFのPCR

  Legionella：尿中抗原（*L. pneumophila*血清群1を検出；*Legionella*肺炎の原因菌の60〜70％）

  肺炎球菌：尿中抗原（感度70％，特異度>90％）

  結核菌：誘発喀痰の抗酸菌塗抹を8時間以上空けて3回（≧1回は早朝の検体）；抗酸菌培養（結果が出るまでは空気感染予防策）；抗酸塗抹⊕の場合はDNA-PCR依頼

  鼻咽頭ぬぐい液／喀痰の**ウイルス検査**（DFA/PCR）

  気管支鏡検査：免疫抑制患者，重症患者，治療不応例，VAP，結核やPCPの疑い，喀痰が採取不能または培養⊖の場合に考慮；一部の原因微生物には特殊培地が必要（例：*Legionella*にはBCYE培地）

- 初期治療不応の原因：

  期間が不十分：臨床的改善には72時間以上かかる可能性（4日以上の発熱持続は20％にみられる）

  肺へ移行する薬物濃度が不十分：例えばバンコマイシンは>15〜20 μg/mLのトラフ値が必要

  耐性菌（または重複感染）：MRSA，緑膿菌など，**気管支鏡検査**を考慮

  診断の誤り：真菌／ウイルス，化学性肺臓炎，PE，CHF，ARDS，びまん性肺胞出血，間質性肺炎；**CTを考慮**

  肺炎随伴性胸水／膿胸／膿瘍：CXRで所見⊖ならば**CTを考慮**（胸水があり，特に被胞化されている場合，診断的胸腔穿刺±ドレーン挿入）

  転移性感染症（例：心内膜炎，髄膜炎，敗血症性関節炎）

■ トリアージ

- **qSOFAスコア**は以下3つのうち>2の場合に，予後不良，ICU滞在期間の延長，院内死亡を予測：呼吸数>22，意識障害，収縮期血圧<100（*JAMA* 2016;315:801）
- **CURB-65**：昏迷，BUN>20，呼吸数>30，血圧<90/60，年齢≧65

  スコアが0〜1の場合：外来治療，2：入院治療，>3はICUを検討（*Thorax* 2013;58:377）

治療（*CID* 2007;44 Suppl:S27, *JAMA* 2016;315:593, *NEJM* 2019;380:651）		
臨床状況	レジメン	留意すべきこと
市中肺炎（外来）	アジスロマイシンまたはドキシサイクリン	25％以上耐性がある地域ではアジスロマイシン／ドキシサイクリンは避ける；フルオロキノロンまたはβラクタム＋アジスロマイシン／ドキシサイクリンを使用
市中肺炎（入院）	レスピラトリーキノロンまたは第3世代セフェム＋アジスロマイシン	ドキシサイクリンはアジスロマイシンの代替薬になる **omadacycline**はフルオロキノロンと同等（*NEJM* 2019;380:517）

（次頁につづく）

市中肺炎（ICU）	レスピラトリーキノロン＋[第3世代セフェムまたはアンピシリン-スルバクタム]	リスクがある患者のみMRSAや緑膿菌のカバーを考慮；フルオロキノロンが禁忌である場合はアジスロマイシンを選択
院内肺炎（人工呼吸器関連肺炎を含む）	[ピペラシリン-タゾバクタムまたはセフェピムまたはカルバペネム]＋[バンコマイシンまたはリネゾリド]	非定型肺炎の懸念がある場合はフルオロキノロン（あるいはアジスロマイシン）を追加
誤嚥性肺炎	CXRが異常である場合（あるいは挿管，敗血症性ショックに至る場合）に治療 アモキシシリン-クラブラン酸，アンピシリン-スルバクタム，フルオロキノロン，カルバペネム 院内獲得の多剤耐性菌の可能性があれば：[ピペラシリン-タゾバクタム，セフェピム，またはカルバペネム]＋[アミノグリコシドまたはコリスチン]	

- 結核を疑った場合キノロン系は避ける
- ステロイド：標準的治療ではないが，死亡率，人工呼吸器，ARDSのリスクを下げる可能性あり（*Cochrane* 2017;12:CD007720）；重症CAP（FiO$_2$＞0.5＋以下1つ以上：pH＜7.3，乳酸値＞4，CRP＞150）で考慮する；インフルエンザが疑われる場合または既知の場合は避ける；投与量：プレドニゾロン50 mg PO×7日またはメチルプレドニゾロン0.5 mg/kg IV bid×5日
- 期間：CAPでは48～72時間安定/無熱の場合は5日間；HAP/VAPでは8日間（*CID* 2017;65:8）
- 可能な場合は感受性に基づいて抗菌薬をde-escalateする

■予後
- 低リスク患者はPO抗菌薬に変更すればただちに退院可能（*CID* 2007;44:S27）
- 多くは6週間以内にCXRは改善；基礎にある悪性腫瘍（特に＞50歳または喫煙者）を除外するために経過観察を考慮

■予防
- 65歳以上全員：PCV13ワクチンを接種し，1年後にPPSV23ワクチンを接種する；PPSV23を既に受けている場合はPCV13を接種
- 19～64歳でCHF/心筋症，肺疾患（喘息を含む），肝硬変，DM，アルコール症，喫煙者：PPSV23を投与する
- 免疫不全，CSF漏出，人工内耳，無脾症の既往のある全年齢：PCV13を投与し，8週間後にPPSV23を投与する
- 禁煙カウンセリング
- VAPに関する注意事項：頭部挙上＞30°，クロルヘキシジンリンス；高リスク患者における吸引

ウイルス性呼吸器感染症

上気道感染，気管支炎，細気管支炎，肺炎（*Lancet* 2011;377:1264）

■原因微生物と疫学（http://www.cdc.gov/flu/weekly）
- 典型的な病原体
  短期間，軽症＝ライノウイルス，コロナウイルス
  長期，より重症または複雑性＝**インフルエンザウイルス**，パラインフルエンザウイルス，

RSウイルス，アデノウイルス，ヒトメタニューモウイルス；免疫抑制患者では特に重症となることあり

■診断
- 徴候：発熱，咳嗽，筋痛，呼吸困難，喘鳴，咽頭痛，鼻漏，倦怠感，昏迷
- 鼻洗浄または喀痰/BALで呼吸器ウイルスを検索
- 迅速インフルエンザ検査では鼻腔スワブよりも鼻咽頭スワブのほうが好ましい（感度50～70％，特異度>90％）
- インフルエンザA/BのRT-PCR（感度・特異度ともに>95％）

■治療（*NEJM* 2017;390:697）
- インフルエンザ：ノイラミニダーゼ阻害薬（オセルタミビル，ザナミビル）；AとB両方に対して有効であるが（症状改善を1日早める），耐性出現あり
- オセルタミビル75 mgをPOでbid×5日間投与；低リスクの場合は発症後48時間以内に開始する必要がある；重症または免疫不全の場合は48時間以上経過していても早急に開始する
- バロキサビルのほうがオセルタミビルよりも症状消失や治療1日目のウイルス量の減少効果に優れている；しかし耐性出現リスクあり（*NEJM* 2018;379:913）
- RSウイルス：免疫不全者に対しては吸入リバビリンを検討する（例：骨髄移植，肺移植）；成人のデータは限られている

■予防
- 不活化インフルエンザワクチン：H1N1を含む；>6か月の全年齢に推奨，特に妊娠女性，>50歳，免疫抑制者，医療従事者（*MMWR* 2012;61:613）
- 入院患者には隔離，飛沫予防策を強く推奨
- インフルエンザ患者と濃厚接触した場合：オセルタミビル75 mg PO qd×10日間

真菌感染症

■真菌の診断
- 抗原検査
  1,3-β-D-グルカン（感度77％，特異度86％）：*Candida*, *Aspergillus*, *Histoplasma*, *Coccidioides*, PCP；*Mucor*, *Rhizopus*, *Blastomyces*, *Cryptococcus*は検出されない；IVIg，Alb，透析，ガーゼで偽陽性
  ガラクトマンナン抗原は*Aspergillus*を検出（感度40％であるが，BALで85％まで改善；特異度89％）；血液腫瘍患者や造血幹細胞移植患者では血清で評価する；固形腫瘍，慢性肉芽腫症，*Aspergillus*治療/予防中の場合にはスクリーニングや治療モニタリングには使用できない（定量で偽陽性）
  ***Histoplasma*尿中/血清抗原**：播種性の場合は尿中抗原の感度90％（血清80％）：交差反応のため特異度は限られる
  ***Cryptococcus*抗原**（血清，髄液）：侵襲性感染では血清抗原の感度・特異度>90％，肺のみではより低い
  Blastomyces：尿中>血清抗原，高い感度であるが，特異度は他の真菌との交差反応により中程度
- 培養：*Candida*は血液/尿培養で検出；しかし深部組織感染で血液培養の感度は低下；他の真菌（例：*Cryptococcus*, *Histoplasma*）の血液培養の感度はきわめて低い；*Coccidioides*を疑う場合は検査室に一報（バイオハザード）
- 抗体検出：*Coccidioides*のみ有用
- 生検（病理組織）：接合菌症を疑う場合には組織を粉砕しない

■カンジダ症
- **原因微生物**：消化管常在菌；*C. albicans*と非*albicans*種
- **リスク因子**：好中球↓，免疫抑制，広域抗菌薬，血管内カテーテル（特にTPN），静注薬物乱用者，腹部手術，DM，腎不全，>65歳
- **臨床症状**

  皮膚粘膜カンジダ症：皮膚病変（例：間擦部の発赤や浸軟病変）；口腔カンジダ症（滲出性/紅斑性/萎縮性；原因不明であればHIVを除外）；食道カンジダ症（嚥下痛，±口腔カンジダ症）；外陰部膣カンジダ症，亀頭炎

  カンジダ尿症：通常は広域抗菌薬/留置カテーテルに関連した定着

  カンジダ血症：絶対にcontaminationと捉えない！　網膜炎を除外（治療期間が伸びる；眼科コンサルト）；心内膜炎はまれだが重症化しやすい（特に非*albicans*種や人工弁で）；免疫不全患者では紅斑性の丘疹または膿疱を呈することがある

  肝脾カンジダ症：好中球の回復で起こりうる

治療（*CID* 2016;62:409）	
皮膚粘膜カンジダ症	クロトリマゾール，nystatin，フルコナゾール，イトラコナゾール
カンジダ尿症（膿尿や感染症状があった場合）	フルコナゾール：有症状，重度の免疫抑制，尿路生殖器手術を予定している場合はアムホテリシン膀胱内投与
カンジダ血症（好中球減少なし）	**キャンディン系**（ミカファンギンが第1選択）または**フルコナゾールまたはアムホテリシン**；可能ならば血管内カテーテルはすべて抜去；アゾール耐性の有無を確認
発熱性好中球減少症	**キャンディン系またはアムホテリシン**

■クリプトコッカス症（*CID* 2010;50:291）
- **疫学**：免疫抑制患者（特にAIDS）は特に罹患しやすい；健康な人でも罹患する（特に高齢者，アルコール依存症者，DM）；*C. gattii*を考慮（典型的には健康な人）
- **臨床症状**

  中枢神経系（髄膜炎）：頭痛，発熱，髄膜症，頭蓋内圧↑，脳神経障害，±昏迷；しばしば亜急性；診断：髄液の*Cryptococcus*抗原，墨汁染色，真菌培養；細胞数は多様；血清*Cryptococcus*抗原>1：8，AIDSで感度/特異度が高い

  その他の病型：肺，尿路生殖器，皮膚，中枢神経系のクリプトコッコーマ；クリプトコッカス症と診断されたら症状に関係なくすべての患者に腰椎穿刺

- **治療**

  中枢神経系：頭蓋内圧↑の場合，大量腰椎穿刺の反復または一時的に腰椎ドレーン挿入；脳室腹腔シャントを要する症例は少ない

  中枢神経系の場合，導入化学療法（アムホテリシン±フルシトシンを2週間），地固め療法，維持療法（フルコナゾール）からなる（*NEJM* 2013;368:1291）；非中枢神経系ではフルコナゾールを考慮；用量と期間は患者により異なる

  非中枢神経系（肺，皮膚，骨，血液）のHIV⊖患者ではフルコナゾールを考慮

■ヒストプラズマ症（*CID* 2007;45:807）
- **流行地**：米国中央部と南東部に多いが，米国全土で報告はある
- **臨床症状**

  急性：しばしば無症状だが，軽症〜重症の肺炎±空洞形成や肺門リンパ節腫脹

  慢性：湿性咳嗽，体重減少，寝汗，肺尖部浸潤影，空洞形成

  播種性（通常は免疫抑制患者）：発熱，体重減少，肝脾腫，リンパ節腫脹，口腔潰瘍，皮膚病変，線維形成性縦隔炎，反応性関節炎，心外膜炎

- **治療**：イトラコナゾール（血中濃度をモニタリング）；重症例または免疫抑制患者ではアムホテリシン±ステロイド

■コクシジオイデス症 (CID 2016;63:112)
- ●流行地:米国南西部 ("サンホアキンバレー" 熱)
- ●臨床症状
  - 急性:50～67%は無症状;咳嗽,胸痛,発熱,関節痛,疲労感を伴う肺炎
  - 慢性:結節,空洞形成または進行性の空洞形成性肺炎 (無症状または有症状)
  - 播種性 (通常は免疫抑制患者):発熱,倦怠感,びまん性肺病変,骨/皮膚/髄膜病変
- ●治療:軽症例は3～6か月ごとに経過観察;重症例にはフルコナゾール,イトラコナゾール,アムホテリシン

■ブラストミセス症 (CID 2008;46:1801)
- ●流行地:米国中南部,南東部,中西部
- ●臨床症状
  - 急性:50%は無症状;咳嗽,多葉性肺炎;ARDSに進行することあり
  - 慢性:咳嗽,体重減少,倦怠感,CT上の腫瘤と線維結節浸潤影
  - 播種性:全症例の25～40%,ただし免疫抑制患者ではずっと多い;疣贅状/潰瘍性皮膚病変,骨/尿路生殖器病変;免疫抑制患者以外では中枢神経系疾患はまれ
- ●治療:イトラコナゾール (血中濃度をモニタリング);重症例,播種性疾患,免疫抑制患者にはアムホテリシン

■アスペルギルス症 (CID 2008;46:327, NEJM 2009;360:1870)
- ●**アレルギー性気管支肺アスペルギルス症 (ABPA)/過敏性肺臓炎**
- ●**アスペルギローマ**:通常は既存の空洞 (結核などによる) に発生;多くは無症状だが喀血を認めることあり;喀痰培養⊕となるのは<50%;CT➡空気三日月徴候を伴う可動性の空洞内腫瘤
  - 抗真菌薬は効果なし;喀血が持続する場合は塞栓術/切除術
- ●**壊死性気管炎**:AIDS/肺移植患者で白色の壊死性偽膜がみられる
- ●**慢性壊死性**:軽度免疫抑制者にみられる;喀痰,発熱,体重減少;CT:浸潤影±結節±胸膜肥厚;肺生検➡侵襲あり
- ●**侵襲性**:免疫抑制患者にみられる (好中球減少が10日以上,移植後,高用量ステロイド治療,AIDS);胸痛と喀血を伴う肺炎の症候;CT:結節,halo sign (空洞影➡空気三日月徴候);ガラクトマンナン抗原>0.5 (血清または BAL) で診断
- ●治療 (壊死性/侵襲性):アムホテリシンよりもボリコナゾール (あるいは isavuconazole);血清中濃度をモニタリング

■接合菌症 (例:*Mucor*, *Rhizopus*)
- ●疫学:DM (70%,特にDKA),造血器腫瘍,移植後,ステロイド長期投与,デフェロキサミンまたは鉄過剰,外傷,治療/予防目的のボリコナゾール投薬歴
- ●臨床症状:鼻脳=眼窩周囲/前頭部痛 (眼窩蜂窩織炎より広範囲),±発熱 (初期は体調不良にみえないこともあり),眼球突出,眼球運動障害,脳神経障害 (第Ⅴ>第Ⅶ);±鼻甲介の黒色痂皮,ただし身体所見は完全に正常なこともあり;**肺** (梗塞と壊死を伴う肺炎);**皮膚** (硬結を生じる有痛性蜂窩織炎±潰瘍);**消化管** (壊死性潰瘍)
- ●治療:デブリードマン+薬物治療 (アムホテリシンまたはポサコナゾールまたは isavuconazole);死亡率は高い

免疫不全宿主の感染症

■概要
- ●多くの患者が少なくとも1つのリスクを有する (例:DM,ESRD,移植,乳幼児/高齢者)
- ●下表は網羅的なリストではなく,原因微生物として一般的/典型的なもののみ示した

素因	典型的な原因微生物
液性免疫不全（例：分類不能型免疫不全症，骨髄腫）と**無脾症**	**莢膜を有する細菌**：肺炎球菌，インフルエンザ菌，髄膜炎菌（できれば脾摘前に，これら3種に対するワクチン接種） **その他の細菌**：大腸菌とその他のGNR，*Capnocytophaga* **寄生虫**：*Babesia*, *Giardia*，**ウイルス**：VZV，エコーウイルス，エンテロウイルス
顆粒球減少症/好中球減少症（DM，ESRDに伴う機能障害を含む）	**細菌** グラム陽性菌：コアグラーゼ陰性ブドウ球菌，黄色ブドウ球菌，ビリダンスレンサ球菌，肺炎球菌，その他のレンサ球菌；*Corynebacterium*, *Bacillus* グラム陰性菌：大腸菌，*Klebsiella*，緑膿菌 **真菌** 酵母菌：*Candida albicans*とその他の*Candida*種 糸状菌：*Aspergillus*, *Mucor*，地域特有の真菌，その他 **ウイルス**：VZV，HSV-1/2，CMV
細胞性免疫不全（例：HIV，ステロイド長期投与，移植後，DM，ESRD）	**細菌**：*Salmonella*, *Campylobacter*, *Listeria*, *Yersinia*, *Legionella* (Lancet 2016;387:376), *Rhodococcus*, *Nocardia*，結核菌，非結核性抗酸菌 **真菌**：*Candida*, *Cryptococcus*, *Histoplasma*, *Coccidioides*, *Aspergillus*, *Pneumocystis*，接合菌類，その他の糸状菌 **ウイルス**：HSV，VZV，CMV，EBV，JCウイルス，BKウイルス **寄生虫**：*Toxoplasma*, *Cryptosporidium*, *Isospora*，微胞子虫，*Babesia*；*Strongyloides*
臓器不全	**肝機能↓（特に肝硬変）**：*Vibrio*，莢膜を有する細菌 **ESRD**：顆粒球機能障害と細胞性免疫不全，上記と同じ **鉄過剰**（または**デフェロキサミン投与**）：*Yersinia*，接合菌類
生物学的製剤（例：TNF阻害薬，抗B細胞抗体；開始前に結核をチェック）	**細菌**：敗血症，感染性関節炎，結核菌，非結核性抗酸菌，*Listeria*, *Legionella* **真菌**：*Pneumocystis*, *Histoplasma*, *Coccidioides*, *Aspergillus*，地域特有の真菌 **ウイルス**：JCウイルス（PML），EBV，HSV，VZV，HBV **寄生虫**：*Strongyloides*の再活性化

(*NEJM* 2007;357:2601, *Am J Med* 2007;120:764, *CID* 2011;53:798)

尿路感染症（UTI）

■定義
- **下部**：尿道炎，膀胱炎（膀胱表層の感染）
- **上部**：腎盂腎炎（腎実質の炎症），腎/腎周囲膿瘍，前立腺炎
- **単純性**：膀胱に限局；上部尿路や全身性の感染徴候なし
- **複雑性**：膀胱を超えて進展（発熱，悪寒，倦怠感，側腹痛，肋骨脊柱角叩打痛，男性の骨盤痛/会陰部痛）；腎石症，尿路狭窄，尿管ステント，尿路変更術，免疫不全，コントロール不良のDMのある男性は機械的に複雑性とはしない；治療強化の閾値を低くして綿密なフォロー；妊娠と腎移植は複雑性とする

■原因微生物
- **単純性**：**大腸菌**（80%），*Proteus*, *Klebsiella*, *S. saprophyticus* (*CID* 2004;39:75)
健康な非妊娠女性では，乳酸菌，腸球菌，B群レンサ球菌，コアグラーゼ陰性ブドウ球菌（*S.*

saprophyticusを除く）のほとんどは汚染による混入（Annals 2012;156:ITC3）
- **複雑性**：上記に加え緑膿菌，腸球菌，黄色ブドウ球菌（尿道カテーテルや直近の泌尿器科的手技がない場合は尿路由来の起因菌としてはまれ；血行性播種を伴う菌血症を考慮）；多剤耐性菌が増加
- **カテーテル関連**：大腸菌が最も多い；酵母（24%），多剤耐性緑膿菌，*Klebsiella*も高リスク
- **尿道炎**：*Chlamydia trachomatis*，淋菌，*Ureaplasma urealyticum*，*Trichomonas vaginalis*，*Mycoplasma genitalium*，HSV

■臨床症状
- **膀胱炎**：**排尿困難，尿意切迫，頻尿**，血尿，恥骨上部痛；通常は発熱なし；膀胱炎と尿道炎を合併した症状がでた場合は膣炎を除外；神経因性膀胱の患者は非典型的な症状（痙性膀胱，自律神経過反射，倦怠感）
- **尿道炎**：膀胱炎に類似，ただし尿道分泌物を伴うことあり
- **前立腺炎**
  慢性：膀胱炎に類似，ただし閉塞症状（排尿困難，尿線細小）あり
  急性：会陰部痛，発熱，前立腺触診で圧痛
- **腎盂腎炎**：発熱，悪寒，側腹部痛／背部痛，悪心／嘔吐，下痢
- **腎膿瘍**（腎内，腎周囲）：腎盂腎炎と同様；適切な抗菌薬投与後も発熱が遷延

■診断的検査（*NEJM* 2016;374:562）
- **尿検査**：膿尿＋細菌尿±血尿±亜硝酸
- **尿培養**（清潔操作で採取した中間尿またはカテーテル採取尿）
  症状のある場合のみ実施（多発性硬化症を含む神経疾患の患者では症状が出にくいが）
  女性で≧10^5 CFU/mL，男性で≧10^3 CFU/mLなら⊕；細菌数は尿量や感染の段階により影響される；症状や患者の状態を考慮して解釈
  膿尿だが尿培養⊖＝無菌性膿尿→尿道炎，腎炎，腎結核，異物
- **カテーテル関連**：（1）症状（非典型的な症状含む）＋（2）清浄な尿サンプル（Foleyを交換した後）から培養で1種類以上の≧10^3のコロニーを検出；このような状況では膿尿だけでUTIの十分な診断はできない（定着の可能性があり，治療や無症候性細菌尿のスクリーニングは行わない）
- **血液培養**：発熱のある場合に実施；複雑性UTIでは考慮
- すべての男性の尿路感染症患者では前立腺炎を考慮：前立腺の触診をチェック；初尿，中間尿，可能であれば前立腺液，前立腺マッサージ後の尿を培養に提出
- **腹部CT**：72時間後も解熱しない腎盂腎炎患者で膿瘍を除外
- 男性の再発性UTIでは泌尿器科的検査（腎エコーと残尿量評価，腹部CT，排尿時膀胱造影）

UTIの治療（*CID* 2010;50:625，*JAMA* 2014;312:1677）	
臨床状況	経験的治療の指針（薬物選択は個別化して考慮）
膀胱炎（*JAMA* 2014;16:1677）	単純性：nitrofurantoin 100 mg×5日またはST合剤DS錠PO×3日またはホスホマイシン（3 g×1回）；Cr↑の場合は添付文書参照 複雑性：フルオロキノロン系またはST合剤PO×7〜14日 フルオロキノロンまたはST合剤はβラクタムより優れている（*NEJM* 2012;366:1028） 妊娠中または泌尿器科手術前の無症候性細菌尿→抗菌薬×3日
カテーテル挿入中	血行動態が安定していれば尿培養結果を待つ，**カテーテル抜去（あるいは交換）**
尿道炎	淋菌と*Chlamydia*の両方を治療 淋菌：セフトリアキソン250 mg IM×1，アジスロマイシン1 g PO×1 *Chlamydia*：ドキシサイクリン100 mg PO bid×7日またはアジスロマイシン1 g PO×1 *M. genitalium*：アジスロマイシン1 g PO×1

（次頁につづく）

前立腺炎	フルオロキノロン系またはST合剤 PO×14～28日（急性）/6～12週間（慢性）
腎盂腎炎	外来患者：フルオロキノロン系×7日またはST合剤 PO×14日（*Lancet* 2012;380:452） 入院患者：セフォタキシムまたはアミノグリコシド×14日；多剤耐性菌のリスクがある場合セフェピム，ピペラシリン-タゾバクタム，カルバペネムまたはplazomicin（*NEJM* 2019;380:729） （臨床的改善がみられ解熱が24～48時間続けば培養結果にあわせてIV ➡ PO）
腎膿瘍	ドレナージ＋抗菌薬（腎盂腎炎の場合と同様）

骨・軟部組織感染症

皮膚・軟部組織感染症（*CID* 2014;59:e10）

■臨床症状
- **蜂窩織炎**：真皮，皮下組織，脂肪組織の感染で，発赤，腫脹，熱感，痛みを伴う
- **丹毒**：境界明瞭な隆起性発赤病変を伴う表皮（蜂窩織炎より表層）の感染，通常レンサ球菌が多い
- **膿痂疹**：浸出液を伴う表皮の感染で，ブドウ球菌が多く，典型的には小児；顔面/四肢に好発し，ブラや黄色の痂皮を伴うこともある
- **リンパ管炎**：患部より近位の赤色線条±局所的リンパ節腫脹
- **毒素性ショック症候群（TSS）**：ブドウ球菌/レンサ球菌感染症でみられる場合あり；発熱，頭痛，悪心/嘔吐，下痢，筋痛，咽頭炎，落屑を伴うびまん性の発疹，血圧↓，ショック；血液培養は⊖の場合あり

■原因微生物（*CID* 2014;59:e10）
- おもにレンサ球菌とブドウ球菌（MRSAを含む）；DMや免疫抑制患者ではGNRも含まれる
- **MRSA**は地域の流行状況にもよるが（急速に増加傾向），膿性ドレナージや浸出液を伴う皮膚・軟部組織感染症の最大75%を占める（*NEJM* 2005;352:1485, 2006;355:666）；しばしばST合剤に感受性があるが，クリンダマイシンの感受性があることもある（臨床検査では感受性があると誤判定される可能性があり，Dテストでの確認が必要である；*NEJM* 2007;357:380）
- **咬傷**：皮膚（ブドウ球菌/レンサ球菌）と口腔内細菌叢（嫌気性菌を含む）＋特異的な原因微生物（下表）

原因	原因微生物	臨床的特徴	治療
ネコ咬傷*	*Pasturella*属	急速発症で発赤・腫脹・リンパ管炎・発熱	アモキシシリン-クラブラン酸
イヌ咬傷	*Pasturella*および*Capnocytophaga*属	無脾症，肝硬変，他の免疫抑制患者ではDICを伴う重症敗血症と壊疽を引き起こす	[ピペラシリン-タゾバクタムまたはカルバペネム]±バンコマイシン
穿通性外傷	緑膿菌	深部膿瘍となることあり	感受性に基づき治療
園芸作業	*Sporothrix*	潰瘍性結節，リンパ行性に拡大	イトラコナゾール

（次頁につづく）

海水/生ガキ/生魚	V. vulnificus	出血性水疱，敗血症（特に肝硬変患者で）	ドキシサイクリン＋セフタジジム/セフォタキシム
	Erysipelothrix	急速発症，心内膜炎を発症することあり	ペニシリン/アモキシシリン-クラブラン酸またはフルオロキノロン
淡水	Aeromonas	筋壊死/横紋筋融解を起こすことあり	フルオロキノロンまたはST合剤またはセフォタキシム

*Bartonellaによる猫ひっかき病は，猫によるひっかきあるいは咬傷により起こる。リンパ管炎を引き起こす

■診断
- おもに臨床所見に基づき診断；血液培養の診断能は低い（約5〜10%）が，⊕の場合には有用
- 水疱吸引液や膿疱からの膿汁による微生物学的診断も可能なことあり

蜂窩織炎の治療 (NEJM 2014;370:2238, CID 2014;59:e10, JAMA 2016;316:325, 2017;317:2088)

膿性	起因菌	重症度	治療
なし	β溶血性レンサ球菌＞黄色ブドウ球菌	軽症	ペニシリン，dicloxacillin，セファロスポリンまたはクリンダマイシン
		中等症	ペニシリン，セフォタキシム，セファゾリンまたはクリンダマイシン
		重症	バンコマイシン＋ピペラシリン-タゾバクタム（±毒素に対してクリンダマイシン）
あり	黄色ブドウ球菌（MRSA含む）≫β溶血性レンサ球菌	軽症	切開・ドレナージ±［クリンダマイシンまたはST合剤］(NEJM 2017;376:2545)
		中等症	ST合剤またはドキシサイクリン；クリンダマイシンの報告もあるが(NEJM 2015;372:1093)，MRSAの感受性はさまざま
		重症	バンコマイシン，ダプトマイシン，リネゾリド（±毒素に対してクリンダマイシン）

軽症：全身の感染徴候なし，中等症：全身の感染徴候あり，重症：SIRSあるいは免疫抑制患者

- **患肢挙上**；抗菌薬開始後に発赤が増悪することあり（細菌破壊➡炎症のため）
- 肥満患者では治療失敗の回避のために適切な薬物投与が重要 (J Infect 2012;2:128)
- 治療期間：5〜14日間；進行の状況を確認するために写真を記録し，境界に線を残しておく

壊死性軟部組織感染症 (NEJM 2017;377:2253)

■定義
- 蜂窩織炎，筋膜炎，筋炎，筋壊死（ガス壊疽）を含む
- 重症組織破壊，全身毒性，致死率は高い；**緊急外科手術**

■リスク因子
- 皮膚粘膜のバリア破綻あるいは外傷痕を介して健常人でも起こりうる；しかしDM，末梢血

管疾患，アルコール多飲，薬物乱用者，肝硬変，その他の免疫抑制患者ではリスク↑

■原因微生物
●壊死性筋膜炎
- I 型：複数菌感染（好気性菌と嫌気性菌の混合），典型的には上記のリスク因子を有する高齢の患者にみられる；**Fournier壊疽**は性器/会陰を侵す
- II 型：単一菌感染，通常はA群溶連菌で，ブドウ球菌，Vibrio，Aeromonasの可能性は低い；TSSと関連

●**クロストリジウム性筋壊死症（ガス壊疽）**：C. perfringens；C. septicum（大型グラム陽性桿菌）；外傷性の傷はClostridiumにとって理想的な嫌気性環境を生み出す

■臨床症状
- 発赤，腫脹，熱感＋**全身疾患**（発熱，血行不安定）±握雪感（crepitus）
- 臨床症状の**急速な進行**
- ブラがみられることがあり，皮膚の色が変化することがある（紫赤色から青灰色に変化する）
- 蜂窩織炎の外見に**一致しない痛み**；皮膚過敏と後の知覚消失

■診断
- 臨床所見に基づく診断により，**緊急外科的切開**
- 中心壊死巣の吸引；血液培養；グラム染色；乳酸値およびCK測定による組織壊死の評価
- 画像検査：**単純CT**，ただし検査のために治療と外科手術を遅らせてはならない（Arch Surg 2010;145:452）
- 切除検体のグラム染色と培養による微生物学的診断

■治療（CID 2014;60:169）
- 壊死組織の切除を伴う緊急の外科的デブリードマン
- 抗菌薬：[バンコマイシンまたはリネゾリド] + [ピペラシリン-タゾバクタムまたはカルバペネム] + 毒素阻害のためのクリンダマイシン
  ピペラシリン-タゾバクタムの腎毒性を避けるためにバンコマイシン＋セフェピム＋メトロニダゾール＋クリンダマイシンを考慮
  A群レンサ球菌によるトキシックショックに対してはIVIgを検討する；感染症科コンサルト

糖尿病性足感染症

DM関連の入院と，外傷以外による下肢切断の主要な原因

■原因微生物と重症度
- **軽症**（表在性潰瘍，深部構造への浸潤なし，発赤＜2 cm）：通常は黄色ブドウ球菌または好気性レンサ球菌
- **中等症**（潰瘍が深部構造に浸潤し，2 cm以上の発赤）：慢性・複数菌感染の可能性が高い（緑膿菌，腸球菌，Enterobacter，嫌気性菌）
- **重症**（中等症＋全身性の症状を伴う感染症）：嫌気性レンサ球菌，Bacteroides，Clostridium

■初期評価
- 洗浄，デブリードマン，プローブ，深部培養の採取（嫌気性＋好気性）
- 末梢血流の評価：感覚，脈拍，ABI

■診断
- デブリードマン時に**深部組織の培養**（理想的には抗菌薬を投与する前に）；表面のスワブでの採取は避ける（黄色ブドウ球菌や軽度の感染症の場合にのみ有効）

- 中等症/重症の場合：血液培養，ESR，CRP
- 骨髄炎は必ず除外すべきである；以下の場合はリスク↑：骨露出，プローブが骨にあたる，潰瘍＞2 cm，潰瘍の持続期間＞1〜2週間，ESR＞70；骨髄炎を疑った場合は単純X線写真±MRI（後述）を撮影

■治療 (CID 2012;54:e132)
- 軽症：経口抗菌薬；皮膚細菌叢を標的とする（dicloxacillin，セファレキシン，またはアモキシシリン-クラブラン酸）；MRSAにはST合剤またはドキシサイクリンを使用する
- 中等度/重症：静注抗菌薬；GPC（バンコマイシン，リネゾリド，ダプトマイシン）＋GNR（セフォタキシム，レボフロキサシン，アンピシリン-スルバクタム）±嫌気性菌（メトロニダゾールまたはクリンダマイシン）；重症，免疫不全，好中球減少症，水曝露，火傷，穿刺，院内感染の場合は緑膿菌カバー（セフェピムまたはピペラシリン-タゾバクタム）の追加
- 挙上，免荷指示，創傷ケア，血糖コントロール，静注抗菌薬；静脈の機能不全と動脈虚血の治療
- 多くは手術を必要とする：早期，積極的，反復的なデブリードマン；再灌流や切断が必要な場合もあり

骨髄炎

血行性播種または隣接感染巣からの直接進展による骨感染症

■原因微生物 (Lancet 2004;364:369)
- 血行性播種：**黄色ブドウ球菌**；椎体の好酸菌感染＝Pott病
- 直接進展（急性または慢性）
  開放骨折，整形外科手術後など：**黄色ブドウ球菌，表皮ブドウ球菌**
  皮膚損傷＋血行不全（例：DM性足病変）：**複数菌感染**
  腹腔内感染（GNR, Enterococcus）

■臨床症状
- 周囲軟部組織への波及±表皮への瘻孔
- ±発熱，倦怠感，寝汗（直接進展よりも血行性の場合に多い）
- 椎体炎（特に静注薬物使用者）：局所の持続的な背部痛，通常は発熱を伴う (NEJM 2010; 362:1022)

■診断 (JAMA 2008;299:806)
- 長期的な広域抗菌薬を避けるために，起因菌同定のための培養結果を得ること
- 骨生検または組織培養は，血液培養での検出がないかぎり，外科的または経皮的生検（吸引培養の感度30〜74％）で得る；潰瘍や瘻孔ドレナージのスワブに頼らないこと
- 身体所見：プローブが骨まで到達する，あるいは潰瘍＞2 cm² であれば，糖尿病足壊疽（上記参照）の疑いが強い（特異度83％，PPV 90％）
- **抗菌薬投与前の血液培養**（血行性の急性骨髄炎の場合で⊕となることが多い）
- 血算，CRP，ESR（＞70は骨髄炎の可能性が高い；JAMA 2008;299:806)
- 画像検査
  単純X線写真：初期では正常，2〜6週間後に溶骨性病変を認める
  MRI：最も感度の高い画像検査（全体の感度90％，特異度82％；Archives 2007;167: 125)
  CT：骨膜反応や皮質・髄質の破壊を示すことができる
  CTとMRIは非常に高感度だが特異度は低い；隣接感染巣が骨膜反応やCharcot変形を伴う場合は偽陽性となりうる
  核医学検査：非常に高感度だが非特異的（軟部組織の炎症で偽陽性）

■治療
- **抗菌薬**：培養結果に基づく；期間は治療戦略／管理目標による（例：椎体炎の場合は6週間；*Lancet* 2015;385:875）；静注抗菌薬の開始あるいは外科手術から≧7日後，経過がよい場合は（感染症科医と相談の上）内服への移行を検討（良好なバイオアベイラビリティと骨の浸透性がよいものを考慮）（*NEJM* 2019;380:425）
- 以下の場合は**手術**を考慮：薬物療法に反応しない急性骨髄炎，慢性骨髄炎，合併症を伴う化膿性脊椎骨髄炎（例：神経学的異常，脊椎不安定症，硬膜外膿瘍），デバイス感染

硬膜外膿瘍

■原因
- **血行性播種**（2/3）：皮膚感染，軟部組織感染（歯性膿瘍），心内膜炎
- **直接浸潤**（1/3）：脊椎骨髄炎，仙骨部潰瘍，脊髄くも膜下麻酔，脊椎手術，腰椎穿刺
- **リスク因子**：DM，腎不全，アルコール依存症，静注薬物，免疫抑制
- **黄色ブドウ球菌**が最も一般的な原因菌：MRSAの頻度が増加

■臨床症状
- **背部痛**（持続的かつ正中）+しばしば**発熱**±神経根／脊髄徴候

■診断的検査
- **MRI**
- 膿瘍の穿刺または切除検体のグラム染色と培養
- 血液培養（しばしば⊖）

■治療
- 薬物療法で改善がみられない場合は**抗菌薬±手術**（除圧椎弓切除術とデブリードマン）；脊髄圧迫の初期症状がある場合（脊椎骨髄炎と硬膜外膿瘍の合併；症状出現から48〜72時間後に対麻痺を認めることあり）は早急に緊急手術

神経系の感染症

急性細菌性髄膜炎

■臨床症状 (*NEJM* 2006;354:44, *Lancet* 2012;380:1684)
- **発熱**（77%），**頭痛**（87%），**項部硬直**（31%），光線過敏症，意識障害（GCS<14；69%），痙攣発作（5%）；95%に発熱，頭痛，項部硬直，意識障害の4項目のうち少なくとも2項目を認める
- 高齢者や免疫抑制患者では症状が非典型的なこともあり（例：発熱を伴わない嗜眠）

■身体診察
- **項部硬直**（感度31%），**Kernig徴候**（仰臥位で股関節と膝関節を直角に曲げさせ，膝の他動的な伸展に抵抗を生じる場合が⊕），**Brudzinski徴候**（仰臥位で頸部を他動的に前屈させると股関節や膝関節が不随意に屈曲する場合が⊕）
  注意：Kernig徴候，Brudzinski徴候が⊕の患者は約10%のみ（*Lancet* 2012;380:1684）
- ±局所神経所見（約30%；不全片麻痺，失語症，視野欠損，脳神経麻痺）
- ±眼底所見：乳頭浮腫，網膜静脈拍動消失

- ±頭頸部所見：副鼻腔叩打痛，透明鼻漏（髄液漏）
- ±皮疹：出血性皮疹（髄膜炎菌），陰部/口腔内潰瘍（HSV）

細菌性髄膜炎の原因微生物（NEJM 2011;364:2016）	
原因菌	説明
肺炎球菌（30〜60%）	遠隔感染の検索（例：Oslerの三徴＝髄膜炎，肺炎，感染性心内膜炎） 薬物耐性肺炎球菌：約40%がペニシリン耐性（中等度耐性でも問題となる）；＜10%が第3世代セファロスポリン耐性 ワクチン導入により侵襲性感染症の発生率↓
髄膜炎菌（10〜35%）	おもに＜30歳；点状出血/紫斑を伴う場合あり 終末補体成分の欠損は再発性髄膜炎菌血症とまれに髄膜炎の素因 思春期，学生寮新規入居者，軍入隊者，脾摘後，C5〜9欠損症の全員にワクチン接種を推奨
インフルエンザ菌（＜5%）	ワクチン導入により小児での発生率↓；成人ではリスク因子を検索（例：髄液漏，脳外科手術，外傷，乳様突起炎）
L. monocytogenes（5〜10%）	高齢，アルコール依存症，悪性腫瘍，免疫抑制，鉄過剰症の患者で発生率↑；汚染された乳製品や生野菜がアウトブレイクに関連；菌名には"mono-"とあるが，多核球（"poly"）優位の髄液細胞↑
GNR（1〜10%）	通常は医療関連，手技後，高齢者や免疫抑制患者
ブドウ球菌（5%）	髄液シャント留置（表皮ブドウ球菌），脳外科手術後や頭部外傷後（黄色ブドウ球菌）にみられる
混合感染	髄膜周囲感染，髄液漏を疑う
真菌	免疫抑制状態，脳外科手術後にみられる

■細菌性髄膜炎への逐次的アプローチ

(1) すぐに血液培養➡抗菌薬＋副腎皮質ステロイド（後述）
(2) 頭部CTの検討（適応があれば下記参照）
(3) 腰椎穿刺（禁忌でない場合）；抗菌薬開始後4時間以内だと髄液培養の感度が変化する可能性は低い

■診断的検査 (Lancet 2012;380:1684)

- **血液培養：抗菌薬投与前に2セット採取**
- **白血球数：**健康な人の細菌性髄膜炎の>90%で>1万
- **頭部CT：**高リスク因子（免疫抑制患者，中枢神経疾患の既往，新規発症の痙攣発作，局所神経所見，乳頭浮腫）のうち1つでも満たす場合は，頭蓋内占拠性病変を除外するために腰椎穿刺前に考慮 (CID 2004;39:1267)
- **腰椎穿刺** (NEJM 2006;355:e12)
  髄液のグラム染色は感度30〜90%；髄液培養は感度80〜90%（抗菌薬投与前に腰椎穿刺を施行した場合）
  細菌性髄膜炎では通常は髄液初圧↑；下肢を伸展させた状態で測定
  "2の法則"：髄液白血球>2,000/mm³，glc<20，TP>200➡特異度>98%で細菌性髄膜炎

  腰椎穿刺の再施行は，適切な抗菌薬投与または髄液シャント留置の48時間後にも臨床的改善がみられない場合のみ

- 臨床的に疑いがある場合には髄液検査を追加で行う：抗酸菌染色/培養，墨汁染色，Cryptococcus抗原，真菌培養，VDRL，PCR（HSV，VZV，エンテロウイルス），細胞診
- メタゲノム次世代シークエンシングは診断感度↑ (NEJM 2019;380:2327)

髄膜炎の典型的な髄液所見					
原因	外観	髄液圧 (cmH$_2$O)	白血球 (/mm^3) 優勢な白血球	glc (mg/dL)	TP (mg/dL)
正常	清	9~18	0~5 リンパ球	50~75	15~40
細菌性	混濁	18~30	100~1万 多核球	<45	100~1,000
結核性	混濁	18~30	<500 リンパ球	<45	100~200
真菌性	混濁	18~30	<300 リンパ球	<45	40~300
無菌性	清	9~18	<300 多核球➡リンパ球	50~100	50~100

細菌性髄膜炎の治療 (Lancet 2012;380:1693)	
臨床状況	髄膜炎の経験的治療ガイドライン*
健康な成人	セフトリアキソン 2 g IV 12時間ごと+バンコマイシン 15~20 mg/kg IV 12時間ごと >50歳またはアルコール依存症：Listeriaカバーのために+アンピシリン 2 g IV 4時間ごと βラクタムアレルギー：シプロフロキサシン 400 mg 8時間ごとまたはアズトレオナム 2 g 6時間ごとをセフトリアキソンの代替薬として使用；ST合剤をアンピシリンの代替薬として使用
免疫抑制患者	アンピシリン+セフタジジム 2 g IV 8時間ごと+バンコマイシン
髄液シャント留置，最近の脳外科手術/頭部外傷	バンコマイシン+セフタジジム 2 g IV 8時間ごと (NEJM 2010;362:146)
副腎皮質ステロイド：デキサメタゾン 10 mg IV 6時間ごと×4日➡GCS 8~11の肺炎球菌性髄膜炎患者で神経学的機能障害と死亡率が約50%↓；すべての細菌性髄膜炎で原因菌同定前のステロイド投与を考慮；抗菌薬初回投与より前か同時に開始 (NEJM 2002;347:1549) 注意：クリプトコッカス髄膜炎ではステロイドを投与しない (NEJM 2016;374:542)	
予防：髄膜炎菌性髄膜炎患者との濃厚接触者に，リファンピシン (600 mg PO bid×2日) またはシプロフロキサシン (500 mg PO×1) またはセフトリアキソン (250 mg IM×1)	
予防策：髄膜炎が除外できるまでは飛沫予防策を施行	

*可能であれば，感受性や薬物耐性は地域のパターンを考慮した微生物ごとのレジメンを選択する；マウスモデルでは，セフトリアキソンとplgR・PECAM (肺炎球菌の侵入を許す血液脳関門受容体) に対する抗体➡脳内の細菌の減少&炎症低下が示された (J Infect Dis 2018;218:476)

■予後
● 市中感染の肺炎球菌性髄膜炎は死亡率19~37%；30%で長期にわたる神経学的後遺症

無菌性髄膜炎

■定義
● 血液培養と髄液培養は⊖だが，通常はリンパ球優位の髄液細胞増加

- ●細菌性の可能性は低いが，感染性または非感染性

■原因
- ●**ウイルス**：エンテロウイルス〔最も頻度が高い；髄液培養が⊖でPCRが提出できない場合は，非滅菌領域（鼻咽頭，直腸など）からの検体を提出する〕，HIV，HSV（2型＞1型），VZV，ムンプスウイルス，リンパ球性脈絡髄膜炎ウイルス，脳炎ウイルス，アデノウイルス，ポリオウイルス，CMV，EBV，ウエストナイルウイルス
- ●**髄膜周囲感染**（例：脳膿瘍，硬膜外膿瘍，硬膜静脈洞の化膿性血栓性静脈炎，硬膜下膿瘍）
- ●**治療不十分な細菌性髄膜炎**
- ●**結核菌，真菌，スピロヘータ**（ライム病，梅毒，レプトスピラ症），**リケッチア**，*Coxiella*，*Ehrlichia*
- ●**薬物性**：ST合剤，NSAIDs，IVIg，ペニシリン，イソニアジド，ラモトリギン
- ●**全身性疾患**：SLE，サルコイドーシス，Behçet症候群，Sjögren症候群，RA
- ●**腫瘍性**：頭蓋内腫瘍／嚢胞，リンパ腫性／癌性髄膜炎（髄液細胞診やフローサイトメトリーで所見があり，診断には髄膜生検を要すことあり）

■経験的治療
- ●ウイルス性の疑いがある場合（細胞数＜500かつリンパ球＞50%，髄液TP＜80～100 mg/dL，glc正常，グラム染色⊖，高齢者や免疫抑制患者ではない）は抗菌薬不要；それ以外の場合は培養結果を待たずに経験的抗菌薬投与を開始
- ●結核性の疑いがある場合：抗結核薬＋デキサメタゾン（*NEJM* 2004;351:1741）
- ●真菌性の疑いがある場合：アムホテリシン脂質製剤，±5-フルオロウラシル

脳炎 (*NEJM* 2018;379:557)

■定義
- ●神経機能障害を伴う脳実質の感染症

■原因（原因微生物が特定できるのは＜20%のみ）(*Neurology* 2006;66:75, *CID* 2008;47:303)
- ●**HSV-1**：年齢・季節を問わない；治療後に症状が再発した場合は，ウイルス自体の再発あるいは数週間後の自己免疫性脳炎の関与の割合も高いため，両者を考慮する（*Lancet Neurol* 2018;17:760）
- ●**VZV**：初感染または再活性化；±小水疱性皮疹；あらゆる年齢で（高齢者に多い）季節に関係なく発生
- ●**アルボウイルス**：ウエストナイル脳炎，東部／西部ウマ脳炎，セントルイス脳炎，日本脳炎，ポワッサンウイルス病（*NEJM* 2005;353:287）；発熱，頭痛，**弛緩性麻痺**，皮疹；重症化のリスク因子：腎疾患，悪性腫瘍，アルコール，DM，高血圧（*Am J Trop Med Hyg* 2012;87:179）
- ●**エンテロウイルス**（コクサッキーウイルス，エコーウイルス）：ウイルス症候群；晩夏／初秋に流行
- ●**その他**：CMV，EBV，HIV，JCウイルス（PML），麻疹ウイルス，ムンプスウイルス，風疹ウイルス，狂犬病ウイルス，インフルエンザウイルス，アデノウイルス
- ●**非感染性**：自己免疫性／傍腫瘍性（抗NMDAR，抗Hu，抗Ma2，抗CRMP5，抗mGluR5），感染性心内膜炎，脳膿瘍，トキソプラズマ症，結核，中毒，血管炎，Whipple病，硬膜下血腫，感染後脱髄疾患（例：急性散在性脳脊髄炎），痙攣発作

■臨床症状
- ●発熱，頭痛，意識障害，±痙攣発作と**局所神経所見**（後者はウイルス性髄膜炎では非典型的）

■診断的検査 (*CID* 2013;57:1114)
- **腰椎穿刺**：リンパ球優位の髄液細胞↑；PCR：HSV（2〜3日目で感度と特異度95%），VZV，CMV，EBV，HIV，JCウイルス，アデノウイルス/エンテロウイルス，ウエストナイルウイルス（感度<60%）；ウエストナイルウイルス髄液IgM検査（感度80%）
- 状況次第では自己免疫性の病因（抗NMDAR抗体など）の検査を考慮
- **MRI**（使用できない場合はCT）；HSVは側頭葉病変あり，ウエストナイルウイルスは視床で高信号
- 痙攣発作除外のための脳波；脳炎での所見は非特異的（HSVでは側頭葉病変）

■治療
- **HSV，VZV**：アシクロビル10 mg/kg IV 8時間ごと（HSV/VZVの頻度は高いのでしばしば経験的に投与）
- **CMV**：ガンシクロビル±ホスカルネット；その他の病因には支持療法

Bell麻痺

■定義と原因
- 急性，特発性，一側性の**顔面神経（第Ⅶ脳神経）麻痺**：HSV-1の再活性化によると考えられている

■臨床症状
- 一側性の**顔面筋の筋力↓**，**聴覚過敏**，味覚障害，涙液/唾液の分泌障害

■診断
- 除外診断：脳幹病変，ライム病（両側のことが多い），帯状疱疹（非発疹性を含む），HIV感染/AIDS，サルコイドーシス（両側のことが多い）を除外

■治療 (*NEJM* 2007;357:1598, *JAMA* 2009;302:985)
- 約80%は9か月以内に自然回復（DM患者では回復率がずっと低い）
- ステロイド（プレドニゾロン25 mg PO bid×10日）を発症から72時間以内に開始すると回復率↑（注意：DM/免疫抑制患者での決定的なデータはない）
- アシクロビル/バラシクロビルがしばしば投与されるが，使用を支持する決定的なデータはない

帯状疱疹

■定義と原因
- 帯状疱疹＝帯状ヘルペス：急性，一側性で，**皮膚分節に沿った有痛性の皮疹**
- 後根神経節に潜伏感染していたVZVが末梢神経支配領域に沿って再活性化

■臨床症状
- **皮膚分節に沿った神経因性痛**に始まり，その後，多様な段階の**皮膚分節に沿った皮疹**（小水疱＞丘疹/膿疱＞斑）が急性に発現
- 帯状の皮疹をすべての患者に認める；免疫抑制患者ではより広範
- 三叉神経第1枝領域に病変がある場合はただちに眼科的評価
- 帯状疱疹後神経痛：強い痛みが発症後90日以上持続（数か月〜年単位で持続する場合もあり）；高齢者，抗ウイルス療法の遅れで頻度↑

■診断
- 皮疹の外観；新たに破れた小水疱からの擦過検体のDFAが最も高感度；Tzanck試験ではHSVとVZVの鑑別不能；ウイルス培養によるVZVの検出は（HSVとは異なり）低感度

■治療
- 健康な患者は**皮膚病変発現から72時間以内**であれば治療（**免疫抑制患者では制限なし**）
- バラシクロビル/ファムシクロビル×7〜14日、または病変が完全に結痂するまで；播種性または高リスク患者（内科疾患患者、免疫抑制患者、三叉神経第1枝領域に病変があり眼症候を伴う患者など）ではアシクロビル10 mg/kg IV 8時間ごと
- 予防：50歳以上の患者に承認されたシングリックスは、帯状疱疹予防のために2〜6か月間で2回投与する（予防の有効率97%；また帯状疱疹後神経痛も減少効果あり）

菌血症と感染性心内膜炎

菌血症

■原因
- 一次感染：血液への直接感染による（血管内カテーテル関連が多い）；カテーテル関連血流感染＝末梢血培養とカテーテル先端部/カテーテル内血液の培養で微生物が一致（*CID* 2009;49:1）
- 二次感染：他の感染巣（例：尿路、肺、胆道系、皮膚）から血液に感染が波及

■微生物学
- コアグラーゼ陰性ブドウ球菌34%、黄色ブドウ球菌10%、腸球菌16%、*Candida* 12%、GNR 5%
- *Clostridium septicum*、*Bacteroides*、*S. bovis* は大腸癌と関連あり（*Gastro* 2018; 155:383）
- 莢膜を有する細菌（肺炎球菌、*Neisseria*、*Haemophilus*、A群レンサ球菌）は原発性免疫不全を示す可能性がある（*Clin Microbiol Infect* 2017;8:576）

■菌血症のリスク因子（*JAMA* 2012;308:502）
- 発熱、**悪寒戦慄**、不十分な食生活（*J Hosp Med* 2017;12:510）；静注薬物乱用、併存症、免疫不全、カテーテル留置、SIRS（感度96%）
- **原因微生物**
  高リスク：黄色ブドウ球菌、β溶連菌、腸球菌、GNR、肺炎球菌、*Neisseria*
  低リスク：コアグラーゼ陰性ブドウ球菌（約10%）、ジフテロイド、*Propionibacterium*（ほぼ0%）
- **発育時間**：＜24時間➡高リスク、＞72時間➡低リスク（HACEK群などの緩徐発育菌を除く）
- **心内膜炎の高リスク因子**：感染巣の特定できない重度菌血症、ライン抜去や感染巣のドレナージをしても持続する菌血症、心内膜炎の高リスク患者、心内膜炎の既知の原因菌による持続的菌血症；塞栓症

■診断
- 可能であれば抗菌薬投与前に血液培養を2セット以上採取（各セットに2本ずつ、それぞれ10 mL）
- 菌血症が証明された場合、48時間以降の培養フォロー；GNRでは必要ないかもしれない（*CID* 2017;65:1776）
- 黄色ブドウ球菌または*S. lugdunensis*であれば**TEE**を取得；高悪性度のレンサ球菌性菌血症の場合はTTE；GNR菌血症にはルーチンでのエコーは不要

■治療
- グラム染色/培養の結果に基づき抗菌薬投与；施設ごとのアンチバイオグラムを参考に選択
  GPCに対する経験的治療：感受性試験の結果が出るまではバンコマイシンでコアグラーゼ
  陰性ブドウ球菌とMRSAをカバー
- 黄色ブドウ球菌菌血症：感染症科コンサルテーションは死亡率低下と関連（CID 2015;60: 1451）

短期留置型中心静脈カテーテルに関連した血流感染（CID 2009;49:1）	
黄色ブドウ球菌	**菌血症による心内膜炎のリスク：約25%**（JACC 1997;30:1072） カテーテル抜去，TEEで心内膜炎の除外；心エコー所見○の非免疫抑制患者で血管内人工物のない場合は，血液培養が陰性化してから14日間治療；心エコー検査ができない場合，4～6週間 **推奨抗菌薬：MSSA→nafcillin/オキサシリン；MRSA→バンコマイシン**
コアグラーゼ陰性ブドウ球菌	カテーテル留置継続も可能；留置を継続しても菌血症治療の奏効率は下がらないが，再発率↑（CID 2009;49:1187） 留置継続の場合は10～14日間治療を行い，抗菌薬/エタノールロック療法（カテーテル内腔に数時間～数日間充填）を考慮 カテーテル抜去の場合，治療は5～7日間
腸球菌	**カテーテルを抜去して7～14日間治療**
GNR	7～14日間治療；抗菌薬は施設ごとのアンチバイオグラムを参考に選択；Pseudomonasの場合は**カテーテル抜去**
真菌	**カテーテルを抜去して，血液培養が陰性化してから14日間治療**

- **血液培養⊕の持続**：カテーテルを抜去して，他の転移巣，化膿性血栓症，人工物感染（関節，膿瘍，血管グラフト，ペースメーカーなど）の検索を考慮

感染性心内膜炎

■定義
- 心内膜の感染症（弁膜部に好発するが，弁に限局したものではない）

■素因
- **異常弁**
  高リスク：心内膜炎の既往，人工弁，チアノーゼ性先天性心疾患（未修復），人工心臓，リウマチ性心疾患，大動脈弁疾患（二尖大動脈弁を含む）
  中リスク：僧帽弁疾患（閉鎖不全を伴う僧帽弁逸脱症，弁尖肥厚など），肥大型心筋症
- **菌血症の高リスク群**：静注薬物乱用，カテーテル留置，口腔衛生不良，血液透析，DM，心臓内異物（例：ペースメーカー，ICD，グラフト）

修正Duke基準	
大基準	**小基準**
●心内膜炎の既知の原因菌による持続的**菌血症**（2回の血液培養で⊕） ●Coxiellaの血清学的検査で1：800以上 ●**心内膜病変の存在**：心エコーの異常（疣贅，膿瘍，または人工弁の裂開）または**新規の弁閉鎖不全**	●**素因**（上記参照） ●**発熱** ●**血管現象**：主要血管塞栓，敗血症性肺塞栓，感染性動脈瘤，頭蓋内出血，Janeway病変 ●**免疫学的現象**：RF⊕，糸球体腎炎，Osler結節，Roth斑 ●培養⊕だが大基準を満たさない

（次頁につづく）

確定的：大基準 2 項目，または大基準 1 項目＋小基準 3 項目，または小基準 5 項目
可能性あり：大基準 1 項目＋小基準 1 項目，または小基準 3 項目

感度約90%，特異度>95%，NPV≧92%（*CID* 2000;30:633）；* 培養陰性心内膜炎の既知の原因菌に対する血清学的/分子学的検査（下記参照）は現時点では大基準に含まれていないが，診断に役立つ可能性あり

心内膜炎の微生物学				
	生体弁		人工弁	
原因微生物	非IVDU	IVDU	術後早期（≦60日）	術後後期（>60日）
*S. viridans*など	36%	13%	<5%	20%
腸球菌	11%	5%	8%	13%
黄色ブドウ球菌	28%	68%	36%	20%
表皮ブドウ球菌	9%	<5%	17%	20%
GNR	<5%	<5%	6%	<5%
その他	<5%	<5%	10%	10%
真菌[a]	1%	1%	9%	3%
培養陰性[b]	11%	<5%	17%	12%

[a] DM，カテーテル留置，免疫抑制患者ではリスク↑
[b] 培養陰性＝栄養要求性レンサ球菌，HACEK群（*Haemophilus para-influenzae* & *aphrophilus*, *Actinobacillus*, *Cardiobacterium*, *Eikenella*, *Kingella*），*T. whipplei*，*Bartonella*，*Coxiella*，*Chlamydia*，*Legionella*，*Brucella*（*JAMA* 2007;297:1354, *Annals* 2007;147:829, *J Clin Microbiol* 2012;50:216）

■臨床症状（*Lancet* 2016;387:882）
●**菌血症の持続**：発熱（80〜90%），悪寒戦慄，寝汗，食欲不振，体重↓，疲労感
●**弁/弁周囲感染**：CHF，伝導異常
●**敗血症性塞栓**：脳梗塞，PE（右心系の場合），感染性動脈瘤，心筋梗塞（冠動脈塞栓），中枢神経系，腎，脾，四肢
●**免疫複合体沈着**：関節炎，糸球体腎炎，RF⊕，ESR↑
●**亜急性**（弱毒菌）：リスク因子のない患者では疲労感，非特異的症状として発症することあり

■身体診察
●頭頸部：**Roth斑**（網膜出血＋中心蒼白），**点状出血**（結膜，口蓋）
●循環器：**心雑音**（85%），**新規の弁逆流**（40〜85%）±振戦（弁有窓化/腱索断裂），こもった雑音（肺動脈弁狭窄）；心雑音の変化，心不全症候をこまめにチェック
●四肢
　Janeway病変（敗血症性塞栓➡手掌/足底の無痛性出血斑）
　Osler結節（免疫複合体➡指腹の有痛性結節）
　近位爪床の線状出血（8〜15%）；点状出血（33%）；ばち指，関節炎
●意識障害/局所神経症状/椎体の圧痛
●デバイス：カテーテル挿入部位の発赤，圧痛，排膿；ペースメーカー/ICDポケット部の圧痛

■診断（*CID* 2010;51:131, *EHJ* 2015;36:3075, *Circ* 2015;132:1435）
●**血液培養**（抗菌薬投与前に）：できれば1時間以上あけて，異なる部位から最低3セット採取（好気ボトルと嫌気ボトル）；適切な抗菌薬の開始後，反応を確認するために血液培養（最低2セット採取），陰性化するまで24〜48時間ごとに再検
●ECGにより新規伝導異常の有無を評価（入院時，その後は定期的に）
●**心エコー**：すべての患者にTTE実施；TEEは以下の場合に考慮：(1) TTEの精度不十分，(2) TTE⊖だが心内膜炎の高リスク，(3) 高リスク患者（人工弁，感染性心内膜炎の既往，先天

性心疾患), (4) 進行性／侵襲性感染症が疑われる場合 (例：菌血症／発熱の持続, 新規伝導異常など)

方法	感度 (%)		
	生体弁	人工弁	膿瘍
経胸壁 (TTE)	39～58	33	18～63
経食道 (TEE)	>90	86	76～100

(Mayo Clin Proc 2014;89:799, Circ 2015;132:1435, Eur Radiol 2015;25:2125, J Am Soc Echo 2016; 29:315)

- 人工弁心内膜炎の弁輪部合併症の評価に有用なPET/CTやMRIの追加
- 重度の頭痛, 神経学的欠損, 髄膜徴候を発症した患者では脳・脊椎の画像評価が必要；左心系の心内膜炎を有する場合に検討する (Circ 2015;132:1435)
- 培養陰性心内膜炎：血液培養採取前の抗菌薬投与による場合あり；PCR, 細菌16S rRNA, 血清学的検査が有用な場合あり；詳細な問診：動物との接触, 旅行歴, 非殺菌乳の摂取など；感染症専門医による評価を依頼

治療 (Circ 2015;132:1435)	
起因菌	具体的な考慮事項
経験的	生体弁または手術後12か月以降の人工弁：バンコマイシン＋セフトリアキソン 手術後12か月以内の人工弁：バンコマイシン＋セフトリアキソン＋ゲンタマイシン
レンサ球菌	S. bovisは大腸癌と関連あり；ペニシリン, アンピシリン, セフトリアキソン
ブドウ球菌	● MRSA：バンコマイシンまたはダプトマイシン, MSSA：nafcillinまたはセファゾリン ● 感染症科コンサルテーション ● 長期MSSA治療ではバンコマイシンはβラクタムに劣る ● MSSAに対しペニシリンアレルギーの場合は脱感作を行う ● 中枢神経系の病変にはセファゾリンを使用しない (到達度が低いため) ● 人工弁ではリファンピシン (耐性獲得予防のためにアミノグリコシドを2週間追加) の追加が必要 ● S. lugdunensisは高い病原性があり, 黄色ブドウ球菌と同様に扱うべき
腸球菌	アンピシリン＋[セフトリアキソンまたはゲンタマイシン]；人工弁ではリネゾリドまたはダプトマイシンが必要
GNR	HACEK群：セフトリアキソン；緑膿菌：2つ以上の抗緑膿菌抗菌薬を併用〔例：βラクタム＋(アミノグリコシドまたはフルオロキノロン)〕；感染症科コンサルト
真菌	リポソームアムホテリシンBまたはミカファンギン；リスク因子：TPN, ライン, ペースメーカー/ICD, プロテーゼ, 静注薬物乱用；カンジダ菌血症があれば眼科診察を実施
菌種に関係なく, 人工弁感染に対しては早期の外科的診察を行う	

- 感受性が判明し次第, 速やかに抗菌薬のde-escalationを行う
- 解熱かつ血液培養が陰性化するまで24～48時間ごとに血液培養を繰り返す
- 抗凝固薬は議論の余地あり；人工弁あるいは中枢神経系の塞栓性合併症が発生した場合は, 2週間以上抗血小板薬を投与する；すべての来院者で中枢神経合併症がなければ抗血小板薬を継続することができるが, 追加することの利点は証明されていない
- 心内膜炎の合併症 (抗菌薬投与下でも起こる可能性のあるCHF, 伝導ブロック, 新しい塞栓など) と, 抗菌薬関連の副作用 (間質性腎炎, 急性腎不全, 好中球減少など) をモニター

する
- **治療期間**：通常**4〜6週間**
  10日以上の静注抗菌薬投与後が奏効している場合，起因菌，患者の状態，抗菌薬の選択に応じて感染症科医と相談して経口への移行を検討することができる（*NEJM* 2019;380: 415）
  非複雑性右心系生体弁またはペニシリン感受性レンサ球菌➡2週間でよい可能性あり

■手術適応（*EHJ* 2015;36:3075）
- **重度の弁機能不全➡難治性心不全**：治療抵抗性（ICUレベルの治療に反応しない）の心原性ショックでは**緊急手術**；難治性心不全が持続する場合は**準緊急手術**（数日以内）；無症候性の重症大動脈弁／僧帽弁閉鎖不全症の場合は**待機的手術**（数週間以内）；早期に心臓外科医にコンサルト
- **コントロール不能の感染**（通常は数日以内の準緊急手術）：弁輪周囲膿瘍（生体弁の10〜40%，人工弁の60〜100%），心ブロック，瘻孔，刺激伝導障害の増悪，裂開を伴う人工弁心内膜炎，疣贅の増大，敗血症の持続（例：適切な静注抗菌薬投与を約1週間続けても血液培養⊕かつドレナージ可能な播種性病巣またはその他の特定可能な原因がない場合；敗血症性肺塞栓があれば複雑性）
- **原因微生物**：黄色ブドウ球菌，真菌，多剤耐性菌による場合は手術を考慮
- **人工弁**：機能不全あるいは離開
- **全身性塞栓症**（20〜50%）：リスクは第1週で4.8/1,000人日，それ以降は1.7/1,000人日
  左心系で疣贅>10 mmかつ重症大動脈弁／僧帽弁閉鎖不全症の場合（*NEJM* 2012;366: 2466），反復性塞栓症で塞栓症かつ疣贅>10 mmの場合，適切な抗菌薬投与にもかかわらず疣贅>15 mmの場合は緊急手術
- 現在では脳塞栓でも出血があるか（出血があれば理想的には1か月待機）重度の卒中でないかぎり手術の禁忌ではない（*Stroke* 2006;37:2094）

■予後
- **生体弁**：非IVDUの黄色ブドウ球菌感染➡死亡率30〜45%；IVDUの黄色ブドウ球菌感染（通常は右心系）➡死亡率10〜15%；亜急性➡死亡率10〜15%
- **人工弁**➡死亡率23%

心内膜炎の予防（*Circ* 2007;116:1736）	
心臓の状態*	**人工弁**；**生体弁心内膜炎の既往**；**先天性心不全**，例えば未修復または姑息的修復術（緩和的シャント術／導管修復術）後のチアノーゼ性先天性心疾患，人工弁手術から6か月未満の心不全；**弁膜症を伴う心移植レシピエント**（後天性弁機能不全，二尖大動脈弁，弁尖肥厚や弁逆流を伴う僧帽弁逸脱症，肥大型心筋症では予防は推奨されない）
処置*	**歯科**：歯肉組織／歯冠周囲の処置，口腔粘膜穿孔を伴う処置（例：抜歯，歯周処置，インプラント，歯根管充填，クリーニング） **呼吸器**：気道粘膜の切開／生検（消化管や腎尿路生殖器の処置では予防は推奨されない）
レジメン	経口：処置30〜60分前に**アモキシシリン2 g** 経口摂取不能：アンピシリン2 g IM/IVまたはセファゾリン／セフトリアキソン1 g IM/IV ペニシリンアレルギー：クリンダマイシン600 mg PO/IM/IV

*予防の適応とするには両方の条件（高リスク状態と高リスク処置）を満たす必要がある

結核

■疫学
- 米国では1,000万〜1,500万人が感染（移民やマイノリティーではリスク15倍）；全世界では約20億人
- **多剤耐性結核菌**：イソニアジド，リファンピシンに耐性；新規発症例として発生する可能性
- **超多剤耐性結核菌**：イソニアジド，リファンピシン，フルオロキノロン系，第2選択静注薬のすべてに耐性
- リスク因子（*NEJM* 2011;364:1441）

  獲得：有病率の高い地域からの移民，ホームレス，静注薬物乱用者，医療難民，刑務所の受刑者/職員，長期療養施設の入所者/職員，医療従事者，活動性結核患者との濃厚接触者

  再活性化：最初の2年間で5％，生涯では5〜10％；しかしHIV⊕者，免疫抑制状態（生物学的製剤使用），慢性腎不全（血液透析），コントロール不良のDM，悪性腫瘍，移植患者，栄養不良，低体重，喫煙者，静注薬物乱用者，アルコール依存症者ではより高い

■原因微生物と自然史
- エアロゾル微粒子を介した結核菌の伝播（飛沫核感染）
- 免疫能正常者の90％は感染しても不顕性
- 局所病変：治癒に伴う石灰化，または進行性の初感染（感染部位の病変）
- 血行性播種：不顕性感染±結核の再活性化，または進行性播種性結核

■潜在性結核のスクリーニング
- 対象：有病率が高くリスクの高い集団（HIV⊕者には初期評価の一環としてツベルクリン試験，その後も年1回再検）
- スクリーニング法
- **IFN-γ遊離試験（IGRA）**：患者のT細胞からの抗原刺激によるIFN-γ放出

  BCGワクチン患者における特異度↑のためPPDよりも好ましい（*Annals* 2008;149:177）
- **ツベルクリン皮膚検査（TSTまたはPPDとしても知られている）**：精製タンパク質を皮内に注射する。そして48〜72時間後に膨疹があるかどうかを調べる。硬結の最大径を計測

ツベルクリン試験の反応	⊕と判定される被験者（*NEJM* 2002;347:1860）
>5 mm	HIV⊕者，免疫抑制患者（例：プレドニゾロン15 mg/日×1か月） 活動性結核患者との濃厚接触者；CXRで結核に合致した肺尖部線維化を呈する者
>10 mm	上記以外のすべての高リスク集団または有病率の高い集団 最近陽転した者（最近2年間で硬結が>10 mm↑）
>15 mm	上記以外の全員
偽陰性	注射法の誤り，アネルギー（活動性結核によるものも含む），急性期結核（陽転まで2〜10週間かかる），急性期非結核性抗酸菌症，悪性腫瘍
偽陽性	判定の誤り，非結核性抗酸菌との交差反応，BCGワクチン接種（ただし通常は成人期までに<10 mm）
追加免疫効果	（結核，非結核性抗酸菌症，BCGワクチンにより）最近感作された人で，以前のツベルクリン試験に対する追加免疫が起こり硬結↑；判定結果は⊖から⊕に転じるが，最近の感染による真の陽転ではない；2回目の試験結果が真のベースライン；初回の試験から1年後にも可能性あり

- **どちらのスクリーニング検査も活動性結核を除外するものではない**；IGRAとPPDの両方を併用して感度を高める（80〜90%）；宿主免疫系に依存しているため，免疫不全者の感度は限られている（*J Clin Epi* 2010;63:257, *CID* 2011;52:1031）

■ 臨床症状（*Lancet* 2016;387:1211）
- **一次結核性肺炎（肺結核）**：中葉／下葉の浸潤影，±胸水，±空洞形成
- **結核性胸膜炎**：一次結核／再活性化のいずれもあり；肉芽腫の崩壊で胸膜腔に漏出した内容物による局所炎症；**胸水**±心膜液と膿水（結核性多漿膜炎）
- **肺結核の再活性化**：肺尖部浸潤影±肺容積減少±空洞形成
- **粟粒結核**：発症は急性／緩徐進行性のいずれもあり；広範な血行性播種による；通常は免疫抑制患者，DM，アルコール依存症者，高齢者，栄養不良者，**全身症状**（発熱，寝汗，体重↓）が通常は顕著；60〜80%ではCXR/胸部CT（CTのほうが高感度）で小さな粟粒様肺病変（2〜4 mm）がみられる
- **肺外結核**：リンパ節炎，心膜炎，腹膜炎，髄膜炎，腎結核±無菌性膿尿，骨髄炎（脊椎＝Pott病），肝炎，脾結核，皮膚結核，関節炎
- **結核とHIV**：HIV⊕者では結核感染，初感染の進行，再活性化のリスク↑；感染から発症に進行する年間リスク＞8〜10%，CD4↓でリスク↑；多剤耐性結核を含む再感染が深刻（特に高流行地域で）

■ 活動性結核の診断的検査（疑いを強くもつことが重要！）
- 喀痰，BALF，胸水などの**抗酸染色**（迅速診断）と**培養**（高感度，感受性試験も可能）；結核が疑われる場合はフルオロキノロン系は避ける（診断を難しくする）
- GeneXpert PCR（迅速診断）はリファンピシン耐性も検出できる；非血性喀痰のみ有用性が報告；特異度98%，感度74%はHIVステータスに依存しない（*AJRCCM* 2014;189:1426）
- PCR：塗抹検査との併用で感度94〜97%；培養との併用で感度40〜77%（*JAMA* 2009;301:1014）
- CXR：再活性化では肺尖部に空洞性病変，一次結核では中葉／下葉に浸潤影を認めるのが典型的だが，完全に区別できるわけではない；HIV⊕者では病期によらず肺尖部以外に病変を認めることが多い（*JAMA* 2005;293:2740）
- ADA：肺外結核の診断に有用（特に腹水）

■ 潜在性結核の治療
- ガイドラインに基づいた検査の⊕患者，HIV⊕または免疫抑制患者を治療（*NEJM* 2015;372:2127, *Eur Respir J* 2015;46:1563）
- イソニアジドを開始する前に，咳嗽，発熱，盗汗などの症状を呈する患者に対してCXRを撮影し**活動性結核を除外する**（免疫抑制患者では正常のことも多いが）

症例	予防レジメン
PPD/IGRA⊕（HIVステータスに関係なく），またはイソニアジド耐性患者との接触	第1選択：リファンピシン×4か月（イソニアジドと非劣性，アドヒアランスが高く肝毒性が低い）（*NEJM* 2018;5:440） 代替薬：［イソニアジド5 mg/kg＋Vit B$_6$×9か月］または［イソニアジド＋rifapentine週1回×12週］のいずれか
多剤耐性結核患者／疑い例との接触	確定的なレジメンなし；？ピラジナミド＋エタンブトール，？ピラジナミド＋フルオロキノロン系

- イソニアジド内服中は肝酵素をチェック（月1回）：リスクは年齢とともに↑（*Chest* 2005;128:116）；＞5×基準値上限または症状出現➡抗結核薬を中止し再評価

■ 患者の隔離
- 可能性に基づいて判断する；咳嗽，呼吸困難，喀血に加えて以下のリスク因子がある場合考慮する（HIV⊕，外国国籍，薬物乱用者，ホームレス，直近の刑務所入所歴，結核の既往あ

るいは曝露）
- 他疾患の診断確定，抗酸菌塗抹⊖×3回，または結核治療が2週間経過し抗酸菌⊖の場合は中止

■活動性結核の治療（*NEJM* 2015;373:2149, *Lancet* 2016;387:1211）
- 耐性化を防ぐために抗結核薬（下記参照）による多剤併用療法
- 以下の場合は**多剤耐性結核を考慮**：過去に結核治療歴あり，多剤耐性率の高い地域（インド，中国，ロシア，南アフリカ）からの渡航者/同地域への渡航歴，多剤耐性結核疑い患者との接触，治療アドヒアランス不良，地域のイソニアジド耐性率≥4%（米国のほぼ全域が該当），肺外結核，HIV⊕者（*NEJM* 2008;359:636）
- すべての患者でHIVのスクリーニング：HIV⊕であれば抗レトロウイルス治療の開始時期につき感染症専門医へコンサルト
- 治療開始後，症状の逆説的な増悪がみられる場合あり；肺外結核や免疫再構築が並行している場合（例：抗レトロウイルス薬を開始したHIV⊕患者，免疫抑制薬を中止した患者など）でより頻度が高い；治療失敗の除外が必要（再培養，画像検査など）

抗結核薬		
薬物	投与量	副作用*
イソニアジド	300 mg PO qd	肝炎，末梢性ニューロパチー（Vit B$_6$同時投与でリスク↓），薬物誘発性ループス
リファンピシン	600 mg PO qd	体液のオレンジ色着色，消化器不調，肝炎，過敏症，発熱，薬物相互作用，禁酒
ピラジナミド	25 mg/kg PO qd	肝炎，高尿酸血症，関節炎
エタンブトール	15～25 mg/kg PO qd	視神経炎
ストレプトマイシン	15 mg/kg IM qd	聴器毒性，腎毒性
アミカシン	15 mg/kg IM qd	聴器毒性，腎毒性
キノロン系（モキシフロキサシン）	400 mg PO qd	消化器不調，腱障害，QTc↑

*すでに肝疾患がある場合，肝炎のリスク↑；中等度/重度の肝障害が出現した場合は感染症専門医へコンサルトし，ピラジナミド/イソニアジドの中止/変更を考慮

症例	結核治療レジメン
肺結核 地域のイソニアジド耐性率≥4%（米国のほぼ全域が該当）	感受性試験の結果が出るまで，イソニアジド＋リファンピシン＋ピラジナミド＋(エタンブトール) イソニアジドとリファンピシンに感受性➡イソニアジド＋リファンピシン＋ピラジナミド×2か月➡イソニアジド＋リファンピシン×4か月 耐性の場合は次行参照
薬物耐性結核 （イソニアジド耐性，リファンピシン耐性，多剤耐性/超多剤耐性）	感染症専門医へコンサルト（*NEJM* 2008;359:636）
肺外結核	感染症専門医へコンサルト
HIV⊕患者の結核	感染症専門医へコンサルト

治療期間は患者，病型，臨床的/微生物学的な改善度に応じて個別的に判断

HIV/AIDS

■定義と臨床症状
- 急性HIV症候群:伝染性単核球症様症候群➡発疹,リンパ節腫脹,発熱,口腔潰瘍,咽頭炎,筋痛,下痢;症状は感染後2〜6週間で現れる
- AIDS:HIV + CD4 < 200/mm^3 またはAIDS定義の日和見感染症や悪性腫瘍

■疫学
- 約100万人の米国人がHIVに感染(8人に1人は気付いていない);世界では3,600万人
- リスクが高いのは,男性同性愛者(MSM)とアフリカ系米国人
- 経路:性行為(リスクは性行為1回につき0.1〜1%/抗ウイルス薬投与なし),静注薬物乱用,輸血,針刺し(0.3%),垂直感染(15〜40%/抗ウイルス薬投与なし)

■予防内服 (*NEJM* 2015;373:2237, *Lancet* 2016;387:53, *J Infect Dis* 2018;218:16)
- **曝露前予防(PrEP)**:TDF/FTC 1日1回は,高リスク,アドヒアランスの高い人々に効果的で安全;以下のような異性愛者またはMSMでの使用:(1)既にパートナーが⊕とわかっている場合,(2)不定期なコンドーム使用,(3)6か月以内の性感染症の既往;針を共有する薬物静注者またはHIVの高リスク(*JAMA* 2019;321:2203);必要に応じたPrEPはMSMに効果的なオプション(44〜86%↓);✓腎障害,性感染症,3か月ごとのHIVステータス
- **曝露後予防(PEP)**:HIV⊕感染源からの高リスク曝露後72時間以内に開始する(HIVの状態が不明の場合はケースバイケースで決定);ベースラインでHIV,性感染症,HBV,HCVを検査する;治療:2つのNRTI(通常はTDF/FTC)+ラルテグラビルまたはドルテグラビル×4週間;PrEPの開始を検討する
- 治療は予防である;HIV患者の早期治療はパートナーへの感染を防ぐ(*NEJM* 2016;375:830);検出感度以下のウイルス量で避妊なしでの感染リスクは約0%(*JAMA* 2016;316:171, *Lancet HIV* 2018;5:e438)

■スクリーニングと診断
- 13〜64歳のすべての年齢で生涯に1回&妊娠ごとにスクリーニングする;高リスク該当者(静注薬物乱用者,風俗業者,MSM>1パートナー)はスクリーニングを毎年実施(*JAMA* 2018;320:379)
- **HIV抗体/p24抗原**(ELISAアッセイ):急性感染後1〜12週間で⊕;感度>99%;初期スクリーニング検査
- ⊕であれば次にHIV-1/2確認試験を実施する(*MMWR* 2013;62:489)
- 血漿中の**HIV RNA PCRウイルス量**:検出範囲は20〜1,000万コピー/mL;偽陽性率は約2%〔ただし通常は少コピー数;一方,初感染では著明な高値(>75万)〕
- **CD4数**:HIV⊕でも正常,HIV⊖でも低値のことがあり,診断的検査とはならない

■HIV⊕患者への初期アプローチ (*JAMA* 2018;320:379)
- HIV感染を確認し,治療選択,アドヒアランス,情報開示に関する話し合い
- 臨床検査:CD4,PCR,HIV遺伝型,全血算と白血球分画,Cr,電解質,LFT,HbA$_{1c}$と空腹時脂質;ツベルクリン試験/IFN-γ遊離試験,*Toxoplasma*,梅毒,*Chlamydia*と淋菌のスクリーニング検査;A/B/C型肝炎;G6PD(PCP予防内服必要な場合),子宮頸部細胞診/肛門管擦過物細胞診(男女とも);±CMV IgG,ベースラインCXR
- CD4値に関係なく**早期に抗レトロウイルス療法を開始する**(検査/遺伝型とHIV専門医からの指導を同日に受ける);死亡率を下げることにつながるため(*NEJM* 2015;373:795)
- レジメンは以下の通り:2つのNRTI(例:TAF+FTC)+インテグラーゼ阻害薬またはプロテアーゼ阻害薬/ブースター(例:ダルナビル/リトナビル)のいずれか

一般的な抗レトロウイルス薬		一般的な副作用
NRTI	アバカビル（ABC） エムトリシタビン（FTC） ラミブジン（3TC） テノホビル（TAFまたはTDF） ジドブジン（AZT）	消化管不耐性，リポアトロフィー，乳酸アシドーシス ABC：過敏症（3%）；✓HLA-B*5701 AZT：骨髄抑制（特に大球性貧血） TDF：腎毒性 TAG：腎毒性が減少
NNRTI	エファビレンツ（EFV） エトラビリン（ETR） ネビラピン（NVP） リルピビリン（RPV）	皮疹，肝炎，CYP450を誘導/阻害 EFV：中枢神経系への影響（抑うつを含む） NVP：皮疹，過敏症（リスク因子は女性，CD4>250，妊娠；その場合は避ける）
PI	アタザナビル（ATV） ダルナビル（DRV） ロピナビル/リトナビル（LPV/r） リトナビル（RTV）	消化管不耐性；肝障害；CYP450を阻害（スタチンとの併用注意）；2型DM；体幹性肥満；高脂血症（ATVでは少ない），心筋梗塞（*NEJM* 2007;356:1723） ATV：結晶尿➡腎結石 DRV：皮疹（10%）；サルファ薬との交差反応の可能性
FI	enfuvirtide（T20）	注射部位反応
EI	マラビロク（MVC）	めまい，肝障害；✓CCR5 tropismアッセイ
II	ビクテグラビル（BIC） ドルテグラビル（DTG） エルビテグラビル（EVG） ラルテグラビル（RAL）	下痢・その他の消化器系疾患；↑CPK DTG：メトホルミン濃度上昇，血糖モニター DTG：神経管欠損症
B	リトナビル（r）；コビシスタット（COBI）	薬物相互作用（CYP450を阻害）

NRTI：核酸系逆転写酵素阻害薬，NNRTI：非核酸系逆転写酵素阻害薬，PI：プロテアーゼ阻害薬，FI：融合阻害薬，EI：侵入阻害薬（CCR5阻害薬），II：インテグラーゼ阻害薬，B：ブースター（別の抗レトロウイルス薬に併用）；複数の多剤併用薬が存在する

●治療開始後の免疫再構築症候群（IRIS）のため，既存の日和見感染症（結核，MAC，CMV，その他）を一過性に悪化させる可能性がある；抗レトロウイルス薬の最初の4週間でのプレドニゾロン投与は結核関連IRISのリスクを下げる報告あり（*NEJM* 2018;379:1915）

■診断の確定したHIV⊕患者へのアプローチ
●病歴聴取と身体診察：皮膚粘膜，認知機能，日和見感染症，悪性腫瘍，性感染症；使用中の薬物
●抗レトロウイルス薬の見直し（過去と現在の）；いずれかを中止する必要がある場合は，耐性化のリスクを最小限にするためすべて中止
●治療失敗＝ウイルス量が検出限界未満まで下がらない，ウイルス量↑，CD4↓，臨床状態の悪化（ウイルス量が検出可能なら遺伝型/表現型検査を考慮）

日和見感染症の予防（https://aidsinfo.nih.gov/guidelines，*JAMA* 2018;320:379）		
日和見感染症	適応	一次予防
結核	ツベルクリン試験（≧5 mm）/IFN-γ遊離試験⊕，または高リスク曝露	リファンピシン×4か月（イソニアジドと非劣性であるが，薬物相互作用をチェック）またはイソニアジド＋Vit B₆×9か月

（次頁につづく）

PCP	CD4<200/mm³ または CD4<14%または 口腔カンジダ症	ST合剤DS錠/SS錠qdまたはDS錠3回/週、またはジアフェニルスルホン100 mg qd、またはアトバコン1,500 mg qd、またはペンタミジン300 mg吸入4週ごと
トキソプラズマ症	CD4<100/mm³かつ *Toxoplasma* IgG ⊕	ST合剤DS錠qd、またはジアフェニルスルホン50 mg qd+pyrimethamine 50 mg 1回/週+ロイコボリン25 mg 1回/週
MAC症	効果的な抗レトロウイルス薬を開始すれば予防内服は必要なし	
一次予防中止:抗レトロウイルス薬投与>3~6か月でCD4>治療開始閾値となった場合		
二次予防(治療した日和見感染症に対する寛解維持療法;薬物と投与量は日和見感染症の種類による)中止:臨床的寛解が得られるか、臨床的に安定でCD4数が3~6か月にわたり閾値以上の場合		

HIV感染/AIDSの合併症

CD4数	合併症
いかなるCD4数でも	インフルエンザ, HAV, HBV, HPV, VZV, 肺炎, 結核
<500	全身症状;非感染性疾患(脳血管疾患, 骨, 腫瘍) 皮膚粘膜:Kaposi肉腫;脂漏性皮膚炎;口腔毛状白板症;リンパ腫;カンジダ症;HSV 反復性細菌感染症, 結核(肺, 肺外);神経梅毒
<200	PCP, *Toxoplasma*, *Bartonella*, *Cryptococcus*, *Histoplasma* (地域により), *Coccidioides*
<50~100	CMV, MAC, CNSリンパ腫, PML, 死亡(<50は内科的エマージェンシー) 侵襲性アスペルギルス症, 細菌性血管腫症(播種性*Bartonella*感染)

■発熱
● 原因(*Infect Dis Clin N Am* 2007;21:1013)
 感染性(82~90%):MAC, 結核, CMV, PCP初期, *Histoplasma*, *Cryptococcus*, *Coccidioides*, *Toxoplasma*, 心内膜炎
 非感染性:リンパ腫, 薬物性;初期感染以外はHIVそのものによる発熱はまれ(<5%)
● 検査:CD4数, 症候, 疫学, 曝露歴に基づき選択
 全血算, 生化学, LFT, 血液培養, CXR, 尿検査, 好酸球と真菌の培養, ✓薬物使用歴, ✓胸腹部CT
 CD4<100~200➡血清*Cryptococcus*抗原, 腰椎穿刺, 尿中*Histoplasma*抗原, CMV PCR
 呼吸器症状➡CXR;血液ガス;喀痰培養(細菌, *Pneumocystis*, 抗酸菌);気管支鏡検査
 下痢➡便培養, 寄生虫検査, 抗酸染色;内視鏡検査による直接観察と生検
 血球減少➡骨髄生検(組織&穿刺液の抗酸菌・真菌培養を含む)

■皮膚病変
● 脂漏性皮膚炎;好酸球性毛包炎;**疣贅**(HPV);HSV, VZV;皮膚/軟部組織のMRSA感染症;疥癬;カンジダ症;湿疹;結節性痒疹;乾癬;薬疹;爪甲下爪真菌症(爪床)
● 伝染性軟属腫(ポックスウイルス):中心に臍形陥凹を伴う2~5 mm大の真珠様小丘疹

- **Kaposi肉腫**(HHV-8=Kaposi肉腫関連ヘルペスウイルス):圧迫によって消退しない赤紫色の結節性病変
- **細菌性血管腫症**(播種性 *Bartonella* 感染症):脆弱な青紫色の血管性丘疹

■眼病変
- **CMV網膜炎**(通常はCD4<50);治療:ガンシクロビル / バルガンシクロビル,ガンシクロビル眼内注入,cidofovir
- HZV,VZV,**梅毒**(CD4数に関係なし,神経梅毒として治療),*Toxoplasma*(通常はCD4<100)

■口腔病変
- **アフタ性潰瘍;Kaposi肉腫;口腔カンジダ症(鵞口瘡)**:通常は灼熱感 / 痛みを伴う凝乳様の斑状病変;**口腔毛状白板症**:無痛性乳頭増殖で,通常は舌の側縁に白色の被覆をみる(EBVによるが前癌性ではない)

■内分泌 / 代謝異常
- 性腺機能低下;副腎不全(CMV,MAC,結核,HIV,薬物誘発性);消耗性の**骨減少症 / 骨粗鬆症**(CD4数に関係なし);**脆弱性骨折**
- **リポジストロフィー**:中心性脂肪沈着,末梢性脂肪萎縮,脂質異常症,高血糖

■心血管病変 (*JACC* 2013;61:511)
- 冠動脈病変(HIVは独立したリスク);拡張型心筋症;肺高血圧症;心膜炎 / 心膜液
- VTE,脳卒中の発生率が高く,心筋梗塞後の転帰が悪い(*JAIDS* 2012;60:351, *Circ* 2013;127:1767)

■肺病変

画像所見	主な原因
正常	PCP初期
びまん性間質浸潤影	PCP,結核,ウイルス性 / 播種性真菌性肺炎
局所浸潤影 / 腫瘤影	細菌性 / 真菌性肺炎,結核,Kaposi肉腫
空洞性病変	結核,非結核性抗酸菌症,*Aspergillus* やその他の真菌感染症,細菌性肺炎(例:MRSA,*Nocardia*,*Rhodococcus*)
胸水	結核,細菌性 / 真菌性肺炎,Kaposi肉腫,リンパ腫

- **PCP(CD4<200)**(*NEJM* 1990;323:1444)
  全身症状,発熱,寝汗,労作時呼吸困難,乾性咳嗽
  CXR上の間質浸潤影,PaO_2↓,A-aDO_2↑,LDH↑,喀痰染色で*Pneumocystis*⊕,1,3-β-D-グルカン⊕
  PaO_2>70の場合:**ST合剤**(TMP換算15〜20 mg/kg)を3回に分割(平均投与量=DS錠2錠PO tid)
  PaO_2<70またはA-aDO_2>35の場合:ST合剤投与前に**プレドニゾロン**(40 mg PO bid;5日後から減量)
  HIVの喫煙者は日和見感染症よりも肺癌で亡くなる可能性が高い(*JAMA* 2017;177: 1613)

■胃食道 / 肝胆道病変
- **食道炎**:*Candida*,CMV(孤発性,蛇行状),HSV(多発性,小浅性),アフタ性潰瘍,ピル;口腔カンジダ症がない,または経験的抗真菌薬に不応性の場合は上部消化管内視鏡
- **腸炎**:細菌性(通常は急性;赤痢菌,*Salmonella*,*C. difficile*);原虫性(通常は慢性:*Giardia*,*Entamoeba*など);ウイルス性(CMV,アデノウイルス);真菌性(*Histoplasma*);MAC,HIV関連症;腸結核

- **消化管出血**：CMV, Kaposi肉腫, リンパ腫, *Histoplasma*；**直腸炎**：HSV, CMV, 鼠径リンパ肉芽腫, 淋菌
- **肝炎**：HBV, HCV, CMV, MAC, 結核, *Histoplasma*, 薬物誘発性
- **AIDS胆管症**：多くはCMV, *Cryptosporidium*, *Microsporidium*（CD4↓の場合）による

■腎病変
- **HIV関連腎症**（巣状分節性糸球体硬化症）；腎毒性薬物（例：テノホビル➡近位尿細管障害）

■血液／腫瘍性病変（*NEJM* 2018;378:1029）
- **貧血**：慢性炎症に伴う貧血, 感染／腫瘍の骨髄浸潤, 薬物毒性, 溶血
- **白血球減少症；血小板減少症**（骨髄浸潤, ITP）；感染症, **グロブリン↑**
- **非Hodgkinリンパ腫**：CD4数によらず頻度↑, ただしCD4↓とともに発生率↑
- **CNSリンパ腫**：CD4<50, EBV関連
- **Kaposi肉腫**（HHV-8）：CD4数によらず頻度↑, ただしCD4↓とともに発生率↑；MSMに多い
  皮膚粘膜（結節性病変）；肺（結節影, 浸潤影, 胸水, リンパ節腫脹）；消化管（出血, 閉塞）
- **子宮頸癌／肛門癌**（MSMでHPVの高リスク）；肝癌（HBV/HCVと関連）, 胃癌の発生率↑

■神経系病変
- **髄膜炎**：*Cryptococcus*（診断は髄液；血清 *Cryptococcus*抗原は感度90%）, 細菌性（*Listeria*を含む）, ウイルス性（HSV, CMV, 原発性HIV）, 結核, *Histoplasma*, *Coccidioides*, リンパ腫；**神経梅毒**（脳神経麻痺）
- **占拠性病変**：頭痛, 局所神経症状, 意識障害として発症
  検査：MRI；脳生検の適応となるのは*Toxoplasma*以外の原因が疑われる場合（*Toxoplasma*の血清学的検査⊖）, または*Toxoplasma*に対する2週間の経験的治療に反応しない場合（*Toxoplasma*であれば3日目までに50%, 14日目までに91%が反応；*NEJM* 1993; 329:995）

原因	画像所見	診断的検査
トキソプラズマ症	通常は大脳基底核の増強病変（多発する場合もあり）	*Toxoplasma*の血清学的検査⊕（感度約85%）
CNSリンパ腫	リング状増強病変（60%は単一病変）	髄液PCRでEBV⊕ SPECT/PET⊕
PML	白質の多発性非増強病変	髄液PCRでJCウイルス⊕
その他：膿瘍, ノカルジア症, *Cryptococcus*, 結核, CMV, HIV	多様	生検

- **AIDS認知症**：記憶喪失, 歩行障害, 痙性麻痺（通常はCD4↓の場合）
- **うつ**：自殺やうつ病の割合増加
- **脊髄症**：感染症（CMV, HSV）, **脊髄圧迫**（硬膜外膿瘍, リンパ腫）
- **末梢性ニューロパチー**：薬物性, HIV, CMV, 脱髄性

■播種性MAC症
- 発熱, 寝汗, 体重↓, 肝脾腫, 下痢, 汎血球減少；CD4<150では腸炎と腸間膜リンパ節炎, CD4<50では菌血症；治療：クラリスロマイシン／アジスロマイシン＋エタンブトール±リファブチン

■サイトメガロウイルス（CMV）
- 通常はCD4↓に伴う再活性化；網膜炎, 食道炎, 大腸炎, 肝炎, ニューロパチー, 脳炎；CMVウイルス量は⊖のこともあり；治療：ガンシクロビル, バルガンシクロビル, ホスカルネット, cidofovir

ダニ媒介疾患

所見によるダニ媒介疾患の鑑別

疾患	皮疹	白血球減少	貧血	血小板減少	肝酵素上昇
ライム病	80%：遊走性紅斑	−	−	−	+
ロッキー山紅斑熱	90%：手掌/足底の点状出血	−	+	+	+++
Borrelia miyamotoi	<10%	++	+	+++	+++
エーリキア症	25%：斑状丘疹, 点状出血	+++	++	++++	++++
アナプラズマ症	<5%	+++	+	+++	++++
バベシア症	−		+	++++（溶血性）	++++	+++

−：<15%, +：15〜25%, ++：25〜50%, +++：50〜75%, ++++：>75%

ライム病

■原因微生物
- **スピロヘータ**の*Borrelia burgdorferi*（*Anaplasma*, *Babesia*, *B. miyamotoi*との重複感染も考慮）
- **ダニ**（*Ixodes*属のマダニ）が媒介；通常，感染にはダニが**36〜48時間以上**付着している必要あり

■疫学
- 米国では最も一般的なベクター媒介性疾患；発生率は夏（5〜8月）に最大
- 症例の大部分はニューイングランド，中部大西洋沿岸，MN，WI，CA北部で発生
- 森林に近い藪でダニと接触することが多い

ライム病の臨床症状

病期	症状
stage 1（早期限局期） 感染後3〜30日間	病因：スピロヘータの局所感染による；全身症状：**インフルエンザ様症状** 皮膚（約80%）：**遊走性紅斑**＝中心の抜けた紅斑，径6〜38 cm；しばしば環状ではない
stage 2（早期播種期） 感染後数週間〜数か月	病因：スピロヘータ血症と免疫応答による 全身症状：疲労感，倦怠感，リンパ節腫脹，頭痛；発熱はまれ 皮膚：**多発性（1〜100個）の輪状病変≒遊走性紅斑** 関節（約10%）：**遊走性関節痛（膝関節，股関節）と筋痛** 神経（約15%）：脳神経障害（特に**顔面神経**），無菌性髄膜炎，多発性単神経炎（±疼痛），横断性脊髄炎 心臓（約8%）：**刺激伝導障害**，心筋心膜炎

（次頁につづく）

stage 3（晩期持続期）	病因：免疫応答による
感染後数か月〜年単位	皮膚（米国ではまれ）：慢性萎縮性肢端皮膚炎，脂肪織炎
	関節（約60%，特に未治療の場合）：**大関節の再発性単関節/少関節炎**（典型的には膝関節），滑膜炎
	神経（まれ！）：亜急性脳脊髄炎，多発ニューロパチー

(*CID* 2006;43:1089, *Lancet* 2012;379:461, *NEJM* 2014;370:1724)

■診断的検査
- 地域の流行状況に合致し，遊走性紅斑がある場合：検査の必要なし（血清⊖のことも多い）
- 遊走性紅斑がない場合（stage 2や3など）：2ステップ検査
  - 第1ステップ：ELISAスクリーニング（偽陽性あり，早期抗菌薬使用や感染から6週間以内では偽陰性もあり）
  - 第2ステップ：ELISA⊕ならウエスタンブロットで確認（特異度高い）
- 神経疾患の疑いがあれば髄液検査：（髄液IgG/血清IgG）/（髄液Alb/血清Alb）>1なら髄液抗体⊕とする

■治療（*NEJM* 2014;370:1724, *JAMA* 2016;315:1767&2461）
- **予防**：ダニに刺されないこと，防護服の着用，1日1回はダニの有無を確認，DEET
  以下のすべてを満たす場合のみ予防的抗菌薬使用：ドキシサイクリン 200 mg PO×1
  1. ダニ（*Ixodes scapularis*）の付着から36時間以上経過
  2. 地域のダニのライム病*Borrelia*保有率≧20%（流行地域での最盛期）
  3. ダニ咬傷から72時間以内にドキシサイクリン投与可
  4. ドキシサイクリンの禁忌（例：妊娠，アレルギー，<8歳）なし

  以上1〜4をすべて満たす場合，ライム病1症例の予防に必要なNNTは約50；ダニ咬傷後のドキシサイクリン予防内服なしでのライム病リスク1〜3%
  予防の有無にかかわらず，発熱，インフルエンザ様症状，皮疹（遊走性紅斑）を30日間はモニタリング

- **抗菌薬**（IDSA 2019）：臨床的に疑わしく，かつ流行地域で血清学的に⊕であれば投与（限局性の遊走性紅斑がなくても）
  - 限局型遊走性紅斑：**ドキシサイクリン** 100 mg PO bid×10日間（代替：セフロキシムまたはアモキシシリン×14日間，またはアジスロマイシン×7日間）
  - 関節炎：**ドキシサイクリン** 100 mg PO bid（代替：セフロキシムまたはアモキシシリン×28日）
  - 心筋炎または髄膜炎：**セフトリアキソン** 2 g 24時間静注またはドキシサイクリン 100 mg PO bid（静注と内服の違いは重症度，臨床的改善による）×2〜3週間

- 重症/難治性の症状，持続的な発熱，血球減少がある場合は共感染を考慮する

バベシア症

■原因微生物と疫学
- 寄生虫*Babesia microti*の感染による（米国）；*Ixodes*属のダニが媒介；輸血での伝播もあり
- ヨーロッパと米国（MN，WI，**MAの沿岸部と島嶼部**，NY，NJ，RI，CTに多い）で発生
- 発生率は6〜8月に最大（*MMWR* 2012;61:505）

■臨床症状（通常はダニとの接触から1〜4週間で発症；輸血による場合は<9週間）
- 無症状から，発熱，発汗，筋痛，頭痛，さらには重度の溶血性貧血，血色素尿症，死亡まで多彩（重症度は寄生虫血症の程度とほぼ相関）
- 重症化のリスク因子：**無脾症**，細胞性免疫不全，TNF阻害薬，年齢↑，妊娠

■診断（*NEJM* 2012;366:2397）
- 臨床症状＋**末梢血塗抹検査で赤血球内寄生虫を証明**
- 寄生虫が検出されずに症状が持続する場合は塗抹検査を再検（12～24時間ごと）
- 塗抹検査⊖でも臨床的疑いが濃厚な場合は血清PCR；血清IgGも有用だが偽陽性あり

■治療（*JAMA* 2016;315:1767）
- 軽症～中等症例にはアジスロマイシン＋アトバコン；**重症例では感染症医に相談**（クリンダマイシン/アジスロマイシン/アトバコン）
- 治療期間は患者による；免疫抑制患者はより長期の治療が必要なことが多い
- ＞10％の寄生虫血症，重度の溶血，SIRSでは交換輸血

エーリキア症/アナプラズマ症

■原因微生物
- グラム陰性偏性細胞内寄生体；**ヒト単球エーリキア症**では*E. chaffeensis*；**ヒト顆粒球アナプラズマ症**では*A. phagocytophilum*
- エーリキア症はダニの*Amblyomma americanum*, *Dermacentor variabilis*が媒介；アナプラズマ症は*Ixodes*属のダニが媒介

■疫学
- **エーリキア症**は米国の南東部，中南部；**アナプラズマ症**はニューイングランド，中部大西洋沿岸，MNで発生
- 発生率は春～初夏に最大；輸血での伝播あり

■臨床症状（通常はダニとの接触から3週間以内に発症）
- 無症状/非特異的：発熱，筋痛，倦怠感，頭痛，咳嗽，呼吸困難；しばしば急性発症
- 検査：白血球↓，血小板↓，トランスアミナーゼ↑，LDH↑，ALP↑，腎不全
- アナプラズマ症では細菌の重複感染により重症化する場合あり

■診断
- 急性期：末梢血塗抹検査で白血球内に桑実胚（まれ）；**PCR**；発症から時間が経過すれば血清学的検査

■治療（*JAMA* 2016;315:1767）
- 臨床的疑いに基づき治療開始；確定診断にはPCRが必要（すべての原因微生物を検出できるわけではない）
- ドキシサイクリン100 mg PO bid（多くは10日間）；48時間以内に解熱しなければ別の診断を考慮

ロッキー山紅斑熱

■原因微生物と疫学
- *Rickettsia rickettsii*（グラム陰性偏性細胞内寄生体）の感染による
- ダニ（*Dermacentor variabilis*, *D. andersoni*）が媒介；春～初夏に多い
- **中部大西洋沿岸，南東部，中西部**，ニューイングランド，北西部，カナダ，メキシコ，中南米で発生
- その他のリケッチア種も考慮：*R. akari*（リケッチア痘症），*R. conorii*（ボタン熱），*R. africae*（アフリカダニ熱），*R. felis*（ノミ媒介斑熱）

■臨床症状（通常はダニとの接触から1週間以内に発症）
- 非特異的：**発熱，頭痛**，意識障害，筋痛，悪心／嘔吐，時に腹痛
- 皮疹（発症後2〜5日）＝求心性：足首や手首に始まる➡体幹，手掌や足底；斑状疹➡斑状丘疹➡点状出血
- 重症例では血管炎，循環不全／ショック，終末臓器障害；高齢者に多い
- 治療しなければ死亡率は約75%，治療をしても（特に開始が遅れた場合）5〜10%（*NEJM* 2005;353:551）

■診断
- 通常は臨床所見に基づき診断；治療開始の遅れを防ぐため早期から疑うことが重要
- 急性期には**皮膚生検**でリケッチアを証明（感度約70%）；血清学的検査で⊕となるのは発症7〜10日後

■治療
- ドキシサイクリン100 mg PO bid（臨床的疑いがある場合は経験的に投与）

野兎病

■原因微生物
- 動物組織との接触，エアロゾル曝露，ダニ／昆虫咬傷を介した*Francisella tularensis*の感染による

■臨床症状（通常は曝露から2〜10日以内に発症）
- 急性発症する発熱，頭痛，悪心；進入部位の黒色痂皮を伴う潰瘍；リンパ節腫脹；肺炎

■診断と治療
- 培養は困難かつ危険を伴うので培養室に注意を促す；血清学的検査⊕となるのは発症から2週間後まで；研究室ではPCRが可能
- ストレプトマイシンまたはゲンタマイシン×7〜14日；診断が容易ではなく経験的治療を要することあり

発熱症候群

体温≧38℃

■診断へのアプローチ
- 詳細な病歴聴取：ROS（review of systems），既往歴／手術歴，予防接種歴（幼少時も含む）など
- **熱型**（解熱薬を中止）；次の場合は発熱しにくい：慢性腎疾患／肝疾患，乳幼児／高齢者，蛋白質・エネルギー栄養失調症，免疫抑制状態，ステロイド使用
- **曝露歴**：旅行歴，職業／趣味，動物や昆虫，性的接触，結核；年齢，地域，季節，潜伏期間も考慮
- **身体診察**：粘膜と結膜に重点を置いた詳細な診察；心雑音；肝脾腫；皮膚，性器，リンパ節，関節；脳神経徴候と髄膜徴候を含めた詳細な神経学的診察
- **皮疹がある場合**：部位，持続期間，外観の悪化／変化，前駆症状の有無

不明熱（FUO）

■定義と原因
- 3週間以上にわたり2回以上の**発熱**（上記の定義による）があり，1週間以上**診断がつかない場合**
- まれな疾患よりも，よくある疾患の非典型的な症状であることが多い
- HIV感染者：原因の＞75％は感染だが，HIVそのものによる発熱はまれ
- 疾患の局所徴候や進行を同定するには**こまめな再評価が必要**

分類	FUOの典型的な病因
感染症（約30％）	**結核**：播種性/肺外結核はCXR，ツベルクリン試験，喀痰抗酸染色が正常なことあり；生検（肺，肝，骨髄）での肉芽腫検出による粟粒結核の診断能は80〜90％ **膿瘍**：歯牙，傍脊柱，肝，脾，横隔膜下，膵，腎周囲，骨盤内，前立腺膿瘍/前立腺炎，虫垂炎 **心内膜炎**：HACEK群，*Bartonella*，*Legionella*，*Coxiella*を考慮 骨髄炎，副鼻腔炎，ライム病，腸チフス，原発性CMV/EBV感染症，マラリア，*Babesia*
結合組織病（約30％）	**GCA/PMR**：頭痛，頭皮痛，顎跛行，視覚障害，筋痛，関節痛，ESR↑ **成人発症Still病**：すみやかに消退する体幹部皮疹，リンパ節腫脹，咽頭炎，フェリチン↑↑ **PAN，ANCA⊕血管炎，その他の血管炎**；SLE，RA，乾癬性/反応性関節炎
腫瘍（約20％）	**リンパ腫**：リンパ節腫脹，肝脾腫，Hct↓，血小板↓，LDH↑；白血病，MDS **腎細胞癌**：顕微鏡的血尿，Hct↑ **肝細胞癌，膵癌，結腸癌，肉腫，肥満細胞症** 心房粘液腫：閉塞，塞栓症，全身症状
その他（約20％）	薬物，詐病，DVT/PE，血腫 甲状腺炎/甲状腺クリーゼ，副腎不全，褐色細胞腫 肉芽腫性肝炎（多様な原因），**サルコイドーシス**，菊池病，Behçet病 家族性地中海熱（腹膜炎，一時的発熱，胸膜炎；発作中の白血球↑とESR↑）；自然免疫系のその他の欠損

■精査
- 病歴聴取と身体診察：全血算と白血球分画，電解質，BUN/Cr，LFT，ESR，CRP，ANA，RF，クリオグロブリン，LDH，CK，SPEP，血液培養（抗菌薬中止し3セット採取），尿検査，尿培養，ツベルクリン試験/IFN-γ遊離試験，抗HIV抗体±PCR，異種親和性抗体（⊖ならばEBVの血清学的検査），CMV抗原，LFT異常があれば肝炎の血清学的検査
- 不要な薬物を中止し（薬物性の不明熱で好酸球↑/皮疹を認めるのは20％のみ），1〜3週間後に再評価
- 画像検査：CXR，胸腹部CT，標識白血球/ガリウムシンチ，PET，TTE，下肢血管エコーを考慮
- ESR↑かつ＞60歳では側頭動脈生検を考慮（特にその他の症候を伴う場合）
- 骨髄穿刺と骨髄生検（特に骨髄浸潤の徴候がある場合），肝生検（特にALP↑の場合）を考慮：局所徴候がなくても診断能は最大24％（組織病理診と培養）（*Archives* 2009;169:2018）
- 上記検査で検出された異常のフォロー（例：生検，MRIなど；スクリーニング目的ではなく診断のために施行）

■治療
- 経験的抗菌薬投与の**適応なし**（好中球↓の場合を除く）
- 経験的グルココルチコイド投与の適応なし(ある種のリウマチ性疾患を強く疑う場合を除く)
- 約30%の症例は診断未確定で，多くは自然に解熱（数週間〜数か月）

発熱と皮疹

■診断的検査へのアプローチ
- **髄膜炎菌血症，感染性心内膜炎，ロッキー山紅斑熱，敗血症，TSS**はすみやかな診断と治療を要する
- 精査：全血算と白血球分画，電解質，BUN/Cr，LFT，LDH，CK，尿検査，抗HIV抗体±PCR，血液培養（抗菌薬投与前に）
- 鑑別診断の絞り込み：皮疹の経過，広がり，形態学的分類
- **多形紅斑**：多くは手掌，足底，粘膜に対称性に現れる"標的状"病変
  感染性の原因：HSV-1/2, *Mycoplasma*, 梅毒，ダニ媒介疾患など
  非感染性の原因：薬物（例：NSAIDs，サルファ薬），悪性腫瘍，自己免疫疾患，リウマチ性疾患
- **結節性紅斑**：通常は下肢に対称性に現れる圧痛を伴う紅色〜青紫色の結節性病変
  感染性の原因：レンサ球菌，結核，EBV, *Bartonella*, HBV，オウム病，真菌，鼠径リンパ肉芽腫など
  非感染性の原因：サルコイドーシス，IBD，Behçet症候群，その他のリウマチ性疾患，妊娠/OCP服用
- 病歴聴取と身体診察；血清学的検査，ぬぐい液のウイルスPCR，抗原検査，場合によっては皮膚生検+小水疱/水疱内容液の検査
- 免疫抑制患者では病因はより多彩；患者はより迅速に，より幅広く検査を受けるべき；播種性または急速進行性の感染症による重症化のリスクが高い

特徴	考えられる病因
夏〜秋＞その他の季節	エンテロウイルス
冬	パルボウイルス，髄膜炎菌血症
春〜夏	麻疹/風疹，ライム病，ロッキー山紅斑熱
通年	アデノウイルス，*Mycoplasma*
ネコやイヌとの接触	*Bartonella*, *Pasteurella*, *Toxoplasma*, *Capnocytophaga*
ダニとの接触	ライム病，ロッキー山紅斑熱，エーリキア症，アナプラズマ症
＜30歳の成人	伝染性単核球症（EBV/CMV）
ワクチン未接種	麻疹，風疹，VZV，インフルエンザ
性交渉歴あり	HIV，梅毒，播種性淋菌感染症，HSV-2
非感染性の原因も考慮：アレルギー/DRESS症候群，DVT，静脈炎，血管炎，好中球性皮膚疾患，痛風，結合組織病，悪性腫瘍，異物反応	

■治療
- 経験的抗菌薬投与の適応なし（好中球↓または重症の場合を除く）
- 精査結果が出るまでの間には感染予防のための隔離を考慮する（水痘➡空気感染・接触，麻疹➡空気感染，髄膜炎菌➡飛沫など）

帰国した旅行者の発熱

渡航地/曝露	一般的な原因
サハラ以南アフリカ	**マラリア**≫デング熱，リケッチア感染症，腸疾患
東南アジア	デング熱＞マラリア，腸疾患（チフス菌），チクングニア熱
中南米	腸疾患，マラリア，デング熱，ジカ熱
カリブ海＆メキシコ	デング熱≫チクングニア熱＞マラリア；ジカ熱も考慮する
中東	中東呼吸器症候群（MERS）
淡水での水泳	住血吸虫症，レプトスピラ症
未浄化の飲料水	腸疾患（大腸菌≫チフス菌，*Campylobacter*，E型肝炎＞コレラ菌），アメーバ性肝膿瘍
ワクチン未接種	A/B型肝炎，腸チフス，インフルエンザ，麻疹，風疹，黄熱
動物咬傷	狂犬病
アフリカのサファリ	リケッチア感染症，アフリカトリパノソーマ症
＜30歳の成人	伝染性単核球症（EBV/CMV）

(*NEJM* 2017;376:548)

- 海外の友人や親類を訪問した患者は旅行中に病気にかかっている可能性が高い
- 新興の病原微生物：インフルエンザは熱帯では通年流行；チクングニア熱とデング熱は伝播の盛んな地域で，出血熱はおもにアフリカ中部で流行
- 家庭内での感染，性感染症，非感染性の原因も考慮；腸管寄生虫による発熱はまれ

■代表的な臨床症状
- **エボラ**：エボラ伝播地域からの旅行者における21日以内の発熱；隔離＆州保健衛生局に連絡（http://www.cdc.gov/vhf/ebola）
- **マラリア**：非特異的症状（下痢，筋痛，咳嗽，精神状態の変化）
- **デング熱**：非特異的症状（頭痛，激しい筋痛，皮疹／点状出血）
- **チクングニア熱**：関節痛，中等度の筋痛，発熱などの非特異的症状
- **腸チフス**（*Lancet* 2015;385:1136）：便秘，腹痛，場合によっては皮疹，比較的徐脈
- **リケッチア感染症**：頭痛，筋痛，リンパ節腫脹，場合によっては皮疹／刺し口
- **ジカ熱**：発熱，皮疹，関節痛，頭痛，結膜炎（http://www.cdc.gov/zika）

■精査
- **ルーチン検査**：全血算と白血球分画，電解質，LFT，血液培養，尿検査，マラリア迅速検査
- **マラリア流行地域からの帰国者の発熱は別の診断がつくまではマラリアと考える；内科的エマージェンシーと捉える➡入院と経験的治療**；塗抹試験が1回⊖であってもマラリアは除外できない
- その他の検査は，症候，検査値，曝露歴，潜伏期間，地域性，季節性に応じて選択；寄生虫検査，CXR，フィラリア/*Babesia*/*Borrelia*の末梢血塗抹検査，血清学的検査，性感染症とHIV，ツベルクリン試験/IFN-γ遊離試験，骨髄穿刺，リンパ節/皮膚病変の生検，腰椎穿刺

第7章
内分泌

下垂体疾患

下垂体機能低下症 (Lancet 2016;388:2403)

■病因
- **原発性**:手術,放射線(平均4〜5年後に発症),腫瘍(原発性/転移性),感染症,浸潤(サルコイドーシス,ヘモクロマトーシス),自己免疫性,虚血(分娩時の下垂体虚血によるSheehan症候群を含む),頸動脈瘤,海綿静脈洞血栓症,外傷,薬物治療(イピリムマブなど),下垂体卒中
- **二次性**(視床下部/下垂体茎の障害):腫瘍(頭蓋咽頭腫など),感染症,浸潤,放射線,手術,外傷

■臨床症状
- **ホルモン欠乏**:ACTH,TSH,FSH/LH,GH,プロラクチン,ADH
- **汎下垂体機能低下症**:ADHも含めた種々のホルモン系統の低下
- **圧排症状**:頭痛,視野欠損,脳神経麻痺,乳汁漏出

■中枢性副腎不全:ACTH↓
- 原発性副腎不全に類似(「副腎疾患」の項参照),ただし以下の点で異なる
  塩分渇望や低K血症なし(アルドステロン分泌は維持されているため)
  色素沈着なし(ACTH↑/MSH↑はないため)

■中枢性甲状腺機能低下症:TSH↓
- 原発性中枢性甲状腺機能低下症に類似(「甲状腺疾患」の項参照),ただし甲状腺腫はみられない
- 診断:TSHに加えてfT$_4$も測定(TSHは低値もしくは不適切に正常なこともあるため)

■低プロラクチン血症:プロラクチン↓
- 乳汁分泌低下

■成長ホルモン分泌不全症:GH↓
- 骨粗鬆症の長期リスク↑,疲労感,体重↑
- 診断:適切な刺激(例:インスリン負荷試験,グルカゴン負荷試験,マシモレリン刺激試験)にもかかわらずGH↑なし
- 成人に対するGH補充には議論あり(Annals 2003;35:419)

■中枢性性腺機能低下症:FSH & LH↓
- 臨床症状:リビドー↓,インポテンス,希発月経/無月経,不妊,筋肉量↓,骨粗鬆症
- 身体診察:精巣サイズ↓;腋毛,陰毛,体毛の脱落
- 診断:午前中のテストステロンまたはエストラジオール↓(特に肥満患者ではSHBGも測定);FSH/LHは↓/正常(急性疾患では検査値がすべて低下;∴入院患者では測定しない)
- 治療:テストステロンまたはエストロゲンの補充vs. 基礎にある原因の是正

■中枢性尿崩症：ADH↓
- 通常はトルコ鞍外の占拠病変による；下垂体腫瘍による尿崩症はまれ
- 臨床症状：重度の多尿症，軽度の高Na血症（水分摂取が困難な患者では重症化しやすい）
- 診断的検査：「ナトリウム（Na）と水の恒常性」の項参照

■下垂体卒中（*Endocr Rev* 2015;36:622）
- 下垂体腫瘍の出血や梗塞に伴う急速増大（腺腫に典型的）
- 耐え難い頭痛，複視，下垂体機能低下症
- 治療：急速大量グルココルチコイド投与；重篤な神経障害や意識障害があった際には迅速な外科的除圧手術；中等症の場合は保存的治療

■診断的評価
- **内分泌学的検査**
  慢性期：標的腺ホルモン↓＋上位の下垂体ホルモン↓／正常
  急性期：標的腺ホルモンは正常なこともある
  汎下垂体機能低下症よりも部分的下垂体機能低下症が一般的
- **下垂体MRI**：下垂体専用（造影）のプロトコールが推奨される

■治療
- **欠乏している標的腺ホルモンの補充**
- 入院患者で発見と治療が最も重要なホルモン欠乏症は副腎不全と甲状腺機能低下症；両方が併存する場合，副腎クリーゼへの進展を防ぐため，まずグルココルチコイド治療を行ってから甲状腺ホルモンを補充

下垂体機能亢進症

■下垂体腺腫（*JAMA* 2017;317:516）
- 病態生理：腺腫➡刺激ホルモンの過剰分泌（機能性腺腫の場合；ただし30～40％は非機能性）；その他の刺激ホルモンは圧排効果による欠乏の可能性；プロラクチノーマの10％はプロラクチンとGHを共分泌
- 臨床症状：ホルモン過剰分泌による症候群（下記参照）
  ±圧排症状：頭痛，視覚変化，複視，脳神経障害
- 検査：下垂体プロトコールでの脳MRI，ホルモンレベル，±視野検査
  <10 mmで圧排症状や内分泌学的異常がなければ，3～6か月ごとの経過観察

■高プロラクチン血症（*NEJM* 2010;362:1219, *JCEM* 2011;96:273）
- 病因
  プロラクチノーマ（下垂体腺腫の50％）
  プロラクチノーマ以外の腺腫による下垂体茎圧迫➡ドパミンによる抑制↓➡プロラクチン↑（軽度）
- 生理学：プロラクチンは乳汁分泌を促進しGnRHを阻害➡FSH↓，LH↓
- 臨床症状：**無月経，乳汁漏出，不妊**，リビドー↓，インポテンス
- 診断的検査：
  プロラクチン↑（空腹時），ただしさまざまな他の理由でも上昇；∴以下の病態を除外：妊娠，外因性エストロゲン，甲状腺機能低下症，ドパミン作動薬（例：抗精神病薬，制吐薬），腎不全（クリアランス↓），肝硬変，ストレス，高糖質食↑；hook effectに注意：きわめて高いプロラクチン値の場合は，アッセイのアーチファクトで偽性低値を呈する場合がある；その場合はサンプルを希釈して再検査する
  下垂体プロトコールでのMRI
- 治療
  症状（頭痛，乳汁漏出，性腺機能低下症状）のない微小腺腫（<10 mm）であれば，MRI

による経過観察

有症状または巨大腺腫(≧10 mm)の場合は,下記の治療選択肢:
　内科的治療:カベルゴリン(奏効率70～100%)やブロモクリプチン(忍容性が比較的低い)などのドパミン作動薬;副作用として悪心/嘔吐,起立性低血圧,鼻閉
　外科的治療:経蝶形骨洞手術(主な適応:内科的治療に反応しないか忍容性なし,GHの共分泌,神経症状の改善なし);再発率10～20%
　放射線治療:内科的治療と外科的治療に反応しないか忍容性のない場合

■ 先端巨大症(GH↑;下垂体腺腫の10%)(*NEJM* 2006;355:2558, *JCEM* 2014;99:3933)
● 生理学:IGF-1分泌のGHによる刺激
● 臨床症状:軟部組織↑,関節痛,顎の突出,頭痛,手根管症候群,巨舌,嗄声,睡眠時無呼吸,無月経,インポテンス,糖尿病,表皮肥厚/糸状線維腫,発汗↑,高血圧/心筋症,大腸ポリープ
● 診断的検査:GHは脈動的に分泌されるので,ランダムに測定した検査値には意味がない
　IGF-1(ソマトメジンC)↑;±プロラクチン↑;75 g OGTT➡GHは＜1 ng/mL(新しい試験法では＜0.3 ng/mL)まで抑制されない;下垂体MRIで腫瘍を評価
● 治療:**手術**,オクトレオチド(長時間作用型と短時間作用型の製剤あり),ドパミン作動薬(プロラクチンの共分泌がある場合),ペグビソマント(GH受容体拮抗薬),放射線照射
● 予後:治療しなければ死亡率は2～3倍,下垂体不全や結腸癌のリスク

■ Cushing病(ACTH↑):下垂体腺腫の10～15%(「副腎疾患」の項参照)

■ 中枢性甲状腺機能亢進症(TSH↑, αサブユニット↑):非常にまれ(「甲状腺疾患」の項参照)

■ FSHおよびLH↑:通常は非機能性腺腫による圧排効果で下垂体機能低下症として発症

MEN症候群	
病型	主な特徴
1型(*MENIN*不活性化)	副甲状腺過形成/腺腫➡高Ca血症(浸透率はほぼ100%) 膵島細胞腫(ガストリン,VIP,インスリン,グルカゴン) 下垂体腺腫(機能性/非機能性)
2A型(*RET*癌原遺伝子異常)	甲状腺髄様癌 褐色細胞腫(約50%) 副甲状腺過形成➡高Ca血症(15～20%)
2B型(*RET*癌原遺伝子異常)	甲状腺髄様癌 褐色細胞腫(約50%) 粘膜神経腫,消化管神経腫

多腺性自己免疫症候群(APS)(*NEJM* 2018;378:1132)	
病型	特徴
1型(小児)	皮膚粘膜カンジダ症,副甲状腺機能低下症,副腎不全
2型(成人)	副腎不全,自己免疫性甲状腺疾患,1型DM

甲状腺疾患

甲状腺異常における基本的な診断的検査

検査	説明
甲状腺刺激ホルモン (TSH)	原発性甲状腺機能低下症/亢進症の検出感度が最も高い検査 **甲状腺疾患の第一のスクリーニング検査として使用** ドパミン,ステロイド,重症疾患で↓ 中枢性甲状腺機能低下の場合は正確でない(不適切に正常なこともある)
遊離サイロキシン (fT$_4$)	未結合のT$_4$,サイロキシン結合グロブリン(TBG)の影響を受けない;甲状腺機能亢進症&中枢性甲状腺機能低下症を含め,多様な甲状腺の状態の評価に使用
総トリヨードサイロニン (T$_3$)	血清T$_3$の総濃度(リオチロニン);甲状腺機能亢進症の評価に有用
抗TPO抗体	抗甲状腺ペルオキシダーゼ(TPO)は橋本病(高抗体価),無痛性甲状腺炎やBasedow病(Graves病;低抗体価)でみられる

(*Lancet* 2001;357:619, *Thyroid* 2003;13:19)

甲状腺異常における専門的な診断的検査

検査	説明
総T$_4$	血清中の総濃度(∴TBGの影響を受ける);TSHやfT$_4$が正確でないと考えられたときに測定する
fT$_3$	未結合のT$_3$;臨床的な有用性は低い
rT$_3$	不活性;甲状腺機能正常症候群で↑,臨床で使用するのはまれ
甲状腺刺激抗体 (TSI)	甲状腺刺激抗体(TSIまたはTSAb)や抗TSHレセプター抗体(TBIIまたはTRAb)はBasedow病でみられる;Basedow病診断時には高抗体価
サイログロブリン	甲状腺腫,甲状腺機能亢進症,甲状腺炎で↑ 甲状腺ホルモン服用で↓ 甲状腺全摘出術後や放射性ヨウ素治療後には甲状腺癌の腫瘍マーカーとなる
サイロキシン結合グロブリン(TBG)	**TBG↑**(∴T$_4$↑):エストロゲン(OCP,妊娠),肝炎,オピオイド,遺伝性 **TBG↓**(∴T$_4$↓):アンドロゲン,グルココルチコイド,腎炎症候群,肝硬変,先端巨大症,抗てんかん薬,遺伝性
放射性ヨウ素取り込みスキャン(RAIU)	甲状腺機能亢進症の原因の鑑別に有用 **取り込み↑**:Basedow病,多結節性甲状腺腫,高摂取結節 **取り込みなし**:亜急性(de Quervain)/無痛性甲状腺炎,甲状腺ホルモン服用,最近のヨウ素負荷,卵巣甲状腺腫,抗甲状腺薬服用

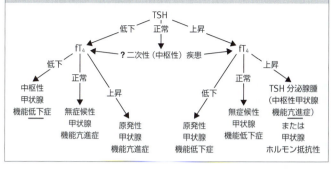

図7-1 甲状腺疾患へのTSHからのアプローチ

甲状腺機能低下症

■病態生理
- 原発性（甲状腺機能低下症の>90%；fT₄↓, TSH↑）
  甲状腺腫性：**橋本甲状腺炎**（甲状腺炎における甲状腺機能亢進症からの回復期）, ヨウ素欠乏, リチウム, アミオダロン
  非甲状腺腫性：外科的破壊, 放射性ヨウ素治療後/放射線照射後, アミオダロン
- 二次性（中枢性）：fT₄↓；TSHは低値, 不適切に正常〜やや高値（異常な糖鎖付加のため機能的には不活性）；視床下部/下垂体不全

■橋本甲状腺炎
- 斑状のリンパ球浸潤を伴う自己免疫性の破壊
- 他の自己免疫疾患に併発したり, 多腺性自己免疫症候群2型（APS type2）の一部の可能性もある
- 抗TPO抗体と抗サイログロブリン抗体が>90%で⊕

■臨床症状 (Annals 2009;151:ITC61)
- **早期**：筋力↓, 疲労感, 関節痛, 筋痛, 頭痛, 抑うつ, 寒冷不耐性, 体重↑, 便秘, 月経過多, 皮膚の乾燥, 硬く脆い毛髪, 脆い爪, 手根管症候群, 腱反射遅延（"hung up" reflexes）, 拡張期高血圧, 高脂血症
- **晩期**：緩慢な発話, 嗄声, 眉毛外側1/3の脱落, **粘液水腫**（グリコサミノグリカン↑による非圧痕浮腫）, 眼窩周囲浮腫, 徐脈, 胸水・心囊液・腹水, アテローム性動脈硬化
- **粘液水腫クリーゼ**：低体温, 低血圧, 低換気, 意識障害（昏睡を含む）, 低Na血症, 低血糖；感染症や重度の心肺/神経疾患により誘発されることが多い (Med Clin N Am 2012;96:385)

■診断的検査 (Lancet 2017;390:1550)
- fT₄↓；原発性甲状腺機能低下症ではTSH↑；橋本甲状腺炎では抗TPO抗体⊕
- 低Na血症, 低血糖, 貧血, LDL↑, HDL↓, CK↑
- 妊娠女性に対するスクリーニングを推奨

■顕性甲状腺機能低下症の治療
- レボチロキシン（T₄製剤, 1.5〜1.7μg/kg/日）；TSHを5〜6週間ごとに再検し, 甲状腺機能正常化まで投与量を調節（数か月かかることもある）
- 虚血性心疾患のリスクのある患者/高齢者では低用量（0.3〜0.5μg/kg/日）から開始

- ●増量が必要な場合：
  消化管からの吸収低下：吸収低下と関連する薬物（鉄剤やCa剤，コレスチラミン，スクラルファート，PPI），セリアック病，IBD
  T₄の代謝を促進する薬物（例：フェニトイン，フェノバルビタール）
  エストロゲン補充療法開始；妊娠（8週までに約30%↑）：TSHの管理目標は妊娠初期＝0.1～4.0 mIU/L，妊娠中期＆後期＝TSHが非妊娠期の正常範囲内に徐々に戻る（*Thyroid* 2017;3:315）

■潜在性甲状腺機能低下症（*NEJM* 2017;376:2556, *JAMA* 2019;322:153）
- ●TSH軽度↑，**fT₄正常**，症状は軽微か無症状
- ●TSH<7 mIU/Lまたは抗TPO抗体⊖の場合，2年後には約半数が甲状腺機能正常となる（*JCEM* 2012;97:1962）
  抗サイログロブリン抗体価↑の場合，顕性甲状腺機能低下症への進展率は年間約4%
- ●治療の有用性は不明（*NEJM* 2017;376:2534）；実臨床においては経過観察，もしくは軽微な症状／脂質異常症を有する場合に治療；専門家はTSH>10 mIU/L，甲状腺腫，妊娠，不妊で治療開始とすることが多い

■粘液水腫性昏睡（重度の甲状腺機能低下症）（*Med Clin North Am* 2012;96:385）
- ●症状：低体温，低血圧，低換気，意識障害（昏睡を含む），低Na血症，低血糖；感染症や重度の心肺／神経疾患により誘発されることが多い
- ●治療：対症療法が最も重要；薬物の代謝遅延が昏睡をきたしうる；甲状腺機能低下の改善には時間を要する；T₄ 5～8μg/kg IVで負荷投与後，50～100μg IV qd；徐脈と低体温を伴う不安定な症例では末梢での変換（T₄→T₃）が抑制されているため，T₃ 5～10μg IV 8時間ごとでも可（T₃は不整脈を誘発しやすい）；粘液水腫性昏睡では副腎機能が低下しているため，最初に**経験的な副腎ホルモン補充**をすべきである

甲状腺機能亢進症

■病態生理（*Lancet* 2012;379:1155）
- ●**Basedow病**（甲状腺中毒症の60～80%）
- ●**甲状腺炎**：亜急性（肉芽腫性）／無痛性（リンパ球性）甲状腺炎の中毒症期
- ●**中毒性腺腫**（単結節性／多結節性の甲状腺腫）
- ●きわめてまれ：TSH分泌下垂体腺腫，または甲状腺ホルモンに対する下垂体の不応性（TSH↑，fT₄↑）
- ●その他：アミオダロン，ヨウ素誘発性，甲状腺薬中毒症，卵巣甲状腺腫（卵巣の類皮腫と奇形腫の3%），hCG分泌腫瘍（例：絨毛癌），転移性甲状腺濾胞癌の巨大病巣

■臨床症状
- ●不穏，発汗，振戦，湿潤で温かな皮膚，細い毛髪，頻脈，心房細動，体重減少，便通頻度↑，月経不順，腱反射亢進，骨粗鬆症，上眼瞼挙上と眼瞼弛緩遅延（交感神経過活動による）
- ●**無欲性甲状腺中毒症**：高齢者においては嗜眠や無気力などが唯一の症状のことがある

■検査
- ●**fT₄，fT₃↑；TSH↓**（TSH分泌腫瘍を除く）
- ●**RAIU**は原因鑑別のための検査として非常に有用（「甲状腺疾患」の診断的検査の表参照）；IV造影剤やアミオダロンを最近使用した場合は施行できないので（ヨウ素の取り込みが阻害される），代わりに自己抗体検査
- ●自己抗体検査が必要なことはまれ；ただし妊娠女性を除く（胎児Basedow病のリスク評価のため）
- ●高Ca尿症±高Ca血症，ALP↑，貧血

図7-2 原発性甲状腺機能亢進症の精査

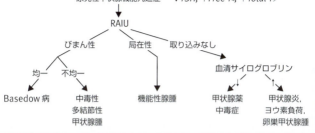

■ **Basedow病**（*NEJM* 2016;375:1552）
- 女性：男性＝5～10：1，患者のほとんどは40～60歳時に診断
- **抗甲状腺抗体⊕**：TSAb，TRAb（80％以上で⊕），抗TPO抗体，抗サイログロブリン抗体，ANA
- 甲状腺機能亢進症（上記参照）の臨床症状に加え
  甲状腺腫：びまん性，無痛性；甲状腺雑音を聴取
  甲状腺眼症（*NEJM* 2010;362:726）：50％にみられる（正式な検査では最大90％）
    眼窩周囲浮腫，眼瞼後退，眼球突出，結膜炎，複視（外眼筋運動障害）；喫煙との関連あり；
    上眼瞼挙上と眼瞼弛緩遅延はあらゆる種類の甲状腺機能亢進症に認められる
  前脛骨粘液水腫（3％）：浸潤性皮膚障害

■ **甲状腺炎**（*NEJM* 2003;348:2646, *Med Clin N Am* 2012;96:223）
- **急性**：細菌感染症（術後を除き米国では非常にまれ）；典型的にはブドウ球菌/レンサ球菌
- **亜急性**：一過性の甲状腺中毒症➡一過性の甲状腺機能低下症➡甲状腺機能正常
  有痛性（ウイルス性，肉芽腫性，de Quervain病）：発熱，ESR↑；治療＝NSAIDs，アスピリン，ステロイド
  無痛性（分娩後，橋本甲状腺炎など自己免疫性，リンパ球性）：無痛，抗TPO抗体⊕；分娩後のものは次回以降の妊娠で再発することあり
  その他：薬物（アミオダロン，リチウム，TKI），触診甲状腺炎，放射線照射後

■ **治療**
- **β遮断薬**：頻脈のコントロール（プロプラノロールはT_4➡T_3変換も阻害）
- **Basedow病**：抗甲状腺薬または放射性ヨウ素（*JAMA* 2015;314:2544）
  チアマゾール：1年再発率70％；副作用として瘙痒，皮疹，関節痛，発熱，悪心/嘔吐，無顆粒球症（0.5％）
  プロピルチオウラシル：第2選択薬（肝細胞壊死のリスク；tidで投与；効果発現は遅い；*JCEM* 2007;92:2157）
    いずれの場合も投与前後に肝機能，白血球，TSHをチェック
  放射性ヨウ素（*NEJM* 2011;364:542）：通常は外来で投与；甲状腺中毒症を防ぐため，心血管疾患のある患者/高齢者には抗甲状腺薬で前治療を行い，放射性ヨウ素治療の3日前に中止して取り込みを促進；治療を受けた患者の＞75％が甲状腺機能低下症となる
  手術：Basedow病に対してはあまり一般的ではなく，通常は閉塞性甲状腺腫/甲状腺眼症のある患者が対象
- **甲状腺眼症**：放射性ヨウ素治療後に増悪することあり；高リスク患者ではプレドニゾロンによる予防；放射線照射や眼窩減圧術で治療できる場合あり（*NEJM* 2009;360:994）
- **中毒性腺腫，中毒性多結節性甲状腺腫**：放射性ヨウ素/手術（放射性ヨウ素治療前の一部の患者では，術前にチアマゾール投与）

■ 潜在性甲状腺機能亢進症（*NEJM* 2018;378:2411）
- TSH軽度↓，fT₄正常，症状は軽微か無症状
- 約15%➡2年以内に顕性甲状腺機能亢進症；AF，CAD，骨折リスク↑（*JAMA* 2015;313:2055）
- 治療には議論あり：TSH＜0.1 mIU/Lかつ，心血管疾患/骨粗鬆症のリスクが高い患者では考慮

■ 甲状腺クリーゼ（非常にまれ）（*JCEM* 2015;2:451）
- 臨床症状：せん妄，発熱，頻脈，収縮期高血圧を認めるが脈圧が高くMAP↓，消化管症状；死亡率20〜50%
- 診断：世界的に受け入れられた診断基準はない；甲状腺ホルモン高値＋重篤な症状，常にその症状を説明しうる/関連しうる他の疾患を検討すること
- 治療：β遮断薬，プロピルチオウラシル/チアマゾール；プロピルチオウラシル投与から1時間以上あけて経口造影剤（訳注：日本では使用不可）/無機ヨウ素（Wolff-Chaikoff効果を考慮）；±ステロイド（T₄➡T₃変換↓）

非甲状腺疾患（甲状腺機能正常症候群）（NTI）
（*J Endocrinol* 2010;205:1）

- 非甲状腺疾患の重症患者にみられる甲状腺機能検査（TFT）異常（∴急性疾患では甲状腺疾患の疑いが濃厚な場合のみTFT）；一過性の中枢性甲状腺機能低下症の可能性
- 重症患者で甲状腺機能異常が疑われる場合，TSHのみでは信頼性が低い；T₄，fT₄，T₃を併せて測定
- 軽症疾患：T₄➡T₃変換↓，rT₃↑➡T₃↓
  重症疾患：TBGおよびAlb↓，rT₃↑↑➡T₃↓↓，T₄の分解↑，中枢性TSH↓➡T₃↓↓，T₄↓↓，fT₄↓，TSH↓
- 回復期：T₄の回復に伴って最初にTSH↑，続いてT₃↑
- T₃↓，T₄↓の重症患者にはT₄補充は有用でなく推奨されない（甲状腺機能低下症のその他の症候がなければ）

アミオダロンと甲状腺疾患

■ 概略（*JCEM* 2010;95:2529）
- 200 mg錠あたりヨウ素6 mgを含有；低用量であれば甲状腺機能不全のリスクは低い
- TSHの検査：アミオダロン開始前，投与中は4か月ごとに，中止後は1年間

■ 甲状腺機能低下症（約10%に発症；ヨウ素摂取量の多い地域ではより高頻度）
- 病態生理
  (1) Wolff-Chaikoff効果：ヨウ素負荷により，ヨウ素取り込み↓，T₄とT₃の合成と放出↓
  (2) T₄➡T₃変換の阻害
  (3) ?直接的/免疫学的機序による甲状腺破壊
- 正常な人：T₄↓；その後，Wolff-Chaikoff効果からエスケープし，T₄↑，T₃↓，TSH↑；その後TSH正常化（1〜3か月後）
- 罹患しやすい人（例：潜在性橋本甲状腺炎，∴抗TPO抗体の測定）：エスケープ現象なし
- 治療：T₄でTSH正常化を目指す；通常用量よりも多く必要な場合あり

■ 甲状腺機能亢進症（アミオダロン使用中の患者の3%；ヨウ素摂取の不足しやすい地域では約10〜20%）

- 1型=多結節性甲状腺腫または自律性甲状腺組織が基礎
  Jod-Basedow効果：ヨウ素負荷→甲状腺組織でのT_4/T_3**合成**↑
- 2型=破壊性甲状腺炎
  すでに合成済のT_4/T_3の**放出**↑➡甲状腺機能亢進症➡甲状腺機能低下症➡回復
- Dopplerエコー：1型では甲状腺血流量↑；2型では血流量↓
- 治療：アミオダロンを中止する必要は必ずしもない（アミオダロンがT_4➡T_3変換を抑制するため）
  1型にはチアマゾール；2型にはステロイド（例：プレドニゾロン40 mg/日）
  鑑別はしばしば困難であり，通常は両方の型の治療を開始（JCEM 2001;86:3）
  重症患者では甲状腺切除を考慮

甲状腺癌 (NEJM 2015;373:2347, Thyroid 2016;26:1)

■甲状腺結節 (JAMA 2018;319:914)
- 有病率5～10%（エコーによるスクリーニングでは50～60%）；女性＞男性，約7～15%は悪性
- エコーによるスクリーニングを推奨：MEN 2型/甲状腺髄様癌の家族歴，頸部放射線照射の既往，触知可能な結節/多結節性甲状腺腫の場合
- 悪性腫瘍の高リスクを示唆する特徴：＜20歳または＞70歳，男性，頸部放射線照射の既往，硬く非可動性の腫瘤，頸部リンパ節腫脹，嗄声
- 良性を示唆する超音波検査所見：嚢胞性結節，"スポンジ状"のエコーパターン
- 気になる所見：低エコー，充実性，境界不明瞭，微小石灰化，高さ＞幅＞20 mm
- FNAの適応：結節＞10 mmや気になる所見があるとき

■甲状腺乳頭癌
- 最も多い（甲状腺分化癌の85%）；30～50歳が好発年齢
- リスク因子：幼少期の被曝，第一近親の家族歴：家族性の場合がある
- 低悪性度，致死率は20年間で1～2%；頸部リンパ節転移が多いが，予後は良い
- 治療は手術療法；外科的切除後に，中等度か高リスクの場合はRAI治療を考慮（Lancet 2013;381:1046＆1058）

■甲状腺濾胞癌
- 好発年齢40～60歳，女性3：男性1
- リスク因子：幼少期の放射線治療，家族歴：家族性の場合がある
- 致死率は20年間で10～20%；血行性の遠隔転移がしばしば起こる
- Hurthle細胞癌：病理学的に診断；変異によっては予後不良で再発率↑

■甲状腺未分化癌 (Endo Metab Clin North Am 2008;37:525)
- 女性1.5～2：男性1，未分化できわめて進行性が高く，致死率は5年で90%
- 急速増大する頸部の可動性のない硬い腫瘍で，診断時に90%は局所・遠隔転移している
- 治療方法としては，外科的手術，放射線療法，気管切開術，化学療法，治験

■甲状腺髄様癌
- C細胞の神経内分泌腫瘍，好発年齢40～60歳，MEN2AやMEN2Bに関連
- 典型的には単結節；カルシトニン産生やその推移は病期の進行判定に有用，FNAで診断（感度50～80%）；致死率5年で25～50%
- 治療の第1選択は手術

副腎疾患

Cushing症候群（高コルチゾール血症） (NEJM 2017;376:1451)

Cushing症候群＝コルチゾール過剰
Cushing病＝下垂体のACTH過剰分泌に続発するCushing症候群

■高コルチゾール血症の原因
- グルココルチコイド投与による医原性Cushing症候群が最も一般的（過小報告されている）
- **Cushing病**（60〜70％）：ACTH分泌性の下垂体腺腫（通常は微小腺腫）/過形成
- **副腎腫瘍**（15〜25％）：腺腫/（まれに）癌腫
- **異所性ACTH分泌**（5〜10％）：SCLC，カルチノイド，膵島細胞腫，甲状腺髄様癌，褐色細胞腫

■臨床症状 (Lancet 2006;367:13)
- 非特異的：耐糖能異常/DM，高血圧，肥満，希発月経/無月経，骨粗鬆症
- やや特異的：中心性肥満（四肢脂肪減少，後頚部脂肪沈着，自然発生するあざ）
- 最も特異的：近位筋ミオパチー，満月様顔貌，facial plethora，幅の広い皮膚線条
- その他：抑うつ，不眠，精神障害，認知障害，低K血症，痤瘡，多毛症，色素沈着（ACTH↑の場合），皮膚真菌感染症，腎結石，多尿症

■診断
- 典型的には外来で診断
- 入院中は急性疾患に伴う高コルチゾール血症もあり非常に評価が困難

■Cushing症候群の治療 (JCEM 2015;100:2807)
- **手術**：下垂体腺腫，副腎腫瘍，異所性ACTH分泌腫瘍の外科的切除；ACTHのソースコントロールが困難な場合は両側副腎皮質摘出術も考慮する
- **内服治療**：カベルゴリン，パシレオチド，ミトタン，ケトコナゾール，メチラポンによるコルチゾール↓，かつ/またはmifepristone（グルココルチコイド受容体拮抗薬）でのコルチゾール阻害；手術療法まで繋ぎや手術そのものが禁忌の場合にしばしば使用される
- **放射線治療**：即効性はないが下垂体に放射線治療をすることは可能（6か月〜2年を要する）
- 経蝶形骨洞手術の後はグルココルチコイド補充療法×6〜36か月（内科的/外科的副腎摘除後はグルココルチコイド＋ミネラルコルチコイド補充が生涯必要）

高アルドステロン症

■病態生理
- **原発性**（副腎疾患，レニン非依存性のアルドステロン↑；JCEM 2015;100:1）
  副腎過形成（60〜70％），腺腫（**Conn症候群**，30〜40％），癌腫，グルココルチコイド反応性アルドステロン症（GRA；ACTH依存性の再配列プロモーターによる）
- **続発性**（副腎外疾患，レニン依存性のアルドステロン↑）
  原発性レニン症：レニン産生腫瘍（まれ）
  続発性レニン症：腎血管疾患：腎動脈狭窄，悪性高血圧
  有効循環血液量↓を伴う浮腫性疾患：CHF，肝硬変，ネフローゼ症候群，細胞外液量減少，利尿薬，2型DM，Bartter症候群（ループ利尿薬が作用する$Na^+/K^+/2Cl^-$共輸送体の異常），Gitelman症候群（チアジド系利尿薬が作用する腎Na^+/Cl^-共輸送体の異常）
- **アルドステロン以外のミネラルコルチコイド過剰症**は高アルドステロン症に類似

図7-3 Cushing症候群疑い例へのアプローチ（*JCEM* 2008;93:1526）

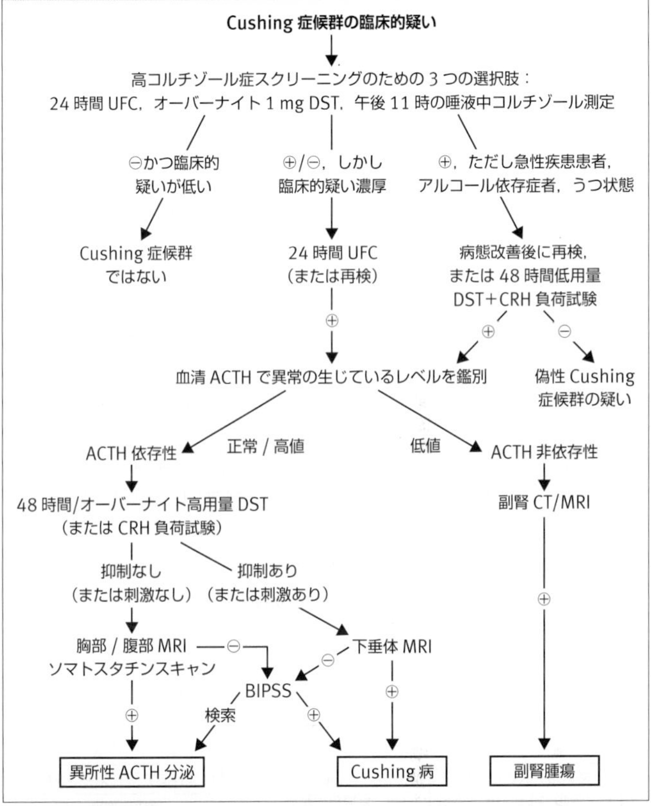

```
                    Cushing症候群の臨床的疑い
                              │
                              ▼
            高コルチゾール症スクリーニングのための3つの選択肢：
        24時間UFC，オーバーナイト1 mg DST，午後11時の唾液中コルチゾール測定
              │               │                │
           ⊖かつ臨床的      ⊕/⊖，しかし       ⊕，ただし急性疾患患者，
           疑いが低い        臨床的疑い濃厚     アルコール依存症者，うつ状態
              │               │                │
              ▼               ▼                ▼
         Cushing症候群    24時間UFC        病態改善後に再検，
         ではない         （または再検）    または48時間低用量
                              │           DST+CRH負荷試験
                              ⊕              ⊕      ⊖
                              │              │      │
                              ▼              ▼      ▼
                    血清ACTHで異常の生じているレベルを鑑別    偽性Cushing
                                                             症候群の疑い
              │            正常/高値         低値
              ▼                              ▼
         ACTH依存性                      ACTH非依存性
              │                              │
              ▼                              ▼
     48時間/オーバーナイト高用量DST        副腎CT/MRI
     （またはCRH負荷試験）
         │              │
      抑制なし         抑制あり
     （または刺激なし）（または刺激あり）
         │              │
         ▼              ▼
     胸部/腹部MRI  ⊖→  下垂体MRI
     ソマトスタチンスキャン    │
         │         ⊕   ⊕
         ▼    BIPSS    │
         │    検索     │
         ⊕             ⊕
         ▼             ▼             ▼
    異所性ACTH分泌    Cushing病    副腎腫瘍
```

CRH：副腎皮質刺激ホルモン放出ホルモン，DST：デキサメタゾン抑制試験，UFC：尿中遊離コルチゾール

オーバーナイト1 mg DST＝午後11時に1 mg投与，午前8時に血清コルチゾール測定（抑制あり：<1.8 μg/dL）；偽陽性率<5%（副腎偶発腫瘍における無症候性Cushing症候群の評価に主に利用）

午後11時の唾液中コルチゾール＝レベル↑ならば⊕；24時間UFC＝レベル↑ならば⊕（>4×基準値上限ならば診断価値が高い）

48時間低用量DST+CRH負荷試験＝0.5 mg 6時間ごと×2日，さらに2時間後にCRH 1 μg/kg IV，15分後に血清コルチゾール測定（⊕：>1.4 μg/dL）

48時間低用量DST＝0.5 mg 6時間ごと×2日，24時間UFCの基礎値とデキサメタゾン投与中24時間ごとの値を測定（抑制あり：<基礎値の10%）

48時間高用量DST＝2 mg 6時間ごと×2日，低用量DSTと同様に24時間UFCで判定

オーバーナイト高用量DST＝午後11時に8 mg投与，午前9時に血清コルチゾール測定（抑制あり：<基礎値の32%）

CRH負荷試験＝1 μg/kg IV；コルチゾールとACTHを測定（刺激あり：基礎値と比較してACTH↑>35%またはコルチゾール>20%↑）

BIPSS（両側下錐体静脈洞サンプリング）；下錐体静脈洞/末梢血ACTH比（⊕：基礎値で2，CRH負荷後>3）

11β-HSD欠損症（コルチゾール不活性化の欠損➡コルチゾールが非選択的ミネラルコルチコイド受容体に結合）
甘草（グリチルリチン酸が11β-HSDを阻害），重度の高コルチゾール症（11β-HSDの処理能力を超える），外因性ミネラルコルチコイド
Liddle症候群（遠位尿細管Naチャネルが恒常的に活性化/過剰発現）

■臨床症状
- 軽度～中等度の高血圧（患者の11%は3剤でも治療抵抗性の高血圧；Lancet 2008;371:1921），頭痛，筋力↓，多尿症，多飲症；末梢性浮腫はなし（Na貯留を"エスケープ"するため）；悪性高血圧はまれ
- 典型的には低K血症（ただし正常なことも多い），代謝性アルカローシス，軽度の高Na血症

■診断的検査
- 高血圧患者の5～10%；∴高血圧+低K血症や副腎腫瘍を伴う，治療抵抗性/若年性の高血圧などの場合にはスクリーニング
- スクリーニング：アルドステロン（>15～20 ng/dL）かつアルドステロン：レニン比（ARR，原発性の場合>20）；午前8時に採血し，2項目を検査（スピロノラクトンとエプレレノンは検査前6週間中止）；感度と特異度>85%
- ACEI/ARB，利尿薬，CCBによりレニン活性↑➡ARR↓；β遮断薬によりARR↑；∴検査前は中止；診断的検査前の高血圧の管理には一般的にα遮断薬が最良
- 塩分負荷試験で確定（塩分負荷後のアルドステロン抑制の欠如）
食塩（+KCl）経口負荷×3日，√24時間尿；Na>200 mEq/日の負荷でアルドステロン>12μg/日ならば⊕，または生理食塩液2Lを4時間で投与し，輸液終了時にアルドステロン測定（アルドステロン>5 ng/dLならば⊕）

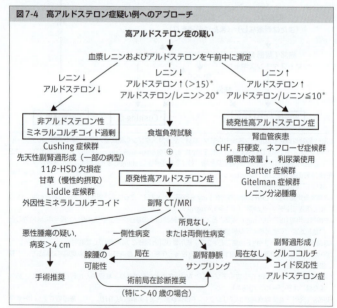

図7-4 高アルドステロン症疑い例へのアプローチ

*訳注：図中アルドステロンの濃度の単位はng/dL。日本ではアルドステロン濃度の単位はpg/mLが使用されることが多く，ARR>200，アルドステロン>120 pg/mLで判断することが日本内分泌学会のガイドライン上推奨されている。

- **治療**(*Surg Clin N Am* 2014;94:643)
- 腺腫➡副腎摘除 vs. スピロノラクトンまたはエプレレノンによる薬物療法
- 過形成➡スピロノラクトンまたはエプレレノン；グルココルチコイド反応性アルドステロン症➡グルココルチコイド±スピロノラクトン
- 悪性腫瘍➡副腎摘除

副腎不全

■病態生理
- **原発性=副腎皮質疾患=Addison病**
  自己免疫性：単独または多腺性自己免疫症候群の一部（「多腺性自己免疫症候群（APS）」の表参照）
  感染症：結核，CMV，ヒストプラズマ症，パラコクシジオイデス症
  血管病変：出血（通常は敗血症に関連），副腎静脈血栓，HIT，外傷
  転移性病変：（副腎不全を起こすのは副腎の90%が破壊された場合）
  沈着症：ヘモクロマトーシス，アミロイドーシス，サルコイドーシス
  薬物：アゾール系抗真菌薬，etomidate（単回投与後でも起こりうる），リファンピシン，抗痙攣薬
- **続発性=下垂体不全によるACTH分泌低下**（RAA系のためアルドステロンは**正常**）
  原発性/続発性下垂体機能低下症のあらゆる原因（「下垂体疾患」の項参照）
  グルココルチコイド治療（"抑制量"の2週間以内の投与でも起こりうる；累積投与量には個人差あり；プレドニゾロン<10 mg/日の長期投与でも抑制を起こすことあり）
  megestrol（ある程度のグルココルチコイド活性を有するプロゲスチンの一種）

■臨床症状 (*Lancet* 2014;383:2152)
- **原発性/続発性**：筋力↓と易疲労感（99%），**食欲不振**（99%），**起立性低血圧**（90%），悪心（86%），嘔吐（75%），低Na血症（88%）
- **原発性のみ**（アルドステロン欠乏とACTH↑による徴候や症状）：著明な**起立性低血圧**（体液量↓による），塩分渇望，**色素沈着**（しわ，粘膜，圧のかかりやすい部位，乳頭），**高K血症**
- **続発性のみ**：±下垂体機能低下症のその他の症候（「下垂体疾患」の項参照）

■診断的検査 (*JCEM* 2016;101:364)
- **早朝の血清コルチゾール**：<3 μg/dLならば診断的；≧18 μg/dLならば除外可能（付録の「ACTH刺激試験結果の例」参照）
- **標準（250 μg）コシントロピン刺激試験**（ACTH刺激に対するコルチゾール↑の有無を試験）
  正常=ACTH負荷後60分（もしくは30分）のコルチゾール≧18 μg/dL
  原発性の異常：副腎皮質疾患により適切なコルチゾール分泌が不能
  慢性続発性の異常：副腎が萎縮して反応不能（ごくまれに急性続発性の異常で副腎の反応が維持されていて結果が正常なこともあり；この場合，刺激試験よりも早朝のコルチゾール値が有用）
  すべてのグルココルチコイド（軟膏，吸入，点眼・点耳・点鼻）は試験に影響を与えることに留意すべき；解釈する際には曝露を確認
- **その他の試験**（内分泌専門医の助言のもとに）：レニン，アルドステロン，インスリンによる低血糖誘発試験（血清コルチゾールの反応を測定）；メチラポン試験（コルチゾール合成の抑制によりACTH分泌を刺激；血漿11-デオキシコルチゾールと尿中17-ヒドロキシステロイドを測定）
- **その他の検査値異常**：低血糖，好酸球↑，リンパ球↑，±好中球↓
- **ACTH**：原発性では↑，続発性では↓/正常域低値
- **画像検査**
  下垂体MRI：解剖学的異常の検出
  副腎CT：自己免疫性では小さく石灰化のない副腎；転移性病変，出血，感染，沈着症では

肥大（正常所見のこともあり）

■ **治療**
- **急性不全**：生理食塩液での細胞外液補充＋**ヒドロコルチゾンIV**（下記参照）
- **慢性不全**：(1) 毎日午前中にプレドニゾン約4～5 mg PO，もしくはヒドロコルチゾン15～25 mg PO qd（合計量の2/3を午前中，1/3を午後に）；(2) フルドロコルチゾン（続発性副腎不全では不要）毎日午前中に0.05～0.2 mg PO（JCEM 2018;103:376）；(3) 緊急事態に備え，予備のデキサメタゾン4 mgをセットした筋注用シリンジを処方しておく

■ **副腎不全と重症疾患**（NEJM 2003;348:727, JAMA 2009;301:2362）
- コルチゾール結合蛋白の減少；∴副腎不全の診断が難しくなる（NEJM 2013;368:1477）
- 副腎梗塞・出血，Waterhouse-Friderichsen症候群，中枢神経系疾患，下垂体卒中以外のショック状態で副腎不全が存在することはまれ
- 副腎不全が疑われる低血圧患者に可及的すみやかにACTH刺激試験を行うのは妥当
- 上記の診断基準は一助にはなるが，病状の変化に応じて偽陰性・偽陽性リスクがあるため，治療の決定は臨床評価に基づいてなされるべき
- 必要時は早期にステロイドを開始する：ヒドロコルチゾン50～100 mg IV 8時間ごと；ACTH刺激試験前にはデキサメタゾン2～4 mg IV 6時間ごと＋フルドロコルチゾン50μg/日
- すべての急性期重症患者における経験的なステロイド投与には議論あり（「敗血症とショック」の項参照）

■ **副腎クリーゼ**（Lancet Diabetes & Endo 2015;3:216）
- **原因**：両側副腎出血もしくは梗塞，下垂体梗塞，既存の副腎不全＋重症感染症もしくは消化器疾患
- **臨床症状**：ショック＋食欲不振，悪心/嘔吐，腹痛，衰弱，倦怠感，混乱，意識障害，発熱
- **検査所見**：低Na血症，高K血症（原発性の場合）
- **治療**：ヒドロコルチゾン50～100 mg IV 8時間ごと＋補液；診断のために遅れてはならない

褐色細胞腫とパラガングリオーマ

■ **臨床症状（5つのP）**（Lancet 2005;366:665）
- 神経内分泌腫瘍は，アドレナリン，ノルアドレナリン，まれにドパミンを含んだアドレナリン作動物質の不適切で発作性の分泌をきたしうる
- **Pressure（血圧）**：高血圧，50%は発作性，重篤で治療抵抗性，ときに体位性
- **Pain（疼痛）**：頭痛，胸痛
- **Palpitations（動悸）**：頻脈，振戦，体重↓，発熱
- **Perspiration（発汗）**：大量発汗
- **Pallor（蒼白）**：血管収縮発作
- 発作は薬物（例：β遮断薬）や腹部の触診が誘因になりうる
- MEN2A/2B型，von Hippel-Lindau病，神経線維腫症1型，家族性傍神経節腫（コハク酸デヒドロゲナーゼB，C，D遺伝子の変異）やTMEM127遺伝子変異が関連
- 褐色細胞腫/パラガングリオーマの最大40%は遺伝的要因が関与している；しばしば遺伝学的検査が推奨される

■ **診断的検査**（JCEM 2014;99:1915）
- 24時間尿中のメタネフリン類：感度85～97%，特異度69～95%；低リスク患者のスクリーニングに使用（重症疾患，腎不全，OSA，検査に干渉するラベタロール服用，アセトアミノフェン，TCA，交感神経刺激薬などの薬物服用で偽陽性となりうる）
- 血漿遊離メタネフリン類：感度89～100%，特異度79～97%（JAMA 2002;287:1427）；高リスク患者に妥当なスクリーニング検査（有病率の低い集団では偽陽性率↑）；偽陽性率

は30分安静採血で下げられる（座位での検査は偽陽性率が2.8倍↑）
- 副腎CTは一般的にMRIより推奨；PETは転移性病変や副腎外腫瘍の局在診断に有用だが，通常ならば発見は容易である；CT/MRIの⊖の場合はMIBGシンチを考慮
- 両側性，若年患者，家族歴あり，副腎外などの場合は遺伝学的検査を考慮

■治療
- まずα遮断薬（通常はphenoxybenzamine）±β遮断薬（多くはプロプラノロール）➡手術
- 腫瘍切除後の血圧↓に備えた術前補液は必須

副腎偶発腫瘍

■疫学
- 腹部CTを施行した患者の4%で偶発的に副腎腫瘍を発見；年齢とともに有病率↑

■鑑別診断
- **非機能性腫瘍**：腺腫，嚢胞，膿瘍，肉芽腫，出血，脂肪腫，骨髄脂肪腫，原発性/転移性悪性腫瘍
- **機能性腫瘍**：褐色細胞腫，腺腫（コルチゾール，アルドステロン，性ホルモン産生），非古典的先天性副腎過形成，その他の内分泌腫瘍，悪性腫瘍

■内分泌学的検査（NEJM 2007;356:601, EJE 2016;175:G1）
- **無症候性Cushing症候群を除外**：すべての患者にオーバーナイト1 mg DST（特異度91%）；異常値ならば確定のための検査
- **高アルドステロン症を除外**：血漿アルドステロンとレニン↑を伴う高血圧の場合（上記参照）
- **褐色細胞腫を除外**（無治療の褐色細胞腫の高い合併症発生率を考慮）：すべての患者で24時間尿中のメタネフリン類，または血漿遊離メタネフリン類を測定

■悪性腫瘍の精査
- CTとMRIの所見から腺腫と悪性腫瘍を鑑別可能なこともあり
  良性所見：単純CT値<10 HF，CT造影剤排泄率が10分で>50%，腫瘍径<4 cm；境界明瞭，均一で低吸収；定期的な画像検査で経過観察可能
  悪性を疑う所見：>6 cm，または再検で増大傾向；境界不明瞭，不均一で高吸収，または血管状陰影；悪性腫瘍の既往，若年者；このような副腎偶発腫瘍は切除または頻繁な画像再検
- 癌の既往や家族歴のある患者の場合は転移性腫瘍（と感染症）を除外；副腎偶発腫瘍の約50%が悪性

■フォローアップ
- 内分泌学的検査が⊖で画像的に良性の場合は，毎年の内分泌学的機能を4年間続け，6，12，24か月に画像的検索を行うのが合理的である（ただし議論の余地がある）

カルシウム（Ca）濃度異常

■Ca測定のピットフォール
- 生理学的に活性なCaは遊離型のiCa；血清Ca値は総Ca（結合型＋遊離型）を反映し，Alb（主要なCa結合蛋白）の影響を受ける
- 補正Ca (mg/dL) = 測定Ca (mg/dL) + [0.8×{4−Alb (g/dL)}]
- アルカローシスではAlb結合型のCa↑（∴総Caは正常でもiCa↓）
- **iCaの直接測定**が望ましい（ただし診断能は検査室により異なる）

Ca濃度異常の検査所見

Ca	PTH	疾患	PO₄	25-(OH)D	1,25-(OH)₂D
↑	↑↑	副甲状腺機能亢進症（原発性，三次性）	↓	↓〜正常	↑
	↑/正常	家族性低Ca尿性高Ca血症	↓	正常	正常
	↓	悪性腫瘍	多様	多様	多様
		Vit D過剰症	↑	↑	多様
		ミルクアルカリ症候群，チアジド系	↓	正常	正常
		骨代謝回転↑	↑	多様	多様
↓	↑↑	偽性副甲状腺機能低下症	↑	正常	↓
	↑	Vit D欠乏症	↓	↓↓	正常/↓
		慢性腎不全（続発性副甲状腺機能亢進症）	↑	多様	↓
	多様	急性のCa捕捉	多様	多様	多様
	↓	副甲状腺機能低下症	↓	正常	↓

高Ca血症

高Ca血症の原因

分類	原因
副甲状腺機能亢進症（HPT） (*NEJM* 2018;379:105, *Lancet* 2018;391:168)	**原発性**：腺腫（85%），過形成（15〜20%；特発性vs. MEN1/2A型），癌腫（<1%），薬物（リチウム ➡ PTH↑） **三次性**：長期にわたる続発性副甲状腺機能亢進症（腎不全など）➡ 自律性結節の発生の場合は手術が必要
家族性低Ca尿性高Ca血症（FHH）	Ca感知受容体の不活性化変異（FHH1），Gα11（FHH2），AP2S1（FHH3）➡ Caセットポイント↑；±わずかにPTH↑ 後天性のものはCa感知受容体に対する自己抗体による（まれ） Ca排泄率［FE$_{Ca}$］[(24時間尿中Ca/血清Ca)/(24時間尿中Cr/血清Cr)]<0.01
悪性腫瘍 (*JCEM* 2015;100:2024)	PTHrP産生 ➡ 腫瘍随伴性高Ca血症（例：扁平上皮癌，腎癌，乳癌，膀胱癌） サイトカイン産生 ➡ 破骨細胞活性↑（例：造血器腫瘍） 1,25-(OH)₂D↑（例：まれなリンパ腫） 局所性骨溶解（例：乳癌，骨髄腫）
Vit D過剰症	肉芽腫（サルコイドーシス，結核，ヒストプラズマ症，GPA）➡ 1-OHase↑ ➡ 1,25-(OH)₂D↑；Vit D中毒
骨代謝回転↑	甲状腺機能亢進症，不動+Paget病，Vit A
その他	チアジド系；Ca含有制酸薬または乳製品の大量摂取（ミルクアルカリ症候群）；副腎不全

高Ca血症を有する入院患者：45%が悪性腫瘍，25%が原発性副甲状腺機能亢進症，10%がCKD ➡ 三次性副甲状腺機能亢進症

(*JCEM* 2005;90:6316, *NEJM* 2013;368:644)

■臨床症状（骨，結石，腹部症状，精神症状）
- 高Ca血症性クリーゼ（通常はCaは13～15 mg/dL）：多尿症，脱水，意識障害
  尿細管に対するCa毒性➡ADH活性を阻害，血管収縮，GFR↓➡多尿症，ただしCa再吸収↑
  ➡血清Ca↑↑➡腎障害↑，CNS症状
- 骨減少症，骨折，嚢胞性線維性骨炎（骨炎は重症副甲状腺機能亢進症にのみ認める；破骨細胞活性↑➡嚢胞，線維性結節，X線画像で塩胡椒像）
- 腎結石，腎石灰化症，腎性DI
- 腹痛，食欲不振，悪心/嘔吐，便秘，膵炎，PUD
- 疲労感，筋力↓，抑うつ，意識不鮮明，昏睡，腱反射↓，QT短縮
- 原発性副甲状腺機能亢進症：80%は無症候性，20%に腎結石や骨粗鬆症など

■診断的検査
- 高Ca血症の90%の原因は副甲状腺機能亢進症と悪性腫瘍；無症候性または慢性の高Ca血症は副甲状腺機能亢進症の可能性が高い；急性または症候性の場合は悪性腫瘍の可能性が高い
- Ca，Alb，iCa，PTH（原発性副甲状腺機能亢進症，家族性低Ca尿性高Ca血症では不適切に正常なこともある；*JAMA* 2014;312:2680），PO_4；PTH↑/正常域高値：24時間尿中Ca>200 mg➡副甲状腺機能亢進症；24時間尿中Ca<100 mgかつFE_{Ca}<0.01➡家族性低Ca尿性高Ca血症
  PTH↓：✓PTHrP，ALP，悪性腫瘍（例：CT，マンモグラフィー，SPEP/UPEP）と，Vit Dの検索：25-(OH)D↑➡薬物性；1,25-(OH)$_2$D↑➡肉芽腫（✓CXR，ACE，リンパ腫を除外が必要）

高Ca血症の急性期治療			
治療	効果発現	効果持続	備考
生理食塩液（4～6 L/日）	数時間	治療期間中	Na利尿➡Caの腎排泄↑
±フロセミド	数時間	治療期間中	注意して使用，循環血液量過多の場合のみ
ビスホスホネート	1～2日	多様	破骨細胞を抑制，悪性腫瘍に有用；腎不全では注意；顎骨壊死のリスク
カルシトニン	数時間	2～3日	早期にタキフィラキシーの発現
グルココルチコイド	数日	数日	?悪性腫瘍の一部，肉芽腫性疾患，Vit D中毒に有用
デノスマブ（*JCEM* 2014;99:3144）	数日	数か月	RANKLに対するモノクローナル抗体；典型的には癌による高Ca血症に使用；腎臓では代謝されない
血液透析	分	治療期間中	他の治療法の効果がないか禁忌の場合

（*BMJ* 2015;350:h2723）

■無症候性原発性副甲状腺機能亢進症の治療（*JCEM* 2014;99:3561）
- 手術：<50歳；血清Caが基準値上限より>1 mg/dL；CrCl<60，DEXAのTスコア<−2.5
- 手術の適応でないか延期する場合はシナカルセトで治療（CaとPTH↓，ただし骨量は増加しないこともあり）
- 手術の適応でない場合：✓血清CaとCrを年1回，骨量を2年に1回

■カルシフィラキシー（尿毒症性細小動脈石灰化症）
- 真皮と皮下脂肪組織における小～中血管の中膜石灰化
- 虚血，皮膚壊死；詳細は「慢性腎臓病（CKD）」の項参照

低Ca血症

低Ca血症の原因	
分類	原因
副甲状腺機能低下症 (*NEJM* 2019;380: 1738)	医原性（甲状腺切除後，まれに副甲状腺摘出術後）；散発性；家族性（多腺性自己免疫症候群1型，Ca感知受容体の活性化変異；「多腺性自己免疫症候群（APS）」の表参照）；Wilson病，ヘモクロマトーシス；低Mg（分泌↓，効果↓）；Ca感知受容体に対する自己抗体の活性化
偽性副甲状腺機能低下症 (*JCEM* 2011;96: 3020)	Ia型，Ib型：終末臓器のPTH抵抗性（∴血清PTH↑） Ia型：＋骨格異常，低身長，発達遅滞 偽性偽性副甲状腺機能低下症＝Ia型の症候群だがCaとPTHは正常
Vit D欠乏症／抵抗性 (*NEJM* 2011;364: 248, *JCEM* 2012; 97:1153)	栄養／日光の欠乏；胃腸障害／脂肪吸収不良；薬物（抗痙攣薬，リファンピシン，ケトコナゾール，5-フルオロウラシル／ロイコボリン）；遺伝性（1α-ヒドロキシラーゼ，Vit D受容体変異）
慢性腎不全	1,25-$(OH)_2$D産生↓，クリアランス↓によるPO_4↑
骨形成促進	副甲状腺摘出術後，Paget病の治療（*NEJM* 2013;368:644），造骨性骨転移
Ca捕捉	膵炎，クエン酸過剰（輸血後），急性PO_4↑↑（AKI，横紋筋融解，腫瘍溶解），ビスホスホネート

■**臨床症状**
- **神経筋易刺激性**：口囲異常感覚，筋痙攣，**Trousseau徴候**（血圧計のカフによる圧迫＞3分➡手根筋攣縮），**Chvostek徴候**（顔面神経を叩打➡顔面筋の収縮），喉頭痙攣；易刺激性，抑うつ，精神障害，痙攣発作，QT延長
- **くる病／骨軟化症**：慢性的Vit D↓➡Ca↓，PO_4↓➡骨／軟骨石灰化↓，成長障害，骨痛，筋力↓
- **腎性骨異栄養症**（腎不全によるVit D↓，PTH↑）：骨軟化症〔Ca↓と1,25-$(OH)_2$D↓による骨石灰化↓〕，囊胞性線維性骨炎（PTH↑による）

■**診断的検査**
- Ca, Alb, iCa, PTH, 25-(OH)D, 1,25-$(OH)_2$D（腎不全，くる病の場合），Cr, Mg, PO_4, ALP, 尿中Ca

■**治療（随伴するVit D欠乏症に対する治療も含む）**
- **重症**：グルコン酸Ca（1〜2 gを20分かけてIV）＋経口でのカルシトリオール（効果発現まで数時間かかる）±Mg（50〜100 mEq／日）；心肺停止患者あるいは中心静脈投与では10％の塩化Caを投与
- 経静脈的なCa投与は典型的には効果は数時間であり，Ca製剤の点滴や経口投与を考慮する
- **慢性**（病因に依存）：Ca経口投与（1〜3 g／日；クエン酸Caは炭酸Caより吸収率が高い，特に無酸症やPPI服用中）＋典型的にはカルシトリオール（0.25〜2 μg／日），Vit D欠乏の場合は十分量；尿中のCa↓のためにチアジドや，遺伝子組換えPTH（1-84）（原発性副甲状腺機能低下症の場合）も考慮
- **慢性腎不全**：PO_4結合剤，経口Ca製剤，カルシトリオールまたはそのアナログ製剤

糖尿病（DM）

■定義 (Diabetes Care 2019;42:S13)
- HbA$_{1c}$≧6.5%，空腹時血糖値≧126 mg/dL，または75 g OGTTでの2時間値≧200 mg/dLを2回確認，もしくは1回でも随時血糖≧200 mg/dLで典型的な高血糖症状を伴っている場合；すべての検査は同様に有意義（注意：1つの検査で⊕であっても他の検査ではそうでない場合もある）；OGTTは妊娠中に好んで行われる
- 血糖値は正常値より高いが，顕性DMではない場合（"境界型"，米国人の約40%）
  HbA$_{1c}$ 5.7〜6.4%，または空腹時血糖値異常（100〜125 mg/dL），もしくは食後2時間値140〜199 mg/dLの場合
  DMへの進行予防のために：食事運動療法（58%↓），メトホルミン（31%↓；*NEJM* 2002;346:393），チアゾリジン系（60%↓；*Lancet* 2006;368:1096）

■病型
- **1型** (*Lancet* 2018;391:2449)：膵島細胞の破壊；絶対的インスリン欠乏；インスリン欠乏によるケトーシス；有病率0.4%；通常は小児期に発症するが，成人発症もあり；家族歴がある場合はリスク↑；HLA型との関連あり；抗GAD抗体，抗膵島細胞自己抗体，抗インスリン自己抗体
- **2型** (*Lancet* 2017;389:2239)：インスリン抵抗性＋相対的インスリン欠乏；有病率6%；通常は中年期以降に発症；HLA型との関連なし；リスク因子：年齢，家族歴あり，肥満，運動不足の生活習慣
- **DKAを呈する2型DM**（"ケトーシス傾向のある2型DM"，"Flatbush DM"）：非白人に多い；±抗GAD抗体；インスリン治療は必要ない場合あり (*Endocr Rev* 2008;29:292)
- **若年発症成人型DM（MODY）**：インスリン分泌に関係する遺伝子の異常による常染色体優性遺伝性のDM；遺伝学的にも臨床的にも多様 (*NEJM* 2001;345:971)
- **その他のDM**：外因性グルココルチコイド，グルカゴノーマ〔3つのD＝DM, DVT, Diarrhea（下痢）〕，膵疾患（膵炎，ヘモクロマトーシス，嚢胞性線維症，切除），内分泌疾患（Cushing病，先端巨大症），妊娠，薬物（プロテアーゼ阻害薬，非定型抗精神病薬）

■臨床症状
- 原因不明の体重↓を伴う多尿症，多飲症，過食症；無症状の場合もあり

DMの治療選択	
薬物（HbA$_{1c}$↓）	コメント
メトホルミン （約1〜1.5%）	肝臓の糖新生↓，緩徐な体重↓；2型DMで第1選択；まれに乳酸アシドーシス；GFR 30〜45で使用注意；GFR＜30では禁忌，心血管疾患のメリットがあれば考慮
DPP-4阻害薬 （約0.5〜1%）	GLP-1/GIPの代謝を阻害➡インスリン↑ サキサグリプチンでは心不全のリスク↑ (*NEJM* 2013;369:1317)，他のDPP-4阻害薬ではなし
GLP-1受容体作動薬 （約1〜1.5%）	血糖依存性のインスリン分泌↑；体重↓，悪心／嘔吐 特に動脈硬化性疾患がある場合，心血管疾患／心筋梗塞／脳卒中↓；微量Alb尿の進行抑制
SGLT-2阻害薬 （約0.5〜1%）	尿糖↑；体重↓；性器感染症 心血管疾患／心不全での入院↓；動脈硬化性疾患があれば心血管疾患＆心筋梗塞↓；腎疾患の進行抑制
スルホニルウレア（SU） （約1.5%）	インスリン分泌↑；低血糖；体重↑

（次頁につづく）

チアゾリジン (TZD) (約1%)	筋肉や脂肪におけるインスリン感受性↑，体重↑，体液貯留とCHF 肝機能障害；?rosiglitazoneで心筋梗塞↑，心不全および重篤な肝機能障害では禁忌
グリニド (約1%)	インスリン分泌↑；低血糖；体重↑
αグルコシダーゼ阻害薬 (0.5～1%)	腸での糖質吸収↓；腹痛，鼓腸
プラムリンチド (約0.5%)	胃内容排出遅延，グルカゴン↓，嘔気/嘔吐
インスリン (多様)	低血糖；体重増加；1型DMでは必須；2型DMでも内服加療が不適切な際は使用を考慮
胃バイパス術	体重↓↓↓；DMが寛解する場合もある (*NEJM* 2014;370:2002)

(*Diabetes Care* 2019;42:S90, *Lancet* 2019;393:31, *Circ* 2019;139:2022, *NEJM* 2019;380:2295)

インスリン製剤 (*Diabetes Care* 2019;42:S90)				
製剤 (例)	効果発現	最大効果	効果持続	副作用/備考
超速効型 (リスプロ，アスパルト)	即座に	1～2時間	<4時間	食事の直前に投与
速効型 (レギュラー)	約30分	2～3時間	5～8時間	食事の約30分前に投与
中間型 (NPH)	2～3時間	4～8時間	10～14時間	抗プロタミン抗体産生を誘導することあり
持効型 (グラルギン，デテミル)	1～2時間	ピークなし	12～24時間	基礎インスリンとして1日1回投与

■合併症 (*NEJM* 2004;350:48, 2016;374:1455, *CJASN* 2017;12:1366)
●網膜症
  非増殖性："点状および斑状"の網膜出血，綿花様白斑/蛋白滲出斑
  増殖性：新生血管，硝子体出血，網膜剥離，失明
  治療：光凝固療法，手術，ベバシズマブ硝子体内注射
●腎症：微量Alb尿➡蛋白尿±ネフローゼ症候群➡腎不全
  びまん性の糸球体基底膜肥厚/結節パターン (Kimmelstiel-Wilson病変)
  通常は網膜症を伴う；網膜症がない場合は別の原因を考慮
  治療：ACEIまたはARB (*Mayo Clin Proc* 2011;86:444), SGLT-2阻害薬 (*NEJM* 2016;375:323, 2019;380:2295) による厳格な血圧管理，低蛋白食，透析/腎移植
●ニューロパチー
  末梢性ニューロパチー：対称性の遠位感覚消失，異常感覚，±運動障害
  自律神経ニューロパチー：胃不全麻痺，便秘，神経因性膀胱，勃起障害，起立性低血圧
  単ニューロパチー：突然発症する末梢神経/脳神経障害 (下垂足，第III>第VI>第IV)
●アテローム性動脈硬化の加速：冠動脈，脳動脈，末梢動脈
●感染症：UTI，足骨髄炎，カンジダ症，ムコール症，壊死性外耳炎
●皮膚病変：糖尿病性リポイド類壊死症，リポジストロフィー，黒色表皮腫

■外来患者のスクリーニングと治療目標 (*Diabetes Care* 2019;42:S61, S81, S103)
●3～6か月ごとにHbA$_{1c}$をチェック；大部分の患者では目標値<7%，低血糖のリスクが低い患者では目標値<6.5%；重症低血糖症，高齢者，その他の併存症の既往のある場合は目標HbA$_{1c}$≦8%；1型DM患者 (*NEJM* 2005;353:2643) でも2型DM (*NEJM* 2015;372:2197) でも，厳格な血糖管理により細小血管/大血管合併症↓
●微量Alb尿のスクリーニングを年1回，随時尿での微量Alb/Cr比 (目標値<30 mg/g)

- 体重減少（食事/薬物）はDMの改善や緩解をもたらしうる（*Endo Rev* 2018;39:79, *NEJM* 2018;379:1107）
- 血圧：心血管リスクが高い場合≤130/80，リスクが低い場合≤140/90；ACEI/ARB投与は有益
- 脂質：40〜75歳のすべてのDM患者において，LDL-C>70の場合はスタチンでの治療開始（「脂質異常症」の項参照）
- アスピリン投与は二次予防では有用；一次予防では議論があり，MACE↓と出血↑のバランスをみて判断する（*NEJM* 2018;379:1529）
- 眼底検査や詳細な足の診察を年1回は行う

■**入院患者の血糖管理（ICU患者については「敗血症とショック」の項参照）**（*ClinTher* 2013; 35:724）
- 是正可能な原因/増悪因子の同定（ブドウ糖輸液，グルココルチコイド，術後，炭水化物↑）
- 診断的検査：指先穿刺による血糖測定（空腹時，毎食前，就寝前；NPOの場合は6時間ごと），HbA_{1c}
- 治療目標：低血糖や極端な高血糖（>180 mg/dL）の回避
- 入院時の治療変更
  1型DM：基礎インスリンは中止してはならない（DKA発症のおそれ）
  2型DM：低血糖や薬物相互作用を避けるためPO血糖降下薬は中止することが望ましい（短期入院，外来でのコントロールが非常に良好，IV造影剤の使用予定なし，通常食の場合を除く）
  患者にインスリンが必要とわかった場合はインスリンスライディングスケールのみに頼ってはいけない（*Diabetes Care* 2018;41:S144）
- 新しいインスリン療法の開始
  基礎=0.2〜0.4μ/kg/日のNPHインスリンを12時間ごともしくはデテミル，グラルギン
  +血糖値>150 mg/dLの際は補正インスリン
  +食事を食べる際には食前インスリン：0.05〜0.1μ/kg/食事，リスプロ，アスパルト，速効型インスリン
- 禁飲食時
  1型DM：外来での単位，もしくは血糖値に応じて75%量の基礎インスリンを継続
  2型DM：血糖コントロールやインスリン抵抗性に応じて25〜75%に減量した基礎インスリンを継続し，食前インスリンはすべて同量で継続する
- 退院時のレジメン：外来でのコントロール不良や変更すべき強い理由がないかぎり入院中と同様；インスリン治療と自己血糖測定の指導を手配し，迅速に外来でフォローアップ

糖尿病性ケトアシドーシス（DKA）

■**誘因**
- **インスリン欠乏**（十分量のインスリン不足）；**医原性**（グルココルチコイド；SGLT-2阻害薬—著明な高血糖を伴わずに発症しうる；*Diabetes Care* 2016;39:532）
- **感染症**（肺炎，UTI）または**炎症**（膵炎，胆嚢炎）
- **虚血または梗塞**（心筋，脳血管，消化管）；**中毒**（アルコール，違法薬物）

■**病態生理**（*NEJM* 2015;372:546）
- **1型DM**（およびケトーシス傾向のある2型DM）で発症；グルカゴン↑，インスリン↓
- 高血糖の原因：糖新生↑，グリコーゲン分解↑，細胞への糖取り込み↓
- ケトーシスの原因：インスリン欠乏➡脂肪酸の動員と酸化，ケトン体生成の基質↑，肝臓でのケトン体生成↑，ケトン体クリアランス↓

■**臨床症状**（*Diabetes Care* 2009;32:1335, 2016;39:S99）
- 多尿症，多飲症，脱水➡HR↑，血圧↓，粘膜乾燥，皮膚ツルゴール↓

- 悪心/嘔吐，腹痛（腹腔内の異常かDKAのいずれかの症状），イレウス
- Kussmaul呼吸：代謝性アシドーシスを代償するための深大な呼吸で，アセトン臭を伴う
- 意識障害➡傾眠，昏迷，昏睡；死亡率は三次医療施設でも約1%

■診断的検査
- 高AG性代謝性アシドーシス：後期にはケトン体（HCO_3に相当）の尿中排泄とCl^-含有輸液のために，正常AG性アシドーシスとなることもあり
- **ケトーシス：尿中/血清ケトン体**⊕（主要なケトン体はβ-ヒドロキシ酪酸だが，検査ではアセト酢酸が測定される；尿中ケトン体は正常患者でも空腹時には⊕となることあり
- 血糖値↑；BUN↑，Cr↑（脱水±ある種の検査に干渉するケトン体によるアーチファクト）
- 低Na血症：補正Na＝測定Na＋[2.4×(測定血糖値−100)/100]
- 低/高K血症（ただし血清K↑がみられても全身Kは通常は枯渇）；全身PO_4↓
- 白血球↑，アミラーゼ↑（膵炎がなくても）

典型的なDKAチェック項目										
バイタルサイン	尿量	pH	HCO_3	AG	ケトン体	血糖値	K	PO_4	輸液内容	インスリン

注意：生成する主要なケトン体はβ-ヒドロキシ酪酸（βOHB）だが，ニトロプルシド法で測定されるのはアセト酢酸（Ac-Ac）；DKAの治療によりβOHB➡Ac-Ac；∴ケトン体の測定値が上昇していてもAGは減少しうる

DKAの治療（*BMJ* 2015;28:351）	
可能性のある誘因の除外	感染症，腹腔内の異常，心筋梗塞など（上記参照）
大量補液	生理食塩液10〜14 mL/kg/時，脱水の程度や血行動態に応じて調節
インスリン	10 UボーラスIV，その後は0.1 U/kg/時 AG正常化までインスリン継続 血糖値＜250 mg/dLとなってもAGがまだ高い場合➡糖を輸液に加え，ケトン体を代謝させるためインスリン継続 AG正常化➡SCインスリン（IVとSCは2〜3時間オーバーラップ）
電解質補充	K：血清K＜4.5の場合は輸液に20〜40 mEq/Lで添加 細胞へのK取り込みをインスリンが促進➡血清K↓ 腎不全患者では慎重にK補充 HCO_3：?pH＜7または血行動態不安定の場合に補充 PO_4：＜1の場合に補充

高浸透圧高血糖状態

■定義，誘因，病態生理（*Med Clin North Am* 2017;101:587）
- 2型DM（通常は高齢者）にみられる，極端な高血糖（ケトアシドーシスは伴わない）＋高浸透圧＋意識障害
- 誘因はDKAと同様だが，脱水と腎不全も含む
- 高血糖➡浸透圧利尿➡体液量↓➡腎前性高窒素血症➡血糖値↑など

■臨床症状と診断的検査（*Diabetes Care* 2014;37:3214）
- 脱水と意識障害
- 血糖値↑（通常＞600 mg/dL），**血漿浸透圧↑**（＞320 mOsm/L）；有効浸透圧＝2×Na

(mEq/L)＋血糖値（mg/dL）/18
- ケトアシドーシスは伴わない；通常はBUN↑およびCr↑；Na濃度は高血糖と脱水に依存

■治療
- 可能性のある誘因の除去；増悪因子による死亡率は約15%
- **大量補液**：生理食塩液で開始し，1/2生理食塩液に変更；体液喪失量は平均8〜10 L
- **インスリン**（例：10 UボーラスIV，その後は0.05〜0.1 U/kg/時）

低血糖

■臨床症状（血糖値＜約55 mg/dL）
- **中枢神経系**：頭痛，視覚変化，意識障害，筋力↓，痙攣発作，意識消失（低血糖に伴う神経症状）
- **自律神経症状**：発汗，動悸，振戦（アドレナリン作動性症状）

■DM患者での原因
- インスリンや経口血糖降下薬の過剰投与，食事不摂取，腎不全（インスリンとスルホニル尿素薬のクリアランス↓）
- β遮断薬は低血糖によるアドレナリン作動性症状をマスクすることあり

■非DM患者での原因
- **インスリン↑**：外因性インスリン，スルホニル尿素薬，インスリノーマ，抗インスリン抗体
- **糖新生↓**：下垂体機能低下症，副腎不全，グルカゴン欠乏症，肝不全，腎不全，CHF，アルコール依存症，敗血症，重度の栄養不良
- **IGF-II↑**：非膵島腫瘍
- 食後（特に胃切除術/胃バイパス術後）：糖負荷に対する過剰な反応
- 無症候性低血糖は異常ではない可能性あり

■非DM患者での評価（JCEM 2009;94:709）
- 全身状態不良の場合：低血糖の再発を予防，✓BUN, Cr, LFT, TFT, プレアルブミン；適切な場合にはIGF-I/IGF-II比
- 全身状態良好の場合：72時間絶食中の血糖値測定；低血糖に伴う神経症状が出現した場合は中止
- 低血糖時：インスリン，Cペプチド（インスリノーマ/スルホニル尿素薬で↑，外因性インスリンで↓），β-ヒドロキシ酪酸，スルホニル尿素の血中濃度測定
- 絶食終了時には摂前にグルカゴン1 mg IVし，血糖値の反応を確認

■治療
- 経口摂取可能な患者ではブドウ糖錠，ペースト，フルーツジュースが第1選択治療
- 静脈ラインが確保できれば，50% glc液としてglc 25〜50 gを投与；静脈ラインがなければグルカゴン0.5〜1 mg IMもしくはSC（副作用：悪心/嘔吐）

脂質異常症

■測定
- リポ蛋白=脂質（CholエステルとTG）+リン脂質+蛋白；カイロミクロン，VLDL，IDL，LDL，HDL，Lp (a) を含む
- 12時間絶食後に測定；LDLは基本，計算で算出する：LDL-C=総Chol－HDL-C－(TG/5)
  TG>400 mg/dLやLDL-C<70 mg/dLの場合は過小評価の可能性がある；∴直接法でのLDL-C測定が必要
  ACSの後，脂質レベルはおよそ24時間安定，その後低下し，正常化には6週間かかる
- 身体所見での手がかり：腱肥厚（例：アキレス腱）はLDL-C>300 mg/dLを示唆する；四肢伸側の発疹様黄色腫はTG>1000 mg/dLを示唆する；眼瞼黄色腫（眼瞼の黄色縞）
- メタボリックシンドローム（以下のうち3項目以上）：腹囲≥約100 cm（男性），≥約90 cm（女性）；TG≥150 mg/dL；HDL<40 mg/dL（男性），<50 mg/dL（女性）；血圧≥130/85；空腹時血糖値≥100 mg/dL (*Circ* 2009;120:1640)
- Lp (a)=apoBを介してapo (a) に結合したLDL粒子；遺伝的変異が心筋梗塞と関連がある (*NEJM* 2009;361:2518)

■脂質異常症
- **原発性**：家族性高コレステロール血症（1:500）：LDL受容体の異常；Chol↑↑，TG正常，CAD；家族性高TG血症（1:500）：TG↑，±Chol↑，HDL↓，膵炎，その他疾患
- **続発性**：DM (TG↑, HDL↓)，甲状腺機能低下症 (LDL↑, TG↑)，ネフローゼ症候群 (LDL↑, TG↑)，肝不全 (LDL↓)，飲酒 (TG↑, HDL↑)，チアジド系 (LDL↑, TG↑)，プロテアーゼ阻害薬 (TG↑)

薬物療法				
薬物	LDL↓	HDL↑	TG↓	副作用/備考
スタチン	20〜60%	5〜10%	10〜25%	0.5〜3%でALT↑，✓開始前と適宜 筋痛<10%，横紋筋融解症<0.1%，リスクは用量依存 DMのリスク↑；リスク因子がある場合はスクリーニングを (*ATVB* 2019;39:e38)
エゼチミブ	約24%	—	—	忍容性が高い
PCSK9阻害薬	約60%	5〜10%	15〜25%	モノクローナル抗体：2週間もしくは4週間おきに皮下注射；siRNAは開発中
フィブラート系	5〜15%	5〜15%	35〜50%	スタチンとの併用でミオパチーのリスク↑；✓Cr；半年おきに腎機能評価
ω-3脂肪酸	5%↑	3%	25〜30%	EPAおよびDHAは4 g/日まで増量できる；低用量のサプリメントはメリットがない

レジンは約20%のLDL-C↓だが忍容性が低い；ナイアシンはHDL-C↑とTG & LDL-C↓；心血管アウトカムには影響を与えない

■LDL-Cの治療 (*Lancet* 2014;384:607)
- **スタチン**：すべての患者において39 mg/dL程度のLDL-C↓→CAD既往の有無によらず主要な血管イベントを22%↓（心血管死，心筋梗塞，脳卒中，血行再建）(*Lancet* 2010; 376: z1670)

- **エゼチミブ**：ACS治療後のスタチンに加えることで，心筋梗塞や脳卒中などの主要な心血管イベント↓；スタチンと併用することで一貫した効果が認められる（IMPROVE-IT, *NEJM* 2015;372:2387）
- **PCSK9阻害薬**：極量のスタチンよりLDL-Cを約60％↓，単独療法，もしくは家族性高コレステロール血症で使用（*EHJ* 2014;35:2249）；心血管アウトカム↓（*NEJM* 2017;376:1713, 2018;379:2097）

その他の脂質分画の治療（*Lancet* 2014;384:618&626）

- **HDL-C**：低値は心筋梗塞発症リスク↑に多少関与，しかし上昇させることによる臨床的有用性は示せていない
- **トリグリセリド（TG）**：>500～1,000 mg/dLの場合，膵炎発症リスク↓のためにフィブラートやω-3脂肪酸で治療するのは合理的；遺伝的に低値の場合はCADのリスク↓（*NEJM* 2014;371:22）；フィブラートは心血管アウトカムにおいて中等度の有効性（*NEJM* 2010;362:1563, 2013;368:1800）；高用量ω-3脂肪酸（4 g/日のEPA）は動脈硬化性心血管疾患（ASCVD）やDMを有する患者では心血管アウトカム↓（*NEJM* 2019;380:11）
- **Lp(a)**：中等度～高リスクの患者で<50 mg/dL↓を考慮（*EHJ* 2010;31:2844）

2018 ACC/AHAコレステロールガイドライン（*Circ* 2019;139:e1082）	
対象	推奨
ASCVDの超高リスク*	高強度スタチン；エゼチミブを使用してもLDL-C≧70であればPCSK9阻害薬
臨床的ASCVD	高強度スタチン（？年齢>75歳で調整），LDL-C≧70であればエゼチミブ追加
LDL-C≧190 mg/dL	高強度スタチン；LDL-C≧100であればエゼチミブもしくはPCSK9阻害薬
DM，年齢40～75歳	高強度スタチン（？心血管リスク因子がなければ中強度）
年齢40～75歳（上記に該当しない場合）；10年リスクを計算　≧20%	高強度スタチン
7.5%～<20%	中強度スタチン；不確かな場合は冠動脈石灰化スコアも考慮する
5～<7.5%	中強度スタチン
<5%	食事運動療法

ASCVDは，ACS，安定狭心症，動脈血行再建，脳卒中，TIA，末梢動脈疾患の既往を含む概念；*複数のASCVDの主要イベント（心筋梗塞，脳卒中，症候性末梢動脈疾患），もしくは1つ以上の主要イベント＋他の高リスク状態（年齢≧65，DM，高血圧，CKD，喫煙，家族性高コレステロール血症，PCI/CABGの既往）

10年心血管リスクスコア：http://my.americanheart.org/cvriskcalculator；考慮すべき他のリスク因子：LDL-C≧160 mg/dL，メタボリックシンドローム，CKD，若年性ASCVDの家族歴，hsCRP≧2 mg/L，Lp(a)≧50 mg/dL，ABI<0.9，高リスクの民族

スタチン用量とLDL-C低下（投与量倍増➡LDL-Cがさらに6%↓）							
強さ	LDL-C↓	ロスバスタチン	アトルバスタチン	シンバスタチン	プラバスタチン	lova-statin	フルバスタチン	ピタバスタチン
高強度	≧50%	20～40	40～80	(80)				
中強度	30～50%	5～10	10～20	20～40	40～80	40	80	2～4
低強度	<30%			10	10～20	20	20～40	1

第8章
膠原病・リウマチ

リウマチ性疾患のアプローチ

■関節痛へのアプローチ
- **関節 vs. 関節周囲**（滑液包炎，腱炎）由来の疼痛：関節周囲の異常では，自動的可動域の疼痛のほうが他動的可動域よりも強い
- **炎症性 vs. 非炎症性**：炎症性の疼痛の特徴として，特定の関節の腫脹，熱感または発赤，持続時間の長い朝のこわばり（>30分），動作・運動による疼痛/こわばりの改善。関節外症状の評価を行う
- **身体所見**：疼痛部位を特定し，炎症の客観的徴候を同定する。罹患関節の数とパターンを評価する
- 炎症性関節炎の身体所見による検出感度は 50〜70%と高くない

関節痛の重要な身体所見					
関節				関節周囲/軟部組織	
身体所見	OA	炎症性関節炎*	関節痛	滑液包炎/腱炎	筋膜炎
腫脹	あり/なし	あり	なし	あり	なし
紅斑	なし	あり/なし	なし	あり	なし
熱感	なし	あり	なし	あり	なし
圧痛	関節線	あり	あり/なし	関節周囲	あり
可動域制限**	あり	あり	あり/なし	なし（しばしば疼痛によりあり）	なし
自動/他動時の疼痛	両方	両方	通常両方	自動>他動	通常両方

*最初は明らかな関節炎の徴候を伴わない関節痛として発症する場合もある
**関節自体の可動域，または滑液包/腱に関連した関節可動域

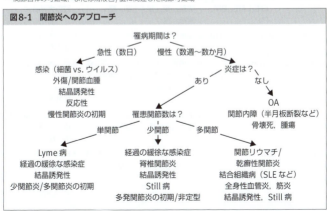

図8-1 関節炎へのアプローチ

関節液の検査				
項目	正常	非炎症性	炎症性	感染性
外観	透明	黄色透明	透明〜黄白色混濁	混濁
白血球/mm^3	<200	<2,000	>2,000	>2,000(通常は>5,000*)
好中球	<25%	<25%	≧50%	≧75%
培養	⊖	⊕	⊖	⊕
結晶	⊖	⊖	一部で⊕(痛風など)	⊖(痛風/CPPDに伴う場合⊕)

*関節吸引液の白血球数は,感染性滑液包炎<感染性関節炎

■主要な関節炎の画像所見

- **変形性関節症(OA)**:単純X線:非対称性の関節裂隙狭小化,**骨棘**,軟骨下骨硬化像,骨嚢胞;びらん性OAでは軟骨下の"gull-wing"サインがみられることがある;MRI:単純X線で検出困難な初期病変を描出できることがある;構造破壊の検出力はエコー≒MRI
- **関節リウマチ(RA)**:単純X線:対称性の関節裂隙狭小化,早期=関節周囲の**骨減少症**;晩期=関節辺縁の骨びらん,亜脱臼;MRI,エコー:早期・無症候性病変を検出可能;骨びらんの検出力はエコー≒MRI
- **痛風**:単純X線:早期=非特異的腫脹;晩期=**痛風結節**,overhanging edgeを伴う関節びらん;エコー:微小痛風結節,double contour signの検出が可能;dual-energy CT(DECT):関節/関節周囲の尿酸 vs. Ca沈着の同定;骨びらんの検出力はエコー≒MRI
- **脊椎関節炎(仙腸関節炎)**:単純X線:早期=仙腸関節の関節裂隙の偽関大,晩期=骨硬化像,びらん,**関節強直**;仙腸関節MRI:仙腸関節MRIは早期変化の感度↑;腱付着部炎の検出力でエコー≒MRI

主要な関節炎の比較				
特徴	一次性OA	RA	痛風/CPPD	脊椎関節炎
発症	緩徐	緩徐	急性	多様
炎症	⊖	⊕	⊕	⊕
病理	変性	パンヌス	微小痛風結節	腱付着部炎
罹患関節数	多	多	単〜多	少/多
好発関節	股関節,膝,脊椎,母指CMC, DIP, PIP	MCP, PIP, 手関節,足,足関節,膝	MTP,足,足関節,膝	仙腸関節,脊椎,四肢の大関節
非好発関節	MCP,肩,肘,手関節	胸腰椎, DIP	脊椎	すべての関節に起こりうる
特別な関節所見	Bouchard結節, Heberden結節	尺側偏位,スワンネック変形,ボタン穴変形	尿酸/CPPD結晶,痛風結節	指炎,腱付着部炎(アキレス腱など), bamboo spine, 靱帯骨棘
関節外病変		皮下結節,肺病変,乾燥症状	肘頭滑液包炎,腎結石	乾癬,炎症性腸疾患,ぶどう膜炎,尿道炎,結膜炎
血液検査	正常	しばしばRF⊕,抗CCP抗体⊕	尿酸↑(発作時にはときに正常)	±HLA-B27

炎症マーカーと自己抗体検査

■**炎症マーカー**（*Mod Rheum* 2009;19:469）
- **ESR**：炎症の間接的指標〔血中の急性期蛋白（フィブリノーゲンや免疫グロブリン）による赤血球凝集↑〕；上昇は遅れる；高齢，妊娠，貧血，肥満によっても↑；>100の場合，悪性腫瘍（特に多発性骨髄腫，リンパ腫），巨細胞動脈炎やその他の血管炎，末期腎不全，心内膜炎，結核，骨髄炎が鑑別
- **CRP**：炎症の直接的指標（肝臓で産生される蛋白で，自然免疫系の一要素）；治療/疾患の軽快に伴い通常はESRに先立って変動

■**自己抗体検査**（*Best Pract Res Clin Rheumatol* 2014;28:907）
- **ANA**（抗核抗体）：核蛋白に対する抗体のスクリーニング検査；自己免疫疾患で認められる；結合組織病が疑われる場合の検査として最も有用
- 非特異的な検査なので，臨床的に結合組織病が疑われる場合にのみANAの検査を行う；1：40（ごく軽度の⊕，健常人の25〜30%）；1：80（軽度⊕，健常人の10〜15%）；≧1：160（⊕，健常人の5%）；臨床症状に先立って⊕となることがある（*NEJM* 2003;349:1526, *Arthritis Res Ther* 2011;13:1）
- ANA⊕で結合組織病の臨床的疑いが高い場合には，dsDNA，Smith，Ro/La，RNP，Scl-70などに対する抗体や筋炎特異抗体（さまざまな結合組織病に非常に特異的）の検査を検討する
- ANAは疾患活動性との相関は低い。よって連続して検査を行うことは臨床的に意味なし
- ANA偽陽性：自己免疫性肝炎，原発性胆汁性胆管炎，甲状腺疾患，特定の感染症と悪性腫瘍，炎症性腸疾患，特発性肺線維症
- RFと抗CCP抗体（「関節リウマチ（RA）」の項参照）

リウマチ性疾患の所見を呈する入院患者の鑑別とアプローチ

所見	リウマチ領域の鑑別疾患	精査
不明熱	巨細胞動脈炎/リウマチ性多発筋症，成人発症Still病，SLE，炎症性関節炎，高安病，結節性多発動脈炎，ANCA関連血管炎，クリオグロブリン性血管炎，IgA血管炎（HSP）	ESR，CRP，ANA，RF，ANCA ±クリオグロブリン
肺高血圧症	全身性強皮症（限局>びまん皮膚硬化型），MCTD，SLE，多発性筋炎/皮膚筋炎（まれ）	ANA，Scl-70，セントロメア，RNAポリメラーゼIII，RNP
びまん性肺胞出血	ANCA関連血管炎，Goodpasture症候群，SLE，抗リン脂質抗体症候群	ANCA，GBM，ANA，C3/C4
間質性肺疾患	全身性強皮症（びまん>限局皮膚硬化型），サルコイドーシス，RA，多発性筋炎/皮膚筋炎，抗ARS抗体症候群，Sjögren症候群，MCTD，SLE（特に胸膜），ANCA関連血管炎（特に顕微鏡的多発血管炎）	ANA，Scl-70，RF/抗CCP，CK，アルドラーゼ，±筋炎特異抗体，Jo-1，SS-A/SS-B，ANCA

（次頁につづく）

胸膜炎・心膜炎	SLE, RA, MCTD, 多発性筋炎/皮膚筋炎, ANCA関連血管炎, Sjögren症候群, 結節性多発動脈炎	ANA, dsDNA, Sm, RNP, SS-A/SS-B, RF, 抗CCP, ANCA
急性腎障害(活動性の尿沈渣もしくは結合組織病に伴う徴候や症状)	SLE(糸球体腎炎, ネフローゼ), ANCA関連血管炎(糸球体腎炎), 強皮症腎クリーゼ(びまん型), Sjögren症候群(尿細管性アシドーシス/尿細管間質性腎炎), 結節性多発動脈炎(梗塞), IgA血管炎, Goodpasture症候群(糸球体腎炎), クリオグロブリン性血管炎, 抗リン脂質抗体症候群	ANA, dsDNA, Smith, SS-A/SS-B, RNP, C3/C4, Scl-70/RNAポリメラーゼⅢ(強皮症腎クリーゼ), ANCA, GBM, クリオグロブリン, 抗リン脂質抗体症候群パネル
神経障害	ANCA関連血管炎, SLE, RA, 結節性多発動脈炎, Sjögren症候群, クリオグロブリン性血管炎, サルコイドーシス	ANA, SS-A/SS-B, ANCA, クリオグロブリン, RF/抗CCP, HCV, HBV

関節リウマチ(RA)

■定義と疫学 (Lancet 2016;388:2023)
- 慢性, 対称性, 消耗性, 破壊性の炎症性多発関節炎で, 病変関節の増殖性滑膜組織(パンヌス)の形成が特徴
- 病因は, TNF, IL-1, IL-6の過剰産生と関連(薬物治療のターゲットとして使用)
- 遺伝因子(リスクの約50%)と環境因子(例:喫煙, シリカ粉塵曝露), 患者因子(歯周病, 腸内マイクロバイオームの変化)が組み合わさって発症リスクとなる
- HLA-DRB1ハプロタイプは疾患感受性, 重症度, 治療に対する反応性と関連 (JAMA 2015; 313:1645)
- 有病率は成人の1%, >70歳女性の5%;女性:男性=3:1;発症のピークは50~75歳

■臨床症状 (Medicine 2010;38:167)
- 持続する朝のこわばりを伴う関節の**疼痛, 腫脹**, 機能障害(PIP, MCP, 手関節, 膝, 足関節, MTP, 頸椎)が緩徐に発症し, 6週間以上持続
- 通常は多関節炎(60%は小関節, 30%は大関節, 10%は両方)だが, 初期には単関節炎(膝, 肩, 手関節)のことがある. 注意:病変関節に感染を伴うこともあり
- 関節変形:**尺側偏位, スワンネック変形**(MCP屈曲, PIP過伸展, DIP屈曲), **ボタン穴変形**(PIP屈曲, DIP過伸展), **槌趾変形**(趾)
- **C1-C2不安定性➡脊髄症**, 待機的挿管前には頸椎伸展/屈曲位のX線を撮影
- 全身症状:微熱, 体重減少, 倦怠感
- 関節外症状(患者の18~41%)は時期を問わず生じうる:血清反応⊕(RF/抗CCP抗体)や疾患活動性のある患者で頻度↑ (Autoimmun Rev 2011;11:123)

関節外症状	
皮膚	**リウマトイド結節**(20~30%, 通常は血清反応⊕患者):伸側, 滑液包;肺, 心臓, 強膜にも出現することあり Raynaud現象, 壊疽性膿皮症, 皮膚血管炎(潰瘍, 紫斑など)
肺	**間質性肺疾患**, 気道病変, 胸膜炎, 胸水(糖低値), 結節, 肺高血圧症;20%が関節症状に先行;薬物毒性(メトトレキサート, ?抗TNF・抗CD20抗体) (Curr Opin Pulm Med 2011;362:367)

(次頁につづく)

心血管	動脈硬化の加速に伴う**心筋梗塞・心血管死リスクの上昇**，心膜炎（血清反応⊕患者の1/3に心膜液），心筋炎，心房細動，冠動脈/全身性血管炎（*Arth Rheum* 2015; 67:2311）
神経	多発性単神経炎/多発神経炎，CNS血管炎，脳卒中，神経絞扼
眼	強膜炎，上強膜炎，乾性角結膜炎（Sjögren症候群に関連）
血液	慢性疾患に伴う貧血，好中球減少（Felty症候群：1%，通常は長期にわたるRA患者で脾腫を伴う；大顆粒リンパ球性白血病：リンパ球の骨髄浸潤±骨髄低形成），非Hodgkinリンパ腫，アミロイドーシス
腎	糸球体腎炎（通常はメサンギウム増殖性），ネフローゼ症候群（二次性アミロイドーシス），RA治療薬による腎毒性
血管炎	小血管炎，中血管炎（通常はRF高値，長期にわたるRA患者）；心膜炎，潰瘍，強膜炎，ニューロパチーが最も一般的（*Curr Opin Rheum* 2009;21:35）

■**血液・画像検査**（*JAMA* 2018;320:1360）
- **RF**（IgM/IgA/IgG型抗IgG抗体）：RA患者の約70%で⊕；その他のリウマチ性疾患（SLE，Sjögren症候群），感染症（亜急性感染性心内膜炎，肝炎，結核），クリオグロブリン血症，健常人の5%でもみられる
- **抗CCP抗体**（抗環状シトルリン化ペプチド抗体）：患者の約80%で⊕，（特に早期RAでは）RFと比較して感度は同等（約70%），特異度は高い（>90%）（*Arthritis Rheum* 2009; 61:1472）；関節破壊↑，寛解率↓と関連
- 約20%は血清反応⊖（RFと抗CCP抗体⊖）
- ESR↑，CRP↑，ただし約30%で正常；約40%でANA⊕；疾患活動期にはグロブリン↑
- 手と手関節のX線：関節周囲の骨減少症，骨びらん，関節亜脱臼
- 滑膜炎や骨びらんの診断に筋骨格エコーを使用するケースが増えている

■**ACR/EULAR分類基準**（*Arthritis Rheum* 2010;62:2569）
- 臨床研究に用いられる基準であり，日常臨床には使用しない
- 他の疾患では説明できない滑膜炎を伴う関節が1つ以上あるような場合に使用するのが妥当
- 小関節の罹患数が多い（特に≧4）場合や，RFまたは抗CCP抗体⊕（特に高値），ANA，ESR/CRP上昇，持続期間6週間以上でRAの可能性が高い

■**管理**（*Lancet* 2017;389:2328&2338, *JAMA* 2018;320:1360）
- 早期の診断と治療（特にDMARD），こまめなフォローアップと**臨床的寛解**または低疾患活動性の達成を目標とした治療強化を行う
- 寛解までの期間↓≒寛解維持期間↑（*Arthritis Res Ther* 2010;12:R97）
- 血清反応⊕（例：RF，抗CCP抗体）は，関節症状・関節外症状の活動性↑と関連
- 診断時には速効型の薬物（すみやかな炎症抑制）と**疾患修飾性抗リウマチ薬（DMARD）**（最大効果の発現まで通常は1~3か月かかる）の**両者**を開始
- **速効型の薬物**：
  NSAIDs，COX-2阻害薬：心血管リスク↑，消化器系の有害事象，AKI；PPI併用を考慮
  グルココルチコイド：〔低用量（<20 mg/日を経口）または関節内注射
  NSAIDs＋グルココルチコイド：消化器系の有害事象↑↑；PPIを投与するとともに長期併用は避ける
- **DMARD**（下の「RA治療薬」を参照）
  メトトレキサート（MTX）（CKD，肝炎，アルコール多飲，肺疾患がなければ第1選択），代替薬としてサラゾスルファピリジン（SAS）やレフルノミド；血清反応⊖の軽症例ではヒドロキシクロロキン（HCQ）を考慮
  3か月間の治療で（DMARDを増量しても）効果不十分な場合，その他のDMARDとの**併用**（例：「3剤併用療法」MTX＋SAS＋HCQ）または**生物学的製剤追加**（禁忌でなければ通常TNF阻害薬が第1選択）
  MTX/SAS/HCQ併用療法はエタネルセプト＋MTXに非劣勢（*NEJM* 2013;369:307）

JAK阻害薬：生物学的製剤や最初のDMARDで治療失敗した場合（*NEJM* 2017;376:652, *Lancet* 2018;391:2503 & 2513）

心血管系合併症の発生/死亡リスク↑；生活習慣の管理，脂質異常症と糖尿病のスクリーニングによりリスクを低下させる

RA治療薬（*Arth Rheum* 2016;68:1）		
分類	薬物	副作用
従来型DMARD	MTX レフルノミド SAS	MTX：胃腸障害，口内炎，間質性肺疾患，骨髄抑制，肝障害 MTX±SASには葉酸を併用 SAS使用前にG6PD欠損の検査
生物学的DMARD （すべてのTNF阻害薬は同等の効果；TNF阻害薬で効果不十分の場合にはTNF阻害薬以外を使用）	TNF阻害薬：エタネルセプト，インフリキシマブ，アダリムマブ，セルトリズマブ，ゴリムマブ CTLA4-Ig：アバタセプト 抗IL-6受容体抗体：トシリズマブ（MTX非併用，単剤での研究あり）；サリルマブ 抗CD20抗体：リツキシマブ IL-1受容体拮抗薬：anakinra **生物学的製剤の併用は禁忌**	細菌/真菌/ウイルス感染リスク↑ 開始前に結核，B型肝炎，C型肝炎の検査 帯状疱疹，肺炎球菌ワクチン接種 TNF阻害薬：?CHF，中枢神経系の脱髄疾患のリスク 抗IL-6抗体：消化管穿孔リスク リツキシマブ：インフュージョン・リアクション
その他	HCQ JAK阻害薬：トファシチニブ，バリシチニブ他 まれ：シクロスポリン，アザチオプリン，金製剤	HCQ：網膜症，皮疹 JAK阻害薬：感染症，Cr↑，肝障害，高血圧 シクロスポリン：腎障害，高血圧，歯肉肥厚

(*Lancet* 2013;381:451, 918&1541, *NEJM* 2012;367:495&508&369:307, *JAMA* 2016;316:1172)

成人発症Still病と再発性多発軟骨炎

■ **成人発症Still病**（*J Rheumatol* 1992;19:424, *Autoimmun Rev* 2014;13:708）
- まれな自己炎症症候群；男性=女性，典型的には16〜35歳で発症；数週間〜数か月かけて症状発現
- 診断基準：大項目2つ以上を含む5項目以上を満たし，感染症，悪性腫瘍，その他のリウマチ性疾患，薬物反応を除外できれば診断
  大項目：39℃を超える発熱が1週間以上持続（通常は1日1〜2回の弛張熱）；関節痛/関節炎が2週間以上持続；Still疹（当該項目参照）；≧80%のPMNを伴う白血球↑
  小項目：咽頭痛；リンパ節腫脹；肝脾腫；AST/ALT/LDH↑；ANAおよびRF⊖
- Still疹（>85%）：非瘙痒性のサーモンピンク色の斑状疹/斑状丘疹；通常は体幹/四肢；物理的刺激（Koebner現象）や温水により誘発されることあり
- 単純X線：軟部組織腫脹（早期）➡軟骨の喪失，骨びらん，手根強直（晩期）
- 治療：NSAIDs；ステロイド；ステロイド減量薬（MTX，**anakinra**，TNF阻害薬，**トシリズマブ**）
- 臨床経過は多様；20%は長期寛解；30%は寛解➡再発；約50%は慢性化（特に関節炎）；マクロファージ活性化症候群（致死的）のリスク↑

■ **再発性多発軟骨炎**（*Rheum Dis Clin NA* 2013;39:263）
- 軟骨構造の炎症性破壊；通常は40〜60歳で発症，男性=女性

- 亜急性に発症する**軟骨の発赤，疼痛，腫脹**；最終的には萎縮と変形
- 一般的臨床像：両側性耳介軟骨炎；非びらん性炎症性関節炎；鼻軟骨炎；眼の炎症；喉頭軟骨炎，気管軟骨炎；蝸牛/前庭機能障害
- 40%の症例が免疫疾患（例：RA，SLE，血管炎，Sjögren症候群），悪性腫瘍，MDSと関連
- 臨床診断は複数箇所の軟骨の炎症を示す身体所見に基づく
- 血液検査：ESR/CRP↑，白血球↑，好酸球↑，慢性炎症に伴う貧血
- 生検（診断に必須ではない）：プロテオグリカンの枯渇，軟骨周囲の炎症と肉芽組織や線維化による置換；免疫蛍光染色で免疫グロブリンおよびC3の沈着
- 肺病変（呼吸機能検査，胸部X線/CT，±気管支鏡検査），心病変（心電図，心エコー）の検索
- 治療は疾患活動性と重症度に基づき選択：第1選択薬は**ステロイド**；関節痛の緩和や軽症例にはNSAIDs，ジアフェニルスルホン；ステロイド減量薬としてメトトレキサート，アザチオプリン，生物学的製剤；臓器侵襲性病変にはシクロホスファミド

結晶誘発性関節炎

痛風と偽痛風の比較

	痛風（*NEJM* 2011;364:443）	偽痛風（*Rheum* 2009;48:711）
急性期	急性発症の疼痛を伴う単関節炎〔古典的ポダグラ（拇指MTP）〕または滑液包炎；しばしば夜に発症 発作の繰り返しで多関節炎になりうる 蜂窩織炎と間違われることあり（特に足）	単発性または非対称性の少関節炎（特に膝，手関節，MCP関節）；まれに軸病変（例：crowned dens症候群）
慢性期	関節（足指，手指，手関節，膝）や組織（特に肘頭部滑液包，耳介，アキレス腱）に結晶が沈着する（**痛風結節**）	朝のこわばりを伴う多関節炎としての"偽RA"や"偽OA"
関連症状	メタボリックシンドローム，CKD，CHF	3つのH：Hyperparathyroidism（副甲状腺機能亢進症），Hypomagnesemia（低Mg血症），Hemochromatosis（ヘモクロマトーシス）
結晶	尿酸ナトリウム（MSU）	ピロリン酸カルシウム二水和物（CPPD）
偏光顕微鏡*	針状，**負の複屈折性**（黄色）	菱形，弱い**正の複屈折性**（青色）
画像所見	早期＝非特異的組織腫脹 晩期＝痛風結節，overhanging edgesを伴う関節びらん 筋骨格エコーで"double contour sign" DECT：尿酸 vs. Ca沈着	**軟骨石灰化症**：関節軟骨内に線状の石灰化；しばしば半月板，手関節・手・恥骨結合部の線維軟骨に認められる
その他	尿酸結石と関連；痛風腎	Ca, Mg, 鉄，フェリチン，TIBC，尿酸，PTH（若年または重症）をチェック

*結晶は細胞内に貪食されている必要あり；感染は急性発作と共存する可能性があるため，常にグラム染色と培養をチェックする

痛風

■定義と疫学 (Lancet 2016;388:2039)
- ヒトは尿酸（プリン代謝の最終産物）を代謝する酵素をもたない
- 関節や関節周囲組織に沈着したMSU結晶が炎症を誘発
- 男性＞女性（9：1）；発症は40歳代がピーク；＞30歳の男性では炎症性関節炎の最も一般的な原因；閉経前女性ではまれ（エストロゲンが尿酸の尿中排泄を促進）

■病因 (Ann Rheum Dis 2012;71:1448)
- 尿酸の排泄低下（85〜90％）：薬物性（例：利尿剤）；特発性；腎機能低下；肥満
- 尿酸の過剰産生（10〜15％）：↑肉，魚介類，アルコール，乾癬，特発性，骨髄/リンパ増殖性疾患,慢性溶血性貧血,細胞傷害性の薬物,まれな遺伝性酵素欠損症,遺伝子変異 (Lancet 2008;372:1953)

■診断
- **尿酸↑では診断できない**（発作時には25％は正常化）；±白血球↑，ESR↑
- **関節穿刺がゴールドスタンダード**：偏光顕微鏡で負の複屈折性を示す針状のMSU結晶
- 2015 ACR/EULAR分類基準 (Ann Rheum Dis 2015;74:1789)：研究では第1に使用

■急性期治療 (Ann Rheum Dis 2017;76:29)
- 他より優れた選択肢なし；発症から24時間以内に開始；急性発作の寛解まで継続；重症例では併用療法を考慮；安静と冷却；治療なしでも3〜10日で改善
- すでに服用している場合は，発作の間も尿酸降下薬を継続

痛風の急性期治療

薬物	初期投与量	備考
NSAIDs（非選択的/COX-2選択的）	抗炎症薬としての最大投与量➡漸減	胃炎，消化管出血；CKD，心血管疾患では避ける；NSAIDsはいずれも有効性は同等；コルヒチンとの比較試験はなし
コルヒチン（PO；米国ではIVは使用不可）	1.2 mg➡1時間後に0.6 mg➡0.6 mg bid	悪心・嘔吐，下痢（増量で↑）；腎不全では減量（ただし腎毒性はない）骨髄抑制，ミオパチー，ニューロパチーと関連
ステロイド（PO/IA/IV/IM）/ACTH	例：プレドニゾロン 0.5 mg/kg/日×5〜10日±漸減	関節の感染症を第1に除外 治療の第1選択としてNSAIDsと同等 ＜3関節の場合にはステロイド注射を考慮
IL-1阻害薬 (Curr Opin Rheumatol 2015;27:156)	anakinra (100 mg SC qd×3日間) カナキヌマブ (150 mg SC 1回)	コストが非常に高い；anakinraは注射部位の疼痛あり (Arthritis Res Ther 2007; 9:R28) カナキヌマブはヨーロッパで承認 (Ann Rheum Dis 2012;71:1839, Arth Rheum 2010;62:3064)

■慢性期治療 (Ann Rheum Dis 2017;76:29)
- **アプローチ**：発作が年に2回以上，多関節の発作，痛風結節，関節びらん，GFR＜60，尿路結石の存在➡急性発作のリスクを下げるため尿酸低下治療と薬物による予防を開始
- **尿酸降下治療**：目標尿酸値＜6 mg/dL，痛風結節がある場合には＜5 mg/dL；尿酸降下治療を開始する際には必ず下記の予防薬を併用；急性発作の間やAKIでも中止しない
- **薬物による予防**：発作が頻回に起こる場合，上記薬物とともに6か月以上継続：低用量**コルヒチン**（急性発作のリスクを約50%↓；J Rheum 2004;31:2429），**NSAIDs**（エビデン

スは少ない；*Ann Rheum Dis* 2006;65:1312)，**低用量ステロイド，IL-1阻害薬**（上記参照）
- **生活習慣の改善**（*Rheum Dis Clin NA* 2014;40:581）：肉，アルコール，シーフードの摂取↓；低脂肪乳製品の摂取↑，体重↓，脱水を避ける

尿酸降下治療（痛風の慢性期治療）		
薬物（投与経路）	機序	備考
アロプリノール（PO）	キサンチンオキシダーゼ阻害薬	第1選択薬；CKDでは初回量を調節；2〜5週間ごとに漸増；皮疹，過敏性症候群（下記参照），骨髄抑制（**アザチオプリン，6-メルカプトプリンとの併用を避ける**），下痢，嘔気／嘔吐，肝炎と関連；血算と肝酵素のモニタリング；腎毒性はない 最大投与量＝800 mg/日
フェブキソスタット（PO）	非プリン型キサンチンオキシダーゼ阻害薬	第2選択薬；アロプリノール不耐の場合に使用；肝機能障害，皮疹，関節痛，嘔気／嘔吐と関連；**アザチオプリン，6-メルカプトプリンとの併用を避ける**（骨髄抑制）；アロプリノールと比較し死亡リスク↑ 40 mgで開始，最大投与量＝120 mg/日
pegloticase（IV）	組換えウリカーゼ	痛風結節のある難治例に使用；インフュージョン・リアクション（アナフィラキシーを含む）；抗体形成により使用が制限されることあり（*JAMA* 2011;306:711）；**G6PD欠損症では投与を避ける**
プロベネシド（PO）	尿酸排泄薬	ほとんど使われない；尿路結石のリスク

- **アロプリノール過敏性症候群**：死亡率10〜25％；リスク低減のため，eGFR>40では100 mg/日で，eGFR≦40では50 mg/日で開始；目標尿酸値（<6 mg/dL）となるまで，1日投与量をeGFR>40で100 mgずつ，eGFR≦40で50 mgずつ，2〜5週間ごとに漸増（CKDの場合でも>300 mg/日は許容）；HLA-B5801と関連し，特に中国人，韓国人，タイ人；アロプリノール開始前にこれらの高リスク集団を対象にスクリーニングを行う（*Curr Opin Rheumatol* 2014;26:16）

ピロリン酸カルシウム二水和物（CPPD）結晶沈着症／偽痛風

■定義
- CPPD結晶の腱，靭帯，関節包，滑膜，軟骨への沈着；しばしば無症候性

■病因（*Rheumatology* 2012;51:2070）
- ほとんどが**特発性**；若年患者（<50歳），症状が著明な場合には，代謝性疾患の精査を考慮
- 代謝性（3つのH）：**H**emochromatosis（ヘモクロマトーシス），**H**yperparathyroidism（副甲状腺機能亢進症），**H**ypo-magnesemia（低Mg血症）；特にGitelman症候群，Bartter症候群
- 関節外傷（手術既往を含む）；関節内ヒアルロン酸注射は発作を誘発することあり
- 家族性軟骨石灰化症（常染色体優性遺伝）；若年発症，多関節性

■臨床症状（*Rheum Dis Clin NA* 2014;40:207）
- **軟骨石灰化症**；CPPD結晶が関節軟骨，線維軟骨，半月板に沈着することによる軟骨の石灰

化
発生率は年齢とともに↑；剖検の研究では＞60歳の20％に膝の軟骨石灰化あり
- **偽痛風**：CPPD結晶が急性の単関節炎／非対称性少関節炎を誘発；関節液検査で結晶を証明する以外に痛風との鑑別は困難
  部位：**膝，手関節**，MCP関節
  誘因：手術，外傷，重症疾患
- 慢性期："偽RA"やピロリン酸塩関節症（軸骨格に起きることあり，OAと類似）

■ 診断的検査
- 関節穿刺がゴールドスタンダード：**弱い正の複屈折性を示す菱形状結晶**（偏光器に記録される振動軸と直交方向に黄色，平行方向に青色；前掲の表参照）
- 画像所見：前掲の表参照

■ 治療（NEJM 2016;374:2575）
- 無症候性の軟骨石灰化は治療不要
- 偽痛風の急性期治療：ランダム化比較試験はなく，痛風の管理に準じる；ただしコルヒチンは痛風の場合ほど有効ではない
- 関連する代謝性疾患がある場合，基礎疾患の治療が関節炎の症状を改善することがある
- 低用量の連日コルヒチン／NSAIDsが慢性関節障害の予防に有効な可能性あり

血清反応陰性脊椎関節炎

■ 診断と分類（NEJM 2016;374:2563）
- 脊椎関節炎（SpA）：共通する臨床所見を呈する炎症性疾患のグループ
  共通する臨床症状：炎症性脊椎炎，末梢関節炎，腱付着部炎（下記参照），関節外症状（おもに眼，皮膚）
- 血清反応＝自己抗体⊖
- サブタイプ：強直性脊椎炎（AS），乾癬性関節炎（PsA），反応性関節炎（ReA），炎症性腸疾患（IBD）関連関節炎，小児脊椎関節炎と分類不能脊椎関節炎

■ 疫学と病因（Nat Rev Rheumatol 2015;11:110）
- 全世界での有病率は一般人口の0.5〜2％；ASと，X線画像では明らかな所見が認められない脊椎関節炎が最も一般的
- HLA-B27は起因する遺伝的リスクの約30％を占めるが，診断に必要ではない
- 環境因子がおそらく疾患発症に重要，特に反応性関節炎（すなわち感染症）

脊椎関節炎の疫学と重要な特徴		
疾患	疫学	重要な特徴
強直性脊椎炎（AS）	男性：女性＝3：1，10歳代〜20歳代半ばで発症（＞40歳ではまれ）	脊椎の可動域制限が徐々に進行；"bamboo spine"，Schober試験⊕
乾癬性関節炎（PsA）	男性＝女性，発生率は45〜54歳でピーク；乾癬患者の20〜30％にみられる	13〜17％で関節炎が皮膚症状に年単位で先行；乾癬の活動性とは相関しない；HIVとの関連あり
反応性関節炎	男性≫女性，20〜40歳；遺伝的感受性のある患者で消化管／泌尿生殖器感染症*の10〜30日後に発症	以前の"Reiter症候群"：関節炎，尿道炎，結膜炎 ほとんどは12か月以内に軽快

（次頁につづく）

| IBD関連関節炎 | 男性＝女性；IBD患者の20％にみられる；Crohn病＞潰瘍性大腸炎 | I型＜5関節：IBDの活動性と相関
II型＞5関節または脊椎炎：IBDの活動性とは相関しない |

*泌尿生殖器感染症：Chlamydia. Ureaplasma urealyticum；消化管感染症：Shigella. Salmonella. Yersinia. Campylobacter. C. difficile

■主な臨床症状 (Lancet 2017;390:73)

- **炎症性背部痛**：仙腸関節（仙腸関節炎），椎間関節
  IPAIN〔Insidious onset（緩徐発症），Pain at night（夜間の痛み），Age of onset（発症時年齢＜40歳），Improves with exercise/hot water（運動／温浴で緩和），No improvement with rest（安静では緩和しない）〕，午前中のこわばり，NSAIDsが有効
- **末梢関節炎**：通常は非対称性，少関節性，大関節，下肢＞上肢；ただし，特にPsAで対称性および多関節性（RAに類似）のことがある
- **腱付着部炎**：腱／靱帯の骨付着部位の炎症，特にアキレス腱，足底筋膜（踵骨側），膝蓋前，肘上顆
- **脊椎強直**：X線画像でbamboo spine，進行性の靱帯骨棘形成により椎体間が架橋されて強直に至る
- **指炎**："ソーセージ指"，指全体に及ぶ炎症（関節炎＋腱鞘滑膜炎）
- **ぶどう膜炎**：前部ぶどう膜炎が血清反応陰性脊椎関節炎で最も一般的な関節外症状；通常は一側性で疼痛，充血，霧視，羞明を呈する
- **軸関節**と**末梢関節**のどちらの病変が優位かによりサブタイプが区別される

脊椎関節炎の鑑別

	軸関節優位	末梢関節優位		
特徴	強直性脊椎炎	乾癬性	反応性	IBD関連
軸病変	100％	20～40％	40～60％	5～20％
仙腸関節炎	対称性	非対称性	非対称性	対称性
末梢関節病変	比較的少ない（約50％）	多い	多い	多い
末梢関節の分布	下肢＞上肢	上肢＞下肢（下記参照）	下肢＞上肢	下肢＞上肢
HLA-B27	80～90％	20％	50～80％	5～30％
腱付着部炎	多い	多い	多い	まれ
指炎	まれ	多い	多い	まれ
眼症状	ぶどう膜炎（25～40％）	結膜炎，ぶどう膜炎，上強膜炎	**結膜炎**（非感染性），ぶどう膜炎，角膜炎	ぶどう膜炎
皮膚症状	なし	**乾癬**：爪甲点状陥凹，爪甲剥離症	環状亀頭炎，膿漏性角皮症	結節性紅斑，壊疽性膿皮症
画像所見	bamboo spine（対称性の靱帯骨棘形成）	"pencil-in-cup" DIP変形	非対称性の靱帯骨棘形成	末梢関節障害びらん性変化はまれ

■臨床評価 (Nat Rev Rheum 2012;8:253)

- **血清反応⊖**：RF／自己抗体は⊖；±ESR/CRP↑
- **HLA-B27**：非特異的，一般人口でも6～8％が⊕；臨床的疑いが濃厚だが画像所見正常の場合に有用；AS患者の90％で⊕だが，その他の脊椎関節炎患者では陽性率20～80％程度
- **軸病変の身体所見**

以下は特徴的な身体所見ではないが,治療中の疾患のモニタリングに有用:
修正 Schober 試験による脊椎屈曲変形の評価(立位および最大前屈時,腰仙移行部の下方 5 cm の点と上方 10 cm の点の間隔を測定;前屈時の延長＜5 cm の場合に⊕)
後頭部−壁間距離から胸椎可動性(伸展)と脊柱後弯の重症度を評価(ただし,骨粗鬆症性後弯症でも後頭部−壁間距離は増加)

● **反応性関節炎の感染症評価**(⊖でも除外はできない)
 泌尿生殖器:尿検査,尿や生殖器分泌液のPCRによる *Chlamydia* 検出;尿道炎は関節炎に先行する *Chlamydia* 感染によるものが通常だが,赤痢後の無菌性尿道炎もみられる
 消化器:便培養, *C. difficile* 毒素;反応性/乾癬性関節炎ではHIV検査を考慮

● **画像検査**
 MRIは炎症(仙腸関節炎)の早期検出に優れる
 単純X線は晩期の構造的変化(仙腸関節びらん/骨硬化像)を検出
 対称性の靱帯骨棘形成による椎体間の架橋を伴う脊椎靱帯の石灰化("bamboo spine")
 椎体の方形化と全体的な骨密度低下,"shiny corner"

■ **皮膚症状**
● **乾癬**:しばしば銀白色の厚い鱗屑を伴う境界明瞭な紅斑
● **環状亀頭炎**:陰茎亀頭と尿道口に生じる浅い無痛性潰瘍
● **膿漏性角皮症**:足底,陰嚢,手掌,体幹,頭皮に生じる角化病変
● **結節性紅斑**:通常は下腿前面に生じる,皮下の脂肪織炎に伴う赤色有痛性結節
 鑑別診断:特発性,感染性,サルコイドーシス,薬物性,血管炎,IBD,リンパ腫
● **壊疽性膿皮症**:好中球性皮膚症→境界が紫色の有痛性潰瘍
 鑑別診断:特発性,IBD,RA,血液腫瘍,固形腫瘍,意義不明の単クローン性免疫グロブリン血症(MGUS),骨髄異形成症候群,真性多血症

■ **PsAのサブタイプ**(*NEJM* 2017;376:957, 2018;391:2273 & 2285)
● **単関節炎/少関節炎**(例:大関節,DIP,指炎);最も一般的な初期症状
● **多発性関節炎**(手足の小関節,手関節,足関節,膝,肘):RAとの鑑別は困難だが,しばしば非対称性
● **破壊性関節炎(ムチランス)**:骨吸収を伴う重度の破壊性関節炎(特に手)
● **軸病変**:片側,非対称性の仙腸関節炎
● **DIP限局**:爪甲点状陥凹と爪甲剥離症によく相関

■ **治療のアプローチ**(*Ann Rheum Dis* 2012;71:319, *Arth Rheum* 2016;68:282)
● 治療しなければ不可逆的な構造破壊と機能↓
● 早期の理学療法が有用
● PsAでは炎症の綿密なコントロールが関節の転帰を改善(*Lancet* 2015;386:2489)
● **NSAIDs**:第1選択薬;こわばりと痛みをすみやかに緩和;長期の継続投与で疾患の経過を修飾できるが,消化管/心血管毒性あり(*Cochrane Database Syst Rev* 2015;17:CD010952);IBDを増悪させる可能性あり
● 単関節/少関節炎には**関節内ステロイド注射**;ステロイド全身投与の役割は限定的(特に脊椎炎に対しては)
● **従来型DMARD**(例:MTX,SAS,レフルノミド):脊椎炎/腱付着部炎には無効;末梢関節炎,ぶどう膜炎,その他の関節外症状には有効な可能性あり
● **TNF阻害薬**:脊椎症状と末梢関節症状の両者に有効,機能を改善し,構造的変化の進行を抑制(*Curr Rheum Rep* 2012;14:422);炎症性眼疾患がある場合,アダリムマブかインフリキシマブが好ましい
● **IL-17阻害薬**(セクキヌマブ,イキセキズマブ):PsAの軸変と末梢関節病変の両者,ASに有効(*NEJM* 2015;373:1329 & 2534, *Lancet* 2015;386:1137)
● **IL-12/23阻害薬**(ウステキヌマブ):PsAの軸病変と末梢関節病変の両者に有効(*Ann Rheum Dis* 2014;73:990)
● **PDE4阻害薬**(アプレミラスト):PsAの末梢関節病変に有効(*Ann Rheum Dis* 2014;73:1020);消化器系副作用と体重減少との関連あり

- **JAK阻害薬**：TNF阻害薬抵抗性のPsAの末梢関節病変に有効（*NEJM* 2017;377:1525）
- **乾癬（皮膚）**も，TNF阻害薬，IL-17阻害薬，IL-12/23阻害薬，PDE4阻害薬，JAK阻害薬に反応あり
- **その他**：
  活動性感染を伴う反応性関節炎に抗菌薬；*Chlamydia*による難治性反応性関節炎には抗菌薬の長期投与を考慮（*Arthritis Rheum* 2010;62:1298）
  炎症性眼疾患があれば眼科専門医へコンサルト（ステロイド点眼/硝子体内注射が有効な可能性）
  基礎疾患のIBDの治療

感染性関節炎 / 滑液包炎

感染性関節炎の病因と診断

■**病因**（*Curr Rheumatol Rep* 2013;15:332）
- **細菌（非淋菌性）**：早期診断と治療が必須
- **淋菌（淋菌性）**：性交渉歴のある若年成人で考慮
- **ウイルス**：パルボウイルス，HCV，HBV，急性HIV，チクングニア：通常は多関節性で，関節リウマチに類似
- **好酸菌**：単関節性または脊椎（Pott病）
- **真菌**：*Candida*（特に人工関節），コクシジオイデス症（渓谷熱），ヒストプラズマ症
- **その他**：ライム病，*Mycoplasma*，*Salmonella*（TNF阻害薬治療の二次性），ブルセラ症，Whipple病（*T. whipplei*）

■**診断**（*JAMA* 2007;297:1478）
- 感染性関節炎では病歴聴取と身体診察の感度/特異度は低い
- **急性発症の単関節炎の場合には，感染性関節炎除外のため関節穿刺**；可能であれば抗菌薬開始前に関節液採取
- 関節腔への感染を防ぐために，感染部位の上から穿刺をしない
- 細胞数（分画も），グラム染色，細菌培養，結晶をチェック；**白血球＞5万でPMN優位の場合は細菌感染の疑いあり**；結晶があっても感染性関節炎は除外できない！

細菌性（非淋菌性）関節炎

■**疫学とリスク因子**
- **免疫不全宿主**：DM，アルコール多飲，HIV，＞80歳，SLE，悪性腫瘍，ステロイド使用など
- **損傷した関節**：関節リウマチ，変形性関節症，痛風，外傷，手術の既往/人工関節，関節穿刺の既往（まれ）
- **細菌の播種**：菌血症（特に静注薬物常用や心内膜炎による二次性）；隣接感染巣（例：蜂窩織炎，感染性滑液包炎，骨髄炎）からの直接進展または波及

■**臨床症状**（*JAMA* 2007;297:1478, *Lancet* 2010;375:846）
- **急性発症する単関節炎**（＞80%）で，痛み（感度85%），腫脹（感度78%），熱感を伴う
- **部位**：**膝**（最も一般的），股関節，手関節，肩，足関節；静注薬物常用者では軸関節含めた他部位（例：仙腸関節，恥骨結合，胸鎖関節，胸骨肋関節）にも発生する傾向あり
- **全身症状**：発熱（感度57%），悪寒（感度19%），発汗（感度27%），倦怠感，筋痛，疼痛
- 感染が初期の部位から移動して瘻孔形成，膿瘍，骨髄炎を起こすことあり

- 感染性滑液包炎は化膿性関節炎とは区別すること

■追加の診断的検査 (*JAMA* 2007;297:1478)
- 滑液：通常は**白血球>5万**（感度62%，特異度92%），ただし<1万のこともある，**好中球>90%**；ブドウ球菌の約75%，GNRの約50%でグラム染色⊕；>90%で培養⊕：滑膜生検の培養が最も高感度
- **白血球↑**（感度90%，特異度36%）；**ESR/CRP↑**（感度>90%）
- >50%の症例で**血液培養**⊕，複数の関節が関与していれば約80%
- 単純X線を撮影すべきだが，通常は感染から約2週間は正常；その後骨びらん，関節裂隙狭小化，骨髄炎，骨膜炎が出現する
- **CTとMRI**は股関節感染または硬膜外膿瘍の疑いがある場合に特に有用

■治療 (非人工関節) (*Curr Rheumatol Rep* 2013;15:332)
- 外科的ドレナージ後，グラム染色の結果に基づき経験的抗菌薬投与；グラム染色⊖ならば，バンコマイシン併用による経験的治療；高齢者，免疫抑制患者では抗緑膿菌薬を追加

一般的な原因菌（グラム染色）		母集団	初期治療（グラム染色，培養，臨床経過に基づいて選択）
グラム陽性球菌	黄色ブドウ球菌（最も一般的）	正常関節 人工関節 損傷した関節	バンコマイシン*
	表皮ブドウ球菌	人工関節 手技後	バンコマイシン*
	レンサ球菌	レンサ球菌	ペニシリンG，アンピシリン
グラム陰性菌	双球菌：淋菌	性交渉歴のある若年成人	セフトリアキソン，セフォタキシム
	桿菌：大腸菌，緑膿菌，*Serratia*	静脈薬物常用，消化管感染，免疫抑制宿主，外傷，高齢者	セフェピム，ピペラシリン-タゾバクタム，静注薬物常用では+抗緑膿菌作用のあるアミノグリコシド系を追加

*感受性試験の結果に基づき抗ブドウ球菌薬としてペニシリンやセファゾリンに変更可

- **IV抗菌薬≧2週間**，その後は経口抗菌薬；臨床経過と微生物学に基づき調節
- 関節ドレナージが必要（しばしば連続して）；特に大関節に対して，初期治療として関節鏡下ドレナージ，ただし関節穿刺でも排液は可能；定期的な滑液検査で白血球↓と無菌状態を確認
- 死亡率10～15%（多関節の場合には50%まで）：原因菌の病原性，治療開始までの時間，患者側の要因による

■人工関節感染 (*Infect Dis Clin N Am* 2012;26:29, *Clin Infect Dis* 2013;66:e1)
- 置換術から2年間が高リスク；通常であれば発生率は低い（0.5～2.4%）；リスク因子：肥満，関節リウマチ，免疫不全状態，ステロイド使用，表層手術部位感染
- >50%がブドウ球菌（コアグラーゼ陰性ブドウ球菌，黄色ブドウ球菌）による；10～20%は複数菌感染
- 早期発症（術後<3か月），遅発性（3～24か月後）；通常は手術による感染；早期感染は病原性の強い原因菌（例：MRSA）；遅発性感染は病原性の比較的弱い原因菌（例：*P. acnes*，コアグラーゼ陰性ブドウ球菌）で，より緩慢な経過をたどる
- 晩期発症（>24か月）：通常は二次性の血行性播種に関連
- 診断には整形外科医による関節穿刺が必要；ESR，CRPが有用な可能性あり（CRPの感度73～91%，特異度81～86%；*NEJM* 2009;361:787）
- 治療には通常，抗菌薬の長期投与と二期的な関節置換術（感染関節を抜去しないと約40%

の治療失敗率；*Clin Infect Dis* 2013;56:182），または抗菌薬の終生投与；感染症専門医と整形外科へのコンサルトが必要

播種性淋菌感染症

■**疫学**（*Infect Dis Clin N Am* 2005;19:853）
- 淋菌性関節炎：性交渉歴のある若年成人では最も頻度の高い感染性関節炎
- **健康な人でも終末補体複合体欠損患者でも発症**
- 女性：男性＝4：1；月経，妊娠，産褥期，SLEで発生率↑；男性同性愛者で発生率↑；＞40歳ではまれ

■**臨床症状**
- しばしば無症状の**粘膜感染**（例：子宮頸部，尿道，肛門，咽頭）が先行
- 2種類の症候群（両方発症する可能性あり）：
  関節限局型：化膿性関節炎（40%）；通常は1～2関節（膝＞手関節＞足関節）
  播種性淋菌感染症：多発関節痛，腱鞘炎，皮膚病変の三徴
  1) 多発関節痛：移動性の関節痛で，小関節・大関節どちらでも出現
  2) 腱鞘滑膜炎：手関節，手指，足関節，足指の腱および腱鞘の疼痛/炎症
  3) 皮膚病変：四肢や体幹の紅斑を伴う砲金灰色の膿疱
- まれな合併症：Fitz-Hugh-Curtis症候群（肝周囲炎），心膜炎，髄膜炎，心筋炎，骨髄炎；関節に限局した感染からの直接進展による

■**診断的検査**
- 滑液：**白血球＞5万**（ときに＜1万），**PMN優位**
  約25%でグラム染色⊕：約50%で培養⊕（Thayer-Martin培地）
- 血液培養：播種性淋菌感染症の場合，⊕の頻度が高い；関節限局型ではまれ
- 皮膚病変のグラム染色と培養はときに⊕
- 子宮頸部，尿道，咽頭，直腸からのPCRまたは培養（Thayer-Martin培地）；*Chlamydia*のチェックも

■**治療**
- **セフトリアキソン×7～14日＋*Chlamydia*のため経験的にアジスロマイシン1g×1回**（フルオロキノロン系は耐性のため推奨されない）
- 感染性関節炎は関節鏡検査/関節洗浄を要することあり；複数回必要なことはまれ

肘頭と膝蓋前の滑液包炎

■**疫学とリスク因子**（*Infect Dis Clin N Am* 2005;19:991）
- 体内には＞150の滑液包が存在；感染が最も頻繁なのは**肘頭と膝蓋前**
- 直接外傷，経皮的播種，隣接感染巣（例：蜂窩織炎）からの直接進展によるものが一般的（特に表層近くの滑液包）
- その他のリスク因子：反復する非感染性炎症性疾患（例：痛風，関節リウマチ，CPPD結晶沈着症），DM
- 黄色ブドウ球菌（80%）が最も一般的；次にレンサ球菌

■**診断**
- 身体所見：滑液包に限定した腫脹，紅斑，滑液包の中心で最も強い圧痛。関節可動域は保持
- 感染の疑いがある場合は滑液包を穿刺し，細胞数，グラム染色，細菌培養，結晶をチェックする

白血球＞2万でPMN優位の場合は細菌感染の疑いあり，ただし白血球がより少ないことも多い（結晶があっても感染性滑液包炎は除外できない！）
- 隣接関節の関節液の評価（膿性の場合あり）
- 感染のある皮膚を穿刺すると滑液包に感染源を押し込むことになるので禁忌

■**初期治療**
- 迅速にブドウ球菌とレンサ球菌を経験的にカバー：症状が軽い場合は内服抗菌薬でも可；重症に見える場合は**バンコマイシン**；リスク因子に応じて広域抗菌薬
- グラム染色，培養の結果と臨床経過に基づき抗菌薬を調節；治療期間は1～4週間；無菌または液体再貯留がなくなるまで1～3日ごとに**吸引を継続**
- 次の場合は手術：滑液包のドレナージが吸引では不能，異物や壊死の存在，隣接組織への感染のおそれがある再発性 / 難治性滑液包炎

結合組織病

リウマチ性疾患患者の自己抗体陽性率（%）										
疾患	ANA	dsDNA	Sm	SS-A/SS-B	Scl-70	RNA PIII	セントロメア	Jo-1	U1-RNP	RF
SLE	≧95	75	20	25	⊖	⊖	⊖	⊖	45	35
Sjögren	≧95	まれ	⊖	45	⊖	⊖	⊖	⊖	まれ	>75
びまん型全身性強皮症	>90	⊖	⊖	まれ	40	20	まれ	⊖	まれ	30
限局型全身性強皮症	>90	⊖	⊖	まれ	10	まれ	60	⊖	まれ	30
炎症性筋疾患	75～95	⊖	⊖	⊖	まれ	⊖	⊖	25	⊖	15
MCTD	≧95	⊖	まれ	⊖	⊖	⊖	⊖	⊖	100	50
RA	40	⊖	⊖	⊖	⊖	⊖	⊖	⊖	⊖	70

(*Primer on the Rheumatic Diseases*, 12th ed., 2001, *Lancet* 2013;382:797)

- 自己抗体検査は結合組織病が臨床的に疑われた場合にのみ行う；臨床所見のない自己抗体⊕≠診断，自己抗体が特定の結合組織病を定義するわけではない
- オーバーラップ症候群は，複数の自己抗体を反映している可能性あり

「全身性エリテマトーデス（SLE）」と「関節リウマチ（RA）」についてはそれぞれの項参照

全身性強皮症（SSc）と強皮症

■**定義と疫学**（*Best Pract Res Clin Rheum* 2010;24:857）
- **強皮症**：皮膚の硬化と肥厚
- **限局性強皮症**：斑状強皮症（モルフィア；線維化による斑状の皮膚変化），線状強皮症（線維帯），"en coup de saber"（片側頭皮と前額部の線状強皮症≒サーベル状瘢痕）
- **全身性強皮症（SSc）**＝強皮症＋内臓病変

限局型SSc：以前はCREST症候群（下記を参照）
びまん型SSc：皮膚病変を有し，しばしば急速に進行する疾患
皮膚硬化を伴わない（sine scleroderma）SSc：皮膚病変を伴わない内臓疾患，まれ
- SSc発症のピークは30～50歳；女性＞男性（7：1）；アフリカ系米国人＞白人
- 米国での年間発生率は1～2/10万人
- 病因：血管内皮細胞傷害➡活性酸素産生➡酸化ストレス➡血管周囲の炎症➡線維化。サイトカイン，増殖因子，遺伝因子，環境因子，±抗体（抗PDGFR，抗血管内皮細胞，抗線維芽細胞）のすべてが寄与（*NEJM* 2009;360:1989）

■**ACR/EULAR強皮症分類基準**（*Ann Rheum Dis* 2013;72:1747）
- 両手の手指の皮膚硬化がMCP関節の近位まで進展していれば全身性強皮症と分類
- 基準で考慮されるその他の項目：Raynaud現象，強皮症関連自己抗体，肺高血圧症および/または間質性肺疾患，爪郭毛細血管異常，毛細血管拡張症，指尖病変（潰瘍，瘢痕），指限局の肥厚（MCPを超えない）
- その他の皮膚硬化を起こす原因を除外：DM（硬化性浮腫，硬化性粘液水腫，中毒，甲状腺機能低下症，腎性全身性線維症，好酸球性筋膜炎，アミロイドーシス，GVHD

全身性強皮症の臨床症状（*Lancet* 2017;390:1685）	
皮膚	四肢，顔面，体幹の硬化と肥厚（診断に生検は不要） 手の浮腫（"puffy hands"），手根管症候群，強指症 爪郭毛細血管拡張と消失 固定し萎縮した"ネズミ様"の顔貌と"巾着袋のひきひものような"口 皮膚石灰沈着（皮下石灰化），毛細血管拡張
動脈	**Raynaud現象**（80%）；指/内臓の虚血
腎	**強皮症腎クリーゼ（SRC）**＝高血圧の加速的進展（患者のベースラインの血圧と比較し↑），微小血管障害性溶血性貧血 尿沈渣は通常は所見なし；毛細血管壁の"タマネギの皮"様の肥厚所見 患者の5～10%に発症，66%は1年目に発症（*Rheumatology* 2009;48:iii32）；プレドニゾロン＞15 mg/日，RNAポリメラーゼIII抗体⊕でSRCリスク↑ 予後不良で死亡率50%
消化管 （患者の＞80%）	GERD，びらん性食道炎 食道運動障害➡嚥下障害，嚥下痛，誤嚥 胃運動障害➡早期満腹感，胃流出路狭窄 小腸運動障害➡吸収不良，腸内細菌異常増殖，鼓腸
筋骨格系	関節炎/関節痛；筋炎；関節拘縮；腱摩擦音
心臓	心筋線維症；心膜液；伝導異常；虚血性心疾患
肺	**肺線維症**（通常は4年以内に発症）；**PAH**（通常は何年もかけて発症）；死亡原因の第1位
内分泌	無月経と不妊が一般的；甲状腺線維化±甲状腺機能低下症

全身性強皮症の分類比較		
	限局型	びまん型
全身症状		疲労感，体重減少
皮膚	四肢の肘/膝より遠位と顔面に限局した肥厚	四肢の遠位と近位，顔面，体幹の肥厚
肺	PAH（急速進行性）＞肺線維症	肺線維症＞PAH

（次頁につづく）

消化管	原発性胆汁性肝硬変	
腎	晩期にSRC	比較的早期かつより一般的にSRC
心臓		拘束型心筋症
その他	**CREST症候群** = 石灰沈着（Calcinosis），Raynaud現象，食道運動障害（Esophageal dysmotility），強指症（Sclerodactyly），毛細血管拡張症（Telangiectasia）	Raynaud現象
抗体	セントロメア（10～40%）	Scl-70，RNAポリメラーゼIII（40%）
予後	10年生存率>70%	10年生存率40～60%

■**診断的検査とモニタリング**（Semin Arthritis Rheum 2005;35:35）
- 自己抗体：>95%で自己抗体⊕；通常，抗体は1つだけ⊕
  抗Scl-70抗体（抗トポイソメラーゼI抗体）：びまん型SScと関連；肺線維症のリスク↑
  抗セントロメア抗体：限局型SScと関連；重度の指虚血と肺高血圧症のリスク↑
  抗RNAポリメラーゼIII抗体：びまん型SScと関連；SRCのリスク↑；悪性腫瘍と関連
  ANA（>90%），RF（30%），抗U1-RNP抗体⊕はオーバーラップ症候群と関連
  その他：抗Th/To抗体（限局型SSc），抗U3-RNP抗体（間質性肺疾患），抗PmScl抗体（多発性筋炎-SScオーバーラップ）
- CXCL4値は診断に役立ち，肺や皮膚の線維症の程度や疾患進行と相関があることが報告されているが，検証が待たれる（NEJM 2014;370:433）
- ベースラインで：√BUN/Crと尿検査（蛋白尿），呼吸機能検査（スパイロメトリー，肺気量，D_LCO），胸部高分解能CT（びまん型），心エコー（右室収縮期圧による肺高血圧症の評価）；右室収縮期圧↑で肺高血圧症の疑いがある場合は右心カテーテル検査
- 呼吸機能検査は年1回；心エコーは1～2年に1回
- 皮膚生検はルーチンには施行されないが，皮膚肥厚の原因となるその他の病態の評価に有用
- 一般人口と比較して悪性腫瘍リスク↑（特に肺癌）：慎重な確認を
- 頻回な（例：毎日の）血圧測定によりSRCを示唆する高血圧がないかモニターする

■**治療**（Arthritis Rheumatol 2018;70:1820）
- SRCリスクを低減するためステロイド使用は最小限に
- **肺線維症**：ミコフェノール酸モフェチル（**MMF**）（Lancet Respir Med 2016;4:708）vs. シクロホスファミド（NEJM 2006;354:2655）；MMF+ピルフェニドンも検討されている（Rheum Dis Clin NA 2015;41:237）
  PAH：**肺血管拡張薬**（「肺高血圧症（PHT）」の項参照），早期治療は転帰の改善と関連
- **腎クリーゼ**：治療には**ACE阻害薬**（ARBではなく），予防には用いない（Semin Arthritis Rheum 2015;44:687）
- 消化管：GERDにはPPI，H₂遮断薬；吸収不良には抗菌薬
  運動障害：メトクロプラミドまたはエリスロマイシン；腸管偽閉塞の非手術的治療
- 心臓：心膜炎にはNSAIDs±コルヒチンはステロイドより優れる
- 関節炎：アセトアミノフェン，NSAIDs，ヒドロキシクロロキン，メトトレキサート
- 筋炎：メトトレキサート，アザチオプリン，ステロイド
- 皮膚：斑状強皮症にはPUVA療法。瘙痒：皮膚軟化剤，局所/経口ステロイド（少量で）。皮膚線維症：メトトレキサートかMMF，効果？（Ann Rheum Dis 2017;76:1207，Int J Rheum Dis 2017;20:481）
- 重症の場合，自己造血幹細胞移植は有望（NEJM 2018;378:35）

炎症性筋疾患

■定義と疫学（*JAMA* 2013;305:183, *NEJM* 2015;372:1734）
- すべての炎症性筋疾患は，骨格筋の炎症や筋力低下，さまざまな筋外病変を起こす
- **多発性筋炎**：特発性びまん性多発筋疾患，通常40～50歳で発症；女性＞男性
- **皮膚筋炎**：多発性筋炎と類似，小児期にも発症するが，皮膚症状によって他の筋疾患とは区別される；**悪性腫瘍との関連は多発性筋炎（10％），皮膚筋炎（24％）**
- **壊死性筋炎**：通常成人発症；スタチン使用（抗HMGCR抗体），結合組織病，悪性腫瘍，ウイルス感染（まれ）がリスク因子
- **封入体筋炎**：50歳以降に発症；男性＞女性；しばしば多発性筋炎と間違えられる
- 鑑別疾患：薬物性中毒性筋疾患（スタチン，コカイン，ステロイド，コルヒチン）；感染症（HIV，EBV，CMV）；代謝性（甲状腺機能低下，低K血症，低Ca血症）；神経筋疾患（例：重症筋無力症）；糖尿病；ミトコンドリア病；筋萎縮

■臨床症状（*NEJM* 2015;372:1734））
- **筋力低下**：壊死性筋炎を除いて緩徐発症（週～月単位），進行性，無痛性
  皮膚筋炎／多発性筋炎／壊死性筋炎：**近位，対称性**；階段昇降，椅子から立ち上がる，髪をとかすのが困難；晩期には微細運動能力（例：ボタン掛け）の喪失
  封入体筋炎：**非対称性，遠位**のこともある
- **皮膚筋炎の皮膚症状**：筋炎に月～年単位で先行することあり
  Gottron丘疹：＞80％にみられる特徴的所見；しばしば鱗屑を伴う青紫色の皮疹で，PIPやMCPの背側，肘，膝，内果に対称性に分布
  ヘリオトロープ疹：上眼瞼の紫色の変色±眼窩周囲浮腫
  多形皮膚萎縮症：多くは日光曝露部の色素沈着もしくは色素脱失を伴う赤／紫の皮疹，上背部（ショールサイン），首と胸部（Vネックサイン），大腿（Holsterサイン）
  機械工の手：指の橈側のひび割れや亀裂，手掌の皺に沿った色素沈着；抗ARS抗体症候群と関連；多発性筋炎でもみられる
- **肺**：急性肺胞隔炎，**間質性肺疾患**，呼吸筋の筋力低下，誤嚥
  抗ARS抗体症候群；**急速進行性の間質性肺疾患**，発熱，体重減少，Raynaud現象，機械工の手，関節炎を伴う急性発症の皮膚筋炎／多発性筋炎；最も一般的にはJo-1 ⊕
- **心臓（33％）**：しばしば無症状；伝導異常，心筋／心膜炎；心不全はまれ；CK-MB/トロポニン↑
- **消化管**：嚥下障害，誤嚥
- **多発関節痛／多発性関節炎**：通常は早期に発症し，非びらん性；小関節＞大関節
- **爪床毛細血管の拡張と消失を伴うRaynaud現象**（30％，皮膚筋炎とオーバーラップした結合組織病）

■診断的検査
- **CK↑**（まれに＞10万U/L，壊死性筋炎の場合にはさらに高いこともある），アルドラーゼ↑，AST↑，LDH↑；±ESR/CRP↑
- **自己抗体**：ANA⊕（＞75％）（*Curr Rheumatol Rep* 2013;15:335）
  抗Jo-1抗体⊕（25％）：最も一般的な特異抗体；抗ARS抗体症候群と関連
  抗Mi-2抗体⊕（皮膚筋炎＞多発性筋炎15～20％）：ステロイド反応性良好
  抗SRP抗体⊕：壊死性筋炎，治療反応不良と関連
  抗HMGCR抗体⊕：壊死性筋炎，スタチン使用と関連
- 評価のため**筋電図**（自発活動↑，振幅↓，筋収縮時の多相性活動電位）と**MRI**（筋浮腫，炎症，萎縮）を考慮；生検部位の決定に役立つ可能性あり
- **病理と筋生検**：すべてにおいて間質への単核球浸潤，筋線維壊死，変性と再生（確定診断に必須）
  多発性筋炎：T細胞関連筋傷害；非壊死線維周囲の筋内膜炎
  皮膚筋炎：補体活性化を伴う免疫複合体の血管への沈着；筋周膜炎，血管周囲炎（B細胞，CD4⁺T細胞），血管内の補体

壊死性筋炎：マクロファージを伴う筋線維の壊死
封入体筋炎：T細胞関連筋傷害，空胞変性；多発性筋炎と同様だが，好酸性封入体と縁取り空胞を伴う（電子顕微鏡検査）

■治療（多発性筋炎/皮膚筋炎の治療，封入体筋炎には効果的な治療なし）（*Autoimmun Rev* 2011;11:6）
- **ステロイド**（プレドニゾロン1 mg/kg）：中等症/重症の場合，もしくは2～3か月で漸減困難な場合には，メトトレキサートまたはアザチオプリンを追加
- 難治例（30～40%）/重症例：アザチオプリン/メトトレキサート併用，IVIg（皮膚筋炎±多発性筋炎），リツキシマブ（*Arthritis Rheum* 2013;65:314），ミコフェノール酸モフェチル，シクロホスファミド（特に間質性肺疾患や血管炎を伴う場合）
- 致死的な食道/呼吸筋障害にはただちにIVIg＋ステロイドパルス
- **潜在する悪性腫瘍**をチェック（特に皮膚筋炎の場合）；スパイロメトリーで呼吸筋力のモニタリング
- 壊死性筋炎：使用中であればスタチンを中止；ステロイド＋メトトレキサートもしくは必要であればIVIg（*Muscle Nerve* 2010;41:185）

筋炎，ミオパチー，筋痛					
疾患	筋力低下	疼痛	CK↑	ESR↑	生検
皮膚筋炎/多発性筋炎/壊死性筋炎	⊕	⊖	⊕	±	上記参照
封入体筋炎	⊕	⊖	⊕	⊖	上記参照
甲状腺機能低下症	⊕	±	⊕	⊖	軽度壊死炎症，萎縮
ステロイド性	⊕	⊖	⊖	⊖	萎縮
リウマチ性多発筋痛症	⊖	⊕	⊖	⊕	正常
線維筋痛症（*JAMA* 2014;311:1547）	⊖	⊕（圧痛点）	⊖	⊖	正常

Sjögren症候群

■定義と疫学
- リンパ形質細胞の浸潤による**外分泌腺**（例：唾液腺/涙腺）の慢性機能障害，腺外症状は一次性で多い
- 一次性と二次性（RA，強皮症，SLE，多発性筋炎，甲状腺機能低下症，HIVに関連）
- 女性＞男性；通常は40～60歳で発症

■臨床症状
- **ドライアイ**（乾性角結膜炎）：涙液産生↓；灼熱感，ゴロゴロ感
- **ドライマウス**（口内乾燥症）：会話/嚥下困難，う歯，気管の乾燥，口腔カンジダ症
- **耳下腺腫大**：間欠性，無痛性，通常は両側性
- **膣乾燥症と性交疼痛症**
- 上気道の腺の機能障害による**再発性の非アレルギー性鼻炎/副鼻腔炎**
- **腺外症状**：関節炎，間質性腎炎（40%），1型尿細管性アシドーシス（20%），皮膚血管炎（25%），ニューロパチー（10%），末梢神経/中枢神経疾患，間質性肺疾患，原発性胆汁性胆管炎
- リンパ増殖性疾患のリスク↑（一次性Sjögren症候群ではリンパ腫と原発性マクログロブリン血症のリスクが約50倍）

■ 診断的検査
- ●自己抗体：ANA⊕（95%），RF⊕（75%）
  - 一次性Sjögren症候群：**抗Ro抗体**（抗SS-A抗体）が56%で，**抗La抗体**（抗SS-B抗体）が30%で⊕
- ●**Schirmer試験**：眼瞼裂に濾紙を挟み，涙液産生能を評価
- ●**ローズベンガル染色試験**：角膜/結膜の変性した上皮細胞が染色される
- ●**角膜染色スコア**：ローズベンガル染色試験の代替法で，フルオレセインとリサミングリーン染色により乾性角結膜炎の程度を評価
- ●**生検**（小唾液腺，口唇唾液腺，涙腺，耳下腺）：リンパ球の浸潤

■ 分類基準（≧4点で感度96%，特異度95%）（*Arthritis Rheum* 2016;69:35）
- ●3点：抗SS-A抗体⊕；口唇唾液腺生検でリンパ球性唾液腺炎の所見，かつリンパ球浸潤が1 focus/4 mm² 以上
- ●1点：眼染色スコア5点以上；Schirmer試験≦5 mm/5分；無刺激全唾液量≦0.1 mL/分

■ 治療（*Arth Res Ther* 2013;15:R172）
- ●眼：人工涙液，シクロスポリン点眼剤，自己血清点眼薬
- ●口腔：シュガーフリーガム，レモンドロップ，人工唾液，補液，ピロカルピン，セビメリン
- ●全身：腺外症状による；NSAIDs，ステロイド，DMARD，リツキシマブ

混合性結合組織病（MCTD）

■ 定義（*Best Pract Res Clin Rheum* 2012;26:61）
- ●**SLE，全身性強皮症，多発性筋炎**の所見が混在して数年かけて徐々に出現。しばしばSLEまたは全身性強皮症の代表的な疾患表現型に進展
- ●分類不能結合組織病（UCTD）とは異なる：分類不能結合組織病は非特異的な症状のみで，どの結合組織病の診断基準も満たさない；30%が3～5年で結合組織病（通常はSLE）に進展

■ 臨床症状と検査所見（臨床経過は多様）
- ●**Raynaud現象**：典型的な初発症状（75～90%）；下記参照
- ●手の浮腫（"puffy hands"），強指症，関節びらんを伴わない関節リウマチ様の**関節炎**，多発関節痛
- ●肺症状（85%）：**肺高血圧症**，肺線維症
- ●心膜炎は最も頻度の高い心血管症状；消化管：運動障害（70%）
- ●膜性/メサンギウム増殖性糸球体腎炎（25%）；腎性高血圧クリーゼや重症糸球体腎炎の頻度は低い
- ●ANA⊕（>95%）；RF⊕（50%）；**抗U1-RNP抗体**は全例で⊕だが，非特異的（SLEの約50%でも認める）

■ 治療
- ●上記の各リウマチ性疾患の治療に準じる

Raynaud現象

■ 臨床症状と診断（*NEJM* 2016;375:556）
- ●典型的には寒冷刺激やストレスによって誘発される，一時的な可逆性の指虚血
  蒼白（白色，虚血）➡**チアノーゼ**（青色，低酸素症）➡**発赤**（赤色，再灌流）；色調の変化は通常は境界明瞭；手指，足指，耳，鼻に出現

一次性 vs. 二次性 Raynaud 現象		
	一次性（80〜90%）	二次性（10〜20%）
血管壁	機能的異常	構造的異常
病因	特発性；しかし併存疾患（高血圧，動脈硬化，虚血性心疾患，DM）の状態により増悪することがある	SSc，SLE，多発性筋炎-皮膚筋炎，MCTD，Sjögren症候群，RA 動脈疾患（動脈硬化，Buerger病），外傷 血液疾患（クリオグロブリン血症，原発性マクログロブリン血症，再生不良性貧血） 薬物（エルゴペプチド，エストロゲン，コカイン）
疫学	20〜40歳；女性＞男性（5：1）	＞35歳
臨床所見	軽度で対称性の一過性発作 組織傷害や末梢血管疾患，全身症状を伴わない；母指には出現しない	重症で非対称性の発作；組織の虚血と傷害（例：指尖潰瘍）；全身症状との関連もあり；母指や四肢近位にまで影響しうる
自己抗体	結合組織病の自己抗体⊖	病因による，結合組織病の自己抗体はしばしば⊕
爪郭	正常毛細血管	消失やループの拡大／歪み

■治療（*Curr Opin Rheum* 2011;23:555, *BMJ* 2012;344:e289）
●全例：寒冷刺激の回避，手指や身体の保温；喫煙，交感神経興奮薬，カフェイン，外傷は避ける；潰瘍の感染に対し抗菌薬
●軽症〜中等症：**長時間作用型CCB**，外用硝酸薬，SSRI，ARB，α遮断薬，アスピリン／クロピドグレル
●重症：PDE5阻害薬，エンドセリン受容体拮抗薬（潰瘍のある場合，特に肺高血圧症の合併例），指交感神経切除術
●指病変進行例：プロスタグランジン点滴，指交感神経切除術，±抗凝固療法

全身性エリテマトーデス（SLE）

ANAの産生に関連した広範な多臓器系臨床症状を呈する炎症性自己免疫疾患

■疫学（*Lancet* 2014;384:1878）
●有病率15〜50/10万；10歳代〜30歳代の女性に多い
●女性：男性＝8：1；アフリカ系米国人：白人＝4：1
●複雑な遺伝学的要因；一部はHLA型との関連あり；まれにC1q，C2欠損

SLICC（Systemic Lupus International Collaborating Clinics）の分類基準		
臨床的基準	SLICC分類基準*	その他の所見
全身（84%）		発熱，倦怠感，食欲不振，体重減少
皮膚／口腔／眼 （81%）	1. 急性／亜急性の皮膚変化 2. 慢性皮膚変化 3. 口腔／鼻咽腔潰瘍 4. 非瘢痕性の脱毛	蝶形紅斑（鼻唇溝を避ける），ディスコイド疹（角化と角栓を伴う紅斑性丘疹），水疱性SLE分類基準，蕁麻疹，TEN 光線過敏症（悪心・嘔吐，皮疹，発熱）

（次頁につづく）

			血管炎, 脂肪織炎（深在性ループス） Raynaud現象, 爪郭毛細血管変化, 乾燥症（sicca症候群） 結膜炎, 上強膜炎
筋骨格系 （85～95%）	5.	**関節炎**：2関節以上の滑膜炎もしくは疼痛, 朝のこわばり	関節痛と筋痛 虚血性の骨壊死
心肺（33%）	6.	**漿膜炎**：胸膜炎（37%）/胸水, 心膜炎（29%）/心膜液	肺臓炎, IPF, 縮小肺, PAH, びまん性肺胞出血 心筋炎, CAD Libman-Sacks心内膜炎
腎（77%）	7.	**蛋白尿**（＞0.5 g/dL）または**赤血球円柱**	ネフローゼ症候群 ループス腎炎（当該項目参照）
神経（54%）	8.	その他の原因がない**痙攣発作/精神障害**	認知機能障害, 脳卒中, 脳神経障害または末梢性ニューロパチー, 横断性脊髄炎, 多発単神経炎
消化管 （約30%）			漿膜炎（腹膜炎, 腹水） 血管炎（出血, 穿孔） 肝炎, 膵炎
血液	9. 10. 11.	**溶血性貧血** **白血球減少**（＜4,000/mm³）または**リンパ球減少**（＜1,000/mm³） **血小板減少**（＜10万/mm³）	慢性疾患に伴う貧血 抗リン脂質抗体症候群（抗カルジオリピン抗体, ループスアンチコアグラント, 抗β_2グリコプロテインI抗体の陽性所見を伴う静脈血栓塞栓症） 脾腫, リンパ節腫脹
免疫学的検査	12. 14. 16. 17.	**ANA**⊕; 13. **抗dsDNA抗体**⊕ **抗Sm抗体**⊕; 15. **抗リン脂質抗体**⊕ **補体低下**：C3, C4, CH50 **直接Coombsテスト**⊕（溶血性貧血がない場合）	ESR/CRP↑, 抗SS-A/SS-B抗体⊕ 抗RNP抗体⊕, RF⊕ 抗CCP抗体⊕

*専門家の意見であり, SLEの診断基準ではない：SLICC基準の17項目中4項目以上（臨床項目と免疫項目それぞれ1項目以上）またはANA/抗dsDNA抗体⊕で生検で証明されたSLE腎炎がある場合に分類 (*Arth Rheum* 2012;64:2677)

SLEの自己抗体 (*NEJM* 2008;358:929)			
自己抗体	**おおよその頻度**	**関連する臨床像**	**出現時期**
ANA	活動期で95～99% 寛解期で90% 均質型または斑紋型	広範な臨床症状のいずれかまたはすべて 感度は高いが非特異的	症状を呈する数年前から出現する場合あり
SS-A (Ro) SS-B (La)	15～35% ANA⊖もしくは低値でも抗SS-A抗体⊕となりうる	Sjögren症候群/SLEのオーバーラップ 新生児ループス；光線過敏症；亜急性皮膚エリテマトーデス	
dsDNA	70%; 特異度約95%; 抗体価は疾患活動性（特に腎症状）に相関	ループス腎炎 血管炎	診断の数か月前ないし診断時に出現, ただし診断後に⊕となることも

（次頁につづく）

Sm	30%；SLEに非常に特異的	ループス腎炎	
U1-RNP	40%	MCTD：Raynaud現象 腎炎はみられない傾向	
ヒストン	薬物誘発性ループスで90%；SLEで60〜80%	軽度の関節炎と漿膜炎	診断時に出現

■精査
- 自己抗体：ANA⊕の場合➡抗dsDNA, 抗Sm, 抗SS-A, 抗SS-B, 抗U1-RNP抗体をチェック
- 血算，抗リン脂質抗体（20〜40%で⊕；抗カルジオリピン抗体，抗β_2グリコプロテインI抗体，ループスアンチコアグラント），CH50，C3，C4
- 電解質，BUN/Cr，尿検査，尿沈渣，スポット尿のミクロアルブミン/Cr比，または24時間尿のCrClと蛋白
- GFR↓, 活動性の尿沈渣, 血尿, 蛋白尿（>0.5 g/dL）➡治療方針決定のために腎生検

SLEの治療 (*Curr Rheumatol Rep* 2011;13:308, *Arthritis Care Res* 2015;67:1237)		
薬物	適応	副作用
ヒドロキシクロロキン（HCQ）	再燃率低下のためすべての患者に投与(*NEJM* 1991;324:150)；関節炎，漿膜炎，皮膚症状に対する単剤療法	網膜症（<1%），Stevens-Johnson症候群，ミオパチー 免疫抑制ではない
NSAIDs	関節炎，筋痛，漿膜炎	胃炎，上部消化管出血，腎不全
副腎皮質ステロイド	関節炎，漿膜炎に対して低用量（10〜15 mg）；重篤な症状（例：腎，中枢神経，血液）に対して高用量（1 mg/kg）±ステロイドパルス（1 g×3日間）	副腎抑制，DM，白内障，骨粗鬆症，虚血性骨壊死，ミオパチー
ミコフェノール酸モフェチル（MMF）	腎炎（寛解導入/維持療法） HCQに反応しない腎以外の症状	血球↓，LFT↑，下痢，催奇形性
シクロホスファミド（CYC）	腎炎，中枢神経系疾患（寛解導入療法，曝露量は最小化する）	血球↓，不妊，催奇形性，骨髄増殖性疾患，出血性膀胱炎，膀胱癌
アザチオプリン（AZA）	腎炎（維持療法） HCQに反応しない腎以外の症状	骨髄抑制（TPMT活性をチェック），肝障害，催奇形性，リンパ増殖性疾患
メトトレキサート（MTX）	関節炎（MMF/AZAよりも好まれる） 皮膚症状，漿膜炎	骨髄抑制，脱毛症，肝障害，口内炎，肺臓炎，催奇形性
シクロスポリン（CsA）	腎症状	歯肉増殖，高血圧，多毛症，CKD，貧血
ベリムマブ (*NEJM* 2013; 368:1528)	関節炎，漿膜炎，皮膚症状（特に抗dsDNA抗体⊕またはC3/C4↓の場合）	B細胞枯渇（<リツキシマブ，機序は異なる）
リツキシマブ（RTX）	難治性SLE，ITP，自己免疫性溶血性貧血	インフュージョンリアクション，血清病，進行性多巣性白質脳症

（次頁につづく）

| バリシチニブ (Lancet 2018; 392:222) | 予備データ：4 mgで関節炎，皮膚症状に効果あり | 感染症（帯状疱疹），肝障害，血球↓，脂質異常症 |

ループス腎炎 (Arthritis Care Res 2012;64:797)		
型	症状	治療（HCQはどの型にも有効）
Ⅰ：微小メサンギウム	尿検査とCr正常	特別な治療なし
Ⅱ：メサンギウム増殖性	顕微鏡的血尿/蛋白尿	特別な治療なし±ACE阻害薬
Ⅲ：巣状	血尿/蛋白尿，±高血圧，GFR↓，±ネフローゼ症候群	寛解導入療法：MMFまたはCYC＋ステロイド 維持療法：?MMF＞AZA
Ⅳ：びまん性	血尿/蛋白尿，高血圧，GFR↓，±ネフローゼ症候群	
Ⅴ型：膜性（Ⅲ，Ⅳ型と併存しうる	蛋白尿，ネフローゼ症候群	ACE阻害薬 ネフローゼ域の蛋白尿には寛解導入療法としてMMF＋ステロイド 維持療法：MMF＞AZA
Ⅵ：進行した硬化性	ESRD	腎代替療法

(Ann Rheum Dis 2010;69:2083, NEJM 2004;350:971, 2005;353:2219, 2011;365:1886)

■予後 (Arth Rheum 2006;54:2550, Rheum [Oxford] 2016;55:252)
● 5年生存率＞90％，10年生存率＞80％
● 合併症発生/死亡の主要な原因：**感染症**，**腎不全**，神経学的/心血管イベント；血栓性合併症 (Medicine 2003;82:299)

■薬物誘発性ループス (Drug Saf 2011;34:357, Curr Opin Rheumatol 2012;24:182)
● 薬物：**プロカインアミド**，**ヒドララジン**，ペニシラミン，ミノサイクリン，イソニアジド，メチルドパ，キニジン，クロルプロマジン，ジルチアゼム，**TNF阻害薬**（特にインフリキシマブ），インターフェロン
● 急性発症；通常は軽度の関節炎，漿膜炎，皮膚症状；腎症状，蝶形紅斑やディスコイド疹はまれ；有病率は女性：男性＝1：1
● 抗ヒストン抗体⊕（95％）（TNF阻害薬では⊖のことも）；抗dsDNA抗体⊖（TNF阻害薬では薬物誘発性ループスの症状がなくても⊕のことも），抗Sm抗体⊖；補体価正常
● 通常は薬物中止後4〜6週間以内に回復

血管炎

概要

● 血管壁の炎症により，しばしば全身症状を伴う終末臓器障害を起こす；病因として一次性と二次性（例：感染症，悪性腫瘍）あり
● おもに関与する血管のサイズにより分類 (Arthritis Rheum 2013;65:1)；罹患血管のサイズはオーバーラップしていることも多い

- 臨床症状は関与する血管のサイズによる；全身症状（微熱，疲労感，体重↓，筋痛，食欲不振）はすべての病型に一般的

サブタイプ別に見た血管炎の特徴					
	大血管炎		中血管炎	小血管炎	
	TAK	GCA	PAN	ANCA関連血管炎	IC
疫学	若年，女性＞男性	高齢者，女性＞男性	中年〜高齢者	多様	多様
腎	動脈炎	なし	小動脈瘤	糸球体腎炎	糸球体腎炎
肺	まれ	なし	まれ	多い	クリオグロブリン＞HSP
末梢性ニューロパチー	なし	あり	あり	あり	あり
消化管	まれ	あり	あり	あり	HSP＞クリオグロブリン
皮膚	まれ	なし	一般的	一般的	一般的
肉芽腫	あり	あり	なし	あり(MPAを除く)	なし
その他			腸間膜動脈瘤，精巣症状	GPA：上気道 EGPA：喘息	HSP：IgA沈着 クリオグロブリン血症：HCV

TAK：高安動脈炎，GCA：巨細胞動脈炎，PAN：結節性多発動脈炎；ANCA関連血管炎にはGPA，EGPA，MPAが含まれる；IC：免疫複合体関連小血管炎（例：HSP，クリオグロブリン血性血管炎）

大血管炎

■高安動脈炎（"脈なし病"）
- **大動脈とその分枝の動脈炎➡狭窄/動脈瘤➡跛行**；発症は<50歳
- 病変部位：大動脈とその分枝；**鎖骨下動脈/腕頭動脈に最も多く（>90％）**，次に頸動脈/冠動脈/腎動脈/肺動脈（約50％）
- 疫学：**アジアで最も一般的**，女性：男性＝約9：1，**<50歳**
- 臨床症状と身体所見（*Circ* 2015;132:1701）
  全身性炎症：**発熱，関節痛，体重↓**を伴う
  血管炎：血管痛と圧痛，**四肢の脈拍/血圧の低下と左右不同，血管雑音**，肢帯跛行，腎血管性高血圧（>50％），神経調節性失神；大動脈瘤±大動脈弁閉鎖不全症
  "消耗期"または線維化期（例：血管狭窄）
- 診断的検査：ESR↑（75％），CRP↑；**動脈造影（MRA，CTA）➡閉塞，狭窄，動脈壁の不整，動脈瘤**；頸動脈エコー＋Doppler検査；PET-CT；**病理➡**局在性汎動脈炎，肉芽腫と巨細胞を伴う細胞浸潤（生検は診断に必須ではない）
- 治療：**ステロイド±MTXまたはアザチオプリン**；TNF阻害薬（第2選択薬；*Autoimmun Rev* 2012;11:678）；IL-6阻害薬が有効かもしれない（*J Autoimmun* 2018;91:55）；アスピリン；外科的/血管内血行再建術（*Circ* 2008;69:70）
- モニタリング：MRA/PET-CT（*Arthritis Rheum* 2012;64:866）；ESR/CRP（*Ann Rheum Dis* 2009;68:318）

■巨細胞動脈炎（GCA）（*JAMA* 2016;315:2442）
- **大動脈とその分枝の肉芽腫性動脈炎**；側頭動脈に好発
- 病変部位：**頸動脈の頭蓋外枝**，特に側頭動脈（このため**側頭動脈炎**とも呼ばれる）；大動脈

とその分枝（10～80%）
- 患者の90%は＞60歳，発症のピークは70～80歳，＜50歳では非常にまれ；女性：男性＝3：1
- 臨床症状（*NEJM* 2014;371:50）
  全身症状：**発熱**，疲労感，体重↓
  側頭動脈：**頭痛**，側頭動脈と頭皮の**圧痛**，側頭動脈の拍動消失
  眼動脈（20%）：視神経症，複視，一過性黒内障，失明
  顔面動脈：**顎跛行**
  大血管炎：四肢の間欠性跛行；胸部大動脈瘤
  リウマチ性多発筋痛症と強く関連：約50%のGCA患者で最終的にリウマチ性多発筋痛症の診断
- 診断的検査：**ESR↑**（感度84%，特異度30%），**CRP↑**（感度86%，特異度30%），貧血
  側頭動脈生検：GCAの疑いがある場合は必ず行う（感度≦85%）；1～2 cmの生検±両側で行うと診断能↑（3～7%で左右不同）（*Ann Rheum Dis* 2009;68:318）➡血管炎，肉芽腫
  大動脈炎または大血管病変の疑いがある場合（血圧変化，血管雑音）➡MRI/MRAまたはPET-CT
- 治療：**ステロイド**；生検／病理診断の結果を待たずに開始！　治療開始して少なくとも2週間以内なら生検結果は変わらない
  プレドニゾロン40～60 mg/日，ゆっくりと漸減，連日アスピリン；視力を脅かす症状がある場合はパルス療法点滴静注を考慮，トシリズマブの追加は持続的な寛解の達成に役立つ（*NEJM* 2017;377:317）
- **リウマチ性多発筋痛症**（*JAMA* 2016;315:2442, *Lancet* 2017;390:1700）
  GCA患者の50%にみられる；リウマチ性多発筋痛症患者の15%はGCAを発症
  ≧50歳；ESR>40 mm/時（±CRP↑）；**両側性の痛みと朝のこわばり**（>30分），次の3領域のうち2領域以上：頸部／体幹，肩／上腕，股関節／大腿近位；深夜の痛み；±エコーで三角筋下滑液包炎；症状のその他の原因（例：RA）を除外；CK正常
  治療：プレドニゾロン12.5～25 mg/日；臨床症状が改善したら漸減開始；もし改善が認められない場合には増量；ステロイド副作用のリスクが高い場合にはMTX考慮（*Ann Rheum Dis* 2015;74:1799）
- 臨床症状，ESR/CRPをフォロー（*Ann Rheum Dis* 2009;68:318）；2年以内に約1/3は再燃（*J Rheum* 2015;42:1213）

中血管炎

結節性多発動脈炎（「古典的」PAN）（*Arthritis Rheum* 2010;62:616）

- **中動脈や小動脈**（筋性の中膜があるサイズまで）の**壊死性非肉芽腫性血管炎**で，糸球体腎炎や毛細血管病変（びまん性肺出血）を伴わない；ANCAとの関連なし
- 疫学：男性＞女性；発症時平均年齢は約50歳；一次性または二次性（**HBV**＞HCV；約10%）
- 臨床症状
  全身症状（80%）：体重減少，**発熱**，疲労感
  神経（79%）：**多発単神経炎**，末梢性ニューロパチー，脳卒中
  筋骨格系（64%）：**四肢の痛み**，**筋痛**，関節痛，関節炎
  腎（51%）：**高血圧**，血尿，蛋白尿，腎不全，糸球体腎炎
  消化管（38%）：**腹痛**，消化管出血／梗塞，胆嚢炎
  泌尿生殖器（25%）：卵巣痛，精巣痛
  皮膚（50%）：**網状皮斑**，紫斑，結節，潰瘍，Raynaud現象
  眼（9%）：網膜血管炎，網膜滲出斑，結膜炎，ぶどう膜炎
  心臓（22%）：冠動脈炎，心筋炎，心膜炎
  肺：まれ；もし肺症状がある場合は他の血管炎を考慮

- ●診断的検査：ESR/CRP↑, ANCA, HBV検査；HBV関連ではC3/C4↓
  血管造影（腸間膜動脈または腎動脈）**➡小動脈瘤**と局所の血管狭窄
  CT血管造影は診断に有用だが，通常の血管造影が最も高感度
  生検（腓腹神経，皮膚，または病変臓器）➡フィブリノイド壊死を伴う小動脈と中動脈の血管炎で，肉芽腫を伴わない
- ●治療：重症度に応じて；**ステロイド**±DMARD（例：メトトレキサートやシクロホスファミド）；HBV関連では抗ウイルス薬

ANCA関連小血管炎

微小血管（例：毛細血管，毛細血管後細静脈，細動脈）の血管炎

疾患	肉芽腫	腎病変	肺病変	喘息	ANCA*	ANCA陽性率
多発血管炎性肉芽腫症（GPA）**	⊕	80%	90%（＋耳鼻咽喉病変）	—	PR3-ANCA (c-ANCA)	90%
顕微鏡的多発血管炎（MPA）	—	90%	50%	—	MPO-ANCA (p-ANCA)	70%
好酸球性多発血管炎性肉芽腫症（EGPA）**	⊕	45%	70%	⊕	MPO-ANCA (p-ANCA)	50%

*主要なANCA：3疾患はすべてp-ANCAまたはc-ANCAのいずれかが⊕（NEJM 2012;367:214）
**GPAは以前のWegener肉芽腫症．EGPAは以前のChurg-Strauss症候群

■ANCAの鑑別診断 (Lancet 2006;368:404)
- ●**抗PR3抗体（c-ANCA）**：GPA, EGPA, MPA（まれ），レバミゾール（コカイン混入物）ではc/p-ANCA⊕
- ●**抗MPO抗体（p-ANCA）**：MPA, EGPA, GPA, 薬物誘発性血管炎，非血管炎性リウマチ性疾患，レバミゾール（コカイン混入物）ではc/p-ANCA⊕
- ●**非典型的ANCA型**：薬物誘発性血管炎，非血管炎性リウマチ性疾患，潰瘍性大腸炎，原発性硬化性胆管炎，心内膜炎，嚢胞性線維症

■多発血管炎性肉芽腫症（GPA）（以前は"Wegener肉芽腫症"）
- ●壊死性肉芽腫性全身性血管炎で，腎，肺などに加え，しばしば鼻腔，副鼻腔，上気道の病変を伴う
- ●疫学：全年齢，ただし若年者と中年成人で発生率↑；男性＝女性
- ●臨床症状
  全身症状：発熱，易疲労感，倦怠感，食欲低下，**予期しない体重減少**
  呼吸器（90%）：
   上気道：**再発性副鼻腔炎**，鼻炎，口腔/口腔潰瘍，**鼻痂形成**，**鞍鼻変形**，耳炎，難聴，声門下狭窄
   下気道：**肺浸潤**，**結節**，**肺胞出血**，喀血，胸膜炎
  腎（80%）：**RPGN**（pauci-immune型），赤血球円柱，変形赤血球，血尿
  眼（50%）：上強膜炎，強膜炎，ぶどう膜炎，眼窩肉芽腫➡眼球突出，角膜潰瘍
  神経：脳神経障害または末梢性ニューロパチー，**多発単神経炎**
  皮膚（50%）：触知可能な紫斑，網状皮斑
  血液：疾患活動期にはDVT/PEの発生率が20倍に上昇（Annals 2005;142:620）
- ●診断的検査：**90%がANCA⊕**（PR3は80%，MPOは20%），上気道疾患に限ると感度が劣る
  胸部X線/CT➡結節，浸潤影，空洞；副鼻腔CT➡副鼻腔炎＋骨びらん
  BUN↑, Cr↑, 蛋白尿，血尿；尿沈渣で赤血球円柱，変形赤血球を認める

生検➡細動脈，毛細血管，静脈の壊死性肉芽腫性炎症
- 治療：BVAS/WGスコアで重症度を評価（*Arth Rheum* 2001;44:912）
  軽症例（非臓器傷害的；BVAS 0～3）：**メトトレキサート＋ステロイド**（*ArthritisRheum* 2012;64:3472）
  重症例（肺胞出血，RPGN含む臓器障害あり；BVAS＞3）：
  寛解導入療法：[**リツキシマブ** 375 mg/m²/週×4 週間または**シクロホスファミド** 2 mg/kg/日×3～6 か月または15 mg/kgで2～3 週ごとのパルス療法]＋**ステロイド** 1 g IV×3日］1～2 mg/kg/日（*NEJM* 2005;352:351, 2010;363:211, 2013;369:417, *Annals* 2009;150:670, *Ann Rheum Dis* 2015;74:1178）
  RPGN：?ESRDのリスク↓のために±血漿交換（*Am J Kidney Dis* 2011;57:566）
  維持療法：リツキシマブ6か月ごとの投与はアザチオプリンや注意深い経過観察より優れる（*Arth Rheum* 2012;64:3760, *NEJM* 2014;371:1771）
  再発時：軽症ならステロイド±メトトレキサート/アザチオプリン；重症ならステロイド＋リツキシマブまたはシクロホスファミドで寛解再導入
  再発を示す臨床所見なしにANCA↑➡治療変更の必要なし（*Annals* 2007;147:611）

■顕微鏡的多発血管炎（MPA）（*Rheum Dis Clin N Am* 2010;36:545）
- GPAに類似，ただし**耳鼻咽喉/気道症状を伴わず非肉芽腫性**
- 疫学：男性＞女性；平均50～60歳で発症
- 臨床症状：GPAに類似，ただし**上気道症状を伴わない**
  腎（80～100%）：糸球体腎炎
  肺（25～50%）：肺毛細血管性肺胞炎，肺線維症
  全身症状と神経症状はGPAに類似；30～60%に皮膚病変（例：触知可能な紫斑）
- 診断的検査：**70%がANCA⊕**（ほぼすべてが抗MPO抗体）
  生検➡小血管の**壊死性非肉芽腫性炎症**，pauci-immune型（補体や免疫グロブリンの沈着は微量；HSP，クリオグロブリン血症などと対照的）
  尿沈渣と胸部X線所見はGPAに類似
- 治療：GPAと同様；GPAよりも再燃率は低い

■好酸球性多発血管炎性肉芽腫症（EGPA）（以前は"Churg-Strauss症候群"）
- GPAに類似，ただし**心病変**の頻度が高く，**喘息や好酸球↑**と関連
- 疫学：まれ，全年齢（通常は30～40歳）で発症；HLA-DRB4と関連
- 臨床症状（*Curr Rheum Rep* 2011;13:489）
  初発症状：**喘息**，副鼻腔炎，アレルギー性鼻炎（成人の新規の喘息発作は本疾患を疑う）
  好酸球浸潤性疾患：一過性の**肺浸潤**，胃腸炎，食道炎
  全身性小血管炎：**ニューロパチー**（多発単神経炎），腎（糸球体腎炎），皮膚（触知可能な紫斑，点状出血，結節）
  循環器：冠動脈炎，心筋炎，CHF，弁機能不全（*Medicine* 2009;88:236）
- 診断的検査：50%がANCA⊕（MPO＞PR3）；**好酸球↑**（5,000～1万/μL，80～100%）
  生検➡微小肉芽腫，フィブリノイド壊死，好酸球浸潤を伴う小動静脈の血栓症
- 治療：高用量**ステロイド**＋重症例にはシクロホスファミド；難治性/再発性の場合には抗IL-5抗体（メポリズマブ）（*NEJM* 2017;376:1921）

■腎限局性血管炎
- 小血管のpauci-immune型血管炎によりRPGNを発症，ただし他臓器の病変は伴わない
- 診断的検査：80%がANCA⊕（MPO＞PR3）；生検➡pauci-immune型糸球体腎炎±肉芽腫
- 治療はGPA/MPAと同様

免疫複合体関連小血管炎

■ Henoch-Schönlein紫斑病（HSP）
- 皮膚，消化管，腎に好発するIgA関連血管炎
- 疫学：男性＞女性，小児＞成人，発症は冬＞夏
- 上気道感染（特にレンサ球菌）や薬物曝露後に発症することあり
- 臨床症状
  - **触知可能な紫斑**：伸側表面（まず下肢から）と殿部
  - **多発関節痛**（非変形性）：特に股関節，膝関節，足関節
  - **腹部疝痛**±消化管出血または腸重積
  - 腎炎：顕微鏡的血尿や蛋白尿からESRDまで多様
- 診断的検査：皮膚生検と免疫蛍光染色⇒血管壁へのIgA，C3の沈着を伴う**白血球破砕性血管炎**；腎生検⇒メサンギウムへのIgA沈着
- 治療：多くは4週間程度で自然回復；腎炎/重症例にはステロイド±DMARD

■ 結合組織病関連血管炎
- **関節リウマチ，SLE，Sjögren症候群**に関連した小血管炎
- 臨床症状
  - 遠位動脈炎：指尖部虚血，網状皮斑，触知可能な紫斑，皮膚潰瘍
  - 内臓動脈炎：心膜炎，腸間膜虚血
  - 末梢性ニューロパチー
- 診断的検査：皮膚/腓腹神経生検，筋電図，血管造影；SLEでは補体低下；関節リウマチではRF/抗CCP抗体⊕
- 治療：ステロイド，シクロホスファミド，メトトレキサート（またはその他のDMARD）

■ 皮膚白血球破砕性血管炎
- 血管炎のなかで最も一般的なタイプ；毛細血管，細静脈，細動脈への**免疫複合体沈着**による多彩な臨床症候群；**過敏性血管炎**を含む
- 病因
  - 薬物：ペニシリン，アスピリン，アンフェタミン，レバミゾール，チアジド，化学物質，予防接種など
  - 感染症：レンサ球菌，ブドウ球菌，心内膜炎，結核，肝炎
  - 悪性腫瘍（腫瘍随伴性）
- 臨床症状：原因薬物への曝露後に突然発症する**触知可能な紫斑**と**一過性の関節痛**；内臓障害はまれだが重症化しうる
- 診断的検査：ESR↑，補体価↓，好酸球↑；尿検査をチェック；**皮膚生検⇒皮膚へのIgA沈着を伴わない白血球破砕性血管炎**（HSPと鑑別するため）；病因がはっきりしなければ，ANCA，クリオグロブリン，肝炎の血清学的検査，ANA，RF検査を考慮
- 治療：原因薬物の中止±プレドニゾロンのすみやかな漸減

■ Behçet症候群 (*Curr Opin Rheum* 2010;12:429)
- あらゆるサイズの血管に起こる**全身性血管炎**で，有痛性の**口腔潰瘍**，**陰部潰瘍**を呈する
- 疫学：通常は若年成人（25～35歳）；古代シルクロードの有病率の高い地域（トルコ，中東，その他のアジア諸国）ではHLA-B51と関連
- 分類基準（1＋その他2項目以上：感度91%，特異度96%；*Lancet* 1990;335:1078）
  1. 繰り返す**口腔アフタ性潰瘍**（年3回以上，通常は初発症状）
  2. 繰り返す**陰部潰瘍**（女性の陰唇，男性の陰嚢）
  3. **眼病変**：ぶどう膜炎，強膜炎，網膜血管炎，視神経炎（失明のおそれあり）
  4. **皮膚病変**：膿疱，丘疹，毛包炎，結節性紅斑（瘢痕化）
  5. **針反応⊕**（滅菌針を前腕に刺入⇒膿疱形成）（白人では感度劣る）
- その他の臨床症状：再発することが多いが慢性化はしない
  - 関節炎：軽度，±対称性，非破壊性，膝関節と足関節

神経：通常は中脳実質病変，末梢性ニューロパチーはまれ
血管：表在部／深部静脈血栓症（25%）；動脈の狭窄と閉塞，動脈瘤も起こりうる；血栓塞栓症の発生率は低い
- **診断的検査**：ESR/CRP↑；潰瘍ぬぐい液でヘルペスウイルスを除外；潰瘍生検は非特異的；眼症状があれば眼科的評価
- **治療**（*Rheumatology* 2007;46:736, *Ann Rheum Dis* 2008;67:1656, 2009;68:1528）
  皮膚粘膜病変：
  軽症：**局所ステロイド**，**コルヒチン**（特に結節性紅斑），ジアフェニルスルホン，口腔内潰瘍や?陰部潰瘍に対してはアプレミラスト（PDE-4阻害薬）（*NEJM* 2015;372:1510）
  重症：ステロイド内服，ステロイド減量薬
  関節炎：NSAIDs，コルヒチン，ステロイド，ステロイド減量薬
  眼病変：**ステロイドの局所／全身投与**±ステロイド減量薬
  ステロイド減量薬：アザチオプリン，TNF阻害薬，シクロホスファミド（大血管，中枢神経系症状），シクロスポリン，メトトレキサート，IFNα-2A
  静脈血栓症：ステロイドと抗凝固療法（動脈瘤がある場合は注意）

IgG4関連疾患

■定義と原因（*NEJM* 2012;366:539, *Ann Rev Pathol* 2014;9:315）
- ほとんどあらゆる臓器に影響を及ぼしうる腫瘍様の炎症性病変が特徴
- 病因は不明：？自己免疫性；IgG4抗体の役割は明確でない；アトピーの既往を有することあり

■臨床症状（*Lancet* 2015;385:1460, *Arth Rheum* 2015;67:2466）
- 膵炎，大動脈炎，胆管炎，唾液腺炎，甲状腺炎，眼窩筋炎±偽腫瘍，後腹膜線維症
- 多数の病変が同時にまたは異なる時期に発生

■診断（*Ann Rheum Dis* 2015;74:1&14）
- **生検**と特異的な組織病理学的／免疫組織化学的所見：多数のIgG4⊕形質細胞を含むリンパ形質細胞の浸潤，線維化，閉塞性静脈炎
- **血清IgG4↑**（感度90%，特異度60%）；特異的ではなく，GPA，気管支拡張症などでも認められる（*Ann Rheum Dis* 2014;74:14）

■治療（*Arth Rheum* 2015;67:1688）
- プレドニゾロンvs. リツキシマブ（*Ann Rheum Dis* 2015;74:1171）

クリオグロブリン血症

■定義と型分類（*Lancet* 2012;379:348, *Oncology* 2013;37:1098）
- クリオグロブリン：血清または血漿が**冷却曝露**されることにより**析出する蛋白**で，**加温により再溶解する**；その組成により分類される；慢性の免疫刺激やリンパ球増殖と関連する
- クリオフィブリノゲン血症とは異なる＝血漿からしか析出しない蛋白（例：フィブリン，フィブリノゲン）；自己免疫疾患，悪性腫瘍，感染症でみられる；臨床的意義は不明

クリオグロブリン血症の病型分類			
特徴	I型（単クローン性）	II型（混合型）	III型（多クローン性）
割合	10～15%	50～60%	25～30%
クリオグロブリンの組成	単クローン性 Ig（通常 IgM/IgG）	RF活性のある単クローン性 IgM+多クローン性 IgG	多クローン性 IgG, IgM
一般的な病因	形質細胞異常増殖症	感染症，悪性腫瘍，自己免疫症候群	自己免疫症候群，感染症
主要な症状	過粘稠血症候群±血栓症➡虚血	免疫複合体介在性血管炎（多臓器の病変を伴う）；無症状の場合あり	

■ **病因**
● 血液疾患
 I型：多発性骨髄腫，単クローン性ガンマグロブリン血症，原発性マクログロブリン血症，慢性リンパ性白血病
 II型：B細胞リンパ腫，実質臓器腫瘍
● 感染症（II型，III型）：ウイルス〔**HCV**（>80%で RNA⊕），HBV, HIV, HAV, EBV, CMV〕，細菌（心内膜炎，レンサ球菌など），真菌（コクシジオイデス症など），寄生虫（マラリア，アメーバ症）
● 自己免疫症候群（III型>II型）：**Sjögren症候群**，SLE, RA, 結節性多発動脈炎
● 腎移植レシピエント（*Clin Nephrol* 2008;69:239）
● 症例の10%は本態性（特発性）

■ **病態生理**
● I型：クリオグロブリンが微小循環で析出➡**過粘稠性，血管閉塞**
● II型/III型：免疫複合体クリアランスの不良➡補体活性化を伴う免疫複合体の血管沈着➡**血管炎**

■ **臨床症状**
● クリオグロブリン血症患者の大半は無症候性
● I型：過粘稠血症候群（寒冷曝露により症状悪化）➡頭痛，視覚障害，皮斑，指虚血
● II/III型：血管炎（症状は寒冷曝露の影響を受けない）
 "Meltzerの三徴"（紫斑，関節痛，筋力低下）は 25～30%の患者にみられる
 全身：筋力低下，微熱
 皮膚（54～80%）：下肢の**紫斑**，網状皮斑，下肢潰瘍
 関節（44～70%）：小/中関節の対称性，移動性の**関節痛**
 腎（50%）：**糸球体腎炎**（蛋白尿，血尿，急性腎不全，高血圧，浮腫）
 神経（17～60%）：**末梢性ニューロパチー**（多発ニューロパチー>多発単神経炎）
 血液：貧血，血小板減少症，B細胞リンパ腫のリスク↑
 消化器（5%）：腹痛，肝脾腫，肝機能異常

■ **診断的検査**
● クリオグロブリンをチェック；検査室への運搬に，血液検体は37℃に保温；検査前に冷却するとクリオグロブリン偽陰性，RF消失，補体価↓↓
● クリオクリットは寒冷凝集蛋白の定量的指標で，疾患活動性と常に相関するわけではない
● クリオグロブリン析出により自動血球計数器では白血球数/血小板数がみかけ上↑
● I型：血清粘稠度をチェック，≧4.0センチボアズで症状出現；補体価正常
● II型：**C4↓**（C3は場合による），ESR↑，RF⊕
 すべての II型患者に **HCV, HBV, HIVの血清学的検査**を施行
 病変組織の生検：硝子様血栓；小血管の炎症性浸潤を伴う血管炎；紫斑性病変では白血球破砕性血管炎

- ■治療 (*Blood* 2012;119:5996, *Medicine* 2013;92:61)
- ●**基礎にある病態の治療**:
   リンパ増殖性疾患:化学療法,放射線照射
   HCV:抗ウイルス薬,重症例には±免疫抑制療法 (*NEJM* 2013;369:1035)
   結合組織病:DMARD/ステロイド±リツキシマブ
- ●**I型**:過粘稠血症候群には血漿交換;ステロイド,アルキル化薬,リツキシマブ,化学療法
- ●**II型**:腎機能正常患者の軽微な症状のコントロールにはNSAIDs;主要臓器障害のある患者にはリツキシマブ/シクロホスファミド;重症例や致死的な場合には血漿交換

アミロイドーシス

折りたたみの誤りによる不溶性線維性蛋白の正常臓器/組織への沈着

アミロイドーシスの分類			
型	前駆体	原因疾患	主要臓器病変
AL(原発性) 最も一般的 約2,000例/年	Ig軽鎖(単クローン性)	多発性骨髄腫,軽鎖病($\lambda > \kappa$),単クローン性ガンマグロブリン血症,原発性マクログロブリン血症	**腎,心臓,消化管,神経,皮膚**,肝,呼吸器
AA(二次性)	血清アミロイドA(SAA)	炎症:関節リウマチ,炎症性腸疾患,家族性地中海熱 慢性感染症:骨髄炎,結核	**腎,消化管**,肝,神経,皮膚
遺伝性(アフリカ系米国人で発生率↑)	TTR遺伝子変異など	変異蛋白	**神経,心臓**
老人性	TTR遺伝子正常	正常蛋白;老化による二次性	**心臓**,大動脈,消化管
Aβ2M	β_2ミクログロブリン	透析関連β_2ミクログロブリン(通常は腎から排泄)	筋骨格系
限局型	βアミロイド蛋白,ペプチドホルモン	局所で合成/処理される	神経,内分泌系

TTR:トランスサイレチン(プレアルブミン)(*NEJM* 1997;337:898, 2003;349:583, 2007;356:2361より)

アミロイドーシスの臨床症状 (*Lancet* 2016;387:2641)		
臓器系	症状	アミロイド
腎	蛋白尿/ネフローゼ症候群	AL,AA
心臓	心筋症(拘束型/拡張型),起立性低血圧 QRS振幅↓,伝導異常,心房細動	AL,遺伝性,老人性
消化管	下痢,吸収不良,蛋白喪失 潰瘍形成,出血,閉塞 巨舌➡発声困難と嚥下障害	すべての型

(次頁につづく)

神経	有痛性の異常感覚を伴う末梢性ニューロパチー 自律神経障害➡インポテンス,運動障害,血圧↓ 手根管症候群	遺伝性,AL,臓器特異的, $A\beta_2M$
皮膚	蝋様で非瘙痒性の丘疹;眼窩周囲の斑状出血 "pinch purpura"＝軽微な外傷による皮膚出血	AL
肝,脾	肝腫大(通常は機能障害なし) 脾腫(通常は白血球↑や貧血なし)	すべての型
内分泌	ホルモン分泌不全を伴う沈着(まれ)	臓器特異的
筋骨格系	関節痛と関節炎(特に肩)	AL,$A\beta_2M$
呼吸器	気道閉塞;胸水	AL,AA
血液系	第X因子欠乏症	AL

■診断的検査
- 生検(腹壁皮下脂肪,直腸,病変組織)➡**コンゴレッド染色**でアップルグリーンの複屈折;脂肪生検は感度60〜85%,特異度90〜100%
- ALの疑いがある場合➡血清免疫電気泳動法/尿免疫電気泳動法(血清蛋白電気泳動法/尿蛋白電気泳動法と比較して高感度),遊離軽鎖,±骨髄生検をチェック
- 腎病変の疑いがある場合:尿検査(蛋白尿)をチェック
- 心病変の疑いがある場合:心電図(低電位,伝導異常),心エコー(両室性の弁尖と心房中隔の肥厚),電位上昇を伴わない壁運動亢進は感度75%,特異度95%;MRI
- 遺伝性の病型では遺伝学的検査

アミロイドーシスの治療	
AL	限局性の臓器不全:高用量**メルファラン**➡**自家HSCT**(*NEJM* 2007;357:1083) HSCT非候補者:[低用量メルファラン＋デキサメタゾン]または[シクロホスファミド＋ボルテゾミブ＋デキサメタゾン](*Blood* 2015;126:612) 再発例:レナリドミド,サリドマイドまたはボルテゾミブ(*Blood* 2010;116:1990,2014;124:2498)
AA	**基礎疾患の治療**;家族性地中海熱にはコルヒチン(特に腎疾患を予防) 抗サイトカイン治療(anakinra,トシリズマブ)は有効かもしれない(*Clin Exp Rheumatol* 2015;33:46)
ATTR	肝移植によりさらなる蛋白の沈着の進行を防げる可能性あり(*Muscle Nerve* 2013;47:157) 肝でのTTR合成↓:siRNA(パチシラン),アンチセンスオリゴヌクレオチド(inotersen)はニューロパチーを改善(*NEJM* 2018;379:11&22) TTR四量体安定化剤(老人性アミロイドーシスにも有効):タファミジス:QOL↑および心血管系の入院＆死亡率↓(*NEJM* 2018;379:1007)

- 血清アミロイドP抗体によるアミロイドのクリアランスは試験中(*NEJM* 2015;373:1106)
- 心病変:利尿薬;ジゴキシンとCCB,血管拡張薬は避ける;?一次予防にICD
- 進行例では心/腎/肝移植を考慮
- 生存期間中央値:ALアミロイドーシスでは約12〜18か月(心病変のある場合は約6か月);AAアミロイドーシスでは約11年;他はさまざま

第9章
神経

精神状態の変化

■意識/覚醒度（患者の状態と発症のタイミングを明確にするのが最も参考になる）
- **覚醒度**：意識清明からの変化➡傾眠（drowsy）➡昏迷（stupor）➡昏睡（coma）；用語が曖昧・主観的であり，刺激（例：呼びかけ➡痛み刺激）に対する反応を記述するのが最も有用
- **昏睡**：外界からの刺激に対する反応がない；Glasgow Coma Scale（GCS）で評価。脳幹（毛様体賦活系）や視床の局在病変，あるいは両側大脳半球のびまん性機能障害により生じる。間違いやすい病態：閉じ込め症候群，無動性無言，カタトニア
- **せん妄/急性錯乱状態**：数時間から数日の経過で注意力と意識の変化が出現し，症状はしばしば動揺性で，認知機能障害（例：見当識障害，記憶障害，知覚異常）や，時に睡眠覚醒障害，自律神経障害，情動の変化を伴う
- **認知症**：月〜年単位で発症する進行性の認知機能障害；しばしば記憶障害，言語障害，視空間認識能障害，実行機能障害をきたすが，注意力は保たれる

反応低下の原因	
神経原性（原発性） （通常，局所徴候を伴う）	**全身性** （特に高齢者，または中枢神経系障害の既往）
血管性：脳梗塞/TIA，頭蓋内出血，静脈洞血栓症，可逆性後頭葉白質脳症，血管炎，下垂体卒中 痙攣性：てんかん発作後，非痙攣性 感染性：髄膜炎，脳炎，膿瘍 外傷性：外傷性脳損傷，脳震盪，びまん性軸索損傷 頭蓋内圧亢進：腫瘍，脳浮腫，水頭症，脳ヘルニア 自己免疫性/腫瘍随伴性脳炎 神経変性疾患：加齢（例：Alzheimer病），急速進行性（例：Creutzfeldt-Jakob病）	循環器：脳虚血，低血圧，高血圧性脳症 呼吸器：PaO$_2$↓，PaCO$_2$↑ 消化器：肝不全，NH$_3$↑ 腎：尿毒症，透析，Na↑↓，Ca↑↓ 血液：TTP/HUS，DIC，過粘稠度 内分泌：低血糖，DKA/高血糖高浸透圧症候群，甲状腺機能低下症，Addison病クリーゼ 感染性：肺炎，UTI，感染性心内膜炎，敗血症 低/高体温 薬物：抗コリン薬，抗ヒスタミン薬，向精神病薬，ジゴキシン 中毒/離脱：アルコール，鎮静薬，オピオイド，CO 精神：カタトニア，セロトニン症候群，神経遮断薬悪性症候群

■初期評価
- **病歴**（目撃者の証言と患者背景が重要）：一過性または発症前の症状（例：神経局在症候，頭痛，感染症，疼痛，転倒），基礎疾患（例：認知症，てんかん，担癌状態，心疾患，精神疾患，感染症，免疫不全）；頭部外傷，内服薬（例：鎮静薬，オピオイド，抗凝固薬，抗痙攣薬，免疫抑制薬），薬物使用/飲酒歴
- **身体診察**：バイタルサイン，呼吸パターン（例：Cheyne-Stokes呼吸），舌咬傷（痙攣），項部硬直（髄膜炎やくも膜下出血でみられるが，外傷/頸椎骨折の疑いがある場合は評価しない），出血斑，皮疹，頭部外傷の徴候（例：Battleサイン，パンダの目徴候，鼓膜内出血，髄液鼻漏），羽ばたき振戦，肝疾患の徴候，塞栓徴候/感染性心内膜炎，薬物使用の徴候

- 神経学的診察（下記参照）：可能ならば鎮静薬/筋弛緩薬は中止のうえ，器質的疾患（例：脳卒中，脳ヘルニア）を示唆する局在徴候や，頭蓋内圧↑の症候（例：頭痛，嘔吐，乳頭浮腫，外転神経麻痺，一側性瞳孔散大，血圧↑/脈拍↓，眼球下方偏倚）を検索

反応低下のある患者の神経学的診察	
精神状態	覚醒度（刺激強度を変えて応答行動をみる，GCS）
脳神経	瞳孔：針先瞳孔➡オピオイド，橋病変；正中固定➡中脳病変；散大固定➡重症無酸素性脳症，脳ヘルニア，抗コリン薬 外眼筋運動／前庭動眼反射試験： 　頭位変換眼球反射（"人形の目"徴候）：正常では，頭部の動きと逆方向に眼球が動く（頚椎損傷の可能性があれば検査しない） 　前庭眼振試験（温度眼振試験）：昏睡患者では正常＝冷水を注入した耳の側に眼球が緩徐に動き，次いで急速に遠ざかる（鼓膜穿孔では検査しない） 角膜反射，鼻孔をくすぐると顔をしかめる 咽頭反射，咳嗽反射（必要あれば，気管チューブを操作しながら）
運動	筋緊張，自発運動，四肢の屈曲／伸展肢位，筋力検査
感覚	痛み刺激への反応：意識的 vs. 反射的／異常肢位
反射	腱反射，Babinski反射，3つの屈曲（痛み刺激で足関節，膝関節，股関節を屈曲➡皮質障害を示唆）

Glasgow Coma Scale（3つのカテゴリーの合計点数）			
開眼機能	言語機能	運動機能	点数
		指示に従って四肢を動かす	6
	見当識保持	痛み刺激を手で払いのける	5
自発的に開眼	見当識混乱	痛み刺激からの逃避動作	4
呼びかけに開眼	不適切な言葉	四肢を屈曲	3
痛み刺激で開眼	理解不明の音声	四肢を伸展	2
開眼なし	発語なし（挿管中はTと記載し1点）	運動なし	1

■初期治療
- 中枢神経系感染症が疑われる場合は，経験的に抗菌薬：バンコマイシン／セフォタキシムを開始し，アシクロビルとアンピシリンを考慮
- 頚椎損傷の疑いがある場合は頚椎固定
- チアミン（100 mg）IV➡ブドウ糖50 g IV Push（Wernicke脳症悪化予防のため，この順番で）
- オピオイド使用の疑いがある場合はナロキソン0.01 mg/kg；ベンゾジアゼピン系が疑われる場合，フルマゼニル0.2 mg IV
- 頭蓋内圧↑±脳ヘルニアの疑い：頭側挙上；マンニトールか高張食塩液で高浸圧療法；過換気；脳腫瘍による浮腫にデキサメタゾン；脳外科手術を考慮（？減圧）

■診断的検査（*Lancet* 2014;384:2064）
- 全例：簡易血糖測定，電解質，BUN/Cr，肝機能，血算，薬毒物スクリーニング，尿検査
- 臨床的に疑われる場合：
  検体検査：NH_3，TSH，ACTH負荷試験，Vit B_{12}，血液ガス，HIV，ESR，ANA，抗TPO／TG抗体，血液培養，血中薬物濃度
  画像検査：頭部CT，次にMRIを考慮；脳卒中，くも膜下出血を疑った場合はCTA；X線で頚椎骨折を除外
  腰椎穿刺：髄膜炎，くも膜下出血，非感染性炎症性疾患（例：自己免疫性）の除外

脳波：非痙攣性てんかん発作，中毒性/代謝性脳症の評価

■せん妄に対する追加治療（NEJM 2017;377:1456）
●基礎にある急性疾患の治療，増悪因子の除去，支持療法
●知覚障害や認知障害への対処（場所を何度も伝える，眼鏡/補聴器など）
●感染予防/最小限の抑制，不要なライン/カテーテルは抜去
●良好な睡眠の促進：騒音や夜間の邪魔を低減；必要であれば投薬
●薬物：抗精神病薬を考慮（ただしハロペリドール，ziprasidoneはICUせん妄期間を短縮しない；NEJM 2018;379:2506）；アルコール離脱/痙攣発作を除きベンゾジアゼピンは避ける

無酸素性脳傷害（脳の低酸素が5分以上続いた場合にリスクあり）

■初期評価（Circulation 2010:S768）
●神経学的診察：覚醒度/言語機能，眼球やその他の脳神経機能，痛み刺激に対する運動反応
●画像検査：CTは心拍再開後1日以内では有用でないが，倒れているところを発見された患者や頭部外傷のある患者の低体温療法開始前には検査

■低体温療法（Circulation 2015;132:2448）
●適応：（呼吸停止ではなく）心停止から6時間以内の昏睡状態（GCS＜8）
VT/VFでの研究しかないが，心静止/PEAや，心拍再開後6～12時間の場合も考慮
●除外：妊娠，昇圧薬/機械的循環補助使用下でも血行動態不安定，その他の原因による昏睡，O_2↓持続．相対的禁忌：重症頭部外傷，凝固異常/出血，大手術から14日以内，全身感染/敗血症
●目標体温：32～36℃×≧24時間；初期の研究では32～34℃が有効とされたが，その後の研究では36℃と33℃でほぼ同等の結果（NEJM 2013;369:2197）；32～34℃目標とし，強度の冷却が禁忌の場合に36℃目標とすることもある
●方法：頭部/頸部/体幹にアイスパック；クーリングブランケット；クーリングベストもしくは血管内カテーテル；6時間以内に目標体温まで冷却（病院到着前クーリングは効果なし；JAMA 2014;311:45）；鎮静/筋弛緩下で行う；平均動脈圧目標＞70；クーリング開始後24時間で復温開始（＋0.5℃/時以内）
●クーリング前もしくは復温後，心肺蘇生から48時間以上の間，発熱を防ぐ（目標＜36℃）
●合併症
不整脈（徐脈が最多）；顕著な場合あるいは血行動態が不安定な場合➡復温
凝固異常（血栓溶解療法，GPIIb/IIIa阻害薬など使用可能）；PT/PTTをモニター
感染症：クーリング中は定期的に血液培養を採取しモニター
クーリング中の高血糖，復温中の低血糖；血糖値＜200 mg/dLならばインスリン中止
クーリング中の低K血症，復温中の高K血症；Kを4～5 mEq/Lに維持

■継続評価
●神経学的診察：昏睡の評価を毎日行う；24時間以内あるいは鎮静下の所見は信頼性に乏しい；適切なタイミングで鎮静を中止する（鎮静薬の投与量，投与期間，患者ごとの代謝状態から判断）
●検体検査：血算，PT/PTT，電解質を毎日確認；神経特異エノラーゼ（NSE）を1～3日目に確認
●画像検査：心停止24時間後に非造影CT；確定的でない場合は3～5日目にMRIを考慮
●脳波：痙攣発作除外のため全例で考慮；復温中にリスク最大
●体性感覚誘発電位（SSEP）：両側性の皮質応答の欠落は予後不良を示唆；心肺蘇生の48時間後に検査（低体温療法を施行した場合は72時間後）

■予後 (*Nat Rev Neuro* 2014;10:190)
- 低体温療法普及以前の予後不良因子は，(1) 72時間時点で瞳孔＆角膜反射消失，痛み刺激に対する運動反応の欠如，(2) 48時間時点でSSEPが見られないこと；低体温療法を施行した場合にこれらが適用できるかは不明．全体で生存退院は約12%；VT/VF 25〜40%，PEA約10%，心静止 約2%
- 予後予測には年齢，神経学的所見，併存疾患，補助的検査に基づく多因子評価が必要．予後不良を示唆する所見：脳幹反応の欠如，治療抵抗性ミオクローヌス，脳波上の基礎律動 / 反応性の欠如，NSE＞33，MRI上のびまん性低酸素脳症の所見；疑問が残る場合，判断を延期する

痙攣

■定義および臨床像 (*Epilepsia* 2017;58:522)
- **痙攣**：ニューロンの過剰な同期性興奮による一過性の神経症候；非誘発性，あるいは可逆的な要因で閾値が低下して惹起されることがある
- **てんかん**：24時間以上の間隔で2回以上の非誘発性痙攣発作，または1回の非誘発性痙攣発作で10年間痙攣リスク（下記予測因子参照）が60％以上の場合
- **全般発作**（大脳皮質全般にわたる異常）
  強直間代発作（大発作）：
  前兆（秒〜分単位）：身体の異常感覚，局所的な筋収縮，嗅覚 / 味覚の異常，恐怖感，離人感，既視感，自律神経障害，自動症
  発作期（秒〜分単位）：側方注視と頭位偏位，筋強直➡筋緊張亢進と減弱が交互に出現，咬舌，尿失禁，唾液貯留
  発作後朦朧状態（分〜時間単位）：意識不鮮明，見当識障害，倦怠感から徐々に寛解．局所神経徴候（Todd麻痺）を伴うこともある
  欠伸発作（小発作）：一過性の意識消失で，姿勢筋緊張は保たれる．通常は小児
  ミオクロニー発作（点頭てんかん，若年ミオクロニーてんかん）：突然で短時間の筋収縮
- **焦点発作**（大脳皮質の一部領野の異常，多くの場合は器質的病変）
  意識障害なし：局在性の運動症状 / 自律神経症状（旧称"単純部分発作"）もしくは局在性感覚 / 精神症状（例：前兆）
  意識障害あり：認知障害（旧称"複雑部分発作"）から始まり，両側性の強直性痙攣（旧称"二次性全般発作"）をきたす
- **てんかん重積**：強直性痙攣≧5分，もしくは痙攣後脳症が寛解せずに再度痙攣；生命にかかわる
- **非痙攣性てんかん重積**：運動症状を伴わない意識状態の変容（意識不鮮明から昏睡までさまざま）；脳波で診断

■鑑別診断
- **失神** (*Lancet Neurol* 2006;5:171)

特徴	痙攣発作	失神
前兆	異常行動 / 自動症	発汗，悪心，視野狭窄
痙攣	持続時間はさまざま	通常＜10秒
発作後朦朧状態	あり，30分以上続くことも	なし，または短い
その他の手がかり	咬舌，失禁	蒼白で湿った皮膚

- **非てんかん性発作**（または心因性発作）：頭部を左右に振る，四肢をバラバラに大きく動かす，腰を突き上げる，意識消失を伴わない全身の震え，発作中に泣き叫んだり話したりする；発

作中の脳波に所見が見られないことで診断
- その他：代謝異常（例：飲酒で記憶をなくす，低血糖），片頭痛，TIA，一過性全健忘，ナルコレプシー（情動脱力発作），非てんかん性ミオクローヌス，チック，羽ばたき振戦

■痙攣の原因（年齢により大きく異なる）
- **局所病変を伴わない場合**：遺伝的に痙攣を起こしやすい，てんかん症候群；アルコール離脱，違法薬物；薬物（βラクタム系，bupropion，フルオロキノロン，トラマドール，メトロニダゾール，メペリジン，シクロスポリンA）；電解質異常（低Na血症）および他の代謝異常（例：尿毒症，肝不全，低血糖）；自己免疫性脳炎，特発性（約60%）
- **局所病変を伴う場合**：腫瘍，外傷，脳卒中，硬膜下血腫，可逆性後頭葉白質脳症，内側側頭葉硬化，膿瘍，限局性皮質形成

■臨床評価（JAMA 2016;316:2657）
- **痙攣とその他の一過性意識消失を鑑別する病歴上のポイント**
  必ず目撃者から聴取する。前駆症状，発作前の異常行動や，頭位／眼球偏位（病変の対側に向くことが多い）を含めた異常運動のタイプとパターン，応答の欠如
- 直近の病歴：疾患／発熱，頭部外傷，睡眠不足，ストレス因子
- 既往歴：痙攣の既往または家族歴；中枢神経系感染症，脳卒中，頭部外傷の既往；認知症
- 内服歴（新規開始，あるいは内服を自己中断したもの），アルコールや違法薬物使用
- 一般身体診察は皮膚の観察も行う。神経皮膚症候群（例：神経線維腫症，結節性硬化症）は痙攣と関連する
- 神経学的診察では，局在徴候を検索する➡基礎にある構造的異常

■診断的検査（Neurology 2007;69:1996）
- 血液検査：電解質，BUN，Cr，血糖，肝機能，薬毒物スクリーニング，血中薬物濃度（バルプロ酸とフェニトインには治療有効域がある；アドヒアランス不良を疑う場合を除きレベチラセタム血中濃度は参考にならない）
- ルーチン脳波検査（約30分）：初回発作後の再発リスク評価に有用かもしれない。警告：非発作時脳波はてんかん患者の50%で正常な一方，一般人口の約2%にてんかん波形（棘波）がみられる。発作後24時間以内，断眠，反復検査は脳波の診断能↑
- 長時間脳波モニター（時間～日単位）：非痙攣性てんかん重積もしくは非てんかん性発作が疑われた場合；ビデオモニタリングは非てんかん性発作で有用なことがある
- MRI：構造的異常の除外；前頭葉と側頭葉の高分解能冠状断で感度↑
- 腰椎穿刺（画像検査で占拠性病変を除外後）：髄膜脳炎疑い（例：発熱，白血球↑，項部硬直），自己免疫性脳炎疑い，すべてのHIV患者

■治療（Neurology 2015;84:1705, Lancet 2015;385:884）
- 発作を誘発する基礎疾患（中枢神経系感染症，中毒，離脱症候群など）の治療
- 抗てんかん薬は通常，2回以上の非誘発性痙攣がみられた場合，1回の痙攣がみられ再発リスクが高い場合（下記参照），構造的異常がある場合，のいずれかで使用される
  誘発性発作では通常，基礎疾患の治療を行う；抗てんかん薬は，来院時にてんかん重積状態，神経学的診察で焦点性の所見，発作後麻痺（Todd麻痺）がみられた場合に考慮する
- 初回の非誘発性発作の後，再発と抗てんかん薬使用のリスクを評価する。脳波異常，MRI異常，または就寝中の痙攣を認めた場合➡再発リスク↑。脳波とMRIで異常がない場合➡5年間無発作率65%（Lancet Neurol 2006;5:317）
- 初回非誘発性発作後すぐに抗てんかん薬を開始した場合，初めの2年間の再発リスクは低下するが，長期的予後は改善しない
- 抗てんかん薬の適応がある場合，発作のタイプ，副作用，コスト，排泄経路（肝不全，腎不全の場合），催奇形性，薬物相互作用を考慮して選択する
- 緩徐に導入し，慎重にモニタリング
- 発作がなく（通常は最低1年）脳波が正常の場合，中止も考慮
- 運転を許可できるまでに必要な無発作期間は各州法の規定による

抗てんかん薬と副作用			
薬物	平均1日投与量	一般的な副作用	
		全身性	神経学的（全薬物に鎮静作用あり）
カルバマゼピン	400〜1,600 mg	再生不良性貧血，白血球↓，皮疹，肝障害，Na↓	複視，意識不鮮明，運動失調
エトスクシミド	500〜1,500 mg	皮疹，骨髄抑制	行動変化
ガバペンチン	900〜3,600 mg	消化器症状，体重増加	眼振，運動失調
ラコサミド	200〜400 mg	PR延長	めまい，複視
ラモトリギン	100〜300 mg	皮疹（Stevens-Johnson症候群）	振戦，頭痛，霧視，不眠
レベチラセタム	1,000〜3,000 mg	消化器症状（まれ）	情緒不安定
オクスカルバゼピン	600〜2,400 mg	低Na血症，皮疹	複視，めまい
フェノバルビタール	50〜200 mg	皮疹	認知機能↓
フェニトイン	200〜400 mg	歯肉肥厚	めまい，運動失調
トピラマート	100〜400 mg	体重↓，発汗↓，腎結石，緑内障，代謝性アシドーシス	認知機能↓
バルプロ酸	500〜2,500 mg	肝障害，NH3↑，体重↑，脱毛	振戦
ゾニサミド	200〜600 mg	体重↓，発汗↓，腎結石	認知機能↓，疲労感

(*NEJM* 2008;359:166, *Lancet Neurol* 2011;10:446)

■ **てんかん重積状態**（*Epilepsy Curr* 2016;16:48）
- ABCs：バイタルサイン，経口エアウェイまたは気管挿管。患者を半腹臥位とし，誤嚥のリスクを下げる。静脈ライン確保。チアミン，ブドウ糖，生理食塩液を投与
- 迅速血糖測定，メタボリックパネル（Na，K，Cl，Ca，HCO3，BUN，Cr，肝機能），血算，薬毒物スクリーニング，乳酸，抗てんかん薬血中濃度。頭部CT，腰椎穿刺を考慮
- 抗てんかん薬を初期量投与後，継続する

てんかん重積状態の治療			
時間（分）	抗てんかん薬	用法・用量	標準成人投与量
<5	ロラゼパム	0.1 mg/kg（IV>IM）	2〜4 mgボーラスIV，10 mgまで
	ミダゾラム	0.2 mg/kg（IM）	10 mgまで×1
	ジアゼパム*	0.2 mg/kg（IV）または0.2〜0.5 mg/kg（挿肛）	10 mgまで（IV）；20 mgまで（挿肛）
<10	フェニトイン	20 mg/kg	1.0〜1.5 g（max 1.5 g）（IV）20分かけて
	ホスフェニトイン	20 mg PE/kg	1.0〜1.5 g PE（IV）5〜10分かけて
	バルプロ酸	40 mg/kg	1.0〜1.5 g（max 3.0 g）（IV）5〜10分かけて
	レベチラセタム	20〜40 mg/kg	2 g（IV）（max 4.5 g）10〜15分かけて

（次頁につづく）

	以降のステップは挿管，脳波モニタリング，ICU管理が必須
<30〜60	ミダゾラム，ペントバルビタール，またはプロポフォール持続で全身麻酔

PE：フェニトイン換算
* 静脈路が確保されておらず，ミダゾラム筋注が禁忌の場合，ジアゼパム挿肛を考慮

アルコール離脱

■臨床症状
- 軽度の離脱症状（最終飲酒から6〜48時間）：軽微な不安症状，震え，頭痛
- **離脱痙攣発作**：通常は最終飲酒から48時間以内；治療しなければ1/3は振戦せん妄に
- **アルコール性幻覚症**：意識清明で身体症状を伴わない幻覚（通常は幻視）；最終飲酒から12〜48時間
- **振戦せん妄**：見当識障害，興奮，幻覚，脈拍/血圧↑，発熱，発汗；最終飲酒から48〜96時間で始まり，5〜7日間持続
- 他の診断も考慮：中枢神経系感染症，頭蓋内出血，てんかん発作，薬物過量服用，同時服用，急性肝不全，消化管出血
- 臨床アルコール離脱症状評価スケール（CIWA-Ar）を用いてアルコール離脱を評価し治療する（付録の「公式と早見表」参照）

■治療（NEJM 2003;348:1786）
- **ベンゾジアゼピン系**
  薬物：ジアゼパム（長時間作用型，活性代謝産物あり；再発リスク↓），ロラゼパム（半減期が短い），クロルジアゼポキシド，oxazepam（活性代謝産物なし；肝硬変によい適応）
  用量：ジアゼパム10〜15 mg IV 10〜15分ごと（またはロラゼパム2〜4 mg IV 15〜20分ごと）で開始，適切な鎮静が得られたらCIWA-Arスケールに従い漸減；1時間ごとに評価し，スコア<8が8時間続いたら2時間ごと評価，さらに8時間安定していたら4時間ごと（JAMA 1994;272:519）
- ベンゾジアゼピン頓用が無効➡ベンゾジアゼピン点滴，フェノバルビタール，デクスメデトミジン，もしくはプロポフォール（要挿管）
- β遮断薬を避ける（症状をマスクする）
- 薬物で鎮静が得られるまで必要に応じて抑制帯を使用
- 必要に応じて輸液：Wernicke脳症（運動失調，顔筋麻痺，記銘力低下）予防のため，ブドウ糖投与前にチアミンを投与；K，Mg，P補充
- 予防：症状がほぼ消失した（CIWA-Arスコア<8）後にも大量飲酒を続けている場合，または離脱痙攣発作や振戦せん妄の既往がある場合➡クロルジアゼポキシド25〜100 mg（飲酒の程度に応じて）6時間ごと×24時間，続いて25〜50 mg 6時間ごと×2日

めまい

■鑑別診断
- 多彩な症候が含まれる。**平衡障害**：不安定感，歩行障害；**回転性めまい**：回転する感覚；**前失神**：脳血流低下によるふらつき
- 回転性めまいの鑑別診断

  末梢性
  BPPV：半規管内への耳石の脱落；頭位変換によって生じる一過性回転性めまい（1分以内）；治療：Epley法/BBQ roll

Meniere病:内耳の内リンパ圧↑;一過性回転性めまい(分〜時間単位),嘔気/嘔吐,耳閉塞感,聴力低下,耳鳴;治療:利尿薬,塩分制限
前庭神経炎:突然発症し,歩行失調を伴う;聴力低下を伴う場合=迷路炎(labyrinthitis)
中枢性
後方循環系脳卒中/TIA:"5つのD":**D**izziness(めまい),**D**iplopia(複視),**D**ysarthria(構音障害),**D**ysphagia(嚥下障害),**D**ystaxia(運動失調);突然発症(TIAでは数分で寛解し,脳卒中では持続する)
その他:片頭痛,Chiari奇形,てんかん,多発性硬化症,腫瘍,薬物,脳震盪

■初期評価
●**病歴**:open-ended question(患者の説明は不正確なこともある),症状の経過,発作性か慢性か,内服薬,その他の後方循環系症状(複視,構音障害,運動失調など)

診察所見	末梢性	中枢性
起立試験	起立性低血圧で⊕	通常みられない
眼球運動	眼振:存在する場合,向きは一方向性,垂直方向は決してみられない,固視抑制あり	眼振は双方向性で,垂直方向もよくみられる,固視抑制なし
聴力	末梢性めまいでは障害される場合もある	正常(前下小脳動脈の脳卒中でまれに片側聴力低下)
協調運動・歩行	正常	四肢,体幹,歩行失調が時にみられる

●**HINTSテスト**(Stroke 2009;40:3504)
 Head impulse test:患者は試験者の鼻を注視したまま受動的に頭を素早く左右に振る;catch-up saccade(追響時の律動性眼球運動)は振った方向の末梢機能障害を示唆する
 Nystagmus(眼振;上記表参照)
 Skewテスト:片眼を遮蔽すると対側の眼に垂直方向のrefixation saccade(補正のための律動性眼球運動)がみられれば,中枢性を示唆する
●**Dix-Hallpikeテスト**:座位姿勢➡頭位45度回旋,仰臥位にする;数秒遅れて回転性めまいが出現する;繰り返すと軽減する;⊕はBPPVを示唆する。下側が患耳
●**Supine rollテスト**:仰臥位で頭を回旋すると眼振が出現する。⊕はBPPVを示唆する。下側が患耳(外側半規管,BPPVの8%)
●**検査**:心電図,検体検査,HINTSで中枢性疑い➡頭部MRI
●**治療**:BPPVに対して耳石置換,前庭リハビリテーション;抗ヒスタミン薬,鎮静薬,制吐薬

脳卒中

虚血性脳卒中

■病因
●**塞栓性**:動脈➡動脈(A to A),心原性(約30%が心房細動による;NEJM 2014;370:2478),奇異性
●**血栓性**:大血管(アテローム性動脈硬化)vs. 小血管(小動脈のリポヒアリノーシスによる"ラクナ"梗塞,多くの場合で喫煙,高血圧,脂質異常症,糖尿病と関連)
●**その他**:動脈解離,血管炎,血管攣縮,凝固亢進,低灌流,感染性心内膜炎,静脈性

■臨床所見
- 発症様式：塞栓性➡突然発症；血栓性➡段階的に進行することがある

脳卒中の血管領域と症候	
動脈	**症候**
内頸動脈➡眼動脈	一過性黒内障（一過性単盲）
前大脳動脈	片麻痺（下肢＞上肢），無為（abulia），尿失禁，原始反射
中大脳動脈	片麻痺（顔面・上肢＞下肢），片側感覚脱失，同名半盲 優位半球なら失語症：シルビウス裂より上➡運動性失語；下➡感覚性失語 非優位半球なら失行と失認；病変が大きければ傾眠と昏迷
後大脳動脈	黄斑回避のある同名半盲，純粋失読 視床症候群による対側の感覚障害
椎骨動脈，後下小脳動脈	Wallenberg症候群＝同側顔面と対側四肢のしびれ感，複視，構音障害，嚥下障害，同側のHorner症候群，しゃっくり
脳底動脈	瞳孔径の変化（中脳＝散瞳，橋＝針先瞳孔），長経路徴候（四肢麻痺，感覚消失），脳神経障害，小脳失調；脳底動脈先端部症候群（top of the basilar syndrome）➡閉じ込め症候群
小脳動脈	めまい，悪心・嘔吐，複視，構音障害，眼振，同側の運動失調
ラクナ（細動脈）	5つの主要症候群：純粋片麻痺，純粋片側感覚消失，運動失調不全片麻痺，構音障害・巧緻障害，感覚運動混合性

■一過性脳虚血発作（TIA）
- 脳虚血による突然の障害；**脳卒中の画像所見なし**；ほとんどの場合1時間以内に症状消失
- 鑑別診断：てんかん発作，片頭痛，低血糖，アミロイドスペル（amyloid spell），一過性全健忘，不安障害
- 1週間以内に脳卒中が続発するリスクは約2%（*NEJM* 2016;374:1533）。**ABCD^{2}スコア**で評価：**年齢（Age）**≥60歳（+1）；**血圧（BP）**≥140/90（+1）；**臨床像（Clinical features）**：一側の筋力↓（+2），麻痺を伴わない構音障害（+1）；**持続時間（Duration）**≥60分（+2），10～59分（+1）；**糖尿病（DM）**（+1）

■身体診察
- 一般診察：心雑音，頸動脈/鎖骨下動脈の血管雑音，末梢塞栓症状，感染性心内膜炎の徴候
- 神経学的診察：NIH Stroke Scale（www.ninds.nih.gov/sites/default/files/NIH_Stroke_Scale.pdf）

■急性期の検査
- 電解質，Cr（造影剤関連）；血糖値，血算，凝固能（血栓溶解療法の禁忌を参照）
- 心筋バイオマーカー，12誘導心電図，薬毒物スクリーニング
- **緊急CT**：血栓溶解療法前に頭蓋内出血除外（頭蓋内出血についてはMRIと感度が同等で，より迅速に施行できる）。Early CT sign（早期虚血サイン）：閉塞動脈の高吸収，皮髄境界の不明瞭化，浮腫，島皮質の不明瞭化。CTは発症初期に異常を検出できないこともあり，小さい梗塞巣や脳幹部では感度が低い。血管内治療の適応があればCT血管造影

■虚血性脳卒中の急性期初期治療（*Lancet* 2017;389:641, *Stroke* 2018;49:e46）
- **血栓溶解療法（静注）**：tPA 0.9 mg/kg（max 90 mg），10%を1分でボーラス投与後，残りを1時間で投与する
  発症4.5時間以内，頭蓋内出血なし，禁忌（頭蓋内出血の既往；3か月以内の頭部外傷または脳卒中；頭蓋内腫瘍，動静脈奇形，動脈瘤；最近の頭蓋内/脊柱管内手術；活動性内出血；圧迫止血できない部位の動脈穿刺；血圧↑；複数の脳葉に及ぶ梗塞；血小板<10万，

PT-INR>1.7, Xa阻害薬内服中, PTT>40, 血糖値<50) なしの場合に考慮
発症0～3時間：良好な神経学的転帰（機能障害なし/ほとんどなし）12%↑, 頭蓋内出血5.8%↑, 死亡率4%↓傾向
発症3～4.5時間：良好な神経学的転帰7.4%↑, 頭蓋内出血1.8%↑, 死亡率↓なし（注意：糖尿病および脳卒中既往患者が除外された臨床試験のデータ）
tenecteplaseに関しては発症9時間以内に適応あり, MRI画像解析により治療方針が決定される（*NEJM* 2018;378:1573&379:611, 2019;380:1795）

- **血圧**：血栓溶解療法を考慮する場合は＜185/110まで降圧；血栓溶解療法施行の際には＜180/105を24時間維持（ラベタロール, ニカルジピンを考慮）, 施行しない場合は症状出現なければ220/120まで高血圧を許容；症候性低血圧には昇圧薬を考慮
- **アスピリン**を24～48時間以内に開始；血栓溶解療法施行から24時間以内の抗凝固療法は避ける；長期管理は下記参照
- **脳浮腫➡脳ヘルニア**：広範な中大脳動脈梗塞/小脳梗塞後1～5日で起きることが多い, 若年者でリスク↑
頭側挙上＞30度；マンニトール±2～3% NaCl；減圧開頭術で死亡率↓（*NEJM* 2014;370:1091）
中大脳動脈梗塞の一部と広範な小脳梗塞は脳神経外科コンサルト
- **血管内血栓除去治療**の適応は, 発症6時間以内, pre mRS 0～1, 内頸動脈/中大脳動脈閉塞, NIHSS≧6（臨床的重症度）, ASPECTS≧6（CT所見に基づく回復可能性）（*NEJM* 2015;372:11, 1009, 1019, 2285&2296, *Lancet* 2016;387:1723）。発症6～24時間であっても, 梗塞サイズと臨床症状にミスマッチがある, またはペナンブラがある場合は施行（*NEJM* 2018;378:11&708）

■病因/介入可能なリスク因子についてのワークアップ

- **心臓**：Holter心電図で繰り返し心房細動を検索（例：発症10日, 3か月, 6か月で施行すると14%で検出される）；心エコーで血栓/贅腫の有無を確認。塞栓を疑う場合, マイクロバブル法で卵円孔開存や心房中隔瘤を確認
- **血管イメージング**：CT血管造影, 頭頸部MRA；禁忌の場合は頸動脈Dopplerエコー
- **血液検査**：脂質, HbA1c, TSH, ホモシステイン, Lp (a), 凝固異常の検索（65歳未満, 潜因性脳卒中の場合；抗凝固療法開始前の検査が望ましい）, ESR/CRP, 全身性感染症の症状/徴候があれば血液培養
- **MRI**：脳卒中の診断が確定できない場合（特に後方循環系脳梗塞）や, 脳梗塞の型, 発症時期の推定, 正確なサイズの評価に有用
DWI高信号/ADC低信号=急性虚血の最初期（数分で出現, 数日続く）
T2-FLAIR：高信号（数時間で出現, 数週続く）；PWI (perfusion weighted imaging) は不可逆性の梗塞部とペナンブラを区別できる；解離を疑う場合, T1脂肪抑制（頸部血管）像

■再発予防（*NEJM* 2012;366:1914）

- **抗血小板療法**：どの薬物もおおよそ同等の効果
アスピリンは死亡率↓, 脳卒中再発↓；非塞栓性梗塞ではワルファリンと同等（*NEJM* 2001;345:1444）
クロピドグレル：アスピリンよりやや優れるが, 頭蓋内出血もわずかに↑（*Lancet* 1996; 348:1239）
クロピドグレル＋アスピリン（アスピリン単剤と比較して）：発症21日以内の軽症脳梗塞/TIA➡梗塞リスク↓だが, 頭蓋内出血↑の可能性；長期投与は有益でない&頭蓋内出血↑（*NEJM* 2013;369:11, 2018;379:215, *BMJ* 2018;363:k5108）
頭蓋内アテローム血栓性梗塞では90日内服（*NEJM* 2011;365:993）
- **抗凝固療法**：心房細動（「心房細動（AF）」の項参照）, 心原性/奇異性塞栓で考慮（感染性心内膜炎を除く）；硬膜外の大血管解離；凝固亢進；症候性頸動脈狭窄に対する頸動脈内膜剥離術までのブリッジ
広範囲な脳卒中では出血リスクを考慮して約2～4週間, **抗凝固療法を控える**
- 収縮期血圧の長期管理目標は, 120～139 mmHg（*JAMA* 2011;306:2137）

- LDL-C目標≪70 mg/dL：スタチン，およびPCSK9阻害薬の上乗せで再発↓（NEJM 2017; 376:1713）
- fluoxetine：3か月後の運動機能回復を改善（Lancet Neurol 2011;10:123）
- 頸動脈血行再建（NEJM 2013;369:1143）

    頸動脈内膜切除術（手術による合併症発生率＋死亡率≦6％の場合）：

    症候性狭窄70〜99％（男性，>75歳，脳卒中2週間以内では有効性↑）➡脳卒中再発の相対リスク65％↓；50〜69％狭窄に対する有効性はわずか（NEJM 1991;325:445, Lancet 2004;363:915）

    無症候性狭窄70〜90％，<79歳：脳卒中再発の相対リスク50％↓（Lancet 2010; 376:1074）

    ステント留置：頸動脈内膜切除術と比較して周術期脳卒中リスク↑（特に高齢者），心筋梗塞リスク↓（ただし多くは無症候性），その後の脳卒中発症率はほぼ同等（NEJM 2016; 374:1011 & 1021, Lancet 2016;387:1305, Lancet Neuro 2019;18:348）

■卵円孔開存（一般人口の約27％）（NEJM 2005;353:2361）
- 脳卒中リスク↑：≧4 mmの開存，安静時R→Lシャント，中隔可動性↑，心房中隔瘤
- 卵円孔開存＋脳卒中／TIA：アスピリンと比較してワルファリンの優位性なし（Circ 2002; 105:2625），ただし深部静脈血栓症／肺塞栓症の高リスクもしくは合併例では考慮。高リスク（上記）かつ他の病因と考えられない場合，閉鎖術により50％以上の再発率↓（NEJM 2017;377:1011, 1022, 1033）

    RoPEスコア：年齢（18〜29歳：＋5点，30〜39歳：＋4点，40〜49歳：＋3点，50〜59歳：＋2点，60〜69歳：＋1点，≧70歳：0点）；画像検索での皮質梗塞（＋1点）；高血圧，糖尿病，脳卒中／TIA既往，喫煙（それぞれがない場合に＋1点）。>7点で閉鎖術を考慮（JAHA 2018;7:1）

頭蓋内出血

■部位による分類
- 出血性脳卒中：脳実質内出血，くも膜下出血
- その他の頭蓋内出血：硬膜外血腫，硬膜下血腫

■病因
- 動静脈奇形，動脈瘤，脳静脈洞血栓症➡脳実質内出血またはくも膜下出血
- 高血圧（大脳基底核，小脳，脳幹），脳アミロイド血管症（脳葉），腫瘍（特にメラノーマ，腎細胞癌，絨毛癌，甲状腺癌）➡脳実質内出血

    外傷➡あらゆる部位（注意：外傷による脳実質内出血／くも膜下出血は厳密には脳卒中ではない）

■臨床症状（Lancet 2017;389:655, NEJM 2017;377:257）
- 意識↓，悪心・嘔吐，頭痛，進行性の局所神経症状
- くも膜下出血：雷鳴頭痛，労作時発症；項部の痛み／硬直；意識消失。硬膜外血腫：意識清明期あり

■精査（Acad Emerg Med 2016;23:963）
- 緊急頭部CT；動脈瘤が疑われた場合，血管造影（血管造影／通常の動脈造影）
- ？CTで頭蓋内出血の所見はない（陰性尤度比0.01ではあるが）が，それでもくも膜下出血の疑いがある場合は，腰椎穿刺でキサントクロミーを確認
- 凝固能検査（PT，PTT，INR）

■管理（Crit Care Med 2016;44:2251, JAMA 2019;321:1295）
- 凝固異常を補正，目標INR<1.4，目標血小板>10万，抗血小板薬内服中の場合は血小板

輸注は不要（頭蓋内出血が拡大する場合は考慮）
uremic bleedingにはDDAVP。回復し2～3か月経過してから抗血小板単剤治療を再開可（*Lancet* 2019;393:2013)
- 動脈ラインによる血圧管理。ニカルジピン，ラベタロール点滴にて目標収縮期血圧<140（24時間以内），<160（24時間以降）（*NEJM* 2013;368:2355, 2016;375:1033）とするが，議論もある（*NEJM* 2016;375:1033）
- くも膜下出血：動脈瘤，動静脈奇形に対する血管内コイル塞栓術 vs. 外科的クリッピング術（部位と併存症により選択；*Lancet* 2015;385:691）；ニモジピンにより血管攣縮のリスク↓（経頭蓋Dopplerでモニタリング），痙攣発作予防
- 外科的血腫除去：硬膜外血腫；硬膜下血腫では>1 cmまたは急速増大傾向のとき；頭蓋内出血：明らかな有効性は示されていない（*Lancet* 2013;382:397）
- 脳静脈洞血栓症：抗凝固療法を開始；必要に応じて頭蓋内圧↑と痙攣発作の管理

筋力低下と神経筋疾患

特徴	上位運動ニューロン	下位運動ニューロン	神経筋接合部	ミオパチー
筋力↓の分布	上肢伸筋, 下肢屈筋, 大腿外転筋	遠位筋, 局所的	眼筋, 球症状, 四肢近位筋	近位筋, 対称性
筋萎縮	なし	重度	なし	軽度
線維束性収縮	なし	あり	なし	なし
筋緊張	↑	↓	正常	正常/↓
腱反射	↑	↓	正常	正常/↓
足指(Babinski反射)	背屈	底屈	底屈	底屈

末梢性ニューロパチー

■症状に基づく病因分類
- 単ニューロパチー（単一の神経）：急性➡外傷；慢性➡絞扼，圧迫，糖尿病，ライム病。代表例：正中神経（手根管症候群）；尺骨神経（肘/手首）；橈骨神経（橈骨神経溝）；総腓骨神経（足を組むと腓骨頭で圧迫）；外側大腿皮神経（鼠径靱帯）
- 多発単ニューロパチー（多発単神経炎；隣接しない複数神経の軸索損傷）：血管炎症候群（例：結節性多発動脈炎，好酸球性多発血管炎性肉芽腫症，多発血管炎性肉芽腫症，SLE，関節リウマチ，Sjögren症候群，クリオグロブリン血症，HCV），糖尿病，ライム病，HIV，Hansen病，遺伝性圧脆弱性ニューロパチー，浸潤性疾患（サルコイドーシス，リンパ腫，白血病）
- 多発ニューロパチー（左右対称に複数の神経が障害される；通常神経の長さに依存する）：30％が特発性

自律神経症状を伴う：糖尿病，アルコール性，腫瘍随伴性，Vit B$_{12}$欠乏，アミロイドーシス，化学療法，原発性自律神経障害

痛みを伴う（小径線維神経）：糖尿病，アルコール，アミロイドーシス，化学療法，サルコイドーシス，重金属，ポルフィリン血症

脱髄性
急性：急性炎症性脱髄性多発ニューロパチー（AIDP；Guillain-Barré症候群），ジフテリア；**亜急性**：薬物性（タキサン系），腫瘍随伴性；**慢性**：特発性，糖尿病，慢性炎症

性脱髄性多発ニューロパチー（CIDP），抗MAG抗体ニューロパチー，HIV，甲状腺機能低下症，中毒性，パラプロテイン血症，遺伝性（例：Charcot-Marie-Tooth病）
軸索型
急性：急性運動軸索型ニューロパチー，ポルフィリン症，血管炎，尿毒症，重篤疾患ニューロパチー；**亜急性**：アルコール性，敗血症，腫瘍随伴性，薬物性（シスプラチン，パクリタキセル，ビンクリスチン，イソニアジド，didanosine，アミオダロン）；**慢性**：糖尿病，尿毒症，鉛中毒，ヒ素中毒，HIV，パラプロテイン血症，Vit B_{12} 欠乏

■臨床症状
- 筋力低下，線維束性収縮，筋痛，感覚鈍麻，異常感覚（灼熱感／チクチク感），異痛症
- ±自律神経障害（起立性低血圧，便秘，尿閉，インポテンス，発汗異常）
- 腱反射低下／消失（小径線維ニューロパチーでは正常の場合もあり）

■診断的検査
- 遠位対称性多発ニューロパチー：血算，電解質，BUN/Cr，HbA_{1c}，Vit B_{12}，TSH，ESR，血清蛋白電気泳動＋免疫固定法
- 筋電図／神経伝導速度検査（発症10〜14日以内，または小径線維ニューロパチーではしばしば異常がみられない）
- 病歴と身体所見に応じて：肝機能，ANA，抗SS-A/SS-B抗体，HIV，銅，抗ライム病ボレリア抗体価，RPR，尿酸，尿蛋白電気泳動＋免疫固定法，ACE，ANCA，重金属，腰椎穿刺（AIDP/CIDP），クリオグロブリン，傍腫瘍性症候群関連自己抗体，遺伝子検査，自律神経検査／皮膚生検（小径線維），神経生検（多発単ニューロパチー），脂肪パッド生検（アミロイドーシス）
- 神経根／神経叢障害の疑いがある場合はMRI（先に筋電図）

■神経因性疼痛の治療（Lancet Neurol 2015;14:162）
- ガバペンチン，プレガバリン，TCA（ノルトリプチリン，アミトリプチリン），SNRI（デュロキセチン，ベンラファキシン）
- 第2選択：トラマドール，局所療法（リドカイン，カプサイシン）；第3選択：神経ブロック，A型ボツリヌス毒素

Guillain-Barré症候群（GBS）

■定義と疫学（Nat Rev Neurol 2014;10:469）
- 急性炎症性脱髄性多発ニューロパチー（AIDP；60〜80％）；急性運動軸索性ニューロパチー（AMAN；7〜30％；抗GM1抗体，抗GD1a抗体と関連；予後不良と関連）；Miller Fisher症候群（外眼筋麻痺と運動失調；抗GQ1b抗体と関連）
- 発生率1〜2/10万；急性／亜急性運動麻痺では最も頻度が高い
- 誘因（60％にみられる）；ウイルス感染（インフルエンザ，CMV，EBV，HIV，ジカウイルス），上気道炎（*Mycoplasma*），胃腸炎（*Campylobacter*），ライム病，予防接種（現時点では明らかなリスクとはされていない），手術

■臨床症状（Lancet 2016;388:717）
- 初発症状は疼痛（55〜90％），異常感覚，しびれが多く，腰背部痛もよくみられる
- 四肢の左右対称性の運動麻痺が時間〜日単位で進行；1〜4週でプラトーに
- 腱反射低下，後に消失；初診時は腱反射異常＜10％だが，経過中全例で腱反射低下／消失；AMANのごく一部では腱反射正常
- 人工呼吸を要する呼吸不全（25％）；自律神経異常と不整脈（60％）

■診断的検査（発症数日間は検査正常のことがある）
- 腰椎穿刺：蛋白細胞解離＝髄液細胞数↑を伴わない（白血球＜10）蛋白↑が64％でみられ

る。発症第1週で1/2，第3週までに3/4が蛋白↑を示す。WBC＞50の場合，GBSの見込みは低い
- 筋電図／神経伝導速度検査：伝導速度↓，刺激伝導障害，F波異常；2週以内は正常のことがある
- 努力肺活量および陰性吸気力：呼吸不全のリスクを評価（PaO_2やSaO_2のみでは判断できない）

■治療
- 血漿交換とIVIgは同等の有効性（*Neuro* 2012;78:1009）；ステロイドは有用でない
- 症状の急速な進行や呼吸不全がある場合は，ICUでモニタリングしながら支持療法
- 自律神経機能障害に注意：血圧不安定性，不整脈（心電図モニター装着）
- Erasmus GBS outcome scoreが予後評価に有用（*Lancet Neurol* 2007;6:589）。ほとんどは1年以内にほぼ元の状態まで回復；死亡率3～5％。後遺障害：疼痛，倦怠感

重症筋無力症（MG）

■定義と疫学（*Lancet Neurol* 2015;14:1023, *NEJM* 2016;375:2570）
- アセチルコリン受容体（AchR, 80％），筋特異的受容体型チロシンキナーゼ（MusK, 4％），LDL受容体関連蛋白4（LRP4, 2％），およびその他の神経筋接合部蛋白に対する抗体による自己免疫疾患
- 有病率：1/7,500；全年齢でみられるがピークは20～30歳代（女性），60～70歳代（男性）
- 抗AChR抗体⊕の重症筋無力症では15％に胸腺腫を合併；胸腺腫患者の30％が抗AChR抗体⊕の重症筋無力症を発症

■臨床症状
- 日内変動する易疲労感と筋力低下（反復動作で悪化，安静で改善）
- 頭部の筋肉から先に発症➡60％が眼症状（眼瞼下垂・複視）で発症；20％はその後も眼球症状のみ；15％に球症状（咀嚼困難，構音障害，嚥下障害）
- 近位筋優位の四肢筋力低下；腱反射は保たれる；筋萎縮はほとんど／まったく認めない
- MusK抗体⊕の重症筋無力症（女性≫男性）：頭部／球部，頸部および呼吸筋力低下が主体
- 急性増悪の誘因：上気道炎，手術，妊娠・産後，薬物（例：Mg, アミノグリコシド，マクロライド，フルオロキノロン，プロカインアミド，フェニトイン，Dペニシラミン）；プレドニゾロンは初期増悪に注意
- 筋無力症クリーゼ＝症状が増悪し，呼吸不全の危険がある
- コリン作動性クリーゼ＝コリンエステラーゼ阻害薬過剰による筋力低下；唾液分泌過多，腹部疝痛と下痢；通常量ではまれ

■診断的検査
- ベッドサイド：平常時か上方注視（＞45秒）後に眼瞼下垂がみられる；両眼にアイスパックを2～5分あてると改善，感度77％，特異度98％
- ネオスチグミン試験：一時的に筋力↑；偽陽性や偽陰性あり；アトロピンで前処置
- 筋電図：反復神経刺激で反応↓（Lambert-Eaton症候群では反応↑）
- 抗AChR抗体（感度80％，眼筋型では50％；特異度＞90％）；抗MuSK抗体；AChR modulating抗体
- 胸部のCT/MRIで胸腺を評価（65％が過形成，10％が胸腺腫）

■治療
- 胸腺腫合併例，胸腺腫のない抗体⊕例では胸腺切除術（*NEJM* 2016;375:511）
- コリンエステラーゼ阻害薬（例：pyridostigmine）は最も即効性（30～60分で効果発現），MuSK抗体⊕例では効果が乏しい。副作用：コリン作動性刺激（徐脈，下痢，流涎）
- 免疫抑制薬：プレドニゾロン（効果発現に数週間；クリーゼの状態で開始してはいけない）

＋アザチオプリン（効果発現に6～15か月）。無効の場合：ミコフェノール酸モフェチル，リツキシマブ，MTZ，シクロスポリンA。ステロイドの漸減と中止を目標
- 筋無力症クリーゼ：誘因への対処；コリン作動性クリーゼの疑いがある場合はコリンエステラーゼ阻害薬中止を考慮。IVIgか血漿交換；無効の場合，高用量グルココルチコイド（初期増悪の可能性があるためモニタリング下）。進行が速い/重症の場合はICU（努力肺活量，陰性吸気力をチェック）

ミオパチー

■病因
- 遺伝性：Duchenne型，Becker型，肢帯型，筋強直性，代謝性，ミトコンドリア性
- 内分泌性：甲状腺機能低下症，副甲状腺機能亢進症，Cushing症候群
- 中毒性：スタチン，フィブラート系，グルココルチコイド，ジドブジン，アルコール，コカイン，抗マラリア薬，コルヒチン，ペニシラミン
- 感染性：HIV，HTLV-1，旋毛虫症，トキソプラズマ症
- 炎症性：多発性筋炎，皮膚筋炎，封入体筋炎，抗HMGCR抗体

■臨床症状
- 進行性または一時的な筋力↓（筋疲労ではない）
- ほとんどの場合，筋力↓は対称性，近位＞遠位（階段昇降，椅子から立ち上がるなどの際）
- ±筋痛（顕著なものではなく頻度も低い），筋痙攣，筋強直（弛緩不全）
- 偽性肥大（ジストロフィー），軽度筋萎縮のいずれもきたしうる
- 関連臓器障害：心臓（不整脈，CHF），肺（間質性肺疾患），特徴的な容姿

■診断的検査
- CK，アルドラーゼ，LDH，電解質，ALT/AST，PTH，TSH，ESR，HIV
- 自己抗体：ANA，RF，抗Jo-1抗体，抗ARS抗体，抗Mi-2抗体，抗SRP抗体，抗HMGCR抗体（スタチン内服歴がある場合），抗NT5C1A抗体（封入体筋炎の場合）
- 筋電図/神経伝導速度検査：早期動員を伴う低振幅，多相性の運動単位電位，±線維自発電位
- 筋生検，分子遺伝学的検査（適応があれば）
- 多発性筋炎，皮膚筋炎が疑われる場合，年齢相応の癌スクリーニング

頭痛

■一次性頭痛（International Headache Society分類）
- **緊張型頭痛**：両側性，軽度から中等度の非拍動性の圧迫感に似た痛みで，動作で増悪しない。光／音過敏はあってもよいが，悪心・嘔吐⊖。頭頸部の筋膜の感受性が関連
  - 誘因：ストレス，睡眠不足，脱水，空腹
  - 反復性頭痛の治療：NSAIDs，アセトアミノフェン（薬物乱用頭痛に注意）；慢性頭痛の治療：三環系抗うつ薬
- **群発頭痛およびその他の三叉神経・自律神経性頭痛**（*Continuum* 2018;24:1137）
  片側の頭痛で同側の自律神経症状（鼻漏，結膜充血／流涙，縮瞳，眼瞼下垂，眼瞼浮腫，発汗）を伴うことが特徴，持続時間で分類
  - 群発頭痛：男性＞女性，一側性疼痛で自律神経症状を伴う，落ち着きがなくなる；15分〜3時間の発作が1日に最大8回程度発生（24時間周期）。予防：カルシウム拮抗薬（ベラパミル）。治療：高流量O_2（12〜15 L/分），スマトリプタン
  - 発作性片側頭痛：群発頭痛に類似するが，女性＞男性，2〜30分持続。治療：インドメタシン
  - 持続性片側頭痛：女性＞男性，穿刺様の痛みが3か月以上持続。治療：インドメタシン
  - 結膜充血および流涙を伴う短時間持続性片側神経痛様頭痛発作（SUNA/SUNCT）：男性＞女性，激烈で刺すような電撃痛，5秒〜4分持続，200回／日。治療：ラモトリギン，ガバペンチン，トピラマート
- **片頭痛**：下記参照

■二次性頭痛の原因
- **外傷**：脳振盪後，くも膜下出血，硬膜下血腫，開頭術後
- **頭蓋内圧↑**：腫瘍（腫瘍，膿瘍，血管奇形，頭蓋内出血），水頭症，特発性頭蓋内圧亢進（偽性脳腫瘍），高地脳浮腫
- **頭蓋内圧↓**：腰椎穿刺後頭痛，髄液漏／硬膜損傷，overshunt
- **血管性**：脳卒中（特に後方循環系），動脈解離，血管炎（巨細胞動脈炎を含む），可逆性脳血管攣縮症候群（RCVS），頭蓋内出血，脳静脈洞血栓症
- **髄膜刺激**：髄膜炎，くも膜下出血
- **頭蓋外**：副鼻腔炎，顎関節症，緑内障
- **全身性の原因**：低酸素症（閉塞性睡眠時無呼吸症候群），高CO_2血症，透析（不均衡症候群），高血圧，心臓性頭痛，低血糖，TSH↓，褐色細胞腫，薬物乱用（鎮痛薬），離脱症候群（カフェイン，オピオイド，エストロゲン）

■臨床評価（*JAMA* 2006;296:1274, 2013;310:1248）
- **病歴**：発症（突然 vs. 緩徐），痛みの質，程度，部位，持続時間，誘因，緩和因子，頭位変換の影響，ホルモン性の誘因（月経），頭頸部外傷の既往，随伴症状（視覚変化，飛蚊症，悪心・嘔吐，羞明，局所神経症状），薬剤（鎮痛薬），薬物乱用（オピオイド，カフェイン），頭痛の既往／家族歴
- **一般診察と神経学的診察**（眼底検査，視野検査を含む）
- **警告徴候（緊急神経画像検査が必要）**
  - 突然の発症（血管性）；"人生で最悪の頭痛"（くも膜下出血，RCVS）；髄膜刺激症状（くも膜下出血，感染症）
  - 体位性：臥位＞立位（頭蓋内圧↑）；悪心・嘔吐（頭蓋内圧↑；片頭痛）
  - 視覚症状：複視，霧視，視力↓（巨細胞動脈炎，緑内障，頭蓋内圧↑）；眼痛（緑内障，三叉神経・自律神経性頭痛，視神経炎）
  - 神経所見異常（器質的病変，もしくは片頭痛でも出現しうる）；意識↓（±発熱）：感染症，頭蓋内出血
  - ＞50歳；免疫抑制（CNS感染症，可逆性後頭葉白質脳症）
- **画像検査**：CT/MRI；CT血管造影（血管炎，RCVS，血管攣縮では数珠状血管がみられる）や，

CT静脈造影，MR静脈造影も考慮
- くも膜下出血の疑いがある場合は腰椎穿刺（キサントクロミーを確認），特発性頭蓋内圧亢進症（初圧を確認）；まず画像検査！

片頭痛 (NEJM 2017;377:533)

■定義と臨床症状 (Lancet 2018;391:1315)
- **疫学**：女性の15%，男性の6%が罹患；通常は30歳までに発症
- **前兆のない片頭痛**（最も多い）：4〜72時間持続する発作が5回以上あり，下記の (1)，(2) 両方を満たす．(1) 悪心・嘔吐または光/音過敏；(2) 次のうち2つ以上が該当：一側性，拍動性，中等度〜重度の痛み，日常動作で増悪
- **前兆を伴う片頭痛**：下記を満たす発作が2回以上ある：(1) 1回以上の可逆的な前兆：視覚変化（光の点滅，視野欠損），感覚症状（異常感覚，感覚鈍麻），言語障害；(2) 一側性の症状の進行（5〜60分）；(3) 前兆から60分以内に頭痛が出現
- 前兆は頭痛を伴わないことがあり（"頭痛のない片頭痛"），TIA/脳卒中（典型的には急性発症）の除外が必要
- 筋力低下があれば，**孤発性/家族性片麻痺性片頭痛**を考える：24時間以内に回復する筋力低下，*CACNA1A*, *ATP1A2*, *SCN1A*の遺伝子変異がみられる
- **誘因**：ストレス，食品（チーズ，チョコレート，グルタミン酸Na），疲労，アルコール，月経，運動

■治療
- **頓挫薬**：5-HT_1作動薬（トリプタン）は片頭痛発作初期に有効；片麻痺性片頭痛，冠動脈疾患，脳卒中既往に対しては禁忌．アセトアミノフェン，カフェイン，NSAIDs (ketorolac)，ステロイド，Mg，メトクロプラミド，プロクロルペラジン，バルプロ酸，ジヒドロエルゴタミン（冠動脈疾患や最近のトリプタン使用歴には注意）．butalbital, オピオイドは避ける
- **予防**：バルプロ酸，トピラマート，β遮断薬（プロプラノロールが第1選択），三環系抗うつ薬，Mg，Vit B_2，ボトックス，抗CGRP＆受容体モノクローナル抗体 (fremanezumab, erenumab；*NEJM* 2017;377:2113 & 2123)

背部と脊髄の疾患

■背部痛の鑑別疾患
- **筋骨格系**：脊椎（椎体，椎間関節），傍脊柱筋，靭帯，仙腸関節，股関節の疾患．脊椎すべり症，椎体骨折，変形性関節症，関節炎，脊椎関節炎（関節リウマチ，強直性脊椎炎，反応性関節炎，乾癬性関節炎），筋肉・靭帯の"緊張"，筋膜性疼痛，転子部滑液包炎
- **脊髄（ミエロパチー）/神経根（神経根障害）**：
  変性性/外傷性：椎間板ヘルニア，椎間孔/脊柱管狭窄，脊椎すべり症
  腫瘍性：肺癌，乳腺癌，前立腺癌，腎細胞癌，甲状腺癌，大腸癌，多発性骨髄腫，リンパ腫
  感染性：骨髄炎/椎間板炎，硬膜外膿瘍，帯状疱疹，ライム病，CMV，HIV，脊椎カリエス
- **内臓疾患による関連痛**：
  消化器：消化性潰瘍，胆石，膵炎，膵癌
  泌尿生殖器：腎盂腎炎，腎尿路結石，子宮/卵巣癌，卵管炎
  血管：大動脈解離，大動脈瘤破裂

■初期評価 (Lancet 2017;389:736)
- **病歴**：部位，放散，外傷，体重減少，癌の既往，発熱，免疫不全，静注薬物使用，神経症状，

サドル型知覚麻痺，排便／排尿症状（尿閉，失禁）
- **身体診察**：局所の圧痛，可動域，感染／悪性腫瘍の徴候；傍脊柱筋の筋緊張によるこりや圧痛
- **神経根障害の徴候**（四肢に放散する鋭い刺すような痛み）：
  Spurling徴候（頸部神経根症）：患側を向いて頭部後屈した状態で，頭部に垂直下向きの力を加えると神経根痛が生じる）；感度30%，特異度93%
  下肢伸展挙上試験（坐骨神経もしくは腰仙椎神経根症状）：30〜70°の挙上で神経根痛誘発：感度92%，特異度28%；交差下肢挙上試験（対側の下肢挙上）：感度28%，特異度90%
  Patric/FABERテスト（仙腸関節症候群）；股関節外旋で強い疼痛の誘発：感度70%，特異度100%
  腰部脊柱管狭窄症では神経性間欠性跛行がみられる（次ページの表参照）
- **神経診察**：運動神経（肛門括約筋緊張を含む），感覚神経（会陰領域を含む；デルマトームに注意），および反射（球海綿体反射，肛門反射（S4），精巣挙筋反射（L2）を含む）の詳細な診察
- **Red flags**：上位運動ニューロン徴候（腱反射亢進，Babinski反射で背屈），馬尾／脊髄円錐症候群（サドル型知覚麻痺，膀胱直腸障害，肛門括約筋トーヌス低下，仙髄反射消失），安静時／夜間の痛み
- **検体検査**（疑いに応じて）：血算（分画も），ESR/CRP，Ca，P，髄液検査，血液培養
- **神経画像検査**：放散痛がない場合には診断能は低く，偽陽性の可能性↑（偶発的な脊椎症）；疑いに応じて：X線，CT/CT脊髄造影，MRI，骨シンチ
- **筋電図／神経伝導速度検査**：神経根／神経叢障害と末梢神経障害の鑑別に有用な可能性

脊髄圧迫

■臨床所見
- **病因**：**腫瘍性**（椎体への転移，硬膜内髄膜腫／神経線維腫），**硬膜外膿瘍／血腫**，血管奇形（硬膜動静脈瘻），変性性疾患（脊椎症）
- **急性期**：弛緩性麻痺と腱反射消失（"脊髄性ショック"）
- **亜急性〜慢性期**：痙性麻痺と腱反射亢進（Babinski反射で背屈±足クローヌス）
- **下肢の後索路障害**（振動覚／固有覚の消失）
- **障害レベル以下の感覚消失**（体幹レベル±両下肢症状が障害部位の推定に重要）

■評価と治療
- すべての外傷患者で経験的に脊椎固定（カラー，ボード）
- 緊急MRI（推定障害脊髄レベルから上位を，Gd造影で）またはCT脊髄造影
- ただちに脳外科／神経内科へコンサルト．転移性病変による圧迫が原因であれば緊急放射線照射±減圧手術（*Lancet Oncol* 2017;18:e720）
- 硬膜外膿瘍の可能性があれば，広域抗菌薬の経験的治療±手術
- 原因によっては高用量ステロイド：
  腫瘍：デキサメタゾン16 mg/日 IV（通常4 mgを6時間ごと），数週間かけてゆっくりと漸減
  外傷：メチルプレドニゾロン30 mg/kgを15分かけてIV，その後5.4 mg/kg/時×24時間（受傷後3時間以内に開始した場合）または×48時間（受傷後3〜8時間で開始した場合）（*Cochrane* 2012:CD001046）

神経根圧迫

■臨床所見 (NEJM 2015;372:1240)
- 身体動作(特に前後屈,いきみ,咳嗽)で増悪,臥床で緩和する根性痛
- 坐骨神経痛=殿部から下腿外側,しばしば膝,下腿外側へ放散する根性痛で,しびれ感や異常感覚が足部外側へ放散することもある。神経根,神経叢,坐骨神経の圧迫による

■病態生理
- <65歳:90%が椎間板ヘルニア。≧65歳では変性の影響↑:靭帯肥厚,骨棘形成,椎間関節症,神経孔狭窄
- 脊柱管狭窄症:脊柱管中央部の狭窄➡神経根の直接圧迫,くも膜下腔の閉塞,血行障害

椎間板ヘルニア:頸椎と腰椎の神経根障害

椎間板	神経根	痛み/異常感覚	感覚脱失	筋力低下	反射消失
C4~C5	C5	頸部,肩,上腕	肩,上腕外側	三角筋,上腕二頭筋,棘下筋	上腕二頭筋反射
C5~C6	C6	頸部,肩,上腕外側,前腕橈側,母指と示指	前腕橈側,母指と示指	上腕二頭筋,腕橈骨筋	上腕二頭筋反射,腕橈骨筋反射,回外筋反射
C6~C7	C7	頸部,上腕外側,環指と示指	示指と中指	上腕三頭筋,尺側手根伸筋	上腕三頭筋反射,回外筋反射
C7~T1	C8	前腕尺側,手	環指尺側,小指	手内在筋群,深指屈筋	指屈曲反射
L3~L4	L4	大腿前側,脛の内側	下肢前内側,足内側	大腿四頭筋	膝蓋腱反射
L4~L5	L5	大腿外側,腓腹部外側,足背,母趾	腓腹部外側,母趾	足の背屈/内反/外反,足趾伸筋	内側大腿屈筋反射
L5~S1	S1	大腿背側,腓腹部背外側,足外側	足外側,足趾,足底	腓腹筋	アキレス腱反射

注意:突出した腰椎椎間板は1椎体レベル下の神経根を圧迫しやすい

神経性跛行と血管性跛行

特徴	神経性跛行	血管性跛行
原因	腰部脊柱管狭窄(神経根圧迫を伴う)	末梢動脈疾患(四肢虚血を伴う)
痛み	背部/殿部の根性痛 末梢側へ放散	下肢の激痛 腓腹部に最も多い;中枢側へ放散
増悪因子	歩行,立位 過伸展/腹臥位	歩行 自転車の運転
寛解因子	前屈,座位	安静(立位/座位)
その他の症状	感覚鈍麻/異常感覚	冷たく蒼白な四肢
診察	±局所的筋力↓,反射↓,腰椎伸展↓ 動脈拍動は触知	拍動の減弱/消失(足背/後脛骨動脈) 蒼白
診断的検査	腰椎MRI (MRIがなければ)CT脊髄造影 筋電図/神経伝導速度検査	動脈Doppler検査 足関節上腕血圧比(ABI) 動脈造影

(次頁につづく)

| 治療 | 理学療法（屈曲体操），NSAIDs，硬膜外ステロイド注射，手術（その他の治療が無効のとき） | 血管リスク因子の是正，運動リハビリテーション，抗血小板療法，血管再開通療法 |

注意：上記両方の所見がみられて診断が難しい場合や，両方の診断に該当する場合もある（*NEJM* 2007;356:1241, 2008;358:818）

■神経根圧迫の評価と治療（*NEJM* 2016;374:1763）

- 6週間の保存的加療で改善がみられなければMRIを；診断がつかなければ筋電図／神経伝導速度検査を検討
- 保存的加療：前後屈やものを持ち上げる動作を避ける；ソフトカラー（頸部神経根症）；NSAIDs；筋弛緩薬；リドカイン貼付薬／軟膏；神経因性疼痛の治療（「末梢性ニューロパチー」の項参照）；理学療法。経口ステロイドを推奨するエビデンスは不十分
- 可能なかぎりオピオイドは避ける；非癌性腰痛ではリスクがベネフィットを上回る
- 脊髄硬膜外ステロイド注射：難治性根性痛で短時間の緩和が得られるのみ
- 手術：脊髄圧迫または馬尾症候群；進行性の運動機能障害；膀胱直腸障害；保存的治療で3か月以上改善がない場合

第10章
コンサルテーション

外科的問題

腹痛

内臓痛		
解剖学的区分	内臓	痛みを訴える部位
前腸	食道＆十二指腸	上腹部
中腸	空腸〜横行結腸中央部	臍部
後腸	横行結腸中央部〜直腸	下腹部

膵炎や腎結石の痛みは一般に背部へ放散

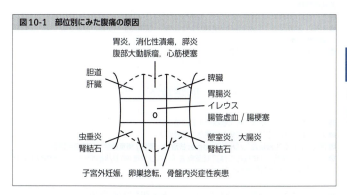

図10-1　部位別にみた腹痛の原因

■初期評価
- 病歴：痛みの経過，部位，増悪/緩和因子
- 随伴症状：発熱/悪寒，悪心/嘔吐，排便習慣の変化（下痢/便秘，便の大きさ/色調，血便，下血），黄疸，尿の色調変化，体重変化，女性では月経歴
- 既往歴：腹部手術，産婦人科疾患の既往
- 診察：バイタルサイン，患者の姿勢，腹膜炎の徴候（反跳痛と筋性防御，腹壁硬直，打診/触診での痛み）に関する包括的な腹部診察，ヘルニアの存在，直腸診/骨盤内診
- 検体検査：血算，電解質，肝機能検査，アミラーゼ/リパーゼ，妊娠検査
- 画像検査：疑われる病因に応じた検査（胆道/肝疾患には右上腹部エコー，イレウスにはKUB，膵炎/腸疾患にはCT）；画像検査の結果を待って重症患者の蘇生や外科へのコンサルトを遅らせてはならない

急性腹症

■定義
- 緊急手術を必要としそうな腹痛の急性発症

■病因
- 内臓穿孔 ➡ 腹膜炎（穿孔性潰瘍，複雑性憩室炎，外傷）
- 腹腔内 / 後腹膜出血（「急性大動脈症候群」の項も参照）
- 腸管閉塞（以前の手術や悪性腫瘍，ヘルニアによる癒着）
- 急性腸間膜虚血（特に心房細動があり，"診察所見とは不釣合いに痛がっている"場合には注意）
- 間違いやすい病態：重症膵炎は腹膜炎に似ることあり；腎疝痛は強い腹痛を起こすが筋性防御はない

■初期評価
- 病歴聴取と身体診察は上記参照
- 検査は上記のものに加えて，PT/INR，PTT，乳酸，血液型 / 交差適合試験（活動性出血がある場合）
- 画像検査：KUB（立位，または状態が安定していれば腹部 / 骨盤部の造影 CT（閉塞の疑いがある場合は IV/PO）

■初期管理
- 急性腹症の疑いがあれば，ただちに外科へコンサルト
- NPO，輸液開始（生理食塩液 / 乳酸リンゲル液），尿道カテーテル，閉塞を疑う場合には経鼻胃管の挿入
- 穿孔の疑いがあれば広域抗菌薬

四肢救急

■急性四肢虚血（詳細は「末梢動脈疾患」の項参照）
- 定義：四肢の生存可能性を脅かす突然の灌流低下
- 評価：詳細な血管検査（パルス Doppler 検査や，運動 / 感覚機能），CT 血管撮影
- 初期管理：塞栓症 / 血栓症には抗凝固療法（ヘパリンを 80 U/kg ボーラス，その後 18 U/kg で投与）；ただちに外科へコンサルト

■コンパートメント症候群（Clin Orthop Relat Res 2010;468:940）
- 定義：細静脈の圧迫閉塞を伴うコンパートメント内圧↑➡静水圧↑と，それによるさらなるコンパートメント内圧↑
- 病因：整形外科的（骨折），血管性（虚血-再灌流），医原性（例：抗凝固療法による血管障害），軟部組織損傷（例：長時間の四肢圧迫）
- 臨床症状：特に受動運動時の痛み，コンパートメント内の腫脹 / 緊張，感覚異常，蒼白，拍動消失，麻痺（末期）
- 評価：外科的なコンパートメント内圧測定；内圧＞30 mmHg または拡張期圧と内圧の差＞10～30 mmHg であればコンパートメント症候群と診断
- 治療：筋膜切開

外科的チューブ，ドレーン，創

■気管切開チューブ（*Otolaryngol Head Neck Surg* 2013;148:6）
- 通常はカフ付きチューブ；シールがタイトで換気効率が高い
- スピーキングバルブ（例：Passy-Muirバルブ）：一方向弁の機能により，吸気はチューブを通して，呼気はチューブの周囲から声帯を通して行われる（注意：カフは膨張させない）
- 経皮的に挿入したチューブは術後約10日で交換；外科的に挿入したチューブは術後＞5日で交換し，初回交換は経験豊富なスタッフによる監督が必要
- 事故抜管：
  再挿管（換気が必要かつ解剖学的に可能な場合）
  留置から≦7日：ただちに外科へコンサルト
  留置から＞7日：口径が同じか細いチューブと交換

■胸腔ドレーン（*Eur J Cardiothorac Surg* 2011;40:291）
- 気胸，胸部外傷，胸部手術後に，胸腔内の空気/液体をドレナージする目的で挿入；小口径カテーテル（自然気胸に用いる8〜10 Fr）から，大口径のチューブ（肺切除術後に用いる28〜32 Fr）まである
- 三連ボトル式の胸腔ドレナージシステムに接続：
  1：排液ボトル（胸水を貯留）
  2：水封ボトル（呼気時に胸膜腔から空気を排出し，吸気時には空気が入らないようにする）
  3：吸引圧制御ボトル（胸膜腔の吸引圧を調節）
- 排液とエアリーク（水封ボトルの水中の泡で検知）をモニタリング
- 抜去は日々の排液量とエアリークの存在に基づき決定
- 事故抜管（完全であれ部分的であれ）の場合には，完全に抜去してすみやかに密封ドレッシング材（例：4 cm×4 cmのテガダームやシルクテープ）で挿入部位を被覆する。その後，緊急CXR；気胸が持続する場合は新しいチューブを挿入

■胃瘻/空腸瘻造設チューブ（*Paediatr Child Health* 2011;16:281）
- 経管栄養，補液，薬物投与のために設置
- 瘻孔の完成まで6〜8週間以上は抜去しない
- チューブの詰まりは炭酸水，食肉軟化剤，膵酵素などによるフラッシュで再開通が可能；薬物投与の前後や，持続栄養時には4〜6時間ごとにフラッシュすることで閉塞率↓
- 不注意により抜管した場合，ただちに口径が同じい細いFoleyカテーテルを挿入して瘻孔の閉鎖を防ぐ；その後，造設チューブを設置しなおし，フルオログラフィーで確認

■抜糸/ステープル抜去
- 外科チームの助言のもとに行う；抜糸時期は創の部位による
- 抜糸中に離開の徴候がみられたら抜糸は中止！
- 抜糸後はステリストリップで創を保護

■褥瘡性潰瘍（*J Wound Ostomy Continence Nurs* 2012;39:3）
- 反復して圧迫にさらされる部位に潰瘍ができる（多くは仙骨や踵）
- リスク因子：体動困難，栄養状態不良
- ステージI（消退しない発赤），ステージII（真皮までの損傷），ステージIII（皮下組織までの損傷），ステージIV（皮下組織を超える損傷）
- 治療：除圧，エアマットレス，枕あるいは踵の除圧を図るためのクッション，栄養療法
- 壊死や感染を伴う潰瘍組織のデブリードマンを外科に依頼し，潰瘍が除去されたのちに組織の再建目的に形成外科にもコンサルトを行う

外科へのコンサルト

- 重症患者は臨床検査や画像検査の結果を待たずに早期に外科へコンサルト
- 緊急手術の可能性があれば，NPO，輸液開始，凝固能検査，交差適合試験
- コンサルトの依頼は，患者を熟知し，患者を診察した適切なレベルの医師が行う

産婦人科的問題

性器出血

下部生殖管（外陰部，膣，子宮頸部）または上部生殖管（子宮体部）からの異常出血

■原因
- 閉経前
  - 非妊娠女性：月経，下部生殖管（外傷，性感染症，子宮頸部異形成/癌），不正子宮出血（ポリープ，子宮腺筋症，平滑筋腫，子宮内膜増殖症/癌，凝固異常，排卵機能不全，子宮内膜，医原性）
  - 妊娠女性
    - **第1期**：切迫流産，自然流産（稽留流産，不全流産，完全流産），子宮外妊娠，奇胎妊娠（部分胞状奇胎/全胞状奇胎）
    - **第2, 3期**：早期産/出産，前置胎盤，胎盤早期剥離
- 閉経後：萎縮，ポリープ，子宮平滑筋腫，子宮内膜増殖症/癌

■病歴聴取と身体診察
- 年齢，閉経状態，妊娠女性では妊娠期間，出血の量と期間
- 閉経前：月経歴（初経年齢，間隔と期間，随伴症状の有無，最終月経；月経周期の算出）
- 産婦人科疾患の既往（構造的異常，性感染症，避妊歴）
- 健診歴（子宮頸部細胞診，HPVスクリーニング），家庭内暴力，抗凝固薬/抗血小板薬
- 身体診察と腹部診察（圧痛，腫瘤を含む）
- 内診：外観（外陰部に付着した経血量，病変や外傷の有無），膣鏡診（経血量；子宮口の開き具合と，開いていれば拡張およびポリープの有無），双手診（子宮口の開き具合，子宮のサイズと圧痛，付属器の腫瘤と圧痛）

■検体検査と画像検査
- 尿（迅速検査）や血清（β-hCG）を用いた妊娠検査，Hct/Hb
- 骨盤部エコー：子宮筋腫の有無，妊娠があれば子宮内妊娠であることを確認し，前置胎盤，胎盤早期剥離の除外目的に胎盤の位置を確認
- 子宮内所見から妊娠を確認できない場合は，致死的な診断である子宮外妊娠を除外する（β-hCG>discriminatory zone ➡ 子宮外妊娠の可能性；β-hCG<discriminatory zone ➡ β-hCGをフォロー）(*JAMA* 2013;309:1722)

膣分泌物

膣や子宮頸部/体部から分泌される液体/粘液

■原因
- 感染性：細菌性膣炎，カンジダ性外陰膣炎，膣トリコモナス症
- 非感染性：生理的分泌（妊娠女性/非妊娠女性），処女膜損傷，異物反応

■初期評価
- 年齢，最終月経，妊娠女性では妊娠期間，閉経状態
- 分泌物の量，色調，粘稠度，臭気，随伴症状（痒み，発赤，腹痛/骨盤痛）
- 婦人科病歴：性感染症，避妊歴（コンドームにより性感染症のリスク↓）
- タンポン/コンドームの使用は異物遺残のリスク因子

- ●内診：外観（外陰部に付着した分泌物の量と性質，病変の有無），膣鏡診（分泌物，子宮頸部の外観），双手診（子宮頸部他動痛）
- ●検査：分泌物のpH，鏡検（生理食塩液，KOH標本），尿妊娠検査

■治療
- ●細菌性膣炎：メトロニダゾール/クリンダマイシン（PO/膣錠）
- ●カンジダ性外陰膣炎：抗真菌薬（PO/外用）
- ●膣トリコモナス症：メトロニダゾール（PO）

非妊娠女性の付属器腫瘤

卵巣，卵管，周囲の結合組織に発生する腫瘤

■原因
- ●卵巣：機能性嚢胞（卵胞嚢胞，黄体嚢胞），出血性嚢胞，子宮内膜腫，卵巣捻転，卵管卵巣膿瘍，卵巣良性/悪性腫瘍
- ●卵管：傍卵管嚢胞，卵管留水症，卵巣捻転，卵管卵巣膿瘍

■初期評価
- ●最終月経/閉経状態，腹痛/骨盤痛の随伴症状，婦人科腫瘍の家族歴
- ●腹部診察（膨隆，圧痛，腫瘤），双手診（子宮/付属器腫瘤）
- ●閉経前ならば妊娠検査（⊕の場合，腫瘤は妊娠による可能性が高い），閉経後ならばCA-125
- ●骨盤部エコー（最良の検査はエコーであり，CTで発見された腫瘤にも行う）；腫瘤のエコー所見は悪性腫瘍のリスク評価に最も重要

眼科的問題

初期評価

- 眼症状：発症の経過（突然か徐々にか）と症状の持続時間；一側性 vs. 両側性；痛み，羞明，分泌物；視覚変化が強いのは近距離視（例：読書）か遠距離視（例：離れたTVの視聴）か
- 眼疾患の既往，眼科用薬（副作用の有無を含む），最近の眼科手術の既往，外傷の有無
- 眼科的診察：両眼の視力検査（眼鏡 / コンタクト使用時も含む），瞳孔検査，眼球運動検査，対座視野検査（CNS異常の疑いがある場合は重要）
- 全身状態：バイタルサイン，免疫不全状態，感染症の症候，悪性腫瘍の既往，CNS機能，薬物の副作用，血算，凝固能検査

よくある眼症状

- **視覚の変動（霧視）**：薬物性の屈折異常（全身性ステロイド投与，抗癌剤治療），高血糖，ドライアイ（多い）。**視野欠損**は目のかすみとしてよく訴えられる。両側性：緑内障（多い），同名半盲，CNS病変；両耳側：下垂体異常，毒物，栄養欠乏；一側性：同側の眼窩，網膜，視神経の異常
- **充血**：
  両側性：ウイルス性結膜炎（片側から始まり，眼瞼腫脹や眼脂を伴う），慢性炎症（ドライアイ，酒皶，自己免疫性疾患）
  片側性：結膜下出血，感染症，炎症（上強膜炎，虹彩炎，ぶどう膜炎，強膜炎）；急性閉塞隅角緑内障（下記も参照）；強膜炎や急性閉塞隅角緑内障は痛み，頭痛，嘔気として出現する場合あり
- **複視**：眼窩突起または脳神経麻痺（III，IV，VI）による眼筋麻痺で起こる固定性複視。一過性の複視は疲れや鎮静により起こる
- **光視症 / 飛蚊症**：硝子体剥離（一般的，良性）；網膜剥離（一側性視野欠損；早急な眼科コンサルトが必要）；出血；眼内リンパ腫

急な視覚変化

急な視力低下の原因（色字は痛みを伴うもの）		
	一側性	両側性
一過性（＜24時間，しばしば＜1時間）	網膜動脈塞栓症，切迫性の網膜動静脈閉塞（一過性黒内障），血管攣縮，頸動脈疾患	眼球表面の異常（ドライアイ），両側性頸動脈疾患，TIA，片頭痛，頭蓋内圧↑（乳頭浮腫）
持続性（＞24時間）	網膜動静脈閉塞，網膜剥離，網膜 / 硝子体出血，網膜炎，前部虚血性視神経症，角膜潰瘍，GCA，急性閉塞隅角緑内障	視覚皮質の脳卒中，後部虚血性視神経症（手術中の遷延性低血圧），可逆性後頭葉白質脳症，GCA

一般的な眼症状（前部から後部へ）

- **眼窩：眼窩蜂窩織炎**（発熱，眼球突出，眼球運動障害；ただちに抗菌薬を投与／画像評価して眼科へコンサルト）
- **眼瞼**：麦粒腫または霰粒腫；眼窩隔膜前蜂窩織炎；**眼瞼下垂**〔加齢，Horner症候群，**動眼神経麻痺**：眼瞼下垂と瞳孔散大を伴い眼の外転以外の制限（眼球が"down & out"），テント切痕ヘルニア，後交通動脈の動脈瘤，GCA，高血圧，糖尿病でみられる〕；眼瞼の不完全閉鎖（**第VII脳神経麻痺**）
- **結膜**：結膜炎（**眼充血**）；結膜下出血（高血圧，抗凝固薬）；眼表面疾患（ドライアイ）；上強膜炎／強膜炎（強膜の深部血管）
- **角膜：コンタクトレンズ関連潰瘍**；ヘルペス角膜炎／瘢痕化／神経栄養性潰瘍（**第V脳神経麻痺**）；翼状片；円錐角膜；角膜ジストロフィー
- **前眼房**：虹彩炎（炎症性細胞）；前房出血（出血，外傷後）；前房蓄膿（炎症，感染症）
- **瞳孔**：瞳孔不同（生理的非対称）；Horner症候群，第III脳神経の異常
- **水晶体**：白内障（加齢，外傷，薬物，放射線，先天性）；白内障術後感染症
- **硝子体／網膜／黄斑**：糖尿病性網膜症；加齢黄斑変性症；網膜剝離；網膜±硝子体出血；網膜炎（感染性）
- **視神経（第II脳神経）**：虚血性視神経症は急な片側の視力低下，水平視野欠損として発症；GCAに関連；非動脈炎性のものは高血圧，高Chol，糖尿病，血栓形成傾向に関連。視神経炎：しばしば一側性中心暗点，眼球運動時の痛み，数日間のうちに視力低下が悪化；脱髄性疾患（例：多発性硬化症）に関連；サルコイドーシス，結合組織病でもみられる。視神経症（緑内障が多い）

眼科救急

- **化学損傷**：アルカリ剤のほうが酸性剤より毒性が強い；すぐに眼洗浄；pH 7.3〜7.4が正常
- **急性閉塞隅角緑内障**：固定中等度散瞳，角膜浮腫，眼圧上昇（しばしば＞50；正常は8〜21）。点眼治療；前房穿刺／レーザーが必要になる
- **穿通性眼外傷**：眼保護（遮蔽しない），抗菌薬投与，破傷風ワクチン，NPO，手術準備

第11章
付録

ACLSアルゴリズム

図11-1 ACLS頻脈アルゴリズム

頻脈（成人）
（脈拍の触知あり）

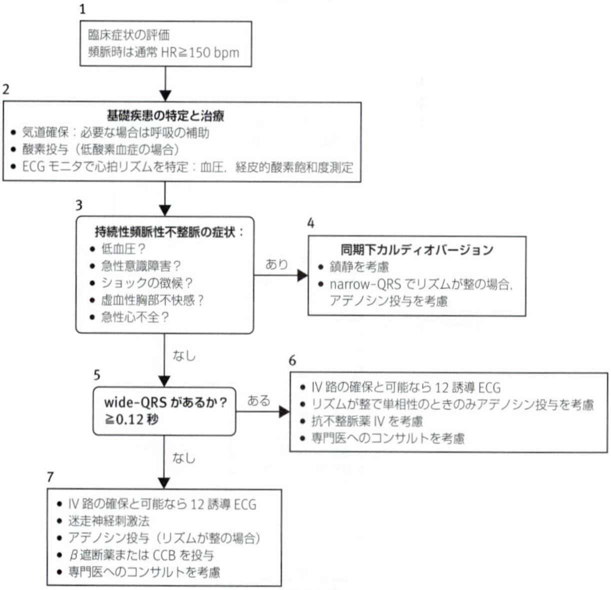

1. 臨床症状の評価
頻脈時は通常 HR≧150 bpm

2. 基礎疾患の特定と治療
- 気道確保：必要な場合は呼吸の補助
- 酸素投与（低酸素血症の場合）
- ECGモニタで心拍リズムを特定：血圧、経皮的酸素飽和度測定

3. 持続性頻脈性不整脈の症状：
- 低血圧？
- 急性意識障害？
- ショックの徴候？
- 虚血性胸部不快感？
- 急性心不全？

あり → **4. 同期下カルディオバージョン**
- 鎮静を考慮
- narrow-QRSでリズムが整の場合、アデノシン投与を考慮

なし ↓

5. wide-QRSがあるか？ ≧0.12秒

ある → **6.**
- IV路の確保と可能なら12誘導ECG
- リズムが整で単相性のときのみアデノシン投与を考慮
- 抗不整脈薬IVを考慮
- 専門医へのコンサルトを考慮

なし ↓

7.
- IV路の確保と可能なら12誘導ECG
- 迷走神経刺激法
- アデノシン投与（リズムが整の場合）
- β遮断薬またはCCBを投与
- 専門医へのコンサルトを考慮

電流量と投与量

同期下カルディオバージョン
初回推奨量：
- narrow-QRSでリズムが整の場合：50～100 J
- narrow-QRSでリズムが不整の場合：二相性は120～200 J、単相性は200 J
- wide-QRSでリズムが整の場合：100 J
- wide-QRSでリズムが不整の場合：除細動時の投与量（同期下ではない）

アデノシンIV
初回投与量：6 mgをボーラスIV後、生食でフラッシュ
2回目投与量：12 mg（必要があれば）

（次頁につづく）

安定した wide-QRS に対する抗不整脈薬投与

プロカインアミド IV:
不整脈が治まり、低血圧となり、QRS 時間>50%↑、または最大投与量 17 mg/kg に達するまでは 20〜50 mg/分で投与
維持量:1〜4 mg/分
QT 延長や CHF がみられる場合は避ける

アミオダロン IV:
初回投与量:150 mg を 10 分かけて
VT 再発時は必要に応じて反復投与
続いて維持量として次の 6 時間で 1 mg/分を投与

ソタロール IV:
100 mg(1.5 mg/kg)を 5 分かけて
QT 延長時は避ける

(ACLS 2015 Guidelines & *Circ* 2016;133:e506 より改変)

図11-2 ACLS徐脈アルゴリズム

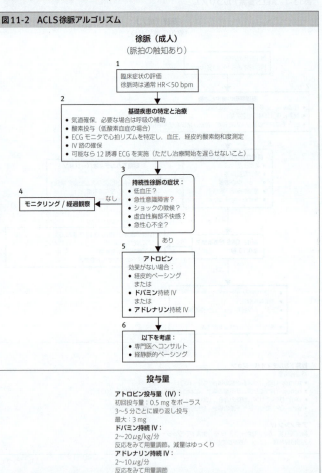

(ACLS 2015 Guidelines より改変)

図11-3 VF/無脈性VT，心静止，PEAアルゴリズム

心停止

1. 心肺蘇生
- 胸骨圧迫
  - **強く（5〜6 cm），速く（100〜120/分）押す**
    - 圧迫の中断は最小限にする；2分ごとに圧迫者を交代する
- 気道：気道確保（例：頭部後屈-顎先挙上）
- 呼吸：10〜20回/分；圧迫30回ごとに換気を2回行う
  - バッグ・バルブ・マスクによる換気も許容；酸素補給

↓ できるだけ早くモニター/除細動器を装着

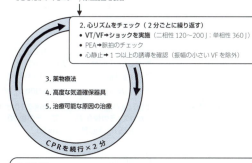

2. 心リズムをチェック（2分ごとに繰り返す）
- **VT/VF→ショックを実施**（二相性 120〜200 J；単相性 360 J）
- **PEA→脈拍のチェック**
- **心静止→1つ以上の誘導を確認**（振幅の小さいVFを除外）

3. 薬物療法
4. 高度な気道確保器具
5. 治療可能な原因の治療

CPRを続行×2分

3. 薬物療法
- IV/IOラインの確保（CPRを中断しない）
- **アドレナリン1 mgを3〜5分ごとに静注**（または2 mgを気管チューブから）
- アミオダロン300 mgボーラスIV．2回目投与量は150 mg IV
- リドカイン1〜1.5 mg/kgボーラスIV（約100 mg），2回目投与量は0.5〜0.75 mg/kg
- TdPのみ Mg 1〜2 g IV

4. 高度な気道確保器具を考慮
- 気管挿管または声門上気道確保器具
- 臨床的評価：両側の胸郭拡張と呼吸音
- チューブ留置をチェックするための器具
  - 連続定量波形によるカプノグラフィ（感度と特異度約100%）
  - 比色式呼気 CO_2 検知（臨床的評価とほぼ同等）；CPRが無効，PE，肺水腫などで偽陰性
- 胸骨圧迫をしながら1分間に10回の換気

5. 治療可能な原因の治療
- 循環血液量↓：循環量
- 低酸素症：酸素供給
- H^+（アシドーシス）：$NaHCO_3$
- 低/高K：KCl/Ca など
- 低体温：復温
- 緊張性気胸：穿刺による徐圧
- 心タンポナーデ：心膜穿刺
- 毒物：特異的な解毒薬
- 血栓症（肺動脈）：血栓溶解療法，血栓除去術
- 血栓症（冠動脈）：PCIあるいは血栓溶解療法

(ACLS 2018 Guidelines & *Circ* 2018;138:e740)

ICUで用いられる薬物

薬物	分類	投与量	
		体重（kg）あたり	平均
昇圧薬，変力/変時作用薬			
フェニレフリン	α_1	10～300 μg/分	
ノルアドレナリン	$\alpha_1 > \beta_1$	1～40 μg/分	
バソプレシン	V_1	0.01～0.1 U/分（通常<0.04）	
アドレナリン	$\alpha_1, \alpha_2, \beta_1, \beta_2$	2～20 μg/分	
イソプレナリン	β_1, β_2	0.1～10 μg/分	
ドパミン	D β, D α, β, D	0.5～2 μg/kg/分 2～10 μg/kg/分 >10 μg/kg/分	50～200 μg/分 200～500 μg/分 500～1,000 μg/分
ドブタミン	$\beta_1 > \beta_2$	2～20 μg/kg/分	50～1,000 μg/分
ミルリノン	PDE阻害薬	±50 μg/kgを10分かけて，その後0.25～0.75 μg/kg/分	3～4 mgを10分かけて，その後20～50 μg/分
血管拡張薬			
ニトログリセリン	NO	5～500 μg/分	
ニトロプルシド	NO	0.25～10 μg/kg/分	10～800 μg/分
ラベタロール	$\alpha_1, \beta_1, \beta_2$遮断薬	20～80 mg 10分ごと，または10～120 mg/時	
fenoldopam	D	0.1～1.6 μg/kg/分	10～120 μg/分
clevidipine	CCB	1～32 mg/時	
エポプロステノール	血管拡張薬	2～20 ng/kg/分	
抗不整脈薬			
アミオダロン	Kチャネルなど（III群）	150 mgを10分かけて，その後1 mg/分×6時間，その後0.5 mg/分×18時間	
リドカイン	Naチャネル（Ib群）	1～1.5 mg/kg，その後1～4 mg/分	100 mg，その後1～4 mg/分
プロカインアミド	Naチャネル（Ia群）	17 mg/kgを60分かけて，その後1～4 mg/分	1 gを60分かけて，その後1～4 mg/分
ibutilide	Kチャネル（III群）	1 mgを10分かけて，1回反復投与可	
プロプラノロール	β遮断薬	0.5～1 mg 5分ごと，その後1～10 mg/時	
エスモロール	$\beta_1 > \beta_2$遮断薬	500～1,000 μg/kg，その後50～200 μg/kg/分	20～40 mgを1分かけて，その後2～20 mg/分
ベラパミル	CCB	2.5～5 mgを1～2分かけて，必要に応じて15～30分ごとに5～10 mg 5～20 mg/時	

（次頁につづく）

ジルチアゼム	CCB	0.25 mg/kgを2分かけて、必要に応じて追加で0.35 mg/kg×1、その後5～15 mg/時	20 mgを2分かけて、必要に応じて追加で25 mg×1、その後5～15 mg/時
アデノシン	プリン作動薬	6 mgボーラスIV；反応がなければ12 mg→12～18 mg	
鎮静薬			
モルヒネ	オピオイド	1～30 mg/時（理論上は無制限）	
フェンタニル	オピオイド	50～100 μg、その後50～800 μg/時（？無制限）	
プロポフォール	麻酔薬	1～3 mg/kg、その後0.3～5 mg/kg/時	50～200 mg、その後20～400 mg/時
デクスメデトミジン	α_2刺激薬	1 μg/kgを10分かけて、その後0.2～0.7 μg/kg/時	
ジアゼパム	ベンゾジアゼピン	1～5 mg 1～2時間ごと、その後必要に応じて6時間ごと	
ミダゾラム	ベンゾジアゼピン	0.5～2 mg必要に応じて5分ごと；0.02～0.1 mg/kg/時または1～10 mg/時	
ロラゼパム	ベンゾジアゼピン	0.01～0.1 mg/kg/時	
ナロキソン	オピオイド拮抗薬	0.4～2 mg 2～3分ごと、総量10 mgまで	
フルマゼニル	ベンゾジアゼピン拮抗薬	0.2 mgを30秒かけて、その後必要に応じて0.3 mgを30秒かけて 0.5 mgを30秒かけて総量3 mgまで反復投与可	
その他			
アミノフィリン	PDE阻害薬	5.5 mg/kgを20分かけて、その後0.5～1 mg/kg/時	250～500 mg、その後10～80 mg/時
オクトレオチド	ソマトスタチンアナログ	50 μg、その後50 μg/時	
グルカゴン	ホルモン	30～10 mgを3～5分かけてゆっくりと静注し、その後3～5 mg/時	
マンニトール	浸透圧利尿薬	1.5～2 g/kgを30～60分かけて 6～12時間ごとに反復投与して310～320 mOsm/Lを維持	

抗菌薬

下表の抗菌スペクトルは一般的なものであり、治療にあたっては各施設ごとの感受性データを参照すること

ペニシリン系		
分類	特徴	スペクトル
天然(例:ペニシリン)	GPC, GPR, GNCの一部, 多くの嫌気性菌(*Bacteroides*ではない)	A群レンサ球菌, 腸球菌, *Listeria*, *Pasteurella*, *Actinomyces*, 梅毒
抗ブドウ球菌(例:nafcillin)	ペニシリナーゼ産生ブドウ球菌に有効 グラム陰性菌には有効性低い	ブドウ球菌(MRSAを除く) レンサ球菌
アミノペニシリン(例:アンピシリン)	グラム陰性菌のポリンチャネルを通過 ペニシリナーゼに不安定	大腸菌, *Proteus*, *Listeria*, インフルエンザ菌, *Salmonella*, 赤痢菌, 腸球菌
広域ペニシリン(例:ピペラシリン)	グラム陰性菌のポリンチャネルを通過 ペニシリナーゼに抵抗性	*Enterobacter*, 緑膿菌, *Serratia*など多くのGNR
カルバペネム系(例:イミペネム)	ほとんどの菌のβラクタマーゼに抵抗性	嫌気性菌を含む多くのグラム陽性/陰性菌(MRSA, VREを除く)
モノバクタム系(アズトレオナム)	グラム陰性菌に有効, グラム陽性菌には無効	ペニシリン/セファロスポリン系アレルギー患者のグラム陰性菌感染
βラクタマーゼ阻害薬(例:スルバクタム, クラブラン酸)	プラスミド性のβラクタマーゼを阻害	ブドウ球菌, *B. fragilis*, 一部のGNR(インフルエンザ菌, *M. catarrhalis*, 一部の大腸菌)に対して抗菌薬に追加;単独で*Acinetobacter*に有効

セファロスポリン系		
ほとんどの細菌のβラクタマーゼに抵抗性;腸球菌には無効		
世代	スペクトル	適応
第1世代(例:セファゾリン)	多くのGPC(例:ブドウ球菌, レンサ球菌;ただしMRSAは除く) 一部のGNR(例:大腸菌, *Proteus*, *Klebsiella*)	術前感染予防, 皮膚感染症
第2世代(例:セフロキシム, cefotetan)	GPCには有効性低く, GNRに有効 2つのサブグループ: 呼吸器(インフルエンザ菌, *M. catarrhalis*) 消化管/尿路生殖器(*B. fragilis*に有効)	肺炎/COPDの増悪 腹腔内感染症
第3世代(例:セフトリアキソン, セフタジジム)	GNRや一部の嫌気性菌に対して広範囲に有効 セフタジジムは緑膿菌に有効	肺炎, 敗血症, 髄膜炎
第4世代(例:セフェピム)	βラクタマーゼ(ブドウ球菌, *Enterobacter*)に対する抵抗性↑	第3世代に類似 非局在性の発熱性好中球減少症への単剤療法
第5世代(例:ceftaroline)	セファロスポリン系のなかで唯一MRSAに活性を持つ。緑膿菌には無効	MRSA(MRSA菌血症の第1選択ではない)

(次頁につづく)

合剤（例:セフトロザン・タゾバクタム、セフタジジム・avibactam）	緑膿菌を含む多剤耐性のGNR セフタジジム・avibactamはカルバペネマーゼに対して活性あり	複雑性尿路感染症、複雑性腹腔内感染症

その他	
抗菌薬	スペクトル
バンコマイシン	グラム陽性菌〔MRSA、ペニシリナーゼ産生肺炎球菌／腸球菌（VREを除く）を含む〕
リネゾリド	GPC〔MRSA、VREを含む（✓VREの感受性）〕
ダプトマイシン	
キノロン系	腸内GNRと異型肺炎原因菌；第3／第4世代はグラム陽性菌に対する有効性↑
アミノグリコシド系	GNR；GPCには細胞壁合成阻害薬（βラクタム、バンコマイシン）との併用で相乗効果あり；低pH（例：膿瘍）で効果↓；嫌気性菌には無効
マクロライド系	GPC、一部の呼吸器系グラム陰性菌、異型肺炎原因菌
ST合剤	一部の腸内GNR、*Stenotrophomonas*、*Pneumocystis*、*Nocardia*、*Toxoplasma*、多くのCA-MRSA
クリンダマイシン	多くのグラム陽性菌（腸球菌を除く）、嫌気性菌（*B. fragilis*の耐性↑）
メトロニダゾール	ほぼすべての嫌気性グラム陰性菌、多くの嫌気性グラム陽性菌
ドキシサイクリン	*Rickettsia*、*Ehrlichia*、*Anaplasma*、*Chlamydia*、*Mycoplasma*、*Nocardia*、ライム病
チゲサイクリン	多くのGPC（MRSA、VREを含む）；ESBL産生菌を含む一部のGNR（緑膿菌、*Proteus*を除く）

頻度の高い真菌の治療 ("○"は活性を表す、影付きは第1選択を表す)						
抗真菌薬	*C. albicans*	*C. glabrata* & *krusei*	クリプトコッカス症	風土病としてヒストプラズマ症、ブラストミセス症、コクシジオイデス症	アスペルギルス症	ムーコル症
フルコナゾール	○		○			
イトラコナゾール	○			○		
ボリコナゾール	○		○		○	
ポサコナゾール	○	○	○	○	○	○
isavuconazole	○		○		○	○
ミカファンギン	○	○			○	
アムホテリシンB	○	○	○	○	○	○

公式と早見表

循環器

血行動態パラメータ	正常値
平均動脈圧（MAP）＝ $\dfrac{\text{SBP}+(\text{DBP}\times 2)}{3}$	70〜100 mmHg
心拍数（HR）	60〜100 bpm
右房圧（RAP）	≦6 mmHg
右室圧（RVP）	収縮期15〜30 mmHg 拡張期1〜8 mmHg
肺動脈圧（PAP）	収縮期15〜30 mmHg 平均9〜18 mmHg 拡張期6〜12 mmHg
肺動脈楔入圧（PCWP）	≦12 mmHg
心拍出量（CO）	4〜8 L/分
心係数（CI）＝ $\dfrac{\text{CO}}{\text{BSA}}$	2.6〜4.2 L/分/m^2
1回心拍出量（SV）＝ $\dfrac{\text{CO}}{\text{HR}}$	60〜120 mL
1回拍出係数（SVI）＝ $\dfrac{\text{CI}}{\text{HR}}$	40〜50 mL/m^2
体血管抵抗（SVR）＝ $\dfrac{\text{MAP}-\text{平均RAP}}{\text{CO}}\times 80$	800〜1,200 dyn×s/cm^5
肺血管抵抗（PVR）＝ $\dfrac{\text{平均PAP}-\text{平均PCWP}}{\text{CO}}\times 80$	120〜250 dyns×s/cm^5

肺動脈カテーテル検査の"6の法則"：RAP≦6，RVP≦30/6，PAP≦30/12，PCWP≦12；注意：1 mmHg ＝1.36 cmH$_2$O（または血液）

■Fickの原理
O$_2$消費量（VO$_2$）（L/分）＝CO（L/分）×動静脈血O$_2$較差
心拍出量（CO）＝VO$_2$/動静脈血O$_2$較差
VO$_2$は計測して求める（125 mL/分/m^{2}で推定できるが不正確）
動静脈血O$_2$較差＝Hb（g/dL）×10（dL/L）×1.36（mL O$_2$/g Hb）×（SaO$_2$－SvO$_2$）
 SaO$_2$（動脈血酸素飽和度）はどの動脈でも測定可能（通常93〜98%）
 SvO$_2$（混合静脈血酸素飽和度）は右房，右室，肺動脈で測定可能（シャントがないのが前提）
 （正常値：約75%）

$$\therefore \text{心拍出量（L/分）}= \dfrac{\text{VO}_2}{\text{Hb（g/dL）}\times 13.6（\text{SaO}_2-\text{S}\bar{\text{v}}\text{O}_2）}$$

■右室機能の評価（*Circ* 2017;136:314）
PAPi＝肺動脈拍動係数＝［収縮期肺動脈圧－拡張期肺動脈圧］/右房圧＜1.0であると急性心筋梗塞の右室不全を予測する；＜1.85は補助人工心臓後の右室不全を予測する

■シャント

$Q_p = \dfrac{VO_2}{SpvO_2 - SpaO_2}$ （右左シャントがなければ，$SpvO_2 \fallingdotseq SaO_2$）

$Q_s = \dfrac{VO_2}{SaO_2 - S\bar{v}O_2}$ （$S\bar{v}O_2$ は左右シャントよりも近位で測定）

$\dfrac{Q_p}{Q_s} = \dfrac{SaO_2 - S\bar{v}O_2}{SpvO_2 - SpaO_2} \fallingdotseq \dfrac{SaO_2 - S\bar{v}O_2}{SaO_2 - SpaO_2}$ （左右シャントのみで右左シャントがない場合）

■弁口面積

簡易版Bernoulliの式：圧較差（ΔP）＝$4 \times v^2$（v＝最大流速速度）

連続方程式（流量保存則）：面積$(A)_1 \times$流速$(V)_1 = A_2 \times V_2$（1と2は異なる位置）

または，大動脈弁口面積（AVA）（不明）＝$A_{左室流出路} \times \left(\dfrac{V_{左室流出路}}{V_{大動脈弁}}\right)$（すべて心エコーで測定可能）

Gorlinの式：$\dfrac{CO/(拡張期または収縮期駆出時間) \times HR}{44.3 \times 定数 \times \sqrt{\Delta P}}$ 〔定数＝1（大動脈弁狭窄症），0.85（僧帽弁狭窄症）〕

Hakkiの式：$AVA \fallingdotseq \dfrac{CO}{\sqrt{\Delta P}}$

呼吸器

胸部画像検査（CXRとCT）の所見

所見	病態生理	鑑別
浸潤影	気腔と間質の不透過物質＆開放気道➡"気管支透亮像(air bronchogram)"	**急性**：水（肺水腫），膿汁（肺炎），**血液** **慢性**：腫瘍（細気管支肺胞上皮癌，リンパ腫），誤嚥，炎症（特発性器質化肺炎，好酸球性肺炎），肺胞蛋白症，肉芽腫（結核/真菌，肺サルコイドーシス）
スリガラス様陰影（CXRよりもCTで容易）	間質の肥厚や肺胞の部分的充満（ただし血管は見える）	**急性**：肺水腫，感染症（ニューモシスチス肺炎，ウイルス感染症，回復期の細菌性肺炎） **慢性**：ILD 線維化なし：急性過敏症，DIP/RB-ILD，肺胞蛋白症 線維化あり：IPF
小葉中隔線 Kerley A線，B線	中隔の不透過物質	**心原性肺水腫**，間質性肺炎（ウイルス，*Mycoplasma*），リンパ管腫瘍
網状影	レース様の病変（ILD）	**ILD**（特にIPF，膠原病関連間質性肺炎，ブレオマイシン，アスベスト肺）
結節影	腫瘍 肉芽腫 膿瘍	空洞性：**原発/転移性腫瘍**，**結核**（活動性/粟粒），**真菌感染**，GPA，RA，**敗血症性塞栓**，肺炎 非空洞性：上記のうちいずれか＋**サルコイドーシス**，過敏性肺臓炎，HIV，Kaposi肉腫
楔状不透亮像	末梢区域の梗塞	**PE**，コカイン，血管侵襲性アスペルギルス症，GPA

（次頁につづく）

蕾徴候（CT所見）	細気管支の炎症	**気管支肺炎**，気管支内の結核/MAC症，ウイルス性肺炎，誤嚥，ABPA，嚢胞性線維症，喘息，特発性器質化肺炎
肺門部陰影	リンパ節腫脹または肺動脈拡大	**腫瘍**（肺癌，転移性肺腫瘍，リンパ腫） **感染症**（AIDS）；**肉芽腫**（サルコイドーシス/結核/真菌感染） 肺高血圧症
上葉陰影	—	**結核**，真菌感染，サルコイドーシス，過敏性肺臓炎，嚢胞性線維症，放射線照射
下葉陰影	—	**誤嚥**，気管支拡張症，IPF，RA，SLE，アスベスト肺
肺野末梢陰影	—	特発性器質化肺炎，IPF，DIP，好酸球性肺炎，アスベスト肺

■心不全時のCXR
- 心陰影↑（収縮期不全の場合；拡張期不全ではみられない）
- 肺静脈圧↑：肺血管影の増強（"cephalization"）（血管径＞上葉気管支径），気管支周囲の浸潤影（気管支末端周囲の液体➡小さく環状），Kerley B線（肺底部の1～2 cmの水平線），血管茎の幅（vascular pedicle width）↑，血管縁の不明瞭化，胸水（約75%が両側性）
- 肺水腫：スリガラス様から浸潤影まで多様；多くは区域性，中心性で，外側1/3領域には認められない（"コウモリの翼"陰影）

死腔＝換気はあるが血流のない肺の領域；**肺内シャント**＝血流はあるが換気のない肺の領域

肺胞換気式：$PAO_2 = [FiO_2 \times (760-47)] - \dfrac{PaCO_2}{R}$（呼吸商 $R \fallingdotseq 0.8$）

$$PAO_2 = 150 - \dfrac{PaCO_2}{0.8}（室内気）$$

A-aDO$_2$ = $PAO_2 - PaO_2$ 〔正常A-aDO$_2 \fallingdotseq 4+$（年齢/4）〕

分時換気量（V_E）＝1回換気量（V_T）×呼吸数（RR）（正常値：4～6 L/分）

1回換気量（V_T）＝肺胞換気量（V_A）＋死腔容積（V_D）

死腔換気率 $\left(\dfrac{V_D}{V_T}\right) = \dfrac{PaCO_2 - PECO_2}{PaCO_2}$

$PaCO_2 = k \times \dfrac{CO_2 産生量}{肺胞換気量} = k \times \dfrac{VCO_2}{RR \times V_T \times \left(1 - \dfrac{V_D}{V_T}\right)}$

消化器

Modified-Child-Turcotte-Pugh（CPS）分類			
	スコア		
	1	2	3
腹水	なし	コントロール可能	コントロール困難
脳症	なし	grade 1または2	grade3または4
ビリルビン(mg/dL)	<2	2～3	>3
アルブミン(g/dL)	>3.5	2.8～3.5	<2.8
PT（秒，正常対照からの延長）またはINR	<4 <1.7	4～6 1.8～2.3	>6 >2.3

（次頁につづく）

分類			
	A	B	C
合計スコア	5〜6	7〜9	10〜15
1年予後	100%	80%	45%

腎臓

アニオンギャップ (AG) = $Na - (Cl + HCO_3)$ (正常値 = $[Alb] \times 2.5$；通常は 12 ± 2 mEq)

デルタ-デルタ (ΔΔ) = 〔ΔAG(つまりAG計算値−AG予測値)/ΔHCO₃(つまり24−測定HCO₃)〕

尿アニオンギャップ (UAG) = $(U_{Na} + U_K) - U_{Cl}$

浸透圧計算値 = $(2 \times Na) + \left(\dfrac{glc}{18}\right) + \left(\dfrac{BUN}{2.8}\right) + \left(\dfrac{アルコール}{4.6}\right)$

浸透圧ギャップ (OG) = 浸透圧実測値 − 浸透圧計算値 (正常値 < 10)

クレアチニンクリアランス (CrCl) 推測値 = $\dfrac{(140 - 年齢) \times 体重 (kg)}{血清 Cr (mg/dL) \times 72}$ (女性では × 0.85)

Na排泄分画 (FE$_{Na}$, %) = $\left[\dfrac{\dfrac{U_{Na}(mEq/L)}{P_{Na}(mEq/L)} \times 100\%}{\dfrac{U_{Cr}(mg/mL)}{P_{Cr}(mg/dL)} \times 100 (mL/dL)}\right] = \dfrac{U_{Na}}{P_{Na}} \Big/ \dfrac{U_{Cr}}{P_{Cr}}$

■高血糖時の補正Na濃度

すべての患者で評価する：補正Na = 測定Na + $\left[2.4 \times \dfrac{(測定 glc - 100)}{100}\right]$

ただし、Na濃度の変化はglcに依存する (*Am J Med* 1999;106:399)
 glc 100〜440：100 mg/dL↑ごとにNa濃度変化は1.6 mEq
 glc > 440：100 mg/dL↑ごとにNa濃度変化は4 mEq

体内総水分量 (TBW) = $0.60 \times IBW$ (女性では × 0.85、高齢者では × 0.85)

自由水欠乏量 = $TBW \times \left(\dfrac{血清 Na 濃度 - 140}{140}\right) \doteqdot \left(\dfrac{血清 Na 濃度 - 140}{3}\right)$ (体重70 kgの患者)

尿細管内外K濃度勾配 (TTKG) = $\dfrac{\left[\dfrac{U_k}{P_k}\right]}{\left[\dfrac{U_{Osm}}{P_{Osm}}\right]}$

血液

末梢血塗抹所見（巻末の「画像」も参照）	
項目	異常所見と診断
大きさ	正球性 vs. 小球性 vs. 大球性 ➡ 下記参照
形状	**赤血球大小不同**（大きさが不揃いな赤血球）；**異型赤血球**（形が不規則な赤血球） 　**有棘赤血球**＝spur cell（不規則な鋭い突起）➡ 肝疾患 　**バイト細胞**（食細胞がHeinz小体を貪食）➡ G6PD欠損症 　**棘状赤血球**＝burr cell（規則的な突起）➡ 尿毒症，アーチファクト 　**束細胞**＝pencil cell（細長く低色素性）➡ 重度の鉄欠乏 　**連銭形成**➡ 高グロブリン血症（例：多発性骨髄腫） 　**破砕赤血球**，ヘルメット細胞➡ MAHA（例：DIC，TTP/HUS），機械弁 　**球状赤血球**➡ 遺伝性球状赤血球症，AIHA；**鎌状赤血球**➡ 鎌状赤血球貧血 　**有口赤血球**➡ 中央淡明部が口唇様にみえる➡ 肝疾患，アルコール 　**標的赤血球**➡ 肝疾患，Hb症，脾摘 　**涙滴赤血球**➡ 骨髄線維症，骨髄癆性貧血，巨赤芽球性貧血，サラセミア
赤血球内所見	**好塩基性斑点**（リボソーム）➡ 異常Hb，鉄芽球性，巨赤芽球性 **Heinz小体**（変性Hb）➡ G6PD欠損症，サラセミア **Howell-Jolly小体**（核分裂片）➡ 脾摘または機能性無脾症（例：進行性鎌状赤血球症） **有核赤血球**➡ 溶血，髄外造血
白血球所見	**芽球**➡ 白血病，リンパ腫；**Auer小体**➡ 急性骨髄性白血病 **過分葉**（＞5分葉）多形核白血球：巨赤芽球性貧血（Vit B$_{12}$/葉酸欠乏） **偽Pelger-Huët核異常**（2分葉核，"鼻眼鏡"状）➡ MDS **中毒性顆粒**（粗く濃紺色）と**Döhle小体**（淡青色の拡張した小胞体）➡ 敗血症，重度の炎症
血小板	**凝集**➡ アーチファクト，再検 **数**➡ 末梢血血小板数は約1万/hpf（100倍） **大きさ**➡ ITPでは平均血小板容積↑

(NEJM 2005;353:498)

血栓塞栓症に対するヘパリン投与	
80 U/kgボーラスIV 18 U/kg/時	
PTT	調節
<40	5,000 Uボーラス，+300 U/時
40〜49	3,000 Uボーラス，+200 U/時
50〜59	+150 U/時
60〜85	変更なし
86〜95	−100 U/時
96〜120	30分中止，−100 U/時
>120	60分中止，−150 U/時

(Chest 2008;133:141Sより改変)

急性冠症候群に対するヘパリン投与	
60 U/kgボーラスIV（最大4,000 U） 12 U/kg/時（最大1,000 U/時）	
PTT	調節
<40	3,000 Uボーラス，+100 U/時
40〜49	+100 U/時
50〜75	変更なし
76〜85	−100 U/時
86〜100	30分中止，−100 U/時
>100	60分中止，−200 U/時

(Circ 2007;116:e148, Chest 2008;133:670より改変)

✓PTT：投与量変更後6時間ごとに（ヘパリンの半減期は約90分），治療域となったらqdまたはbid
✓血算：qd（Hctと血小板数が安定しているか確認）

ワルファリン投与量					
日	INR				
	<1.5	1.5〜1.9	2〜2.5	2.6〜3	>3
1〜3	5 mg（>80 kgなら7.5 mg）	2.5〜5 mg	0〜2.5 mg		0 mg
4〜5	10 mg	5〜10 mg	0〜5 mg		0〜2.5 mg
6	5日目までの必要量に基づき決定				

(*Annals* 1997;126:133, *Archives* 1999;159:46)．www.warfarindosing.org参照

■**ワルファリン-ヘパリン併用療法**
●適応：抗凝固療法が奏効しないために合併症発生率／死亡率↑の場合（例：DVT/PE，心臓内血栓）
●原理：(1) 第VII因子の半減期（3〜6時間）は第II因子（60〜72時間）より短い
　　　　∴真の抗血栓状態に達する前にワルファリンがPTを延長させる
　　　(2) プロテインCの半減期も第II因子より短い
　　　　∴抗血栓状態に達する前に凝固能亢進状態となる理論上の懸念あり
●方法：(1) ヘパリンでPTTの治療域を得る
　　　(2) ワルファリン投与開始
　　　(3) ヘパリンの投与は，INRが治療域となってから2日以上，ワルファリン投与4〜5日目以降まで継続（第II因子の半減期の約2倍，約25%まで減少する期間に相当）

ワルファリンの一般的な薬物相互作用	
PT↑	PT↓
アミオダロン 抗微生物薬：エリスロマイシン，?クラリスロマイシン，シプロフロキサシン，メトロニダゾール，サルファ薬 抗真菌薬：アゾール系 アセトアミノフェン，シメチジン，レボチロキシン	抗生物質薬：リファンピシン CNS：バルビツレート，カルバマゼピン，フェニトイン（初期には一過性のPT↑） コレスチラミン

内分泌

ACTH刺激試験結果の例

0分	30分	60分	解釈
5.3	15.5	23.2	正常刺激試験
1.5	13.3	21.1	急性中枢性副腎不全（例：脳卒中や脳出血）。正常に見える
1.2	1.5	2.0	原発性副腎不全（例：Addison病や副腎出血）。反応性なしまたは弱い反応
0.8	10.0	19.7	ステロイドによる急性作用：最初は反応しにくいが閾値よりは反応する
5.3	7.2	8.9	慢性続発性副腎不全：少量のコルチゾールの産生や刺激はあるものの，副腎の萎縮がみられる
6.7	19.5	17.2	"early peak"（代謝が早い）：約5％の患者のピークが60分ではなく30分で現れる
6.3	11.5	16.2	境界性反応。軽度の副腎不全や急性疾患，肝疾患，副腎皮質ステロイド結合蛋白の不足，腎疾患などのために現れる

神経

臨床アルコール離脱症状評価スケール（CIWA-Ar）

10の項目をそれぞれ点数化する；それぞれの項目のスコアは0～7点で，見当識障害に関しては0～4点で評価する；すべての点数を加算してスコアを算出

点数	不安	興奮	振戦	頭痛	見当識障害
0	なし	なし	なし	なし	なし
1		軽度	観察できないが指先に感じる	非常に軽度	簡単な足し算ができない
2				軽度	日付が2日以下の感覚でわからない
3				中等度	日付が2日以上の感覚でわからない
4	保護されている	落ち着きがない	中等度：上肢の伸展で確認される	中等度	人と場所がわからない
5				重度	n/a
6				非常に重度	n/a
7	パニック	ウロウロしている，絶えず動いている	重度	非常に重度	n/a

（次頁につづく）

点数	嘔気/嘔吐	発汗	聴覚障害	視覚障害	触覚障害
0	なし	なし	なし	なし	なし
1		手掌が湿潤	非常に軽度	非常に軽度な幻覚	非常に軽度な体感幻覚
2			軽度	軽度の幻覚	軽度の体感幻覚
3			中等度	中等度の幻覚	中等度の体感幻覚
4	間欠的/空えづき	滴状の発汗	やや重度	やや重度の幻覚	やや重度の体感幻覚
5			重度	重度	重度
6			非常に重度	非常に重度	非常に重度
7	持続的な嘔気/嘔吐	大量発汗	持続的幻聴	持続的幻視	持続的体感幻覚

スコアリング:＜8の場合は軽微または離脱なし, 8〜15は軽度, 16〜20は中等度, ＞20は重度

その他

標準体重 (IBW) ＝身長 $(m)^2 \times 22$

体表面積 (BSA, m^2) ＝ $\sqrt{\dfrac{身長(cm) \times 体重(kg)}{3600}}$

		疾患	
		あり	なし
検査	⊕	a (真陽性)	b (偽陽性)
	⊖	c (偽陰性)	d (真陰性)

感度 ＝ $\dfrac{真陽性数}{全有病者数} = \dfrac{a}{a+c}$ 　　**特異度** ＝ $\dfrac{真陰性数}{全健常者数} = \dfrac{d}{b+d}$

陽性予測値 (PPV) ＝ $\dfrac{真陽性数}{全陽性数} = \dfrac{a}{a+b}$

陰性予測値 (NPV) ＝ $\dfrac{真陰性数}{全陰性数} = \dfrac{d}{c+d}$

X線/CT

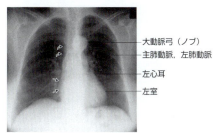

1. CXR正常後前 (PA) 像：凸状の心陰影右縁は右房であり (矢印)，曲がり矢印は上大静脈の位置を示している。心陰影左縁と大血管陰影はモーグルスキーのこぶが4つ並んでいるようにみえる。それぞれのこぶは頭側から尾側方向に，大動脈弓，主肺動脈と左肺動脈，左心耳，左室を示す (*Radiology* 101, 3rd ed., 2009)

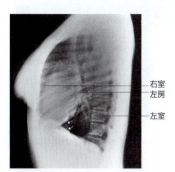

2. CXR正常側面像 (*Radiology* 101, 3rd ed., 2009)

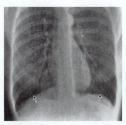

3. COPD：透過性の亢進した過膨張肺と平坦化した横隔膜 (*Radiology* 101, 3rd ed., 2009)

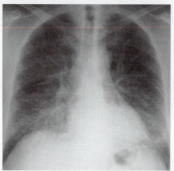

4. 間質性肺水腫：Kerley A, B, C 線と, 肺血管影の増強 ("cephalization") (*Fundamentals of Diagnostic Radiology*, 3rd ed., 2006)

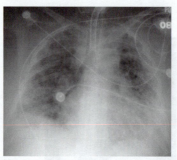

5. 肺胞性肺水腫 (*Fundamentals of Diagnostic Radiology*, 3rd ed., 2006)

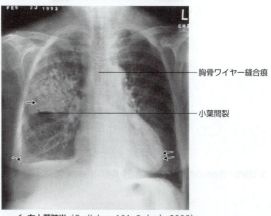

胸骨ワイヤー縫合痕

小葉間裂

6. 右上葉肺炎 (*Radiology* 101, 3rd ed., 2009)

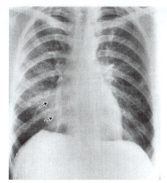

7. 右中葉肺炎（*Radiology* 101, 3rd ed., 2009）

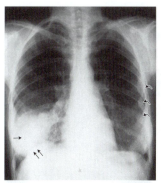

8. 右下葉肺炎（PA像）（*Radiology* 101, 3rd ed., 2009）

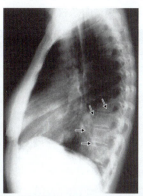

9. 右下葉肺炎（側面像）（*Radiology* 101, 3rd ed., 2009）

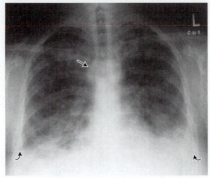

10. 両側胸水（曲がり矢印）と拡張した奇静脈（矢印）（PA像）(*Radiology* 101, 3rd ed., 2009)

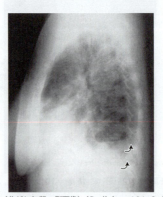

11. 両側胸水（曲がり矢印；側面像）(*Radiology* 101, 3rd ed., 2009)

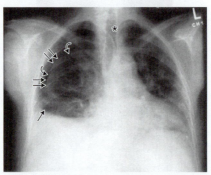

12. 気胸 (*Radiology* 101, 3rd ed., 2009)

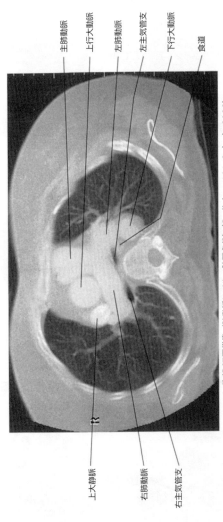

13. 胸部CT正常像（肺動脈レベル，肺野条件）(*Radiology 101*, 3rd ed., 2009)

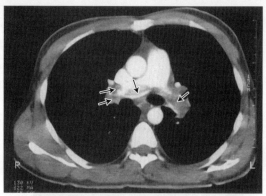

14. 両側性肺塞栓症（縦隔条件）(*Radiology 101*, 3rd ed., 2009)

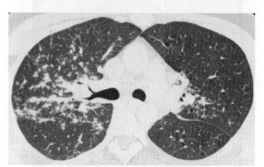

15. サルコイドーシス：リンパ路に沿った結節を認める（*Fundamentals of Diagnostic Radiology*, 3rd ed., 2006）

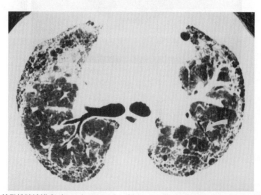

16. 特発性肺線維症（*Fundamentals of Diagnostic Radiology*, 3rd ed., 2006）

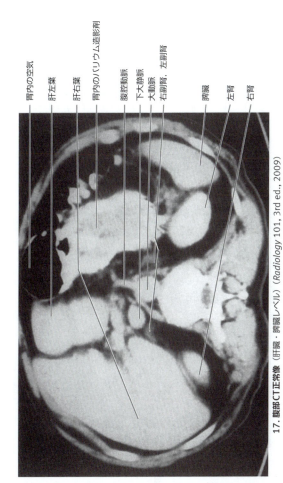

17. 腹部CT正常像（肝臓・脾臓レベル）(*Radiology 101*, 3rd ed., 2009)

- 胃内の空気
- 肝左葉
- 肝右葉
- 胃内のバリウム造影剤
- 腹腔動脈
- 下大静脈
- 大動脈
- 右副腎、左副腎
- 脾臓
- 左腎
- 右腎

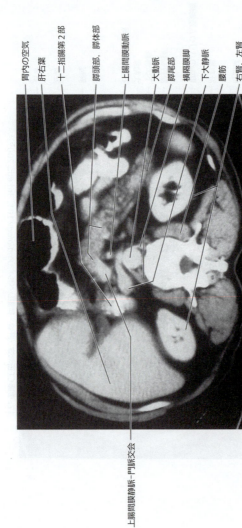

18. 腹部CT正常像（膵臓レベル） (*Radiology 101*, 3rd ed., 2009)

ラベル：胃内の空気、肝右葉、十二指腸第2部、膵頭部・膵体部、上腸間膜動脈、大動脈、膵尾部、横隔膜脚、下大静脈、腰筋、右腎・左腎、上腸間膜静脈-門脈交会

心エコー

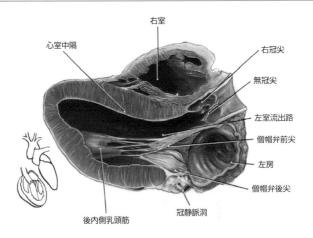

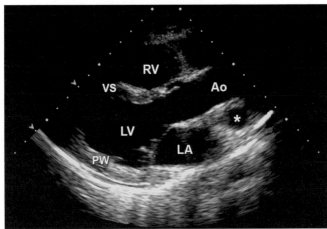

1. 傍胸骨長軸断層像:右室(RV),心室中隔(VS),後壁(PW),大動脈弁尖,左室(LV),僧帽弁,左房(LA),上行胸部大動脈(Ao)。★は肺動脈(上:Tajik AJ, Seward JB, Hagler DJ, et al. Two-dimensional real-time ultrasonic imaging of the heart and great vessels: Technique, image orientation, structure identification, and validation. *Mayo Clin Proceedings*, 1978;53:271-303より許可を得て掲載;下:Oh JK, Seward JB, Tajik AJ. *The Echo Manual*, 3rd ed., Philadelphia: Lippincott Williams & Wilkins, 2006よりMayo Foundation for Medical Education and Researchの許可を得て掲載;All rights reserved)

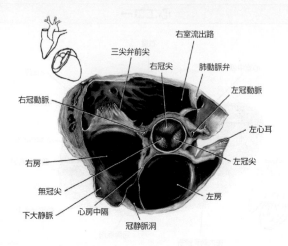

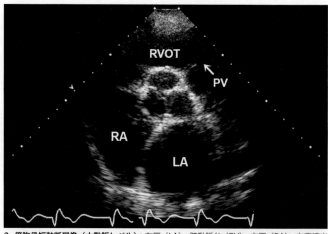

2. 傍胸骨短軸断層像（大動脈レベル）：左房（LA），肺動脈弁（PV），右房（RA），右室流出路（RVOT）（上：Tajik AJ, Seward JB, Hagler DJ, et al. Two-dimensional real-time ultrasonic imaging of the heart and great vessels: Technique, image orientation, structure identification, and validation. *Mayo Clin Proceedings* 1978;53:271-303 より許可を得て掲載；下：Oh JK, Seward JB, Tajik AJ. *The Echo Manual*, 3rd ed., Philadelphia: Lippincott Williams & Wilkins, 2006より MayoFoundation for Medical Education and Researchの許可を得て掲載；All rights reserved）

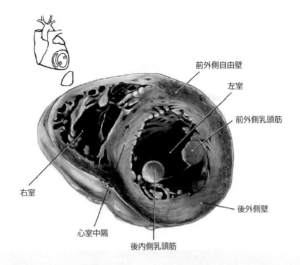

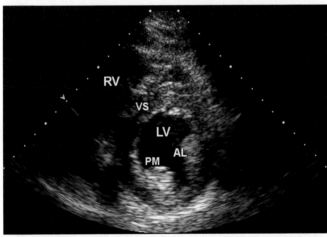

3. 傍胸骨短軸断層像（乳頭筋レベル）：前外側乳頭筋（AL），後内側乳頭筋（PM），右室（RV），心室中隔（VS），左室（LV）（上：Tajik AJ, Seward JB, Hagler DJ, et al. Two-dimensional real-time ultrasonic imaging of the heart and great vessels: Technique, image orientation, structure identification, and validation. *Mayo Clin Proceedings* 1978; 53:271-303より許可を得て掲載；下：Oh JK, Seward JB, Tajik AJ. *The Echo Manual*, 3rd ed., Philadelphia: Lippincott Williams & Wilkins, 2006よりMayo Foundation for Medical Education and Researchの許可を得て掲載；All rights reserved）

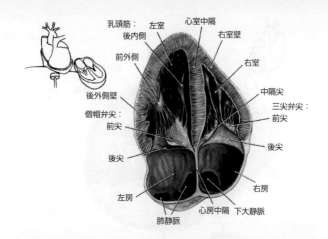

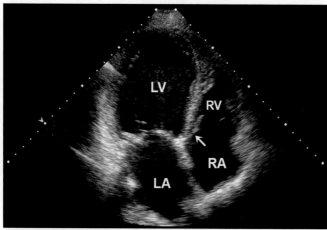

4. 心尖部四腔断層像：施設によっては画面上で心臓の左側と右側が反転する場合があるので注意。左房（LA），左室（LV），右房（RA），右室（RV）（上：Tajik AJ, Seward JB, Hagler DJ, et al. Two-dimensional real-time ultrasonic imaging of the heart and great vessels: Technique, image orientation, structure identification, and validation. *Mayo Clin Proceedings* 1978;53:271-303 より許可を得て掲載；下：Oh JK, Seward JB, Tajik AJ. *The Echo Manual*, 3rd ed., Philadelphia: Lippincott Williams & Wilkins, 2006 より Mayo Foundation for Medical Education and Research の許可を得て掲載；All rights reserved)

冠動脈造影

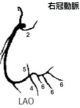

1. 左前下行枝 (LAD)
2. 内側枝
3. 対角枝
4. 中隔枝
5. 左回旋枝 (LCX)
6. 左房回旋枝
7. 鈍角枝

1. 円錐枝
2. 洞結節枝
3. 鋭角枝
4. 後下行枝 (PDA)
5. 房室結節枝
6. 後左室枝 (PLV)

冠動脈の解剖 (Grossman WG. *Cardiac Catheterization and Angiography*, 4th ed. Philadelphia: Lea & Febiger, 1991 より許可を得て掲載)

末梢血塗抹標本

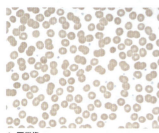

1. 正常像

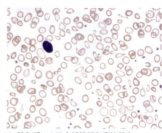

2. 鉄欠乏による小球性低色素性貧血

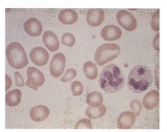

3. 悪性貧血による大球性貧血：大楕円赤血球と過分葉好中球に注意

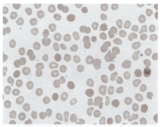

4. 自己免疫性溶血性貧血 (AIHA) による球状赤血球

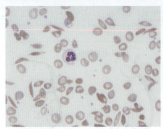

5. 鎌状赤血球貧血

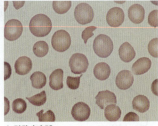

6. 破砕赤血球

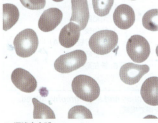

7. 涙滴赤血球

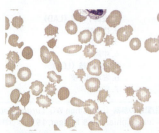

8. 有棘赤血球

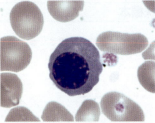

9. 有核赤血球

10. 連銭形成（rouleaux）

白血病

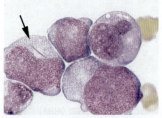

1. AML：Auer小体を認める

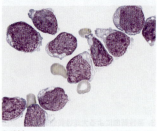

2. ALL

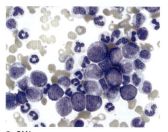

3. CML

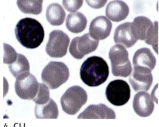

4. CLL

(図1〜3：Wintrobe's *Clinical Hematology*, 12th ed., 2009；図4：Devita, Hellman, and Rosenberg's *Cancer: Principles & Practice of Oncology*, 8th ed., 2008)

尿検査

1. 顆粒円柱 ("muddy brown")（Nicholas Zwang博士の厚意による）

2. 硝子円柱（Nicholas Zwang博士の厚意による）

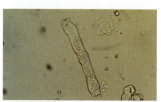

3. 蝋様円柱 ("waxy broad")（Nicholas Zwang博士の厚意による）

4. 尿細管上皮細胞（Nicholas Zwang博士の厚意による）

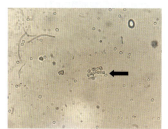

5. 赤血球円柱（Harish Seethapathy医師の厚意による）

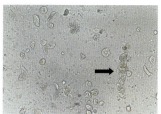

6. 白血球円柱（Harish Seethapathy医師の厚意による）

7. シュウ酸Ca結晶：二水和物（矢印），一水和物（破線矢印），非晶質（矢尻）（Mallika Mendu博士の厚意による）

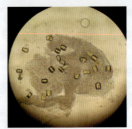

8. リン酸Mgアンモニウム結晶（"ストルバイト"）（Brett Carroll博士の厚意による）

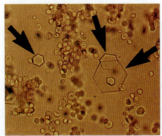

9. シスチン結晶（*Clinical Laboratory Medicine*, 1994）

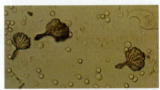

10. スルファジアジン結晶（"麦束"）（Nicholas Zwang博士の厚意による）

11a. 尿酸結晶（偏光顕微鏡）（Harish Seethapathy医師の厚意による）

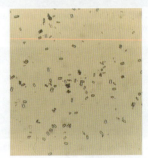

11b. 尿酸結晶（通常の顕微鏡）（Harish Seethapathy医師の厚意による）

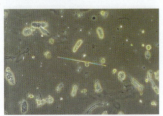

12. アシクロビル結晶（Yuvaram Reddy医師の厚意による）

略語

✓	要チェック項目
?	議論あり，不確定
↑	上昇，増加
↓	低下，減少
⊕	陽性
⊖	陰性

5-ASA	5-アミノサリチル酸
6-MP	6-メルカプトプリン
6MWT	6分間歩行試験
11β-HSD	11β-ヒドロキシステロイドデヒドロゲナーゼ
α_1-AT	α_1-アンチトリプシン
β_2MG	β_2ミクログロブリン
β-hCG	ヒト絨毛性ゴナドトロピンβサブユニット
γ-GTP	γ-グルタミルトランスフェラーゼ

A/C	補助／調節換気
AAA	腹部大動脈瘤
A-aDO$_2$	肺胞気動脈血酸素分圧較差
ABG	動脈血ガス分析
ABI	足関節上腕血圧比
ABPA	アレルギー性気管支肺アスペルギルス症
ACC	American College of Cardiology
ACE (I)	アンジオテンシン変換酵素（阻害薬）
AchR	アセチルコリン受容体
ACLS	二次救命処置
ACR	American College of Rheumatology
ACS	急性冠症候群
ACTH	副腎皮質刺激ホルモン
ADA	アデノシンデアミナーゼ
ADC	見かけの拡散係数
ADH	抗利尿ホルモン
ADL	日常生活動作
ADP	アデノシン二リン酸
ADT	アンドロゲン除去療法
AF	心房細動
AFP	αフェトプロテイン
AG	アニオンギャップ
AGN	急性糸球体腎炎
AHA	American Heart Association
AIDS	後天性免疫不全症候群
AIH	自己免疫性肝炎
AIHA	自己免疫性溶血性貧血
AIP	急性間質性肺炎
AKA	アルコール性ケトアシドーシス
AKI	急性腎障害
Alb	アルブミン
ALF	急性肝不全
ALI	急性肺損傷
ALL	急性リンパ性白血病
ALP	アルカリホスファターゼ
ALS	筋萎縮性側索硬化症
ALT	アラニンアミノトランスフェラーゼ
AMA	抗ミトコンドリア抗体
AML	急性骨髄性白血病
ANA	抗核抗体
ANCA	抗好中球細胞質抗体
ANP	心房性ナトリウム利尿ペプチド
APACHE II	Acute Physiology and Chronic Health Evaluation II
APAH	各種疾患に伴う肺動脈性肺高血圧症
APAP	*N*-acetyl-*p*-aminophenol
APC	活性化プロテインC
APL	急性前骨髄球性白血病
APS	抗リン脂質抗体症候群 多腺性自己免疫症候群
APTT	活性化部分トロンボプラスチン時間
Ara-C	シタラビン
ARB	アンジオテンシン受容体拮抗薬
ARDS	急性呼吸促迫症候群
ARNI	アンジオテンシン受容体ネブリライシン阻害薬
ARR	アルドステロン／レニン比
ARS	アミノアシルtRNA合成酵素
AS	強直性脊椎炎
ASCVD	動脈硬化性心血管疾患
ASD	心房中隔欠損
ASLO	抗ストレプトリジンO抗体
ASPECTS	Alberta Stroke Programme Early CT Score
AST	アスパラギン酸アミノトランスフェラーゼ
ATN	急性尿細管壊死
AVA	大動脈弁口面積
AVB	房室ブロック
AVM	動静脈奇形

AVNRT	房室結節リエントリー性頻拍	CML	慢性骨髄性白血病
AVRT	房室回帰性頻拍	CMML	慢性骨髄単球性白血病
		CMV	サイトメガロウイルス
BAL	気管支肺胞洗浄	CNI	カルシニューリン阻害薬
BALF	気管支肺胞洗浄液	CNS	中枢神経系
BBB	脚ブロック	CO	一酸化炭素
bid	1日2回		心拍出量
Bil	ビリルビン	CO_2	二酸化炭素
BiPAP	二相式陽圧換気	COP	特発性器質化肺炎
BIPSS	両側下錐体静脈洞サンプリング	COPD	慢性閉塞性肺疾患
BISAP	Bedside Index of Severity in Acute Pancreatitis	COX	シクロオキシゲナーゼ
		CPAP	持続気道陽圧
BMI	肥満指数	CPPD	ピロリン酸カルシウム二水和物
BNP	脳性ナトリウム利尿ペプチド	CPR	心肺蘇生
BPPV	良性発作性頭位めまい症	CPS	Child-Turcotte-Pughスコア
BSA	体表面積	Cr	クレアチニン
BVAS	バーミンガム血管炎活動性スコア	CR	完全寛解
		CrCl	クレアチニンクリアランス
		CRH	副腎皮質刺激ホルモン放出ホルモン
Ca	カルシウム		
CABG	冠動脈バイパス術	CRP	C反応性蛋白
CAD	冠動脈疾患	CSF	脳脊髄液
CA-MRSA	市中感染型メチシリン耐性黄色ブドウ球菌	CT	コンピュータ断層撮影法
		CTEPH	慢性血栓塞栓性肺高血圧症
CAPD	連続携行式腹膜透析	CTSI	CT severity index
CAT	COPDアセスメントテスト	CVP	中心静脈圧
CCB	カルシウム拮抗薬	CVVH	持続的静静脈血液濾過
CCP	環状シトルリン化ペプチド	CXR	胸部X線撮影
CCS	Canadian Cadiovascular Society		
		D_5W	5%ブドウ糖液
CCTA	冠動脈CT血管造影	DAPT	抗血小板薬2剤併用療法
CCU	冠疾患集中治療室	DBP	拡張期血圧
CDC	Centers for Disease Control and Prevention	DCIS	非浸潤性乳管癌
		DDAVP	デスモプレシン
CEA	癌胎児性抗原	DECT	dual energy CT
CF	嚢胞性線維症	DEET	ジエチルトルアミド
CFPE	combined pulmonary fibrosis and emphysema	DEXA	二重エネルギーX線吸収測定法
		DFA	直接蛍光抗体法
cGMP	サイクリックグアノシンーリン酸	DHA	ドコサヘキサエン酸
		DI	尿崩症
CGN	慢性糸球体腎炎	DIC	播種性血管内凝固
CHF	うっ血性心不全	DIP	遠位指節間(関節)
Chol	コレステロール		剥離性間質性肺炎
CI	心係数	DKA	糖尿病性ケトアシドーシス
CIAKI	造影剤起因性急性腎障害	DLBCL	びまん性大細胞型B細胞リンパ腫
CK	クレアチンキナーゼ		
CKD	慢性腎臓病	D_LCO	一酸化炭素肺拡散能
CKD-EPI	Chronic Kidney Disease Epidemiology Collaboration	DM	糖尿病
		DMARD	疾患修飾性抗リウマチ薬
		DNA	デオキシリボ核酸
CK-MB	心筋型クレアチンキナーゼ	DOAC	直接経口抗凝固薬
CLL	慢性リンパ性白血病	DPP	ジペプチジルペプチダーゼ
CMC	手根中手(関節)		

DRESS	好酸球増加と全身症状を伴う薬物反応	FSGS	巣状分節性糸球体硬化症
		FSH	卵胞刺激ホルモン
dsDNA	2本鎖DNA	fT₃	遊離トリヨードサイロニン
DST	デキサメタゾン抑制試験	fT₄	遊離サイロキシン
DVT	深部静脈血栓症	FTC	エムトリシタビン
DWI	拡散強調画像	FUO	不明熱
		FVC	努力肺活量
EBV	Epstein-Barrウイルス		
ECG	心電図	G6PD	グルコース-6-リン酸デヒドロゲナーゼ
ECMO	体外式膜型人工肺		
ECOG	Eastern Cooperative Oncology Group	GAVE	胃前庭部毛細血管拡張症
		GBM	糸球体基底膜
EDP	拡張終期圧	GBS	Guillain-Barré症候群
EDV	拡張終期容積	GCA	巨細胞動脈炎
EF	駆出率	GCS	Glasgow Coma Scale
EGDT	早期目標指向型治療	G-CSF	顆粒球コロニー刺激因子
eGFR	推算糸球体濾過量	Gd	ガドリニウム
EGFR	上皮増殖因子受容体	GERD	胃食道逆流症
EGPA	好酸球性多発血管炎性肉芽腫症	GFR	糸球体濾過量
EIA	酵素免疫測定法	GH	成長ホルモン
ELISA	固相酵素結合免疫測定法	GI	グルコース・インスリン（療法）
EPA	エイコサペンタエン酸	GIB	消化管出血
EPO	エリスロポエチン	GIP	グルコース依存性インスリン分泌刺激ポリペプチド
ERCP	内視鏡的逆行性胆道膵管造影法		
ERO	有効逆流弁口面積	glc	グルコース
ESA	赤血球造血刺激因子製剤	GLP	グルカゴン様ペプチド
ESBL	基質特異性拡張型βラクタマーゼ	GM-CSF	顆粒球マクロファージコロニー刺激因子
ESLD	末期肝疾患	GNC	グラム陰性球菌
ESR	赤血球沈降速度	GNR	グラム陰性桿菌
ESRD	末期腎不全	GOLD	Global Initiative for Chronic Obstructive Lung Disease
EST	乳頭切開		
ESV	収縮終期容積	GPA	多発血管炎性肉芽腫症
ET	本態性血小板血症	GPC	グラム陽性球菌
EULAR	European League Against Rheumatism	GPR	グラム陽性桿菌
		GVHD	移植片対宿主病
EUS	超音波内視鏡検査	GVT	移植片対腫瘍
EVAR	腹部大動脈瘤ステントグラフト挿入術		
		HAART	高活性抗レトロウイルス療法
EVL	内視鏡的静脈瘤結紮術	HAV	A型肝炎ウイルス
		Hb（A1c）	ヘモグロビン（A1c）
FAP	家族性腺腫性ポリポーシス	HBV	B型肝炎ウイルス
FDG	フルオロデオキシグルコース	HCC	肝細胞癌
FE_Na	ナトリウム排泄分画	hCG	ヒト絨毛性ゴナドトロピン
FE_UN	尿素窒素排泄分画	HCQ	ヒドロキシクロロキン
FEV₁	1秒量	Hct	ヘマトクリット
FFP	新鮮凍結血漿	HCV	C型肝炎ウイルス
FFR	心筋血流予備量比	HDL	高比重リポ蛋白
FiO₂	吸入気酸素濃度	HDV	D型肝炎ウイルス
FLC	血清遊離軽鎖	HEV	E型肝炎ウイルス
FMD	線維筋異形成症	HF	心不全
FNA	穿刺吸引	HFpEF	左室駆出率の保たれた心不全
FPAH	家族性肺動脈性肺高血圧症	HFrEF	左室駆出率の低下した心不全

HGV	G型肝炎ウイルス	ITP	特発性血小板減少性紫斑病（免疫性血小板減少症）
HHT	遺伝性出血性毛細血管拡張症		
HHV	ヒトヘルペスウイルス	IV	静脈内投与
HIDAスキャン	肝胆イミノ二酢酸スキャン	IVC	下大静脈
HIT	ヘパリン起因性血小板減少症	IVDU	静注薬物乱用（者）
HITT	血栓症を伴うヘパリン起因性血小板減少症	IVIg	免疫グロブリン静注
HIV	ヒト免疫不全ウイルス	K	カリウム
HL	Hodgkinリンパ腫	KUB	腎尿管膀胱X線撮影
HMGCR	ヒドロキシメチルグルタリルCoAレダクターゼ	LABA	長時間作用型吸入β_2刺激薬
HNPCC	遺伝性非ポリポーシス大腸癌	LAMA	長時間作用型ムスカリン受容体拮抗薬
hpf	強拡大の1視野		
HPV	ヒトパピローマウイルス	LAP	左房圧
HR	心拍数	LBBB	左脚ブロック
HRS	肝腎症候群	LCIS	上皮内小葉癌
hsCRP	高感度CRP	LDH	乳酸デヒドロゲナーゼ
HSCT	造血幹細胞移植	LDL	低比重リポ蛋白
HSP	Henoch-Schönlein紫斑病	LES	下部食道括約筋
HSV	単純ヘルペスウイルス	LFT	肝機能検査（値）
HTLV	ヒトTリンパ球向性ウイルス	LGIB	下部消化管出血
HUS	溶血性尿毒症症候群	LH	黄体形成ホルモン
HVPG	肝静脈圧較差	LHRH	性腺刺激ホルモン放出ホルモン
		LKM	肝腎ミクロソーム抗体
IA	動脈内投与	LMWH	低分子量ヘパリン
IABP	大動脈内バルーン・パンピング	Lp (a)	リポ蛋白 (a)
IBD	炎症性腸疾患	LR (−)	陰性尤度比
IBS	過敏性腸症候群	LR (+)	陽性尤度比
IBW	標準体重	LRP4	LDL受容体関連蛋白4
iCa	イオン化カルシウム	LVAD	左室補助装置
ICD	植え込み型除細動器	LVEDP	左室拡張終期圧
ICS	吸入ステロイド	LVEDV	左室拡張終期容積
IDL	中間比重リポ蛋白	LVEF	左室駆出率
IDSA	Infectious Diseases Society of America	LVH	左室肥大
IFN	インターフェロン	M/E比	骨髄系細胞/赤芽球系細胞比
Ig	免疫グロブリン	MAC	*Mycobacterium avium* complex
IGF	インスリン様増殖因子		
IIP	特発性間質性肺炎	MACE	主要心血管イベント
IL	インターロイキン	MAHA	微小血管障害性溶血性貧血
ILD	間質性肺疾患	MALT	粘膜関連リンパ組織
IM	筋肉内投与	MAP	平均動脈圧
IMI	下壁心筋梗塞	MAT	多源性心房頻拍
INR	（プロトロンビン時間の）国際標準化比	MCP	中手指節（関節）
		MCTD	混合性結合組織病
IPAH	特発性肺動脈性肺高血圧症	MCV	平均赤血球容積
IPF	特発性肺線維症	MDI	定量噴霧式吸入器
IPI	国際予後指標	MDMA	メチレンジオキシメタンフェタミン
IPS	国際予後スコア		
IPSS-R	改訂版国際予後予測スコアリングシステム	MDRD	Modification of Diet in Renal Disease
ISS	国際病期分類システム	MDS	骨髄異形成症候群
		MDS-U	分類不能型骨髄異形成症候群

MELD	末期肝疾患モデル	NPPV	非侵襲的陽圧換気
MEN	多発性内分泌腫瘍症	NPV	陰性予測値
METs	運動強度	NRTI	核酸系逆転写酵素阻害薬
Mg	マグネシウム	NSAIDs	非ステロイド性抗炎症薬
MGUS	意義不明の単クローン性免疫グロブリン血症	NSCLC	非小細胞肺癌
		NSE	神経特異エノラーゼ
MI	心筋梗塞	NSIP	非特異性間質性肺炎
MM	多発性骨髄腫	NSTE-ACS	非ST上昇型急性冠症候群
MMF	ミコフェノール酸モフェチル	NSTEMI	非ST上昇型心筋梗塞
mMRC	modified British Medical Research Council	NSVT	非持続性心室頻拍
		NTG	ニトログリセリン
MPA	顕微鏡的多発血管炎	NTI	非甲状腺疾患（甲状腺機能正常症候群）
MPGN	膜性増殖性糸球体腎炎		
MPN	骨髄増殖性腫瘍	NTM	非結核性抗酸菌
MRA	磁気共鳴血管撮影法	NYHA	New York Heart Association
MRCP	磁気共鳴胆管膵管撮影法		
MRI	磁気共鳴画像法	O$_2$	酸素
mRS	modified Rankin Scale	OA	変形性関節症
MRSA	メチシリン耐性黄色ブドウ球菌	OCP	経口避妊薬
MSA	多系統萎縮症	OG	浸透圧ギャップ
MSH	メラニン細胞刺激ホルモン	OGTT	経口ブドウ糖負荷試験
MSI-H	高度マイクロサテライト不安定性	OSA	閉塞性睡眠時無呼吸
MSM	男性同性愛者	P	リン酸
MSSA	メチシリン感受性黄色ブドウ球菌	PaCO$_2$	動脈血二酸化炭素分圧
		PADP	肺動脈拡張期圧
MSU	尿酸ナトリウム	PAH	肺動脈性肺高血圧症
MTP	中足趾節（関節）	PAN	結節性多発動脈炎
MTX	メトトレキサート	PaO$_2$	動脈血酸素分圧
MuSK	筋特異的受容体型チロシンキナーゼ	PAO$_2$	肺胞気酸素分圧
		PAP	肺動脈圧
MVA	僧帽弁口面積	PAS	過ヨウ素酸シッフ（染色）
MVO$_2$	心筋酸素消費量	PASP	肺動脈収縮期圧
		PAV	比例補助換気
Na	ナトリウム	PBC	原発性胆汁性胆管炎
NAFL	非アルコール性脂肪肝	PCI	経皮的冠動脈形成術
NAFLD	非アルコール性脂肪性肝疾患		予防的全頭蓋照射
NAP	好中球アルカリホスファターゼ	PCP	Pneumocystis 肺炎
NAPQI	N-アセチル-p-ベンゾキノンイミン	PCR	ポリメラーゼ連鎖反応法
		PCV13	13価肺炎球菌ワクチン
NASH	非アルコール性脂肪肝炎	PCWP	肺動脈楔入圧
NGT	経鼻胃管	PD	腹膜透析
NH$_3$	アンモニア	PDA	動脈管開存症
NHL	非Hodgkinリンパ腫	PDE	ホスホジエステラーゼ
NIHSS	NIH stroke scale	PDGFR	血小板由来増殖因子受容体
NNRTI	非核酸系逆転写酵素阻害薬	PE	肺塞栓症
NNT	治療必要数	PEA	無脈性電気活動
NO	一酸化窒素	PECO$_2$	呼気二酸化炭素分圧
NOAC	新規経口抗凝固薬/非ビタミンK拮抗型経口抗凝固薬	PEEP	呼気終末陽圧
		PEF	最大呼気速度
NOMI	非閉塞性腸間膜虚血	PEG	ポリエチレングリコール
NPJT	非発作性房室接合部頻拍	PET	ポジトロン断層撮影法
NPO	絶飲食	PFT	肺機能検査

PGD	原発性移植片機能不全	RCRI	Revised Cardiac Risk Index
PGI₂	プロスタサイクリン	RCT	無作為化比較試験
Ph染色体	フィラデルフィア染色体	RCUD	単一血球系統の異形成を伴う不応性血球減少症
PID	骨盤内炎症性疾患		
PiO₂	吸入気酸素分圧	RCVS	可逆性脳血管攣縮症候群
PIP	近位指節間（関節）	RDW	赤血球容積粒度分布幅
	最大吸気圧	RF	リウマチ因子
PLL	前リンパ性白血病	RI	網赤血球指数
PMF	原発性骨髄線維症	RNA	リボ核酸
PML	進行性多巣性白質脳症	RoPEスコア	Risk of Paradoxical Embolism Score
PMN	多形核白血球		
PMR	リウマチ性多発筋痛症	ROS	review of systems
PNH	発作性夜間ヘモグロビン尿症	RPGN	急速進行性糸球体腎炎
PO	経口投与	RPR	迅速血漿レアギン検査
POEM	経口内視鏡的筋層切開術	RR	呼吸数
PPD	ツベルクリン試験	rT₃	リバーストリヨードサイロニン
PPI	プロトンポンプ阻害薬	RTA	尿細管性アシドーシス
P_{plat}	プラトー圧	RT-PCR	逆転写ポリメラーゼ連鎖反応法
PPSV23	23価肺炎球菌莢膜ポリサッカライドワクチン	RUT	迅速ウレアーゼ試験
		RVAD	右室補助装置
PPV	陽性予測値	RVEDP	右室拡張終期圧
PR	経直腸投与	RVF	右室不全
PS	パフォーマンス・ステータス（全身状態）	RVH	右室肥大
		RVP	右室圧
PSA	前立腺特異抗原	RVSP	右室収縮期圧
PsA	乾癬性関節炎	SAAG	血清-腹水Alb濃度差
PSC	原発性硬化性胆管炎	SABA	短時間作用型吸入β₂刺激薬
PSGN	レンサ球菌感染後糸球体腎炎	SaO₂	動脈血酸素飽和度
PSV	圧支持換気	SAS	サラゾスルファピリジン
PT	プロトロンビン時間	SBP	収縮期血圧
PTH	副甲状腺ホルモン		特発性細菌性腹膜炎
PTHrP	副甲状腺ホルモン関連ペプチド	SBT	自発呼吸トライアル
PTT	部分トロンボプラスチン時間	SC	皮下投与
PUD	消化性潰瘍	SCID	重症複合免疫不全
PUVA	ソラレン紫外線療法	SCLC	小細胞肺癌
PV	真性多血症	SGLT	ナトリウム-グルコース共輸送体
PVC	心室期外収縮		
PVR	肺血管抵抗	SHBG	性ホルモン結合グロブリン
		SIADH	抗利尿ホルモン不適切分泌症候群
qd	1日1回		
QOL	生活の質（クオリティーオブライフ）	SIRS	全身性炎症反応症候群
		SLA	肝可溶性抗原抗体
RAEB	芽球増加を伴う不応性貧血	SLE	全身性エリテマトーデス
RAP	右房圧	SLL	小リンパ球性リンパ腫
RARS	環状鉄芽球を伴う不応性貧血	SMA	上腸間膜動脈
RAST	放射性アレルゲン吸着法	SMV	上腸間膜静脈
RBBB	右脚ブロック	SOFA	Sequential Organ Failure Assessment
RB-ILD	呼吸細気管支炎を伴う間質性肺疾患		
		SpaO₂	肺動脈血酸素飽和度
RCC	腎細胞癌	SPECT	単光子放出コンピュータ断層撮影法
RCMD	多血球系異形成を伴う不応性血球減少症		
		SPEP	血清蛋白電気泳動

SpO₂	経皮的動脈血酸素飽和度	TPN	完全静脈栄養
SpvO₂	肺静脈血酸素飽和度	TPO	甲状腺ペルオキシダーゼ
SRC	強皮症腎クリーゼ	TRAb	抗TSHレセプター抗体
SSc	全身性強皮症	TRALI	輸血関連急性肺障害
SSEP	体性感覚誘発電位	TRAP	酒石酸抵抗性酸ホスファターゼ
SSRI	選択的セロトニン再取り込み阻害薬	TSAb	甲状腺刺激抗体
		TSAT	トランスフェリン飽和度
ssRNA	1本鎖RNA	TSH	甲状腺刺激ホルモン
SSS	洞不全症候群	TSS	毒性ショック症候群
STEMI	ST上昇型心筋梗塞	TTE	経胸壁心エコー検査
ST合剤	スルファメトキサゾール-トリメトプリム合剤	TTP	血栓性血小板減少性紫斑病
		TTR	トランスサイレチン
SV	1回心拍出量	TURP	経尿道的前立腺摘除術
SvO₂	混合静脈血酸素飽和度		
SVR	体血管抵抗	U	単位
SVT	上室頻拍	UBT	尿素呼気試験
		UFC	尿中遊離コルチゾール
T₃	トリヨードサイロニン	UFH	未分画ヘパリン
T₄	サイロキシン	UGIB	上部消化管出血
TAA	胸部大動脈瘤	UIP	通常型間質性肺炎
TAAA	胸腹部大動脈瘤	UTI	尿路感染症
TAF	テノホビル アラフェナミド		
TAVR	経カテーテル大動脈弁置換術	VAD	心室補助装置
TBG	サイロキシン結合グロブリン	VAP	人工呼吸器関連肺炎
TBLB	経気管支肺生検	VATS	ビデオ下胸腔鏡手術
TBW	体内総水分量	VBG	静脈血ガス分析
TCA	三環系抗うつ薬	VC	肺活量
TDF	テノホビル ジソプロキシル	V̇CO₂	二酸化炭素排出量
TdP	torsades de pointes	VCT	ボリュームCT
TEE	経食道心エコー検査	V_D	死腔容積
TEN	中毒性表皮壊死剥離症	VDRL	Veneral Disease Research Laboratoryテスト
TEVAR	胸部大動脈瘤ステントグラフト挿入術		
		V̇_E	分時換気量
TFT	甲状腺機能検査	VEGF	血管内皮増殖因子
TG	トリグリセリド	VF	心室細動
ThAL	太い上行脚	VIP	血管活性腸管ペプチド
TIA	一過性脳虚血発作	Vit	ビタミン
TIBC	総鉄結合能	VLDL	超低比重リポ蛋白
tid	1日3回	V̇O₂	酸素消費量
TIPS	経頸静脈的肝内門脈体循環シャント術	VRE	バンコマイシン耐性腸球菌
		VSD	心室中隔欠損
TKI	チロシンキナーゼ阻害薬	VT	心室頻拍
TLC	全肺気量	V_T	1回換気量
T-LGL	T細胞大顆粒リンパ球性白血病	VTE	静脈血栓塞栓症
TMA	血栓性微小血管障害症	vWD	von Willebrand病
Tn	トロポニン	vWF	von Willebrand因子
TNF	腫瘍壊死因子	VZV	水痘帯状疱疹ウイルス
TP	総蛋白		
tPA	組織プラスミノーゲン活性化因子	WHO	World Health Organization
		WPW	Wolff-Parkinson-White症候群
TPMT	チオプリンメチルトランスフェラーゼ		

索引

数字・ギリシャ文字
1,3-β-D-グルカン 6-4
1回換気量（V_T） 2-32
1回心拍出量（SV） 11-8
1回拍出係数（SVI） 11-8
2017 AHA/ACC 血圧分類 1-46
$α_1$-アンチトリプシン（AT）欠損症 3-38

欧文
AIDS 6-26
ALL（急性リンパ性白血病） P-14
AML（急性骨髄性白血病） P-14
ANCA関連小血管炎 8-28
ANCA陽性血管炎 4-27
Ann Arbor病期分類 5-32
A型肝炎 3-27

Barrett食道 3-3
Basedow病 7-7
BCR-ABL融合 5-30
Behçet症候群 8-30
Bell麻痺 6-17
BNP 2-1
BPPV（良性発作性頭位めまい症） 9-7
*BRCA1/2*変異 5-47
Budd-Chiari症候群 3-41
Burkittリンパ腫 5-34
B型肝炎 3-27

CA19-9 5-54
CABG 1-8
CAR-T細胞 5-34, 5-60
Churg-Strauss症候群 →好酸球性多発血管炎性肉芽腫症（EGPA）
CKD（慢性腎臓病） 4-21
CLL（慢性リンパ性白血病） P-15
*Clostridioides difficile*感染症 3-9
CML（慢性骨髄性白血病） P-15
CMV⊖製剤 5-21
COPD（慢性閉塞性肺疾患） 2-7, P-1
　増悪 2-9
CO中毒 2-29
Crohn病 3-17
CRP 8-3
*Cryptococcus*抗原 6-4
CURB-65 6-2
Cushing病 7-10
C型肝炎 3-29

D_LCO 2-2
D型肝炎 3-30

EFの保たれた心不全（HFpEF） 1-28
ENL 2017遺伝的リスク分類（AML） 5-28
ESR 8-3
E型肝炎 3-30

Fickの原理 11-8
Fick法 1-21
FiO_2（吸入気酸素濃度） 2-32

FOLFIRINOX 5-55
Fournier壊疽 6-11

G6PD欠損症 5-6
Glasgow Coma Scale 9-2
Gleasonスコア 5-51
GOLD分類（COPD） 2-9
Goodpasture症候群 4-27
Graves病 →Basedow病
Guillain-Barré症候群（GBS） 9-13

*H. pylori*感染 3-3
Heinz小体 5-6
Henoch-Schönlein紫斑病（HSP） 8-30
*HFE*変異 3-38
HIDAスキャン 3-44
HINTSテスト（めまい） 9-8
HISORt基準 3-24
*Histoplasma*尿中/血清抗原 6-4
HIV 6-26
Hodgkinリンパ腫（HL） 5-32
Holter ECG 1-64

IFN-γ遊離試験（IGRA） 6-23
IgA腎症 4-29
IgG4関連疾患 8-31
IPSS-R（改訂版国際予後予測スコアリングシステム） 5-23
IVCフィルター 2-24

JNC8分類（高血圧） 1-46

Kussmaul徴候 1-45
K保持性利尿薬 4-24

LDL-C 7-24
Lightの基準 2-17
Löfgren症候群 2-15
Lynch症候群 5-52

MELD-Na 3-35
Meniere病 9-8
MEN症候群 7-3
Modified-Child-Turcotte-Pugh（CPS）分類 11-10
MYH関連ポリポーシス（MAP） 5-52

Na排泄分画 11-11
NT-proBNP 2-1
NYHA分類 1-24

Ogilvie症候群 3-13
Oncotype DX® 5-48

Paget病 5-48
PAPi（肺動脈拍動係数） 11-8
Pappenheimer小体 5-3
Patric/FABERテスト 9-18
PCI（経皮的冠動脈形成術） 1-8
PEAアルゴリズム 11-3

PEEP（呼気終末陽圧）2-32
Prinzmetal（異型）狭心症 1-11
PSA 5-50

QRS軸 1-1
QRS幅の広い頻拍（WCT）1-57
qSOFAスコア 6-2
QT延長 1-2

R-CHOP 5-34
Raynaud現象 8-21
rouleaux P-14
R波，——増高不良 1-3

Sjögren症候群 8-20
SLICCの分類基準（SLE）8-22
Spurling徴候 9-18
ST上昇/下降 1-3
ST上昇型心筋梗塞（STEMI）1-15

TIA（一過性脳虚血発作）9-9
TIMIリスクスコア 1-14
T波，陰性—— 1-4

VATS（ビデオ下胸腔鏡手術）2-11
VFアルゴリズム 11-3
Virchowの三徴 2-19
von Willebrand病（vWD）5-14
V$_T$（1回換気量）2-32

Waldenströmマクログロブリン血症 5-40
Wegener肉芽腫症 →多発血管炎性肉芽腫症（GPA）
Wernicke脳症 9-7
Whipple病 3-11
Wilson病 3-38
Wolff-Parkinson-White症候群 1-57

和文

あ
悪性リンパ腫 5-31
アシクロビル結晶 P-16
アシドーシス 4-1
アスピリン喘息 2-3
アスペルギルス症 6-6
アセトアミノフェン肝障害 3-31
圧支持換気（PSV）2-31
アトピー 2-3
アナフィラキシー 2-6
アナプラズマ症 6-33
アニオンギャップ（AG）4-3, 11-11
アフェレーシス 5-21
アブレーション 1-61
アミオダロン 7-8
　　間質性肺疾患の原因 2-15
アミロイドーシス 1-32, 4-29, 8-33
アルカリ血症 4-1
アルカリホスファターゼ（ALP）3-24
アルカローシス 4-1
アルコール性肝炎 3-31
アルコール性幻覚症 9-7
アルコール離脱 9-7
アルドステロン 4-9
アルドステロン/レニン比（ARR）7-12

アルブミン（Alb）3-24
アレルギー性気管支肺アスペルギルス症（ABPA）2-16, 6-6
アロプリノール過敏症症候群 8-9

い
胃運動機能不全 3-13
意義不明の単クローン性免疫グロブリン血症（MGUS）5-39
意識 9-1
胃食道逆流症（GERD）3-2
移植片対宿主病（GVHD）5-41
移植片対腫瘍（GVT）5-41
一過性脳虚血発作（TIA）9-9
遺伝性球状赤血球症 5-7
遺伝性非ポリポーシス大腸癌（HNPCC）5-52
胃瘻造設チューブ 10-3
インスリン製剤 7-20
陰性T波 1-4
院内肺炎 6-1
インフルエンザウイルス 6-3

う
ウイルス性肝炎 3-27
ウイルス性呼吸器感染症 6-1
植え込み型除細動器（ICD）1-19, 1-67
右軸偏位 1-1
右室圧（RVP）11-8
右室肥大（RVH）1-2
右房圧（RAP）11-8
ウルソデオキシコール酸 3-39
運動負荷試験 1-6

え・お
壊死性筋炎 8-19
壊死性筋膜炎 6-11
壊死性軟部組織感染症 6-10
エーリキア症 6-33
嚥下障害 3-1
炎症性筋疾患 8-19
炎症性下痢 3-12
炎症性腸疾患（IBD）3-16, 5-52
炎症性腸疾患関連関節炎 8-11
炎症性乳癌 5-48
炎症マーカー 8-3
塩分負荷試験 7-12
横紋筋融解症 4-21
オンコロジック・エマージェンシー 5-56

か
改訂版国際予後予測スコアリングシステム（IPSS-R）5-23
回転性めまい 9-7
潰瘍性大腸炎 3-16
化学性肺臓炎 6-1
覚醒度 9-1
拡張型心筋症 1-28
下肢伸展挙上試験 9-18
下垂体機能亢進症 7-2
下垂体機能低下症 7-1
下垂体腺腫 7-2
下垂体卒中 7-2
ガス壊疽 6-11
仮性大動脈瘤 1-50
家族性高コレステロール血症 7-24

家族性高トリグリセリド (TG) 血症　7-24
家族性腺腫性ポリポーシス (FAP)　5-52
家族性低Ca尿症高Ca血症 (FHH)　7-16
滑液包炎　8-13, 8-15
喀血　2-11
褐色細胞腫　7-14
活動性結核　6-24
過敏性腸症候群 (IBS)　3-12
過敏性肺臓炎　2-15
下部消化管出血 (LGIB)　3-4
鎌状赤血球貧血　5-6, P-14
ガラクトマンナン抗原　6-4
硝子円柱　P-15
顆粒円柱　P-15
カルシウム (Ca) 濃度異常　7-15
カルシフィラキシー　4-23, 7-17
簡易Wellsスコア　2-20
肝移植　3-37
肝炎　3-27
眼科的問題　10-7
肝機能検査値 (LFT) 異常　3-24
肝血管疾患　3-40
肝硬変　3-34
肝細胞癌 (HCC)　3-37, 5-56
肝細胞障害型肝機能検査値異常　3-25
カンジダ血症　6-5
カンジダ尿症　6-5
間質性肺疾患 (ILD)　2-13
間質性肺水腫　P-2
環状鉄芽球　5-3
肝腎症候群 (HRS)　3-36
肝性胸水　3-35
肝性脳症　3-36
関節炎　8-1
関節リウマチ (RA)　8-4
乾癬性関節炎　8-10
感染性関節炎　8-13
感染性心内膜炎　6-19
冠動脈疾患 (CAD)　1-70
　非侵襲的評価　1-6
冠動脈石灰化 (CAC) スコア　1-7
冠動脈造影　1-8
顔面神経麻痺　6-17

き ─────
機械弁　1-40
気管支拡張症　2-12
気管切開チューブ　10-3
気胸　P-4
偽性呼吸性アルカローシス　4-9
偽性副甲状腺機能低下症　7-18
偽痛風　8-9
キメラ抗原受容体 (CAR)-T細胞　5-34, 5-60
脚ブロック　1-1
逆流性食道炎　3-3
急性換気不良　2-33
急性間質性腎炎 (AIN)　4-19
急性冠症候群 (ACS)　1-10
急性肝不全 (ALF)　3-32
急性下痢症　3-8
急性呼吸促迫症候群 (ARDS)　2-34
急性骨髄性白血病 (AML)　5-28, P-14
急性細菌性髄膜炎　6-13
急性腎障害 (AKI)　4-18
急性心不全　1-25

急性心房細動　1-59
急性膵炎　3-21
急性大動脈症候群　1-51
急性腸間膜虚血　3-19
急性低酸素血症　2-28
急性尿細管壊死 (ATN)　4-19
急性肺血管反応性試験　2-26
急性白血病　5-27
急性非代償性心不全　1-25
急性腹症　10-2
急性溶血反応　5-21
急性リンパ性白血病 (ALL)　5-29, P-14
吸入気酸素濃度 (FiO$_2$)　2-32
胸腔穿刺　2-17
胸腔ドレーン　10-3
凝固因子インヒビター　5-15
凝固障害　5-15
胸水　2-16, P-4
強直間代発作　9-4
強直性脊椎炎　8-10
胸痛　1-4
強度減弱前処置 (RIC)　5-41
強皮症　8-16
強皮症腎クリーゼ　4-21
胸腹部大動脈瘤　1-50
胸部大動脈瘤　1-50
局在性前立腺癌　5-51
虚血性大腸炎　3-20
虚血性脳卒中　9-8
巨細胞動脈炎 (GCA)　8-26
巨赤芽球性貧血　5-4
菌血症　6-18
緊張型頭痛　9-16
筋力低下　9-12

く ─────
空腸瘻造設チューブ　10-3
くすぶり型多発性骨髄腫　5-40
くも膜下出血　9-11
クリオグロブリン血症　4-29, 8-31
クリオプレシピテート　5-21
クリプトコッカス症　6-11
グルコース-6-リン酸デヒドロゲナーゼ (G6PD)
　欠損症　5-6
クレアチニンクリアランス (CrCl) 推測値　11-11
クロストリジウム性筋壊死症　6-11
群発頭痛　9-16

け ─────
経カテーテル大動脈弁置換術 (TAVR)　1-35
経頸静脈的肝内門脈循環シャント術 (TIPS)
　3-35
憩室炎　3-14
形質細胞異常　5-37
憩室出血　3-7
憩室症　3-14
携帯型心電計　1-64
経腸栄養　3-13
経皮的冠動脈形成術 (PCI)　1-9
経皮的僧帽弁交連切開術　1-40
経皮的バルーン血管形成術　1-9
痙攣　9-4
外科的問題　10-1
血液凝固のカスケード　5-9
血液製剤　5-20

血液透析（HD） 4-25
結核 6-23
血管炎 8-25
血管拡張薬 11-4
血管跛行 9-19
結合組織病 8-16
結合組織病関連血管炎 8-30
血小板液 5-20
血小板機能異常 5-14
血小板減少症 5-10
結晶誘発性関節炎 8-7
欠伸発作 9-4
血清反応陰性脊椎関節炎 8-10
結節性多発動脈炎 8-27
血栓性血小板減少性紫斑病（TTP） 5-13
血性素因 5-17
血栓性微小血管障害症（TMA） 5-13
血栓溶解療法 2-23
　STEMI 1-16
血栓予防 2-20
血尿 4-32
　無症候性糸球体性—— 4-28
血友病 5-15
ケトアシドーシス 4-4
下痢 3-8
原発性硬化性胆管炎（PSC） 3-39
原発性骨髄線維症（PMF） 5-26
原発性多飲症 4-9, 4-14
原発性胆汁性胆管炎（PBC） 3-39
顕微鏡的多発血管炎（MPA） 4-27, 8-29

こ

高Ca血症 7-16
高CO₂血症 2-29
抗GBM病 4-27
高K血症 4-17
高Na血症 4-12
抗TPO抗体 7-4
高アニオンギャップ性代謝性アシドーシス 4-4
高アルドステロン症 7-10
好塩基球増加 5-19
抗核抗体（ANA） 8-3
抗基底膜病 4-27
恒久ペースメーカー 1-67
抗虚血療法, 急性期—— 1-12
抗菌薬 11-5
高血圧 1-46
高血圧緊急症 1-49
高血圧クリーゼ 1-49
高血圧切迫症 1-49
膠原病関連間質性肺疾患 2-15
高コルチゾール血症 7-10
好酸球性多発血管炎性肉芽腫症（EGPA） 4-27, 8-29
好酸球増加 5-19
光視症 10-7
咬傷,——による感染症 6-9
甲状腺炎 7-7
甲状腺癌 7-9
甲状腺機能亢進症 7-6
甲状腺機能正常症候群 7-8
甲状腺機能低下症 7-5
甲状腺クリーゼ 7-8
甲状腺刺激ホルモン（TSH） 7-4
甲状腺疾患 7-4

抗真菌薬 11-7
高浸透圧高血糖状態 7-22
拘束型心筋症 1-32, 1-45
抗組織トランスグルタミナーゼ抗体 5-2
好中球減少 5-19
好中球増加 5-18
抗てんかん薬 9-6
抗不整脈薬 11-4
高プロラクチン血症 7-2
硬膜外腫 9-11
硬膜外膿瘍 6-13
抗利尿ホルモン（ADH） 4-9
抗リン脂質抗体症候群（APS） 5-18
抗レトロウイルス療法 6-26
誤嚥性肺炎 6-1
呼気終末陽圧（PEEP） 2-32
呼吸困難 2-1
呼吸数 2-32
呼吸性アシドーシス 4-8
呼吸性アルカローシス 4-9
呼吸不全 2-28
コクシジオイデス症 6-6
コシントロピン刺激試験 7-13
骨髄異形成症候群（MDS） 5-22
骨髄炎 6-12
骨髄増殖性腫瘍（MPN） 5-24
骨髄破壊の前処置 5-41
孤立性肺結節 2-10
混合性結合組織病（MCTD） 8-21
昏睡 9-1
コントローラー治療（喘息） 2-4
コンパートメント症候群 10-2

さ

再灌流療法 1-8
細菌性関節炎 8-13
細菌性髄膜炎 6-14
細菌性肺炎 6-1
細菌性腹膜炎 3-42
再生不良性貧血 5-5
細線維性-イムノタクトイド腎症 4-29
最大吸気圧（PIP） 2-32
再発性多発軟骨炎 8-6
左軸偏位 1-1
左室肥大（LVH） 1-2
左心不全 1-24
サラセミア 5-2
サルコイドーシス 1-32, 2-14, P-6
酸塩基平衡異常 4-1
三尖弁逆流症 1-40
酸血症 4-1

し

シアン化物中毒 2-29
視она変化 10-7
糸球体腎炎 4-26
糸球体濾過量（GFR） 4-17
止血障害 5-8
自己抗体検査 8-3
自己免疫性肝炎（AIH） 3-30
自己免疫性膵炎 3-23
自己免疫性溶血性貧血（AIHA） 5-7, P-13
四肢虚血, 急性—— 1-71, 10-2
脂質異常症 7-24
シスチン結晶 P-16

持続的強制換気（CMV） 2-31
持続的静静脈血液濾過（CVVH） 4-25
市中肺炎 6-1
疾患修飾性抗リウマチ薬（DMARD） 8-5
失神 1-63, 9-4
紫斑 5-8
脂肪性下痢 3-11
視野欠損 10-7
シャント 11-9
従圧式換気 2-31
充血 10-7
シュウ酸Ca結晶 4-4, P-16
収縮性心膜炎 1-45
重症筋無力症（MG） 9-14
自由水欠乏量 4-13, 11-11
修正Child-Turcotte-Pugh（CPS）スコア 3-34
修正Duke基準（感染性心内膜炎） 6-19
重度代謝性アシドーシス 4-6
重度代謝性アルカローシス 4-8
従量式換気 2-31
出血性疾患 5-8
腫瘍崩壊症候群 5-58
循環血液量減少性低張性低Na血症 4-10
循環血液量増加性低張性低Na血症 4-11
昇圧薬 11-4
消化管出血（GIB） 3-4
消化性潰瘍（PUD） 3-3
小球性低色素性貧血 P-13
小球性貧血 5-2
小細胞肺癌（SCLC） 5-44
上室頻拍（SVT） 1-54
焦点発作 9-4
上部消化管出血（UGIB） 3-4
静脈血ガス分析（VBG） 4-2
静脈血栓塞栓症（VTE） 2-19
小リンパ球性リンパ腫（SLL） 5-36
褥瘡性潰瘍 10-3
食道胃静脈瘤 3-6
食道インピーダンス 3-2
ショック 2-36
腎移植 4-26
腎盂腎炎 6-8
心エコー像 P-9
真菌感染症 6-4
心筋梗塞 1-11
心筋梗塞後合併症 1-18
心筋症 1-28
心筋生存性 1-7
神経筋疾患 9-12
神経筋性嚥下障害 3-2
神経根圧迫 9-19
心係数（CI） 11-8
神経性跛行 9-19
腎限局性血管炎 8-29
心原性ショック 1-23
人工換気 2-29
人工関節感染 8-14
人工呼吸器 2-31
　　　離脱 2-33
人工呼吸器関連肺炎 6-1
人工呼吸器関連肺損傷（VILI） 2-35
人工弁 1-40
滲出性胸水 2-17
浸潤性乳癌 5-48
心腎症候群（CRS） 4-20

心静止アルゴリズム 11-3
真性大動脈瘤 1-50
真性多血症（PV） 5-24
振戦せん妄 9-7
新鮮凍結血漿（FFP） 5-21
心臓再同期療法 1-67
心臓弁膜症 1-33, 1-67
心臓リズム管理装置 1-66
腎代替療法 4-24
心タンポナーデ 1-44
心電図 1-1
浸透圧ギャップ（OG） 11-11
浸透圧計算式 11-11
浸透圧利尿 4-14
心内膜炎，感染性── 6-19
腎膿瘍 6-8
塵肺 2-15
心拍出量（CO） 11-8
心拍数（HR） 11-8
深部静脈血栓症（DVT） 2-19
心不全（HF） 1-23, 1-70
腎不全 4-18
心房細動（AF） 1-58
心房粗動 1-63
心膜炎 1-42
心リスク評価 1-69

す

膵炎 3-21
膵癌 5-54
膵嚢胞性病変 5-55
髄膜炎
　急性細菌性── 6-13
　無菌性── 6-15
水様性下痢 3-11
スタチン 7-24
頭痛 9-16
ステープル抜去 10-3
ステント血栓症 1-9
スパイロメトリー 2-2
スポット尿 4-31
スルファジアジン結晶 P-16

せ

性器出血 10-5
正球性貧血 5-3
正常アニオンギャップ代謝性アシドーシス 4-5
精神状態，──の変化 9-1
成人発症Still病 8-6
生体弁 1-40
生着症候群 5-41
成長ホルモン分泌不全症 7-1
赤芽球癆 5-3
脊髄圧迫 5-58, 9-18
脊椎関節炎 8-2
　血清反応陰性── 8-10
赤血球液 5-20
赤血球円柱 P-15
接合菌症 6-6
セファロスポリン系抗菌薬 11-6
セリアック病 3-11
潜在性結核 6-23
全身性エリテマトーデス（SLE） 4-29, 8-22
全身性強皮症（SSc） 8-16
喘息 2-3

喘息-COPDオーバーラップ症候群 2-8
喘息増悪 2-5
先端巨大症 7-3
仙腸関節炎 8-2
前庭神経炎 9-8
せん妄 9-1
前立腺炎 6-8
前立腺癌 5-50

そ

造影剤起因性急性腎障害（CIAKI） 4-20
造血幹細胞移植（HSCT） 5-40
巣状分節性糸球体硬化 4-29
総胆管結石 3-44
総トリヨードサイロニン（T_3） 7-4
僧帽弁逸脱症 1-38
僧帽弁狭窄症 1-39
僧帽弁閉鎖不全症 1-37

た

第V因子Leiden変異 5-17
大球性貧血 5-4, P-13
体血管抵抗（SVR） 11-8
代謝性アシドーシス 4-3
代謝性アルカローシス 4-7
帯状疱疹 6-17
大腸癌 5-52
大腸ポリープ 3-15
大動脈解離 1-51
大動脈弁狭窄症 1-33
大動脈弁閉鎖不全症 1-35
大動脈瘤 1-50
体内総水分量（TBW） 4-9, 11-11
体表面積（BSA） 11-15
高安動脈炎 8-26
多形性心室頻拍 1-58
多腺性自己免疫症候群 7-3
ダニ媒介疾患 6-31
多尿症 4-14
多発血管炎性肉芽腫症（GPA） 4-27, 8-29
多発性筋炎 8-19
多発性骨髄腫（MM） 5-37
多発性嚢胞腎 4-21
胆管炎 3-45
単球増加 5-9
単クローン性免疫グロブリン関連腎症（MGRS） 4-28
単形性心室頻拍 1-57
胆汁うっ滞型肝機能検査値異常 3-26
単純性肺炎随伴性胸水 2-18
胆石 3-21
胆石症 3-43
胆道疾患 3-43
丹毒 6-9
胆嚢炎 3-44
蛋白尿 4-31

ち

チアジド系利尿薬 4-24
チアノーゼ 2-28
血性下痢 3-16
膣分泌物 10-5
遅発性溶血反応 5-21
中枢性甲状腺機能低下 7-1
中枢性腺機能低下症 7-1

中枢性尿崩症 7-2
中枢性副腎不全 7-1
中毒性巨大結腸症 3-10, 3-16
腸管虚血 3-19
直接経口抗凝固薬（DOAC） 1-62, 2-23
治療抵抗性高血圧 1-48
チロシンキナーゼ阻害薬（TKI） 5-31
鎮静薬 11-5

つ

椎間板ヘルニア 9-19
痛風 8-8
ツベルクリン皮膚検査 6-23

て

低Ca血症 7-18
低K血症 4-15
低Na血症 4-9
低アルドステロン症 4-17
低血糖 7-23
低酸素血症 2-28
低体温療法 9-3
低電位 7-1
低プロラクチン血症 7-1
鉄芽球性貧血 5-3
鉄過剰症 3-38
デルタ・デルタ（ΔΔ） 11-11
てんかん重積 9-4
電撃性紫斑病 5-8

と

頭蓋内出血 9-11
銅過剰 3-38
同種HSCT 5-41
洞徐脈 1-53
透析
　血液── 4-25
　腹膜── 4-26
糖尿病（DM） 4-29, 7-19
糖尿病性足感染症 6-11
糖尿病性ケトアシドーシス（DKA） 7-21
洞不全症候群（SSS） 1-53
動脈血ガス分析（ABG） 4-2
等容量性低張性低Na血症 4-10
毒素性ショック症候群（TSS） 6-9
特発性間質性肺炎（IIP） 2-15
特発性血小板減少性紫斑病 5-11
特発性細菌性腹膜炎（SBP） 3-35, 3-42
毒物 2-38
トランスアミナーゼ（AST，ALT） 3-24

な

内視鏡的静脈瘤結紮術（EVL） 3-36
内臓痛 10-1
軟骨石灰化症 8-9
難治性腹水 3-35
軟部組織感染症 6-9

に・ね

二次性細菌性腹膜炎 3-42
乳癌 5-46
乳酸アシドーシス 4-4
乳糖不耐症 3-11
ニューロパチー，末梢性── 9-12
尿アニオンギャップ（UAG） 11-11

尿ケトン体　4-4
尿検査　4-30, P-15
尿細管上皮細胞　P-15
尿細管性アシドーシス（RTA）　4-5
尿細管内外K濃度勾配（TTKG）　11-11
尿酸結晶　P-16
尿酸降下治療　8-9
尿毒症　4-22
尿毒症性細小動脈石灰化症　4-23, 7-17
尿膜管出血　5-15
尿崩症　4-13, 4-14
尿路感染症（UTI）　6-7
尿路結石　4-33
認知症　9-1
ネフローゼ症候群　4-29
粘液水腫性昏睡　7-6

の

脳炎　6-16
膿疱疹　6-9
脳卒中　9-8
嚢胞性線維症（CF）　2-13

は

バイアビリティ（心筋生存性）　1-7
肺移植　2-39
肺炎　6-1, P-2, P-3
肺炎随伴性胸水　2-18
肺癌　5-43
肺気腫　2-7
肺機能検査（PFT）　2-2
肺血管抵抗（PVR）　11-8
敗血症　2-36
肺高血圧症（PHT）　2-24
肺好酸球増加症候群　2-16
肺線維症　2-21, P-6
肺塞栓症（PE）　2-21, P-6
肺動脈圧（PAP）　11-8
肺動脈カテーテル検査　1-20
肺動脈楔入圧（PCWP）　11-8
肺動脈性肺高血圧症（PAH）　2-25
肺動脈拍動係数（PAPi）　11-8
バイト細胞　5-6
背部痛　9-17
肺胞性肺水腫　P-2
跛行　9-19
破砕赤血球　P-14
橋本甲状腺炎　7-5
播種性MAC症　6-30
播種性血管内凝固（DIC）　5-16
播種性淋菌感染症　8-15
白血球円柱　P-15
白血球除去製剤　5-21
白血病　5-27
抜糸　10-3
発熱症候群　6-34
発熱性好中球減少症（FN）　5-56
発熱性非溶血反応　5-21
バベシア症　6-32
パラガングリオーマ　7-14
汎血球減少　5-5
反応性関節炎　8-10

ひ

非Hodgkinリンパ腫（NHL）　5-33
非ST上昇型急性冠症候群（NSTE-ACS）　1-12
非アルコール性脂肪性肝炎（NASH）　3-31
非アルコール性脂肪性肝疾患（NAFLD）　3-31
非巨赤芽球性大球性貧血　5-4
非経腸栄養　3-14
非結核性抗酸菌症（NTM）　2-13
非甲状腺疾患　7-8
微小血管障害性溶血性貧血（MAHA）　5-7
非好中球性細菌性腹水（NNBA）　3-42
非小細胞肺癌（NSCLC）　5-43
脾静脈血栓症　5-46
非侵襲的陽圧換気（NPPV）　2-30
非浸潤性乳癌　5-48
ヒストプラズマ症　6-5
肥大型心筋症　1-30
ビタミンB_{12}（Vit B_{12}）欠乏　5-4
ビタミンK（Vit K）欠乏　5-16
ビデオ下胸腔鏡手術（VATS）　2-11
ヒドロキシカルバミド　5-25
皮膚感染症　6-9
皮膚筋炎　8-19
皮膚白血球破砕性血管炎　8-30
飛蚊症　10-7
表在性静脈血栓症　2-22
標準体重（IBW）　11-15
びらん性胃炎　3-6
びらん性食道炎　3-6
ビリルビン（Bil）　3-24
ピロリン酸カルシウム二水和物（CPPD）結晶沈着症　8-9
貧血　5-1
頻拍
　　QRS幅の広い──　1-57
　　上室──　1-54

ふ

不安定狭心症　1-14
フィラデルフィア（Ph）染色体　5-30
封入体筋炎　8-19
負荷試験　1-6
副甲状腺機能亢進症（HPT）　7-16
副甲状腺機能低下症　7-18
複雑性肺炎随伴性胸水　2-18
複視　10-7
副腎偶発腫瘍　7-15
副腎クリーゼ　7-14
副腎疾患　7-10
副腎不全　7-13
腹水　3-35, 3-41
腹痛　10-1
副伝導路　1-57
腹部大動脈瘤　1-50
腹部大動脈瘤ステントグラフト挿入術（EVAR）　1-51
腹膜透析（PD）　4-26
腹膜透析関連腹膜炎　3-42
不整脈　1-53
不明熱　6-35
プライマリPCI　1-15
ブラストミセス症　6-6
プラトー圧（P_{plat}）　2-32
プロカルシトニン　6-2
プロトロンビン時間（PT）　3-24

へ

平均動脈圧（MAP） 11-8
ペーシングモード 1-66
ペースメーカーコード 1-66
ペニシリン系抗菌薬 11-6
ヘパリン起因性血小板減少症（HIT） 5-12
ヘプシジン 5-3
ヘモクロマトーシス 1-32, 3-38
ベルリン定義（ARDS） 2-34
変形性関節症（OA） 8-2
弁口面積 11-9
変時作用薬 11-4
片頭痛 9-17
便秘 3-13
変力作用薬 11-4

ほ

蜂窩織炎 6-9
膀胱炎 6-8
房室解離 1-54
房室ブロック（AVB） 1-53
放射線照射製剤 5-21
発作性夜間ヘモグロビン尿症（PNH） 5-5
本態性血小板血症（ET） 5-25

ま

膜性腎症 4-29
膜性増殖性糸球体腎炎（MPGN） 4-29
末梢血塗抹所見 11-12
末梢血塗抹標本 P-13
末梢性ニューロパチー 9-12
末梢動脈疾患 1-71
麻痺性イレウス 3-13
マラリア 6-37
慢性気管支炎 2-7
慢性下痢症 3-10
慢性骨髄性白血病（CML） 5-30, P-15
慢性腎臓病（CKD） 4-21
慢性膵炎 3-23
慢性腸間膜虚血 3-20
慢性閉塞性肺疾患（COPD） 2-7, P-1
慢性リンパ性白血病（CLL） 5-36, P-15
マンモグラフィー 5-47

み

ミオクロニー発作 9-4
ミオパチー 9-15
水制限試験 4-14

む

無菌性髄膜炎 6-15
無酸素性脳傷害 9-3
霧視 10-7
無症候性糸球体性血尿 4-28
無脈性VTアルゴリズム 11-3

め・も

メサンギウム増殖性糸球体腎炎 4-29
メトHb血症 2-29
めまい 9-7
免疫グロブリン静注製剤（IVIg） 5-21
免疫性血小板減少症 5-11
免疫チェックポイント阻害薬（ICI） 5-60

免疫複合体関連小血管炎 8-30
免疫複合体病 4-27
免疫不全者，感染症 6-6
網状赤血球指数 5-1
門脈血栓症 3-40

や

薬剤溶出ステント 1-9
薬物負荷試験 1-6
薬物誘発性溶血性貧血 5-7
薬物誘発性ループス 8-25
野兎病 6-34

ゆ

有核赤血球 P-14
有棘赤血球 P-14
有痛性青股腫 2-20
遊離サイロキシン（fT$_4$） 7-4
輸血合併症 5-21
輸血関連急性肺障害（TRALI） 5-22
輸血関連循環過負荷（TACO） 5-22
輸血療法 5-20

よ

溶血性尿毒症症候群（HUS） 5-14
溶血性貧血 5-6
葉酸欠乏 5-4

ら・り

ライム病 6-31
リウマチ疾患 8-1
離脱，人工呼吸器からの―― 2-33
離脱痙攣発作 9-7
利尿 4-23
利尿薬
　K保持性―― 4-24
　チアジド系―― 4-24
　ループ―― 4-20, 4-23
両心室ペーシング 1-67
良性発作性頭位めまい症（BPPV） 9-7
旅行者，――の発熱 6-37
リリーバー治療（喘息） 2-3
リン酸Mgアンモニウム結晶 P-16
臨床アルコール離脱症状評価スケール
　（CIWA-Ar） 11-14
リンパ芽球性リンパ腫 5-35
リンパ管炎 6-9
リンパ球増加 5-19
リンパ節腫大 5-20

る・れ

涙滴赤血球 P-14
類洞閉塞症候群 3-41
ループス腎炎 8-25
ループ利尿薬 4-20, 4-23
連銭形成 P-14

ろ・わ

漏出性胸水 2-16
蝋様円柱 P-15
ロッキー山紅斑熱 6-33
ワルファリン投与量 11-13

内科ポケットリファランス 第3版	定価：本体 4,200 円＋税

2012 年 3 月 30 日発行　第 1 版第 1 刷
2016 年 8 月 30 日発行　第 2 版第 1 刷
2021 年 3 月 28 日発行　第 3 版第 1 刷 ©

編　者　マーク S. サバティン

日本語版
監修者　福井 次矢
　　　　ふくい　つぐや

発行者　株式会社 メディカル・サイエンス・インターナショナル
　　　　代表取締役　金子 浩平
　　　　東京都文京区本郷 1-28-36
　　　　郵便番号 113-0033　電話 (03)5804-6050

印刷：日本制作センター／ブックデザイン：GRID CO., LTD.

ISBN 978-4-8157-3013-0　C3047

本書の複製権・翻訳権・上映権・譲渡権・貸与権・公衆送信権(送信可能化権を含む)は、(株)メディカル・サイエンス・インターナショナルが保有します。本書を無断で複製する行為(複写、スキャン、デジタルデータ化など)は、「私的使用のための複製」など著作権法上の限られた例外を除き禁じられています。大学、病院、診療所、企業などにおいて、業務上使用する目的(診療、研究活動を含む)で上記の行為を行うことは、その使用範囲が内部的であっても、私的使用には該当せず、違法です。また私的使用に該当する場合であっても、代行業者等の第三者に依頼して上記の行為を行うことは違法となります。

JCOPY 〈出版者著作権管理機構　委託出版物〉
本書の無断複製は著作権法上での例外を除き禁じられています。
複製される場合は、そのつど事前に、出版者著作権管理機構
(電話 03-5244-5088、FAX 03-5244-5089、info@jcopy.or.jp)
の許諾を得てください。

#	Section
1	循環器
2	呼吸器
3	消化器
4	腎臓
5	血液・腫瘍
6	感染症
7	内分泌
8	膠原病・リウマチ
9	神経
10	コンサルテーション
11	付録
P	画像
A	略語
I	索引